D1293875

UNE HISTOIRE À SUIVRE…

DES REVENDICATIONS ET LUTTES DANS LA COLONIE BRITANNIQUE AUX ENJEUX DE LA SOCIÉTÉ QUÉBÉCOISE DEPUIS 1980

Raymond Bédard
Enseignant, Commission scolaire des Patriotes

Jean-François Cardin
Ph. D. (histoire)

Sébastien Brodeur-Girard
Ph. D. (histoire)

Claudie Vanasse
Ph. D. (histoire)

Éditions Grand Duc
Groupe Éducalivres inc.
955, rue Bergar, Laval (Québec) H7L 4Z6
Téléphone: 514 334-8466 ■ Télécopie: 514 334-8387
InfoService: 1 800 567-3671

REMERCIEMENTS

Pour son travail de vérification scientifique, l'Éditeur témoigne sa gratitude à M. Daniel Massicotte (Ph. D. en histoire), professeur au Cégep Saint-Jean-sur-Richelieu.

Pour leurs judicieux commentaires, remarques et suggestions à l'une ou l'autre des étapes de l'élaboration du projet, l'Éditeur tient à remercier :

M. Marc Bélanger, Polyvalente Les Etchemins, Commission scolaire des Navigateurs ;

M. Yoland Bouchard, Collège Mont-Notre-Dame-de-Sherbrooke, Sherbrooke ;

M. Éric Clavette, École de L'Odyssée, Commission scolaire des Affluents ;

M. Jean Dauphinais, École de L'Odyssée, Commission scolaire des Affluents ;

M. Mario Déry, Académie Sainte-Thérèse, Sainte-Thérèse ;

M. Réjean Desjardins, conseiller pédagogique retraité,
Commission scolaire des Affluents ;

M. Rosaire Dubé, École Cardinal-Roy, Commission scolaire de la Capitale ;

Mme Sandra Jacques, École Roger-Comtois, Commission scolaire de la Capitale ;

M. Mario Lambert, École secondaire du Triolet,
Commission scolaire de la Région-de-Sherbrooke ;

Mme Marie-Hélène Laverdière, École Roger-Comtois,
Commission scolaire de la Capitale ;

Mme Louise Perras, Collège Mont-Notre-Dame-de-Sherbrooke, Sherbrooke ;

M. Michel Roy, École La Courvilloise,
Commission scolaire des Premières-Seigneuries.

955, rue Bergar, Laval (Québec) H7L 4Z6
Téléphone : 514 334-8466 ■ Télécopie : 514 334-8387
www.grandduc.com

CONCEPTION GRAPHIQUE DE LA COUVERTURE : Pige communication
ILLUSTRATIONS : Volta Création et Martin Gagnon
CARTES GÉOGRAPHIQUES : KOREM inc.

Nous reconnaissons l'aide financière du gouvernement du Canada par l'entremise du Programme d'aide au développement de l'industrie de l'édition (PADIÉ) pour nos activités d'édition.

Gouvernement du Québec – Programme de crédit d'impôt pour l'édition de livres – Gestion SODEC

CODE PRODUIT 3640
ISBN 978-2-7655-0152-7

Dépôt légal
Bibliothèque et Archives nationales du Québec, 2007
Bibliothèque et Archives Canada, 2007

Imprimé au Canada
1 2 3 4 5 6 7 8 9 0 F 6 5 4 3 2 1 0 9 8 7

TABLE des matières

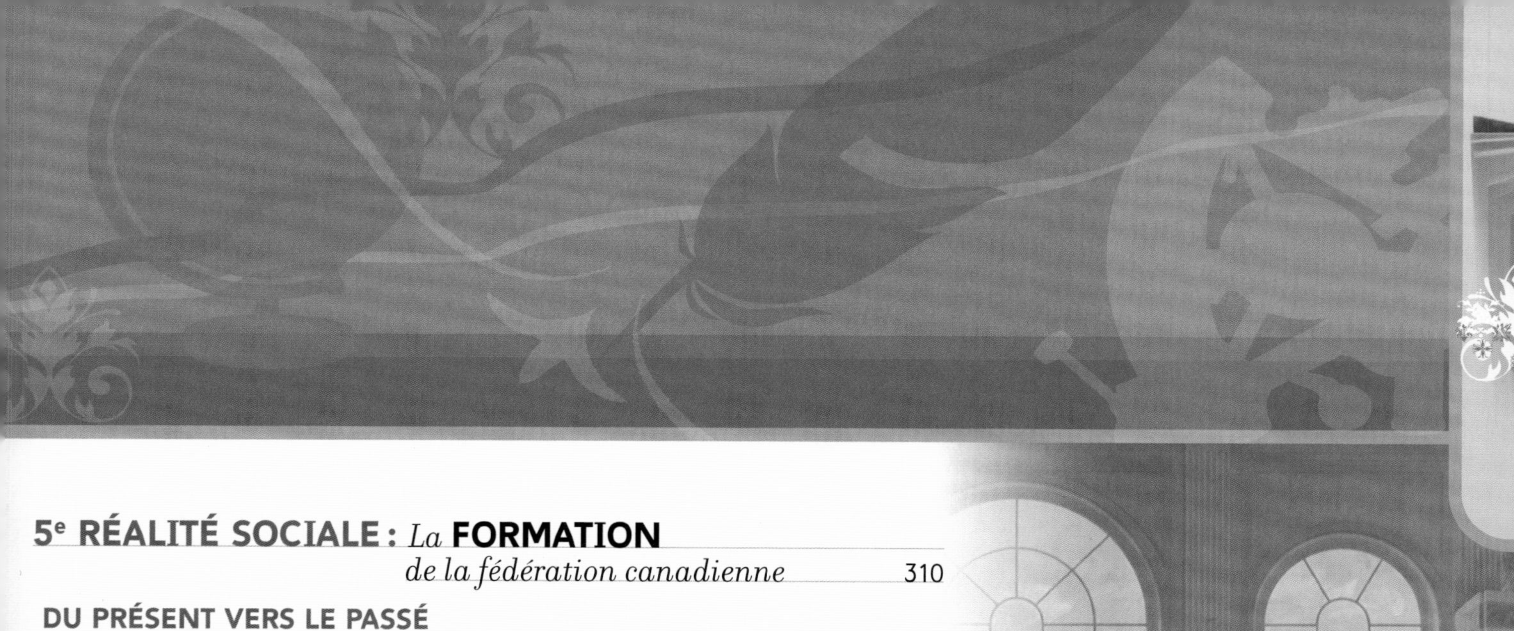

5e RÉALITÉ SOCIALE : *La* **FORMATION** *de la fédération canadienne* 310

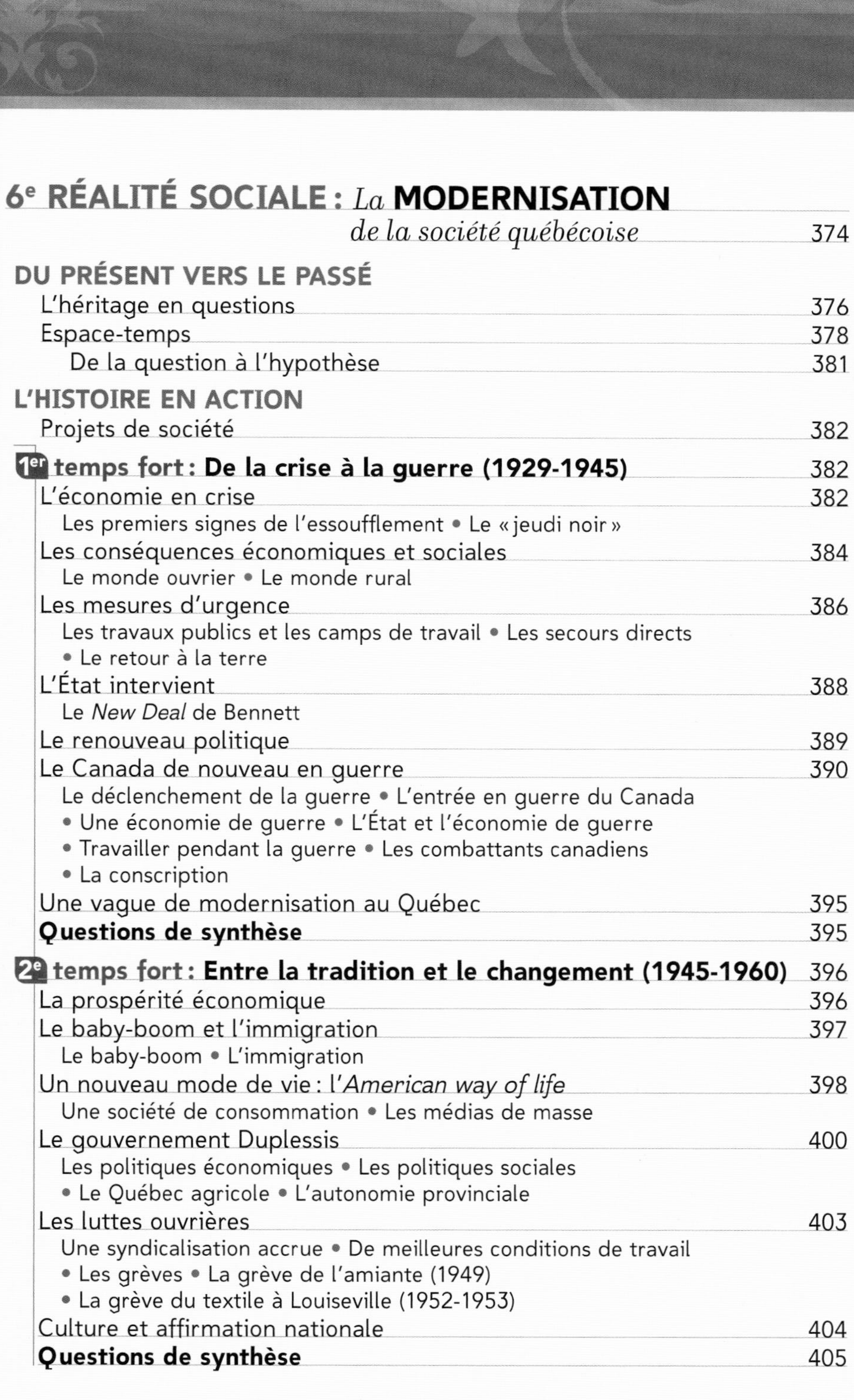

6e RÉALITÉ SOCIALE : *La* MODERNISATION *de la société québécoise* 374

7e RÉALITÉ SOCIALE : *Les* **ENJEUX** *de la société québécoise depuis 1980*

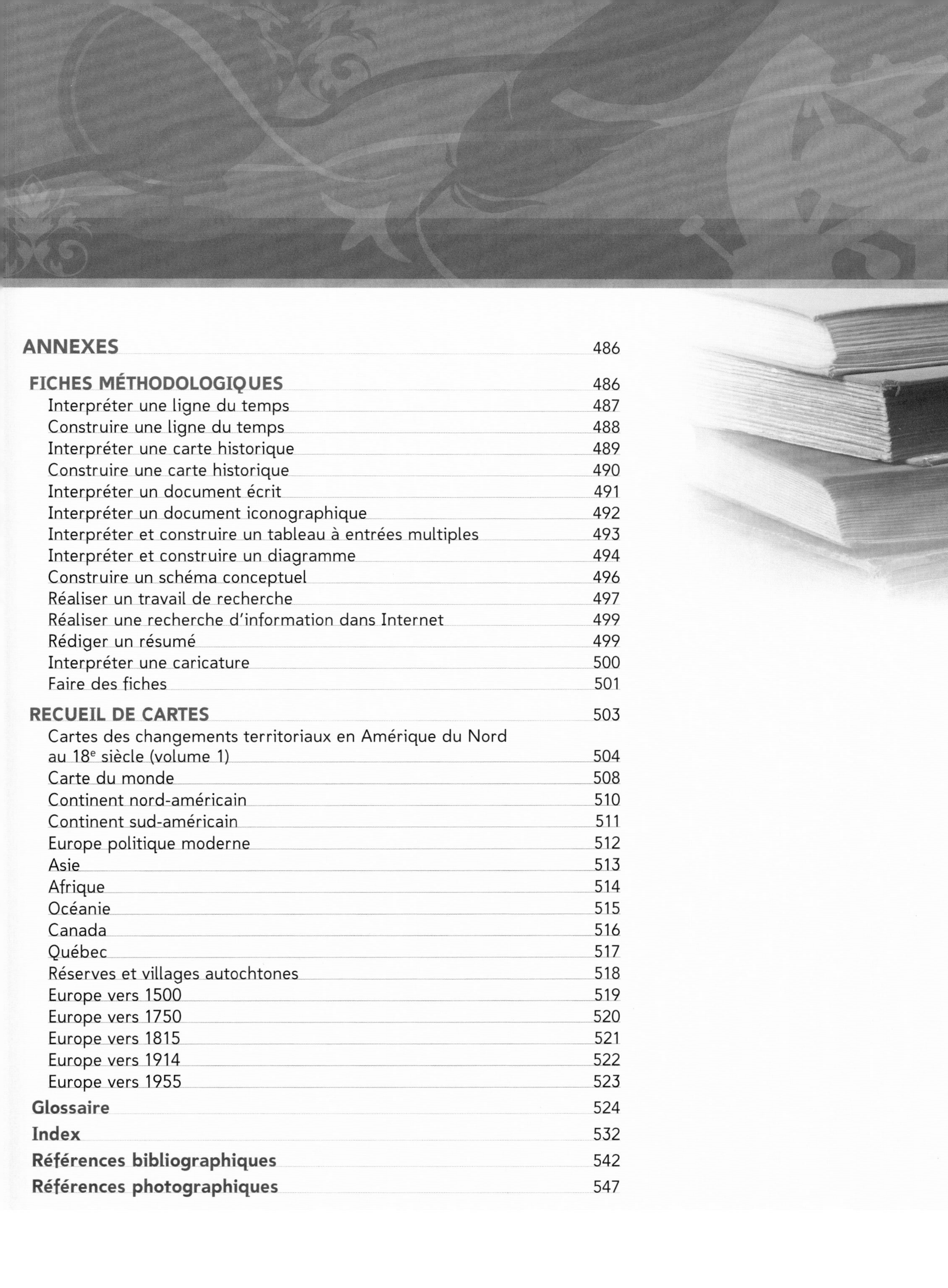

CHRONOLOGIE :

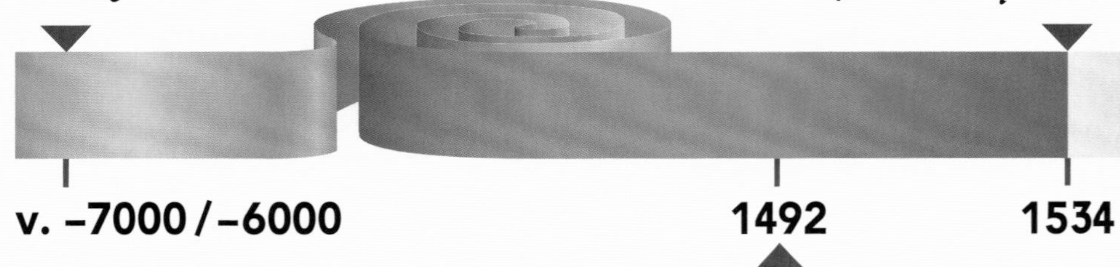

des premiers occupants au changement d'empire (volume 1)

Traité de Paris : fin du Régime français et Proclamation royale

Fondation de Québec par Samuel de Champlain

Début de la guerre de la Conquête

Traité de Versailles

- **1608** — Fondation de Québec par Samuel de Champlain
- **1713** — Signature du traité d'Utrecht
- **1754** — Début de la guerre de la Conquête
- **1763** — Traité de Paris : fin du Régime français et Proclamation royale
- **1774** — Adoption de l'Acte de Québec
- **1783** — Traité de Versailles
- **1791** — Adoption de l'Acte constitutionnel : création du Haut et du Bas-Canada

REVENDICATIONS *et luttes dans la colonie britannique*

Avec la Conquête, les Canadiens sont passés de sujets du roi de France à sujets du roi d'Angleterre. Toutefois, en s'intégrant à l'Empire britannique et avec l'arrivée d'immigrants et d'immigrantes britanniques sur leur territoire, ils prennent davantage conscience de leur identité nationale propre. Or, entre 1791 et 1850, de nouvelles idées politiques, basées sur la liberté des peuples et des individus, viennent alimenter l'affirmation du sentiment national des francophones et des anglophones.

Chambre d'assemblée du Bas-Canada

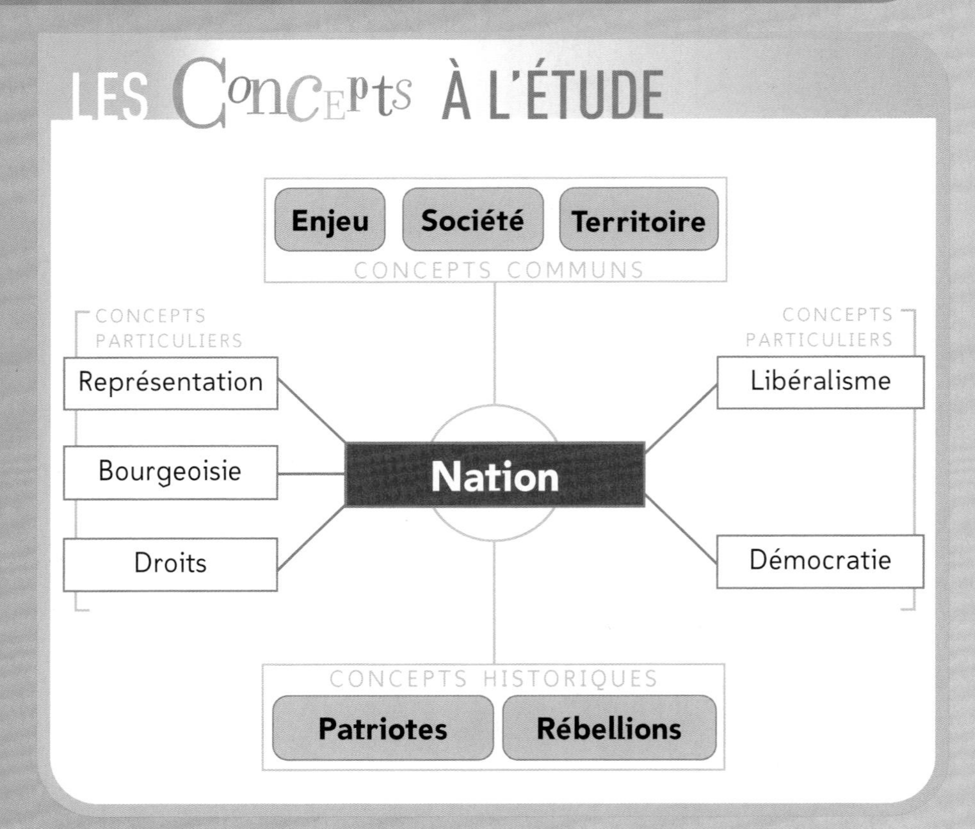

L'incendie du parlement à Montréal, en 1849

TABLE DES MATIÈRES

Papineau s'adressant à la foule

- 1791 : *Adoption de l'Acte constitutionnel*
- 1792 : *Premières élections*
- 1812-1813 : *Invasion du Haut et du Bas-Canada par les Américains*
- 1834 : *Adoption des 92 résolutions*
- 1837-1838 : *Rébellions armées dans le Haut et le Bas-Canada*
- 1839 : *Rapport Durham*
- 1840 : *Adoption de l'Acte d'Union*
- 1848 : *Application du principe de la responsabilité ministérielle*
- 1850

DU PRÉSENT *vers le passé*

4

Le débat des langues, Charles Huot

L'HÉRITAGE EN QUESTIONS

Qui est Québécois ou Québécoise ? Le Québec forme-t-il une nation ? Au Québec et au Canada, la question de la nation a toujours été l'objet de débats. Au Canada, autochtones, francophones et anglophones mettent de l'avant des projets nationaux différents et parfois même opposés. Ainsi, pour beaucoup de Québécois et de Québécoises francophones, le Québec constitue incontestablement une nation. Toutefois, cette opinion, qui ne fait pas l'unanimité, a été régulièrement débattue au cours de notre histoire. L'Assemblée législative du Québec, devenue l'Assemblée nationale en 1968, est l'un des lieux privilégiés où les débats sur cette question se sont déroulés. Un vrai casse-tête !

Un vieux de 37, Henri Julien

Drapeau des Patriotes de 1837-1838

Salon bleu de l'Assemblée nationale à Québec

Arrivée des premiers êtres humains au Québec

1791 *1850*

4e réalité sociale

v. –7000/–6000 | 1500 | 1600 | 1700 | 1800 | 1900 | 2000

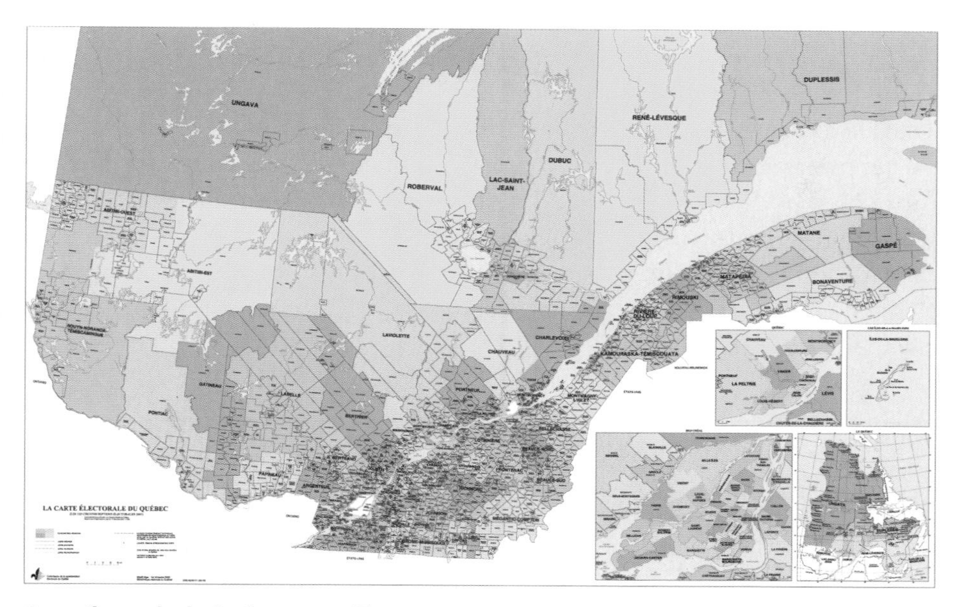

Carte électorale du Québec aujourd'hui

Maison nationale des Patriotes à Saint-Denis-sur-Richelieu

Drapeau de la ville de Montréal

Façade de l'église de Saint-Eustache

Louis-Joseph Papineau

Interrogez-vous

1. a) Observez les images des pages 248 et 249.
   b) Parmi les éléments représentés, lesquels vous sont connus ? Lesquels vous sont inconnus ?
   c) Associez avec chacune de ces images un ou plusieurs des concepts mentionnés à la page 246.
2. Dans l'actualité des dernières semaines, cherchez une nouvelle liée à un événement ou à un débat concernant la question nationale au Québec et au Canada, et discutez-en en classe.

- 1791 — *Adoption de l'Acte constitutionnel*
- 1792 — *Premières élections*
- 1812-1813 — *Invasion du Haut et du Bas-Canada par les Américains*
- 1834 — *Adoption des 92 résolutions*
- 1837-1838 — *Rébellions armées dans le Haut et le Bas-Canada*
- 1839 — *Rapport Durham*
- 1840 — *Adoption de l'Acte d'Union*
- 1848 — *Application du principe de la responsabilité ministérielle*
- 1850

Espace-temps

Dans la foulée de l'indépendance américaine et s'inspirant en bonne partie de cet exemple, de nombreuses colonies fondées par des pays européens aux 15e et 16e siècles accèdent à l'indépendance au début du 19e siècle. Parvenues à maturité et imprégnées des principes de liberté issus de la philosophie des Lumières, elles ne tolèrent plus l'emprise politique de leur mère patrie. Il en ressort, vers 1850, un monde colonial passablement transformé.

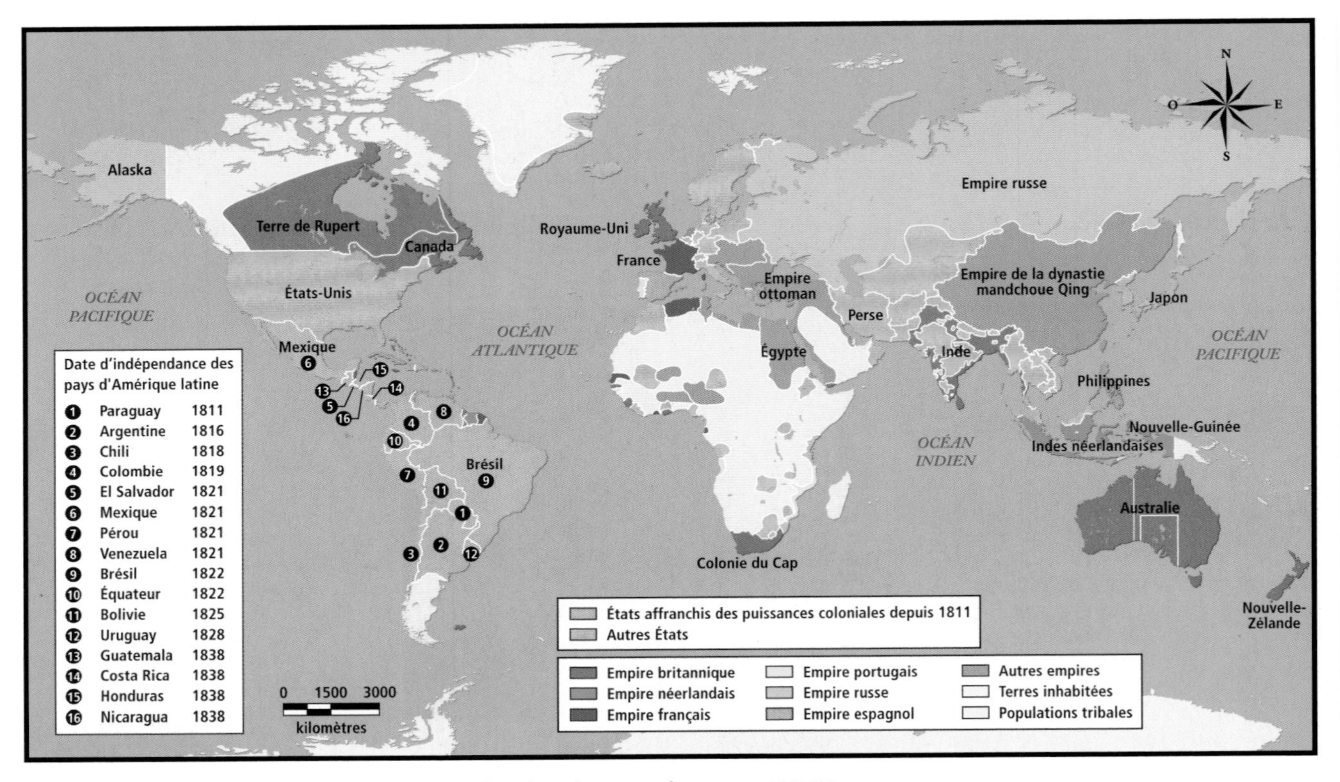

Un monde colonial en transformation (1850)

? Après la Grande-Bretagne qui perd ses colonies américaines en 1783, quelles autres puissances européennes voient certaines de leurs colonies d'Amérique devenir indépendantes au début du 19e siècle ?

Arrivée des premiers êtres humains au Québec

1791 — 1850 : 4e réalité sociale

v. –7000/–6000 — 1500 — 1600 — 1700 — 1800 — 1900 — 2000

L'arrivée des Loyalistes, au lendemain de l'indépendance américaine, vient modifier la configuration territoriale et politique de l'Amérique du Nord britannique. Cet afflux de population conduit à la création de nouvelles colonies, ce qui touche la province de Québec qui se divise alors en deux colonies : le Bas-Canada et le Haut-Canada.

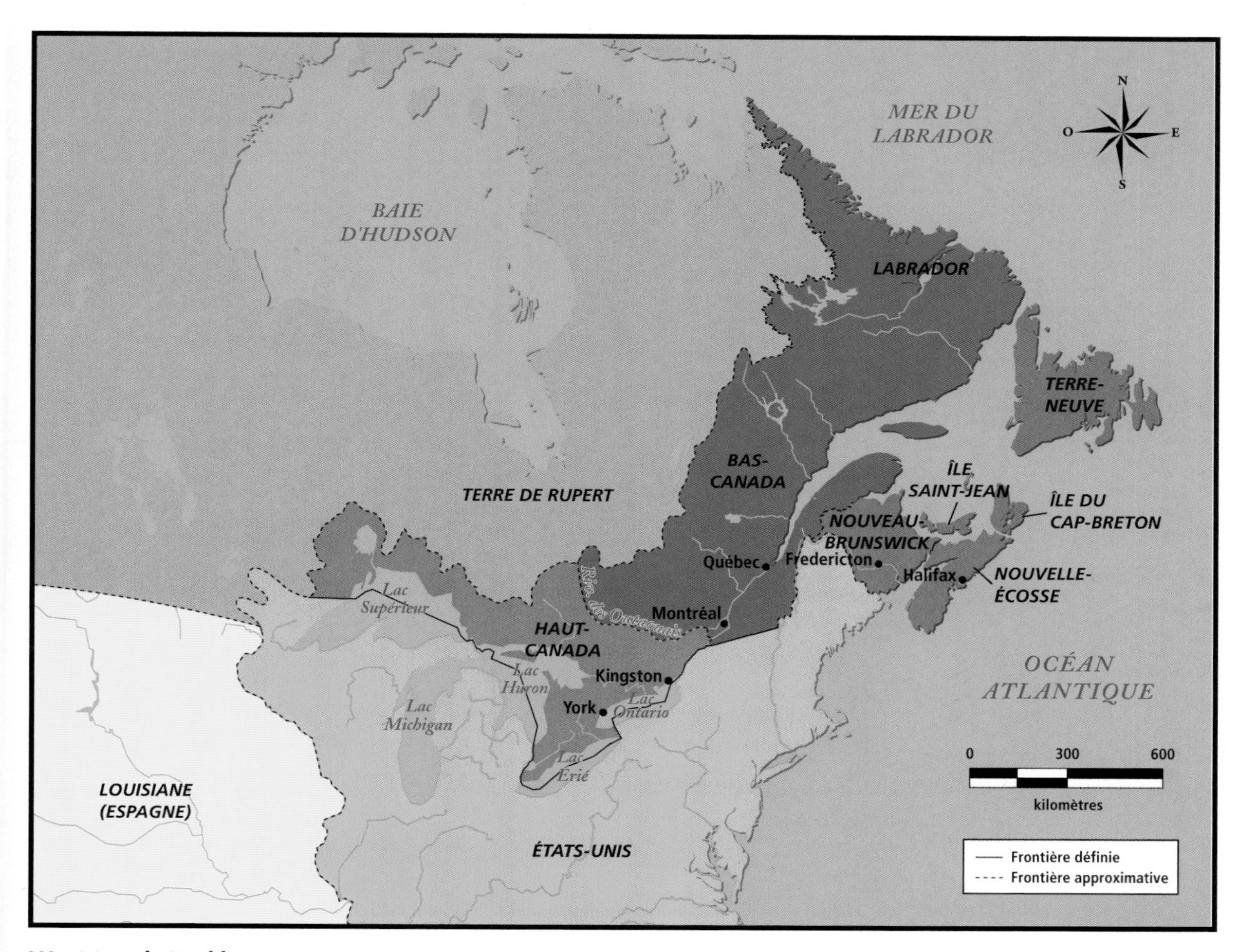

L'Amérique du Nord britannique en 1791

? Quel élément géographique sépare le Haut et le Bas-Canada ? Cette division territoriale existe-t-elle encore de nos jours ? Comment les appellations de Haut et de Bas-Canada se justifient-elles ?

- 1791 – *Adoption de l'Acte constitutionnel*
- 1792 – *Premières élections*
- 1812-1813 – *Invasion du Haut et du Bas-Canada par les Américains*
- 1834 – *Adoption des 92 résolutions*
- 1837-1838 – *Rébellions armées dans le Haut et le Bas-Canada*
- 1839 – *Rapport Durham*
- 1840 – *Adoption de l'Acte d'Union*
- 1848 – *Application du principe de la responsabilité ministérielle*
- 1850

REVENDICATIONS *et luttes dans la colonie britannique*

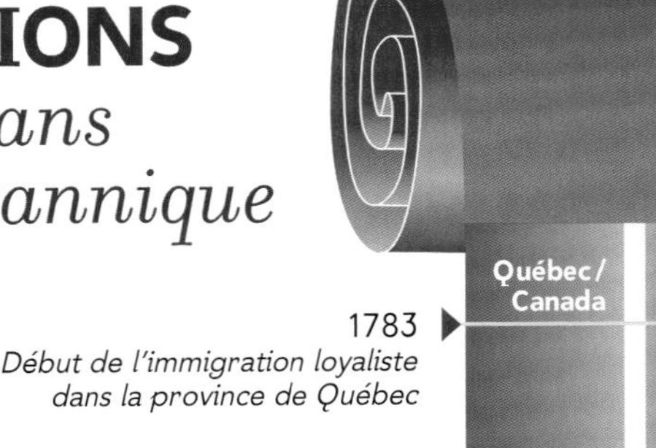

Chambre d'assemblée du Bas-Canada

Radeau de bois sur la rivière des Outaouais

Louis-Hippolyte La Fontaine

Québec/Canada

- 1783 *Début de l'immigration loyaliste dans la province de Québec*
- 1791 *Création du Bas-Canada et du Haut-Canada*
- 1792 *Tenue des premières élections et réunion de la première Chambre d'assemblée*
- 1806 *Fondation du journal* Le Canadien
- 1812 *Invasion du Haut et du Bas-Canada par les Américains*
- 1825 *Inauguration du canal de Lachine*
- 1834 *Adoption des 92 résolutions par la Chambre d'assemblée du Bas-Canada*
- 1837–1838 *Rébellions armées dans le Haut et le Bas-Canada*
- 1840 *Création du Canada-Uni*
- 1848 *Application du principe de la responsabilité ministérielle*

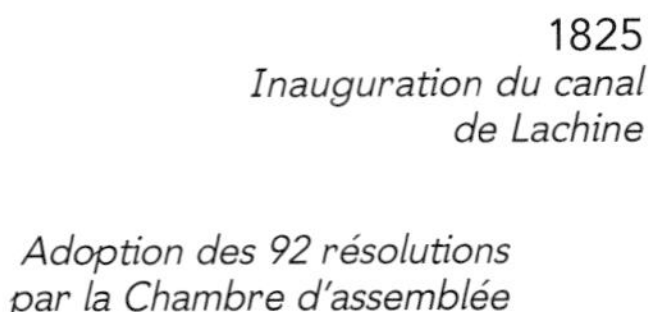

Europe/Reste du monde

- 1783 *Signature du traité de Versailles*
- 1789 *Début de la Révolution française*
- 1791 *Adoption de l'Acte constitutionnel à Londres*
- 1793 *Exécution de Louis XVI et début de la guerre entre la France et l'Angleterre*

Exécution du roi Louis XVI

- 1815 *Défaite de Napoléon à Waterloo (Belgique)*
- 1816 *L'Argentine proclame son indépendance*
- 1821 *Le Pérou proclame son indépendance*
- 1837 *Début du règne de la reine Victoria*
- 1839 *Publication du rapport Durham*
- 1840 *Adoption de l'Acte d'Union à Londres*
- 1846 *Abolition par le gouvernement anglais des* Corn Laws

John George Lambton, Lord Durham

? D'après les documents présentés dans les pages précédentes, quels événements ayant eu cours en Amérique latine ont pu influencer la situation politique au Bas-Canada au début du 19e siècle ? Pourquoi selon vous ?

La composition ethnique de la Chambre d'assemblée vers 1800

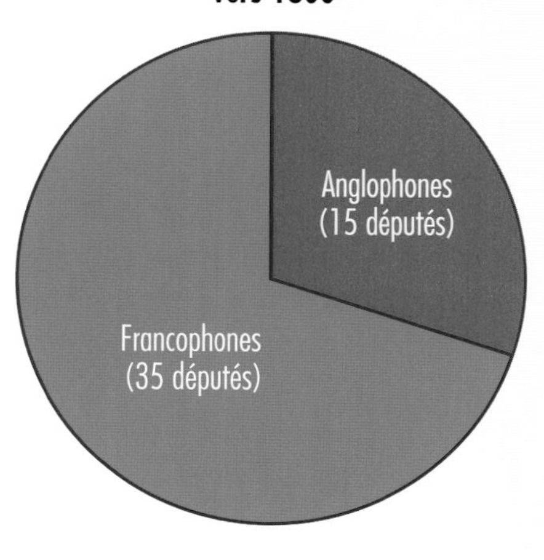

La composition ethnique du gouvernement colonial du Bas-Canada vers 1800

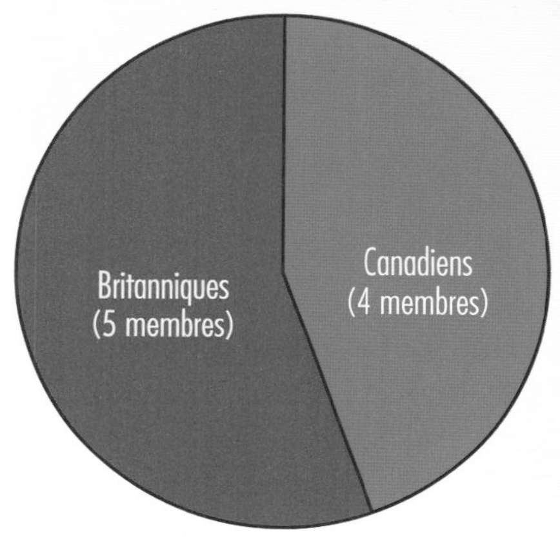

Autorités britanniques
Gouverneur
Conseils législatif et exécutif

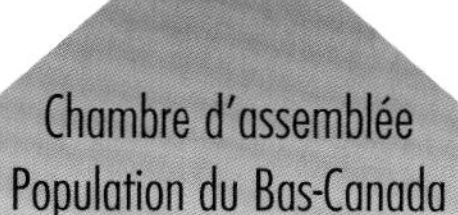

Chambre d'assemblée
Population du Bas-Canada

La relation entre le gouverneur et la Chambre d'assemblée au début du 19e siècle

De la QUESTION à l'HYPOTHÈSE

À partir des indices ci-dessus, des documents présentés dans les pages précédentes et de vos connaissances actuelles, formulez une hypothèse pour répondre à la question suivante.

Comment les idées de liberté qui circulent en Europe et en Amérique au 19e siècle ont-elles pu favoriser l'émergence du sentiment national chez les Canadiens français ?

- Repérez les mots inconnus ou difficiles et cherchez-en la définition.
- Rédigez une hypothèse pour répondre à cette question.
- Au besoin, donnez des exemples concrets pour illustrer vos propos.

- 1791 *Adoption de l'Acte constitutionnel*
- 1792 *Premières élections*
- 1812-1813 *Invasion du Haut et du Bas-Canada par les Américains*
- 1834 *Adoption des 92 résolutions*
- 1837-1838 *Rébellions armées dans le Haut et le Bas-Canada*
- 1839 *Rapport Durham*
- 1840 *Adoption de l'Acte d'Union*
- 1848 *Application du principe de la responsabilité ministérielle*
- 1850

L'HISTOIRE *en action*

PROJETS DE SOCIÉTÉ

L'arrivée des Loyalistes et les demandes des marchands anglophones et de la **bourgeoisie** francophone incitent la Grande-Bretagne à modifier de nouveau la Constitution de la colonie. L'Acte constitutionnel, adopté en 1791, met en place une nouvelle structure politique permettant au peuple d'être représenté au sein d'une chambre d'assemblée élue. Cependant, les représentants élus, tant francophones qu'anglophones, revendiquent bientôt les pleins pouvoirs, soit la responsabilité ministérielle. En cela, ils s'inspirent des idées libérales venues d'Europe ou des États-Unis. L'influence de ces idées sur l'affirmation de la nation sera au cœur des revendications politiques de cette période.

1er TEMPS FORT

L'ACTE CONSTITUTIONNEL ET LES DÉBUTS DU PARLEMENTARISME (1791-1814)

De la *Province of Quebec* au Bas-Canada 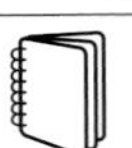

En juin 1791, après quelques années de consultations, Londres promulgue une nouvelle loi, l'Acte constitutionnel. Cette loi modifie l'Acte de Québec sans toutefois l'annuler. Ainsi, les francophones conservent la liberté de culte et l'usage des lois civiles françaises. Les modifications portent sur deux points importants : le territoire et les structures politiques.

Vue d'une ferme dans les Cantons-de-l'Est

Majoritairement peuplés par les Loyalistes au début du 19e siècle, les Cantons-de-l'Est présentent une division des terres différente de celle de la seigneurie. Les « cantons », ou *townships*, sont de forme carrée et sont tous d'égale superficie. La division se fait sans tenir compte des particularités du terrain.

? Vérifiez s'il y a des traces du mode de division des terres cantonal dans la région où vous habitez.

Le territoire

L'Acte constitutionnel divise l'ancienne province de Québec en deux provinces distinctes (voir la carte à la page 251).

LA SITUATION EN 1791 : TERRITOIRE ET DÉMOGRAPHIE

PROVINCE	HAUT-CANADA	BAS-CANADA
Territoire	Sud de l'Ontario actuel	Sud du Québec actuel
Population	20 000 Loyalistes	160 000 habitants et habitantes, dont : • 150 000 francophones • 10 000 anglophones
Mode de distribution des terres	Canton, c'est-à-dire tenure sans rente	• Régime seigneurial là où il existe déjà. • Canton pour les nouvelles terres concédées

Le gouvernement britannique évite ainsi la cohabitation forcée de deux peuples dont les origines et les traditions sont différentes, repoussant à plus tard l'assimilation des francophones. Il satisfait également aux principales demandes des Loyalistes, qui exigent une province bien à eux et le retour des lois britanniques.

Arrivée des premiers êtres humains au Québec — 1791 — 1850 — 4e réalité sociale

v. –7000/–6000 | 1500 | 1600 | 1700 | 1800 | 1900 | 2000

La nouvelle structure politique

L'Acte constitutionnel introduit dans la colonie de nouvelles structures politiques, qui sont semblables dans le Haut et le Bas-Canada. La grande nouveauté tient dans la création d'une chambre d'assemblée inspirée du parlementarisme britannique, c'est-à-dire de la forme du gouvernement anglais. Toutefois, contrairement au Parlement anglais, la Chambre d'assemblée a des pouvoirs plus limités. La Chambre est formée de représentants élus qui « parlent » au gouvernement au nom du peuple. Il s'agit donc d'un système représentatif, puisque le peuple est « représenté » auprès du gouvernement par les élus que l'on appelle députés. Ce phénomène de « représentation » politique est central dans notre système démocratique.

SCHÉMA DES STRUCTURES POLITIQUES APRÈS L'ACTE CONSTITUTIONNEL

EN GRANDE-BRETAGNE

Roi
Parlement britannique

AU BAS-CANADA

Gouverneur général
- Nommé par Londres, il représente le gouvernement britannique au Canada.
- Il est le chef du gouvernement : il préside l'administration de la colonie et détient l'autorité suprême.
- Il choisit les membres des deux conseils.
- Il convoque l'Assemblée une fois par année et peut la dissoudre à volonté (faire cesser ses activités).
- Il approuve ou rejette, grâce à son droit de *veto*, les projets de lois qui lui sont présentés.
- Il fait appliquer les lois.
- Il est le chef militaire de la colonie.

Conseil exécutif (9 membres)
- Les membres sont choisis par le gouverneur et nommés par Londres.
- Les membres jouent le rôle de ministres : ils aident le gouverneur à faire appliquer les lois et à administrer la colonie.
- Ils ne sont pas obligés de démissionner s'ils perdent la confiance de la Chambre d'assemblée.

Conseil législatif (15 membres)
- Les membres sont choisis par le gouverneur et nommés à vie par Londres.
- Les membres préparent des lois.
- Ils approuvent ou rejettent les lois présentées par la Chambre d'assemblée.

Chambre d'assemblée ou Assemblée législative (50 députés)
- Elle est représentative : ses 50 députés sont élus pour une durée de 4 ans. Ils ne sont pas rémunérés.
- Les députés préparent, discutent et votent leurs projets de lois et ceux du Conseil législatif.
- Ils votent les taxes nécessaires à l'administration de la colonie.

Électeurs et électrices

➡ Nomination
⇨ Élection

Première réunion de la Chambre d'assemblée du Bas-Canada en 1792

L'Assemblée nationale actuelle, à Québec, est issue de la première Chambre d'assemblée. De ce fait, elle est l'un des plus vieux parlements du monde.

? D'après vous, qui détient le plus de pouvoir politique au Bas-Canada ?

Parlement de Londres

Les institutions accordées aux Canadiens et Canadiennes en 1791 sont inspirées de celles qui existent en Angleterre à la même époque. La Chambre d'assemblée coloniale détient cependant beaucoup moins de pouvoirs que celle de Londres.

?

1. D'après vous, pourquoi ce système est-il dit « parlementaire » ?
2. Qui sont ceux qui « parlementent » ? Où le font-ils ?

Comment fait-on une loi ? 

Un projet de loi peut être préparé par la Chambre d'assemblée ou par le Conseil législatif. Il est ensuite discuté, modifié et soumis au vote des députés de la Chambre d'assemblée. Si une majorité de députés vote en faveur du projet, on l'envoie au Conseil législatif. Celui-ci peut l'approuver ou le renvoyer devant la Chambre pour qu'il soit modifié.

Lorsque le projet est accepté par le Conseil législatif, il doit encore recevoir l'approbation du gouverneur pour devenir une loi. Enfin, il est transmis au Conseil exécutif qui est chargé d'adopter les mesures nécessaires pour faire appliquer la nouvelle loi dans la colonie.

?

1. Reproduisez sur une feuille les éléments essentiels du schéma de la page précédente et indiquez par des flèches le cheminement d'une loi tel qu'il est décrit ci-dessus.
2. Informez-vous pour savoir si ce cheminement est encore le même aujourd'hui à l'Assemblée nationale.

Une véritable démocratie ?

Dans une démocratie, le pouvoir appartient au peuple, qui peut l'exercer directement ou indirectement, par l'intermédiaire de représentants élus. En 1791, l'Acte constitutionnel accorde à la population canadienne une institution essentielle à la démocratie : elle peut désormais élire les députés qui la représenteront au Parlement. Pourtant, ce n'est pas encore une véritable démocratie.

En effet, la Couronne britannique évite d'accorder une trop grande autonomie à la Chambre d'assemblée. Elle craint de répéter la même erreur que dans les treize colonies. C'est pourquoi le pouvoir des députés est grandement limité par l'action du gouverneur, qui dispose d'une autorité quasi absolue dans la colonie.

C'est lui qui nomme les membres des deux conseils. Il peut choisir des hommes fidèles aux intérêts de l'Empire britannique. Les représentants élus ne siègent donc ni au Conseil exécutif ni au Conseil législatif. De plus, grâce à son **droit de *veto*,** le gouverneur peut refuser toutes les lois qui proviennent de la Chambre d'assemblée et du Conseil législatif. Enfin, il peut faire cesser les activités de la Chambre à n'importe quel moment (droit de dissolution).

En somme, les députés élus détiennent très peu de pouvoirs. Cette situation entraînera rapidement le mécontentement de la population du Haut et du Bas-Canada.

Les élections : où, quand, comment et pour qui ?

En mai 1792 s'ouvre la première campagne électorale du Bas-Canada. Au total, 50 députés doivent être élus pour former la première Chambre d'assemblée. Le territoire est divisé en 27 comtés (ou circonscriptions) : 21 ruraux et 6 urbains (Montréal (2), Québec (2), Trois-Rivières et Sorel, autrefois appelé « bourg William-Henry »).

La campagne électorale

En 1792, il n'existe pas encore de parti politique. Les candidats qui se présentent aux élections doivent compter sur leurs mérites et leur réputation pour se faire élire. À cette époque, comme il est mal vu de solliciter personnellement les électeurs et électrices, les candidats s'adressent au peuple par des annonces dans les journaux ou par des lettres circulaires. Les électeurs et électrices qui ne savent pas lire s'informent sur les candidats lors de rencontres qui se tiennent sur le perron de l'église après la messe du dimanche, sur la place publique ou à l'auberge. Certains candidats n'hésitent pas à faire couler l'alcool à flots pour obtenir des votes supplémentaires.

1 Montréal-Ouest
2 Montréal-Est
3 Bourg William-Henry (Sorel)
4 Trois-Rivières
5 Basse-ville de Québec
6 Haute-ville de Québec

Première carte électorale du Bas-Canada

Pour dresser cette première carte électorale, les autorités se basent en bonne partie sur les limites du régime seigneurial, une division connue de tous.

? Quelle est l'origine linguistique de la plupart des noms de circonscriptions ?

Aux électeurs du comté de Québec

Voici comment un candidat de Québec se présente dans un journal local.

« Amis et compatriotes,
C'est avec confiance que j'invoque vos suffrages, afin d'être choisi un de vos représentants dans l'assemblée prochaine.
Né au sein de la Province, ayant quelque propriété en terres et biens-fonds, mes intérêts sont les vôtres. Ne craignez point que je trahisse votre confiance et le dépôt dont vous m'aurez chargé.
Le bien-être de ma patrie, le bonheur de mes concitoyens, tels seront toujours les objets qui dirigeront mes vœux et mes efforts.

Je suis sincèrement votre zélé compatriote,
Pierre L. Panet »

La Gazette de Québec, 16 mai 1792.

? Si la campagne électorale se déroulait aujourd'hui, de quelle façon M. Panet pourrait-il joindre les électeurs et électrices ?

Adoption de l'Acte constitutionnel — 1791
Premières élections — 1792
Invasion du Haut et du Bas-Canada par les Américains — 1812-1813
Adoption des 92 résolutions — 1834
Rébellions armées dans le Haut et le Bas-Canada — 1837-1838
Rapport Durham — 1839
Adoption de l'Acte d'Union — 1840
Application du principe de la responsabilité ministérielle — 1848
1850

James McGill

James McGill, un puissant homme d'affaires, est l'un des députés anglophones élus au Bas-Canada. Considéré comme le citoyen le plus riche de Montréal, il a légué à sa mort les fonds nécessaires pour la fondation de l'Université McGill.

? Quel intérêt un homme d'affaires peut-il avoir à se faire élire comme député ?

Qui peut voter ?

Pour avoir le droit de voter, il suffit d'avoir 21 ans, de posséder des biens d'une certaine valeur à la ville ou à la campagne, d'être un sujet britannique par la naissance ou par la Conquête et d'avoir prêté un serment d'allégeance à la couronne. La loi électorale ne fait pas mention de la religion, du sexe ou de l'ethnie. Ainsi, en 1792 et aux élections suivantes, des femmes, des juifs et des Amérindiens ont pu voter.

La tenue des premières élections

Déclenchées en juin 1792, les premières élections au Bas-Canada durent plusieurs semaines. En effet, il n'y a qu'un seul bureau de scrutin dans chaque circonscription et celui-ci ferme lorsqu'une heure entière s'est écoulée sans qu'un électeur se présente. Cette façon de procéder fait en sorte que les députés ne sont pas tous élus en même temps.

Partout, le vote s'effectue publiquement et oralement. Dans plusieurs endroits, cela entraîne des querelles entre les électeurs et même un début d'émeute près de Québec !

Les résultats du vote

Lors de ce premier scrutin où la population doit élire 50 députés, les électeurs et électrices élisent une majorité de Canadiens français. Les Canadiens anglais, même s'ils sont minoritaires dans toutes les circonscriptions du Bas-Canada, parviennent à faire élire 16 anglophones. La moitié des nouveaux députés possède une seigneurie et une trentaine d'entre eux sont des commerçants.

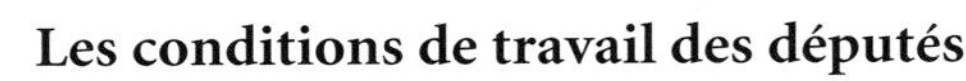

Les conditions de travail des députés

À cette époque, les députés ne reçoivent aucun salaire. Ceux qui habitent loin de Québec et qui doivent se loger dans la capitale pendant la période des débats n'ont droit à aucune indemnité pour les dépenses occasionnées. Cette situation provoque un taux d'absentéisme important lors des premières sessions parlementaires. En 1795, on doit même abaisser à 15 le nombre minimal de députés nécessaires (quorum) pour pouvoir tenir des séances.

Violence électorale

Les candidats aux élections n'hésitent pas à faire appel aux services de « boulés » (de l'anglais *bully* : fier-à-bras), des hommes de main chargés d'intimider les partisans de leurs adversaires.

? Ces pratiques sont-elles encore en vigueur de nos jours ?

Les premiers débats

La première **session** de la Chambre d'assemblée du Bas-Canada s'ouvre le 17 décembre 1792 à Québec. Dès les premiers jours des débats, une division se crée entre les députés anglophones et les députés francophones.

Le choix d'un orateur

Les représentants doivent d'abord désigner un orateur (aujourd'hui, un président), qui dirigera les travaux de la Chambre. Les anglophones et les francophones proposent chacun leur candidat. Malgré des discussions houleuses, les francophones, largement majoritaires, font élire un des leurs, l'avocat Jean-Antoine Panet.

La question de la langue

Dès janvier, les députés doivent décider quelle langue sera utilisée dans les débats et dans la rédaction des documents officiels. Le désaccord est inévitable. Les élus mettent trois jours à s'entendre et reconnaissent finalement l'usage des deux langues. Toutefois, Londres en décide autrement: la langue officielle du Bas-Canada sera l'anglais, et le français sera admis seulement comme langue de traduction.

***Le débat des langues,* Charles Huot**

?

1. D'après cette reconstitution datant du début du 20e siècle, quels indices témoignent d'une certaine agitation dans les conversations ?
2. D'après leur habillement, de quel groupe social ces personnages semblent-ils issus ?

La formation des premiers partis

La division entre francophones et anglophones entraîne bientôt la formation de partis politiques. D'un côté, le Parti canadien regroupe les députés francophones, soutenus par la majorité de la population. De l'autre, le *British Party* reçoit l'appui des marchands, des hauts fonctionnaires et des colons anglophones. Malgré plusieurs disputes entre les deux partis, les députés adoptent plus d'une centaine de lois entre 1792 et 1804.

La querelle des prisons

La première vraie crise parlementaire éclate en 1805. Les députés ne s'entendent pas sur la nature des taxes à prélever pour payer la construction de deux nouvelles prisons. Les francophones veulent taxer le commerce, tandis que les anglophones suggèrent de taxer la propriété terrienne. Grâce à sa majorité en Chambre, le Parti canadien parvient à faire adopter une taxe sur le commerce qui touche surtout les marchands anglophones. Le mécontentement gronde parmi eux.

1791	1792	1812-1813	1834	1837-1838	1839	1840	1848	1850
Adoption de l'Acte constitutionnel	Premières élections	Invasion du Haut et du Bas-Canada par les Américains	Adoption des 92 résolutions	Rébellions armées dans le Haut et le Bas-Canada	Rapport Durham	Adoption de l'Acte d'Union	Application du principe de la responsabilité ministérielle	

Vue du port de Montréal en 1830

Le libéralisme privilégie un développement de l'économie dans lequel l'État joue un rôle limité. Il favorise les initiatives personnelles. Cette gravure montre un canot, un grand voilier à trois mâts et une nouvelle sorte de bateau : le navire à vapeur.

? Quels sont les avantages économiques pour une ville d'avoir un port ?

Des idées révolutionnaires

L'expérience que font les Canadiens des institutions représentatives s'inscrit dans l'effervescence intellectuelle que connaît l'Occident à la même époque. Dans la seconde moitié du 17e siècle et surtout au 18e siècle, des penseurs européens et américains répandent des idées libérales qui circulent de plus en plus ouvertement sur la place publique et dans différentes publications tels les journaux et les livres. Ces idées exercent une profonde influence sur les révolutions politiques qui secouent l'Europe et l'Amérique aux 17e et 18e siècles. Elles atteignent aussi le Canada et contribuent grandement à l'évolution de la vie politique et économique.

Adam Smith

Ce philosophe écossais est considéré comme le père du libéralisme économique. Selon lui, c'est la somme des intérêts économiques de chaque individu qui génère la richesse d'une nation.

? Qu'en pensez-vous ?

Le libéralisme

Le libéralisme est constitué d'un ensemble d'idées à la fois politiques et économiques. Celles-ci reposent toutes sur l'idée que l'être humain possède des **droits** naturels fondamentaux **inaliénables** : le droit à la vie, le droit à la liberté et le droit à la propriété. Pour les penseurs libéraux, la liberté individuelle est la valeur suprême qu'il faut promouvoir et défendre. Sur le plan collectif, la souveraineté du peuple doit guider les décisions des dirigeants, ce qui nous ramène aux principes démocratiques des Grecs de l'Antiquité.

Dans les domaines politique et économique, les libéraux veulent limiter les pouvoirs de l'État pour garantir les droits naturels des populations. L'État est essentiel pour interdire la violence et protéger les individus, mais il ne doit pas empêcher la liberté d'action, de pensée, d'opinion et d'association.

De plus, l'État doit intervenir peu dans la vie économique. Les individus doivent être libres d'agir selon leur intérêt particulier. Le rôle de l'État est de s'assurer que la concurrence demeure équitable pour tous.

?

1. Selon vous, le libéralisme, tel qu'il est défini ici, est-il encore présent dans les structures politiques et économiques du Québec ?
2. Selon cette idéologie, est-il permis de détenir un monopole commercial ?

Arrivée des premiers êtres humains au Québec

v. –7000/–6000 | 1500 | 1600 | 1700 | 1791 | 1800 | 1850 | 4e réalité sociale | 1900 | 2000

La nation

La nation regroupe tous les individus qui occupent un même territoire, qui sont gouvernés par un pouvoir unique et qui sont soumis aux mêmes lois. Ils ont souvent une histoire, une culture et des traditions communes, et parfois une même langue. Pour les penseurs et les hommes politiques des 17e et 18e siècles, les membres de la nation doivent décider collectivement de leur sort grâce à des institutions démocratiques. La volonté nationale s'exprime alors à travers les représentants élus qui élaborent, au nom de la population, les lois pour le bien-être général.

? Montrez, par quelques exemples, comment cette définition s'applique aux Canadiens français du Bas-Canada.

Guillaume d'Orange et Marie II Stuart approuvant le *Bill of Rights*

Guillaume d'Orange et Marie II Stuart sont les nouveaux souverains anglais désignés par le Parlement en 1688. Pour régner, ils acceptent de signer le *Bill of Rights*.

? Quelle est l'importance de ce document dans l'histoire de l'Angleterre ?

Libéralisme et vie politique

Les idées libérales influencent de nombreux penseurs en Occident et affectent la vie politique de plusieurs pays. Aux 17e et 18e siècles, trois pays, l'Angleterre, les États-Unis et la France, sont d'ailleurs secoués par des révolutions s'appuyant sur ces idées.

1 La Glorieuse Révolution anglaise (1688-1689)

En 1688, le Parlement anglais force le roi Jacques II, trop autoritaire, à **abdiquer**. À sa place, il désigne de nouveaux souverains à qui il impose ses conditions en leur faisant signer le *Bill of Rights* (la Déclaration des droits). Pour la première fois, les représentants d'une nation établissent un régime politique en signant un contrat avec le pouvoir royal. À partir de ce moment, le pouvoir de la monarchie anglaise n'est plus absolu. Il est limité par celui du Parlement.

La Déclaration des droits limite le pouvoir royal et définit celui du Parlement. Dès lors, c'est le Parlement qui vote les impôts, qui décide la levée des troupes armées et qui administre la justice. La monarchie conserve le pouvoir exécutif, mais elle ne peut plus interdire les lois sans l'autorisation du Parlement ni empêcher ses sujets de lui présenter des pétitions lorsqu'ils ont une raison de se plaindre.

Signature de la *Magna Carta libertatum* en 1215 par le roi Jean

Traditionnellement, les historiens et historiennes attribuent l'origine du parlementarisme anglais à la signature de la *Magna Carta* (la Grande Charte). Ce document restreint les pouvoirs du roi de lever des taxes sans consulter les grands barons du royaume.

? En quoi cette limitation du pouvoir royal se rapproche-t-elle des principes du libéralisme ?

Adoption de l'Acte constitutionnel — 1791
Premières élections — 1792
Invasion du Haut et du Bas-Canada par les Américains — 1812-1813
Adoption des 92 résolutions — 1834
Rébellions armées dans le Haut et le Bas-Canada — 1837-1838
Rapport Durham — 1839
Adoption de l'Acte d'Union — 1840
Application du principe de la responsabilité ministérielle — 1848
1850

John Locke

Pour le philosophe anglais John Locke, le pouvoir d'un gouvernement vient du peuple, non de Dieu. Toutefois, au 17ᵉ siècle, les idées libérales de John Locke ne sont pas partagées par tous. De 1683 à 1689, le philosophe doit s'exiler en Hollande, où il rédige l'essentiel de son chef-d'œuvre *Essai sur l'entendement humain*.

? Quel lien peut-on établir entre Locke et Périclès, le dirigeant athénien au 5ᵉ s. av. J.-C. ?

2 La Révolution américaine (1776-1783)

La Déclaration d'indépendance américaine, qui fonde en 1776 les États-Unis d'Amérique, est directement inspirée des idées libérales qui se développent en Europe aux 17ᵉ et 18ᵉ siècles. En effet, pour justifier la séparation des colonies de leur métropole, le principal rédacteur de la Déclaration, Thomas Jefferson, s'appuie sur la théorie des droits naturels développée par le philosophe anglais John Locke.

Selon cette théorie, le pouvoir est issu du peuple. Ce sont les hommes qui délèguent ce pouvoir au gouvernement pour qu'il protège leurs droits naturels : droits à la vie, à la liberté et à la propriété. L'État est donc lié aux individus qu'il gouverne par un **contrat social**. S'il s'acquitte mal de sa tâche, le peuple peut mettre un terme au contrat et révoquer le gouvernement.

Dans la Déclaration d'indépendance, Thomas Jefferson démontre, en énumérant les injustices commises par la Grande-Bretagne, que la métropole n'a pas su défendre les droits naturels de ses sujets. Par conséquent, la population des treize colonies peut rompre le contrat qui l'unit à la Couronne britannique et proclamer son indépendance. Pour la première fois, les idées libérales servent à justifier la naissance d'un nouveau pays.

Chute de la statue de George III

En 1776, les révolutionnaires américains font tomber la statue du roi George III. Cet acte, qui survient quelques jours après la lecture de la Déclaration d'indépendance, symbolise le rejet de la monarchie anglaise. Il marque aussi la naissance d'une identité nationale proprement américaine.

? Selon vous, le terme « révolution » pour désigner l'indépendance américaine est-il justifié ?

3 La Révolution française (1789-1799)

Les idées libérales ont également inspiré les acteurs de la Révolution qui, en France, mène à l'abolition de la monarchie. Dès 1789, les députés abolissent les privilèges de la noblesse et du clergé. Tous les citoyens et citoyennes deviennent égaux devant la loi et possèdent les mêmes droits. La même année, l'Assemblée proclame la Déclaration des droits de l'homme et du citoyen qui énonce les droits fondamentaux : liberté, égalité de tous devant la loi, souveraineté de la nation. Cette déclaration, qui est ensuite intégrée dans la Constitution française, inspire la Déclaration des droits que les États-Unis adoptent en 1791.

Exécution du roi Louis XVI

Le 21 janvier 1793, le roi de France, Louis XVI, est exécuté sur la place publique. C'est la fin de la monarchie et le début de la république.

? Sur quel exemple les révolutionnaires français se sont-ils notamment appuyés pour rejeter la monarchie ?

Arrivée des premiers êtres humains au Québec

1791 — 1850 : 4ᵉ réalité sociale

v. –7000/–6000 | 1500 | 1600 | 1700 | 1800 | 1900 | 2000

Agriculture à proximité de Québec

Au 18e siècle, les Canadiens pratiquent surtout une agriculture de subsistance qui répond à leurs besoins et à ceux des marchés locaux. Mais au début du siècle suivant, l'agriculture se commercialise de plus en plus afin de vendre des produits en Angleterre et aux Antilles.

De nouveaux débouchés pour l'agriculture

Entre 1790 et 1803, la production agricole connaît une croissance sans précédent, grâce au défrichement de nouvelles terres et à la forte demande de l'Angleterre. La vente des surplus agricoles, principalement constitués de blé, contribue à améliorer les conditions de vie des agriculteurs du Bas-Canada. Les immigrants et immigrantes anglophones, qui arrivent en grand nombre, introduisent la culture de la pomme de terre.

Entre 1790 et 1815, la population du Bas-Canada passe de 165000 habitants et habitantes à environ 300 000 à cause d'un taux de natalité toujours très élevé. De nombreux villages apparaissent, créant ainsi un besoin grandissant de nourriture qui favorise le développement de l'agriculture.

De la fourrure au bois 

Au début du 19e siècle, l'économie canadienne connaît une transformation majeure. Cette mutation est attribuable en bonne partie au contexte international auquel le Bas-Canada doit s'ajuster.

Le déclin de la traite des fourrures

À la fin du 18e siècle, la traite des fourrures atteint une prospérité sans égale. Toutefois, à partir de 1803, alors que la guerre reprend en Europe, la demande en fourrures baisse. De plus, la concurrence féroce qui oppose les commerçants de fourrures canadiens, britanniques et américains entraîne une baisse des prix et des profits. Par ailleurs, les coûts de transport ne cessent d'augmenter, car il faut aller de plus en plus loin pour s'approvisionner en pelleteries. Le commerce des fourrures décline donc de plus en plus.

En 1821, le marché n'est plus suffisant pour supporter la présence de deux compagnies. La Compagnie de la Baie d'Hudson et la Compagnie du Nord-Ouest doivent fusionner pour survivre. Les fourrures sont alors dirigées vers le nord, ce qui entraîne le déclin de ce commerce à Montréal.

Fort William, un poste de la Compagnie du Nord-Ouest en 1811

Les colons s'installent généralement autour des postes de traite. Plusieurs grandes villes de l'Ouest canadien sont ainsi créées.

? Quel explorateur français fut le premier à parcourir cette région au 18e siècle ?

Adoption de l'Acte constitutionnel — 1791
Premières élections — 1792
Invasion du Haut et du Bas-Canada par les Américains — 1812-1813
Adoption des 92 résolutions — 1834
Rébellions armées dans le Haut et le Bas-Canada — 1837-1838
Rapport Durham — 1839
Adoption de l'Acte d'Union — 1840
Application du principe de la responsabilité ministérielle — 1848
1850

L'essor de l'industrie forestière

Parallèlement à la baisse du commerce des fourrures, une nouvelle industrie connaît un essor impressionnant : le bois. À partir de 1795, l'Angleterre accorde des tarifs douaniers préférentiels (droits de douane peu élevés) sur le bois provenant de ses colonies d'Amérique du Nord.

Jusqu'en 1815, l'Angleterre est presque continuellement en guerre contre la France de Napoléon. Ces hostilités accroissent sa demande en bois, car elle doit construire de nombreux navires de guerre. En 1806, à cause du blocus maritime imposé par Napoléon, l'Angleterre devient dépendante du bois colonial puisqu'elle ne peut plus commercer avec de nombreux pays d'Europe. Cette situation favorise grandement l'industrie forestière canadienne qui connaît un développement majeur. Le nombre de navires commerciaux présents dans le port de Québec chaque année augmente rapidement : il passe de 170 en 1805 à 661 en 1810 !

Dépôt de bois près de Québec

Dès 1810, les produits forestiers représentent 75 % de la valeur des exportations du port de Québec, tandis que la fourrure ne représente plus que 10 % de ces exportations.

? Sous quelle forme le bois du Bas-Canada est-il exporté vers l'Angleterre ?

De nouveaux métiers

L'industrie forestière emploie rapidement des milliers de Canadiens. L'hiver, beaucoup d'agriculteurs travaillent comme bûcherons pour fournir un revenu supplémentaire à leur famille. Leur travail est difficile : ils abattent et coupent les branches des arbres avec des haches, et les débitent en gros morceaux à l'aide de scies. Sur les chemins de neige, les billes sont ensuite tirées par des bœufs ou des chevaux jusqu'aux rivières.

Lorsque les rivières dégèlent, c'est le début de la « drave ». Les draveurs dirigent le flottage des billes avec des grappins et des crochets. Ce travail est parfois dangereux ; il arrive que les travailleurs tombent dans les eaux glacées. Les billes sont transportées par le courant pour atteindre les scieries où elles sont transformées en bois équarri. Ce bois est ensuite assemblé en immenses radeaux ou cages que l'on achemine à Québec, où il sera chargé sur des navires en partance pour l'Angleterre. Le port de Québec connaît une activité intense au cours de l'été et de l'automne, ce qui nécessite l'emploi de centaines de débardeurs.

Draveurs

Les draveurs veillent à ce que les billes de bois ne forment pas d'embâcles aux rétrécissements des rivières. Ils sautent de bille en bille et utilisent des grappins et des crochets pour décoincer les amas de billes.

? De quel terme anglais le mot *drave* vient-il ?

Arrivée des premiers êtres humains au Québec

1791 *1850* 4e réalité sociale

v. –7000/–6000 1500 1600 1700 1800 1900 2000

Joseph Montferrand, un bûcheron légendaire

Né à Montréal en octobre 1802, Joseph Montferrand, mieux connu sous le nom de Jos Montferrand, est un personnage légendaire pour les Canadiens français. Ce colosse de 1,93 mètre doit sa renommée à sa grande force physique qui lui a permis d'accomplir de nombreux exploits, tant dans son travail que dans des bagarres et des combats de boxe. À cause de sa grande force musculaire, il est « boulé » dans plusieurs élections.

À compter de 1827, Jos Montferrand entre dans l'industrie forestière où il travaillera pendant 30 ans. Il y exerce toutes les tâches possibles : bûcheron l'hiver et draveur au printemps, il devient « cageux » quand vient le temps d'acheminer les billes vers Québec. Avec les années, il gagne l'estime de ses patrons anglophones qui le nomment contremaître de chantier. À l'âge de 55 ans, perclus de rhumatismes, il se retire à Montréal où il meurt en 1864.

Radeau de bois sur la rivière des Outaouais

Les « cageux » ou *raftmen,* qui dirigent les cages, mangent et dorment sur leur radeau, car leur voyage peut durer plusieurs semaines.

? Quel est le principal obstacle que ces hommes doivent franchir ?

L'industrie forestière et l'environnement

Au début du 19e siècle, la pêche commerciale et la traite des fourrures affectent peu l'environnement, mais il n'en va pas de même pour l'industrie forestière. Le renouvellement naturel des forêts est très long et, entre-temps, certains types d'arbres disparaissent. À plusieurs reprises, des incendies ravagent les arbres plus petits, détruisent les branches laissées après l'abattage et s'étendent aux forêts voisines.

Les écorces arrachées aux arbres pendant la drave encombrent les cours d'eau, ralentissant leur débit. De plus, dans les rivières près des scieries, les exploitants déversent des amoncellements de bran de scie que les cours d'eau ne peuvent pas assimiler. L'industrie forestière au 19e siècle a donc un impact important sur l'environnement.

?

1. Trouvez des traces de l'exploitation forestière dans votre région.
2. Informez-vous pour savoir à quand remonte l'exploitation forestière dans votre région.

Coupe à blanc aujourd'hui

Ce type d'exploitation intensive, toujours présente au Québec, tend cependant à diminuer.

? Est-il possible de concilier l'exploitation forestière et la protection de l'environnement ?

1791	Adoption de l'Acte constitutionnel
1792	Premières élections
1812-1813	Invasion du Haut et du Bas-Canada par les Américains
1834	Adoption des 92 résolutions
1837-1838	Rébellions armées dans le Haut et le Bas-Canada
1839	Rapport Durham
1840	Adoption de l'Acte d'Union
1848	Application du principe de la responsabilité ministérielle
1850	

Dans la mire des Américains : la guerre de 1812-1814

De nouveau la guerre

Dans le contexte des guerres européennes, les relations entre les États-Unis et l'Angleterre se détériorent. En juin 1812, refusant la fouille de leurs navires par la Grande-Bretagne, les États-Unis lui déclarent la guerre. Préférant ne pas affronter la puissante marine britannique, ils attaquent les colonies britanniques d'Amérique du Nord. L'armée régulière qui y stationne réunit moins de 5200 hommes. Or, la Grande-Bretagne, occupée à guerroyer en Europe contre l'empereur français Napoléon, ne parvient pas à envoyer des renforts avant 1814.

Bataille de la Châteauguay en 1813

Lors de la bataille de la Châteauguay, Charles-Michel de Salaberry, avec 1000 soldats et miliciens canadiens-français, parvient à repousser les Américains pourtant sept fois plus nombreux.

? Sur cette reconstitution, quel élément permet de différencier les miliciens des militaires réguliers ?

La réaction au Canada

Au Bas-Canada, la population se montre fidèle à la métropole. À la Chambre d'assemblée, les députés votent très vite les budgets nécessaires à la défense militaire du pays. Le clergé lance des appels au peuple pour lui enjoindre de rester loyal à la Grande-Bretagne. La population se rallie aux troupes britanniques afin de défendre son pays.

Au Haut-Canada, le général et lieutenant-gouverneur Isaac Brock est chargé de la défense du territoire. Il compte surtout sur l'armée britannique et sur ses alliés amérindiens pour mener à bien sa mission.

L'issue des combats

De 1812 à 1814, un seul affrontement a lieu au Bas-Canada, sur les bords de la rivière Châteauguay. En fait, la plupart des combats se déroulent au Haut-Canada. Victoires et défaites se succèdent jusqu'à la signature du traité de Gand (en Belgique) qui met fin à la guerre en 1814. Les États-Unis et la Grande-Bretagne décident de retourner à la situation qui existait avant la guerre.

Bien qu'il change peu de choses en apparence, le conflit a permis à la population anglophone des deux Canada de se sentir de plus en plus canadienne. Pour la première fois, anglophones et francophones se sont unis pour repousser un envahisseur commun.

QUESTIONS DE SYNTHÈSE

1. Sur les plans territorial et politique, quels changements l'Acte constitutionnel a-t-il apportés dans la province de Québec ?
2. Quels sont les principaux changements économiques qui secouent le Bas-Canada au début du 19e siècle ?
3. En quoi l'idéologie du libéralisme est-elle liée à la mise en place du parlementarisme au Bas-Canada ?

VERS L'AFFRONTEMENT (1814-1840)

2e TEMPS FORT

À partir de 1810, un problème de répartition des dépenses publiques entre le gouverneur et l'Assemblée suscite des affrontements politiques entre la minorité anglophone et la majorité francophone. Vers 1830, des difficultés socioéconomiques (problèmes agricoles, immigration massive, etc.) viennent s'ajouter à la crise politique, entraînant une augmentation des tensions au sein de la population. Le climat social devient explosif et dégénère en conflit armé.

La société en évolution

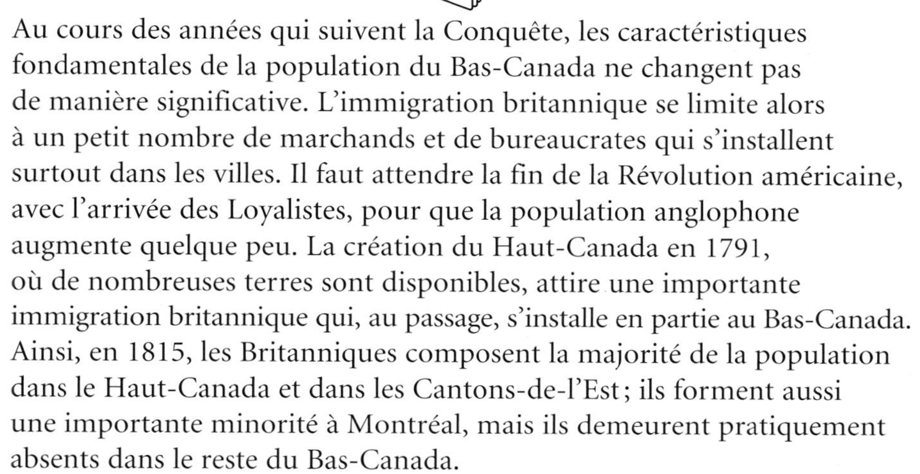

Au cours des années qui suivent la Conquête, les caractéristiques fondamentales de la population du Bas-Canada ne changent pas de manière significative. L'immigration britannique se limite alors à un petit nombre de marchands et de bureaucrates qui s'installent surtout dans les villes. Il faut attendre la fin de la Révolution américaine, avec l'arrivée des Loyalistes, pour que la population anglophone augmente quelque peu. La création du Haut-Canada en 1791, où de nombreuses terres sont disponibles, attire une importante immigration britannique qui, au passage, s'installe en partie au Bas-Canada. Ainsi, en 1815, les Britanniques composent la majorité de la population dans le Haut-Canada et dans les Cantons-de-l'Est; ils forment aussi une importante minorité à Montréal, mais ils demeurent pratiquement absents dans le reste du Bas-Canada.

La situation commence à changer après 1815, avec l'arrivée massive d'immigrants et d'immigrantes en provenance de Grande-Bretagne. Beaucoup de ces nouveaux venus, Écossais et surtout Irlandais, cherchent à fuir les conditions économiques difficiles qui existent dans les îles britanniques (surpopulation des campagnes, famine, chômage ouvrier dans les villes, etc.).

La croissance démographique du Bas-Canada

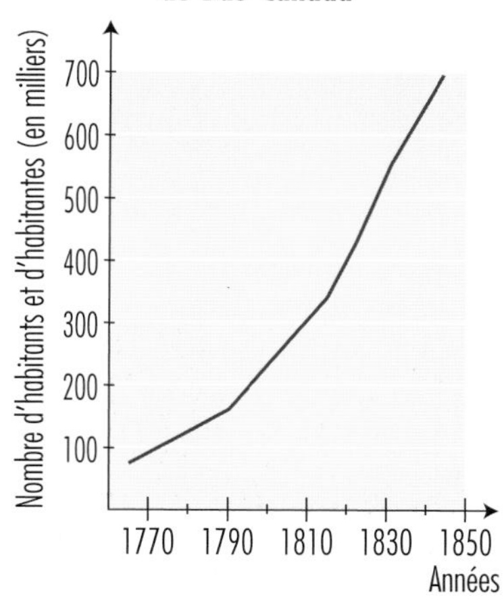

La période de 1765 à 1840 est marquée par une forte croissance démographique. La population du Bas-Canada double en moyenne tous les 25 ans. Pour leur part, les Canadiens français peuvent compter sur une forte natalité.

? Quel est l'avantage politique pour les francophones d'avoir une forte natalité ? Outre la natalité, quel autre phénomène contribue à la croissance d'une population ?

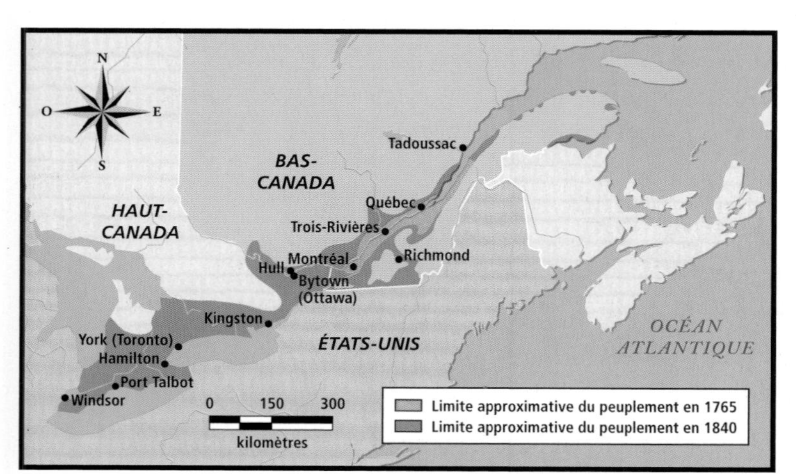

L'évolution de la colonisation dans les deux Canada

Après 1791, le peuplement progresse rapidement dans le sud du Haut-Canada. Encore aujourd'hui, le sud de l'Ontario constitue une des zones les plus densément peuplées du Canada. Cette carte montre bien comment cette région pénètre en profondeur, vers le sud, dans le territoire des États-Unis.

? Comment s'explique la croissance rapide du peuplement dans le Haut-Canada au début du 19e siècle ?

Adoption de l'Acte constitutionnel — 1791
Premières élections — 1792
Invasion du Haut et du Bas-Canada par les Américains — 1812-1813
Adoption des 92 résolutions — 1834
Rébellions armées dans le Haut et le Bas-Canada — 1837-1838
Rapport Durham — 1839
Adoption de l'Acte d'Union — 1840
Application du principe de la responsabilité ministérielle — 1848
1850

Habitants canadiens-français jouant aux cartes

Les paysans canadiens-français forment toujours la majeure partie de la population. On les voit ici se divertissant au cours d'une longue soirée d'hiver.

Comparez cette peinture avec celle de la famille Woolsey ci-dessous, et notez quelques différences.

La composition ethnique du Bas-Canada en 1840

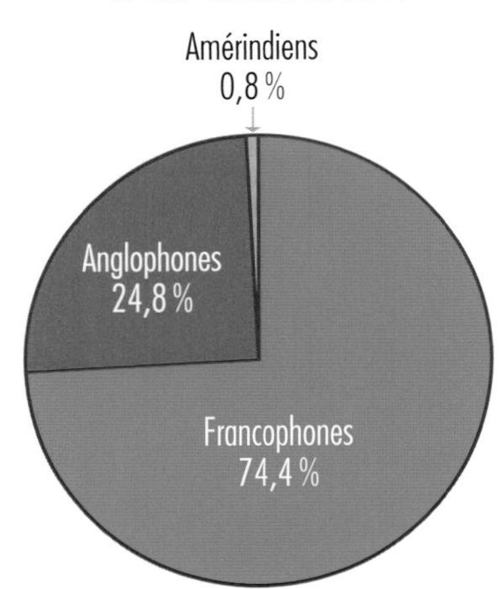

Entre 1815 et 1850, plus de 800 000 personnes arrivent par bateau au port de Québec. La majorité part s'installer aux États-Unis et au Haut-Canada, mais près de 50 000 choisissent de demeurer au Bas-Canada. Cette importante vague d'immigration contribue à diversifier la composition ethnique, religieuse, culturelle et sociale du Bas-Canada. Elle diminue le poids démographique des francophones même si ceux-ci restent largement majoritaires.

En effet, le taux de natalité très élevé leur permet d'assurer une vigoureuse croissance naturelle. Ainsi, entre 1816 et 1820, on compte une moyenne de 7,1 naissances par famille. Il faut cependant noter que ce taux n'est pas exceptionnel pour l'époque et qu'il est comparable aux taux observés au même moment aux États-Unis ou dans le Haut-Canada.

La transformation de la société

La première moitié du 19e siècle voit apparaître d'importants changements dans la structure sociale du Bas-Canada. Les élites traditionnelles, seigneurs et membres du clergé, deviennent moins influentes. Elles sont remplacées par une nouvelle élite intellectuelle et commerçante issue du peuple, la bourgeoisie. Celle-ci se divise en une haute bourgeoisie anglophone, qui contrôle le grand commerce et les finances, et une petite bourgeoisie canadienne-française, formée par les membres des professions libérales (notaires, médecins, avocats, etc.), les marchands et les artisans les plus prospères.

Pour mieux défendre ses intérêts, la bourgeoisie d'affaires anglophone cherche à s'allier avec les hauts dirigeants de l'État. La bourgeoisie professionnelle francophone choisit plutôt de représenter les intérêts de la majorité du peuple canadien-français. Elle obtient ainsi de grands succès électoraux et prend le contrôle de la Chambre d'assemblée.

La famille Woolsey au début du 19e siècle

John William Woolsey est un marchand de Québec. Il constitue un bon exemple de la haute bourgeoisie qui contrôle le commerce du Bas-Canada.

Quels éléments nous indiquent qu'il s'agit d'une famille aisée ?

Arrivée des premiers êtres humains au Québec — 1791 — 1850 — 4e réalité sociale — v. –7000/–6000 — 1500 — 1600 — 1700 — 1800 — 1900 — 2000

Lettre du gouverneur Craig

Dans une lettre aux autorités britanniques, le gouverneur James Craig décrit la composition de la Chambre d'assemblée du Bas-Canada.

« Il me semble réellement absurde, milord, que les intérêts d'une colonie importante, que ceux aussi d'une partie considérable de la classe commerciale de l'Empire britannique, soient placés entre les mains de six boutiquiers sans importance, d'un forgeron, d'un meunier et de quinze paysans ignorants, qui forment une partie de la Chambre actuelle, le reste comprenant un médecin ou apothicaire, douze avocats canadiens ou notaires, quatre représentants respectables qui du moins ne tiennent pas boutique et de douze membres anglais. »

Lettre de Craig à Liverpool, 1810.

? Quel jugement le gouverneur porte-t-il sur les membres de la Chambre d'assemblée ?

LES GROUPES SOCIAUX DU BAS-CANADA, VERS 1840		
Groupe social	**Composition**	**Buts et intérêts**
Les dirigeants coloniaux	• Gouverneur britannique • Membres anglophones des conseils (législatif et exécutif) • Hauts fonctionnaires et bureaucrates	• Ils veulent développer le Bas-Canada à l'image de l'Angleterre en espérant que les francophones s'intégreront volontairement. • Maintenant alliés à la bourgeoisie d'affaires anglophone, ils s'opposent à la Chambre d'assemblée.
La bourgeoisie d'affaires	• Grands marchands, principalement britanniques • Quelques gens d'affaires francophones s'intègrent à ce groupe. • Ils vivent surtout dans les villes, à Québec et à Montréal.	• Ils dominent l'économie du Bas-Canada (commerce intérieur et extérieur) grâce à leurs liens étroits avec les financiers de la métropole. • D'abord maîtres de la fourrure, ils développent ensuite le commerce du bois et font construire les canaux et les chemins de fer. • Ils cherchent l'appui de l'État pour améliorer leurs affaires et sont donc alliés aux dirigeants coloniaux contre la Chambre d'assemblée.
La bourgeoisie canadienne-française	• Membres des professions libérales, majoritairement francophones • Petits marchands, commerçants et importants artisans canadiens-français • Quelques anglophones qui exercent des professions libérales s'allient à ce groupe.	• Principaux porte-parole des milieux populaires canadiens-français, qui leur donnent leur appui électoral. • Écartés du grand commerce et des postes gouvernementaux, ils trouvent le moyen de défendre leurs propres intérêts et ceux de la population canadienne-française en contrôlant la Chambre d'assemblée. • Ils s'opposent aux visées assimilatrices de la bourgeoisie d'affaires et des dirigeants coloniaux.
Les seigneurs et les membres du clergé	• Seigneurs francophones • Clergé : prêtres catholiques francophones, dirigés par l'évêque	• Leur influence diminue au profit de la bourgeoisie canadienne-française. • Conservateurs, ils s'opposent à la Chambre d'assemblée et plusieurs d'entre eux siègent aux conseils.
Le peuple francophone	La grande majorité des habitants et habitantes francophones : ouvriers, artisans, agriculteurs, etc.	• Au début du 19e siècle, ils deviennent graduellement conscients de leur poids politique et n'acceptent plus systématiquement de se plier à l'autorité. • Ils accordent leur appui à la petite bourgeoisie professionnelle qui lutte contre les changements proposés par les Britanniques.
Le peuple anglophone	• Principalement des nouveaux immigrants et immigrantes peu fortunés venant d'Angleterre, d'Écosse et d'Irlande • Beaucoup deviennent des ouvriers.	• Se heurtant parfois au peuple francophone, dont les dirigeants contrôlent la Chambre d'assemblée, ils se tournent en grande majorité vers les dirigeants coloniaux et la bourgeoisie d'affaires anglophone. • Dans les années 1820, ils demandent l'union des deux Canada.

1791 Adoption de l'Acte constitutionnel
1792 Premières élections
1812-1813 Invasion du Haut et du Bas-Canada par les Américains
1834 Adoption des 92 résolutions
1837-1838 Rébellions armées dans le Haut et le Bas-Canada
1839 Rapport Durham
1840 Adoption de l'Acte d'Union
1848 Application du principe de la responsabilité ministérielle
1850

Rue Notre-Dame, à Montréal

Au 19e siècle, la rue Notre-Dame est le centre du commerce alors que la rue Saint-Jacques accueille les premières institutions financières. La Banque de Montréal y est fondée en 1817.

? Quel élément vestimentaire typiquement écossais trouve-t-on sur ce dessin ?

Montréal, ville anglophone

Dans la première moitié du 19e siècle, Montréal connaît des transformations majeures. Grâce à l'immigration massive des Britanniques et au taux de natalité très élevé, la population croît de façon spectaculaire. Elle passe de 9000 habitants et habitantes en 1800 à 57 000 en 1851. Montréal est alors la ville la plus populeuse du Canada.

De plus, à partir de 1831, les anglophones représentent la majorité de la population montréalaise. Cela se traduit dans la division du territoire urbain : alors que les Anglais et les Écossais s'installent dans l'ouest de la ville, les Irlandais préfèrent le sud-ouest et les Canadiens français habitent l'est. D'ailleurs, les limites de la ville ne cessent de s'étendre.

Les besoins de cette population grandissante entraînent la croissance et la diversification de l'activité commerciale. De plus en plus de gens travaillent dans les domaines du cuir, du vêtement, du bois, des matériaux de transport et des aliments. La production se fait surtout dans les ateliers des artisans, mais quelques fabriques plus importantes commencent à apparaître, comme la brasserie Molson.

John Molson

Orphelin dès son plus jeune âge, John Molson a grandi dans des pensionnats privés en Angleterre. Après son arrivée au Canada, il utilise l'héritage de ses parents pour démarrer sa brasserie. En 1816, il s'associe à ses trois fils pour former Molson and Sons.

? À la suite de quel événement majeur, survenu en 1763, John Molson vient-il s'installer à Montréal ?

John Molson

John Molson est l'un des entrepreneurs les plus importants du Canada au début du 19e siècle. Immigré d'Angleterre en 1782, il devient quatre ans plus tard le propriétaire unique d'une petite brasserie à Montréal. Grâce à son sens des affaires, son entreprise connaît un développement exceptionnel. Cela lui permet d'investir de l'argent dans les activités bancaires, l'immobilier, la construction de bateaux à vapeur et le commerce du bois. Il s'engage également dans la vie politique, siégeant à la Chambre d'assemblée de 1816 à 1820 et au Conseil législatif à partir de 1832.

Grosse-Île ou l'île de la quarantaine

Encouragés par les autorités coloniales qui souhaitent réduire le poids démographique des Canadiens français, des milliers d'immigrants et d'immigrantes (surtout des Irlandais mais aussi des Anglais et des Écossais) arrivent chaque année au port de Québec. La plupart d'entre eux voyagent à bord des navires utilisés pour le transport du bois. La cargaison de ces navires est déchargée en Angleterre et remplacée au retour par les voyageurs de fortune, qui effectuent la traversée dans des conditions très difficiles.

La malnutrition, l'entassement parfois extrême et l'insalubrité entraînent le décès de nombreux passagers en mer. D'autres sont porteurs de maladies mortelles comme le **typhus**, la variole ou le **choléra.** Quand ils arrivent au Bas-Canada, les maladies se répandent dans la population et provoquent de graves épidémies.

Lieu historique national de la Grosse-Île-et-le-Mémorial-des-Irlandais

En 1909, des Irlandais ont érigé une immense croix celtique pour honorer la mémoire de ceux et celles qui sont décédés sur l'île.

? Selon vous, pourquoi les sociétés cherchent-elles à commémorer des événements douloureux du passé ?

Une station de quarantaine

Après la vague mortelle de choléra de 1832, les autorités coloniales tentent de pallier le problème en instaurant une station de quarantaine pour tous les immigrants qui arrivent à Québec. On les isole sur une île pendant un certain temps afin de s'assurer qu'ils ne sont pas porteurs de maladies contagieuses. Située au centre du fleuve Saint-Laurent, à 48 km en aval de Québec, la station de Grosse-Île accueille ainsi, chaque année, tous les nouveaux immigrants.

La tragédie de 1847

L'année 1847 sera la plus tragique de l'histoire de l'île. Fuyant une terrible famine, un nombre encore inégalé d'immigrantes et d'immigrants irlandais partent pour le Canada. Affaiblis par la malnutrition et les conditions difficiles du voyage, ils sont la proie du typhus et meurent en grand nombre. Plus de 5400 d'entre eux sont enterrés à la station de quarantaine au cours de l'été.

Grosse-Île continue à servir de station de quarantaine pour les immigrants jusqu'en 1937. En 1960, le ministère de l'Agriculture inaugure sur l'île une station de quarantaine pour les animaux. Au cours des années 1980, elle est transformée en un lieu historique national pour commémorer l'histoire tragique de ces milliers d'immigrants et d'immigrantes.

Épidémie de choléra à Montréal vue par l'artiste Frédérick Back (1998)

L'épidémie de 1832 a fait 2723 victimes à Québec, 2547 à Montréal et un nombre indéterminé dans le reste de la province. Pour l'époque, il s'agit d'un nombre très élevé de victimes.

? Quel lien y a-t-il entre le commerce maritime et l'arrivée de maladies contagieuses ? Aujourd'hui, par quel moyen de transport les maladies se propagent-elles d'un pays à l'autre ?

Adoption de l'Acte constitutionnel — 1791
Premières élections — 1792
Invasion du Haut et du Bas-Canada par les Américains — 1812-1813
Adoption des 92 résolutions — 1834
Rébellions armées dans le Haut et le Bas-Canada — 1837-1838
Rapport Durham — 1839
Adoption de l'Acte d'Union — 1840
Application du principe de la responsabilité ministérielle — 1848
1850

La pression augmente

La vie politique du Bas-Canada n'est pas de tout repos. L'opposition entre la Chambre d'assemblée élue par le peuple et les conseils (exécutif et législatif) soutenus par le gouverneur devient rapidement importante. Le fait que les proches du gouverneur soient majoritairement anglophones et que les membres de la Chambre d'assemblée soient surtout francophones accroît les tensions entre les deux groupes linguistiques. Certaines années, cette rivalité empêche tout simplement le gouvernement de fonctionner.

La querelle des subsides

La question des **subsides**, qui sont les sommes utilisées par le gouvernement pour les travaux publics, est un bon exemple des querelles qui enveniment le climat parlementaire. À cette époque, l'impôt général sur le revenu n'existe pas. Les dépenses de l'administration du Bas-Canada (salaires des membres des deux conseils, des fonctionnaires et des juges, construction de routes, etc.) sont couvertes par les taxes, les droits de douane, les amendes, la vente de permis et d'autres sources diverses. À partir de 1810, et surtout au cours des années 1820, les revenus ne suffisent plus à combler tous les besoins. Il faut bientôt chercher une solution pour éviter un déficit systématique.

La Chambre d'assemblée, qui a obtenu le droit de lever ses propres taxes en 1791, a réussi à accumuler des surplus monétaires appréciables. Elle accepte de payer les dépenses du gouvernement à la condition d'obtenir en échange un droit de regard sur ces dépenses. En 1810, le gouverneur, James Craig, refuse cette solution. Il n'est pas prêt à céder un tel pouvoir à la Chambre d'assemblée, qui obtiendrait ainsi un moyen de contrôler le Conseil exécutif. Pour combler le déficit, il préfère puiser dans les fonds réservés aux dépenses militaires. Toutefois, une telle solution n'est pas appréciée par les autorités coloniales de Londres qui demandent au gouverneur de chercher à s'entendre avec la Chambre d'assemblée.

Écluses du canal Rideau entre Bytown (aujourd'hui Ottawa) et Kingston

Les riches marchands anglophones demandent au gouvernement de développer un réseau de canaux pour rendre navigables les cours d'eau les plus importants. Mais à cause des coûts élevés de ces travaux, la Chambre d'assemblée n'accepte pas toujours de se plier à ces demandes.

? Selon vous, quel groupe de la société tirera profit de ces infrastructures ?

Arrivée des premiers êtres humains au Québec — v. –7000/–6000 — 1500 — 1600 — 1700 — *1791* — 1800 — 4e réalité sociale — *1850* — 1900 — 2000

À partir de ce moment, la question des subsides réapparaît presque chaque année et les positions se durcissent. Elle donne lieu à une épreuve de force constante entre le parti du gouverneur et des conseils, qui refusent de céder leurs pouvoirs, et la Chambre d'assemblée, qui réclame une participation de plus en plus importante au gouvernement. En plus du contrôle du budget, la Chambre souhaite obtenir la responsabilité ministérielle. Elle considère qu'il s'agit là du seul moyen d'avoir un gouvernement véritablement démocratique.

La Chambre d'assemblée à Québec

À ses débuts, la Chambre d'assemblée du Bas-Canada siège dans la chapelle du palais de l'évêque. Ce n'est qu'en 1831 qu'on entreprend la construction d'un édifice destiné à cet usage, tel qu'on peut le voir sur cette image.

? Selon ce dessin, cet édifice est-il situé à l'intérieur des fortifications de la ville de Québec ?

La responsabilité ministérielle pour un gouvernement responsable

Être responsable de ses actes, c'est en assumer les conséquences. Dans un système parlementaire, un gouvernement responsable est celui où les représentants du peuple (les députés de la Chambre d'assemblée qui adoptent les lois) détiennent le véritable pouvoir. Cela signifie également que les membres du Conseil exécutif (les ministres chargés d'appliquer les lois) doivent généralement être issus de la majorité de la Chambre d'assemblée et recevoir son appui en tout temps, sous peine de se voir contraints de démissionner. La responsabilité ministérielle est un des principes fondamentaux du parlementarisme britannique.

? D'après cette définition, nommez les conditions requises pour qu'un gouvernement soit responsable.

Étienne Parent

Étienne Parent est le principal rédacteur du journal *Le Canadien* de 1822 à 1825. Il dirige ensuite le journal de 1831 à 1842. Il mène une importante lutte pour la reconnaissance des Canadiens français en tant que nation.

? Selon vous, quel avantage politique cette reconnaissance offrirait-elle aux Canadiens français ?

Un enfant responsable

Le journaliste Étienne Parent explique sa vision des relations entre la colonie et la métropole dans le journal *Le Canadien.*

« Il n'y aura jamais de paix, ni d'affection, tant que la métropole n'imitera pas le bon père de famille qui diminue son autorité à mesure que son enfant avance en âge. Nous sommes maintenant assez avancés en civilisation pour conduire nos affaires seuls. [...] Point de milieu : si nous ne gouvernons pas, nous serons gouvernés. »

Étienne Parent, *Le Canadien,* 7 mai 1831.

? Quelle demande politique le journaliste adresse-t-il au gouvernement britannique ?

Adoption de l'Acte constitutionnel – 1791
Premières élections – 1792
Invasion du Haut et du Bas-Canada par les Américains – 1812-1813
Adoption des 92 résolutions – 1834
Rébellions armées dans le Haut et le Bas-Canada – 1837-1838
Rapport Durham – 1839
Adoption de l'Acte d'Union – 1840
Application du principe de la responsabilité ministérielle – 1848
1850

Le choléra dans les quartiers urbains pauvres

Les épidémies de choléra sont assez fréquentes dans la première moitié du 19e siècle. Elles frappent d'abord les quartiers les plus défavorisés des villes, où les personnes les plus démunies, dont les nouveaux arrivants et arrivantes, se retrouvent en grand nombre.

? Analysez cette image à l'aide de la fiche méthodologique *Interpréter un document iconographique,* à la page 492.

Un climat politique tendu

Les revendications de la Chambre d'assemblée s'affirment d'année en année : responsabilité ministérielle, contrôle des subsides et Conseil législatif électif (plutôt que nommé par le gouverneur). Des revendications similaires sont formulées dans les autres colonies britanniques d'Amérique du Nord. Ainsi, la Chambre d'assemblée du Haut-Canada réclame aussi le principe de la responsabilité ministérielle afin d'éliminer les conflits avec les conseils.

Afin de diminuer les pouvoirs des francophones, certains bureaucrates et marchands britanniques du Bas-Canada proposent, en 1822, d'unir le Haut et le Bas-Canada en une même colonie. Ils voudraient ainsi noyer les Canadiens français dans la masse d'une population anglophone en pleine expansion. Cependant, un vaste mouvement d'opposition se forme pour empêcher cette union. Les dirigeants britanniques rejettent l'idée, mais le projet contribue à radicaliser les positions des francophones et à rendre la Chambre d'assemblée de plus en plus intransigeante.

Des conditions socioéconomiques difficiles

Au début des années 1830, la situation politique du Bas-Canada est très tendue. À cela s'ajoutent bientôt d'autres maux, sociaux et économiques. L'année 1832 est particulièrement difficile. L'immigration en provenance des îles britanniques, surtout d'Irlande, atteint des sommets inédits. Les Canadiens français commencent à craindre de se retrouver minoritaires chez eux et manifestent une certaine animosité envers les nouveaux arrivants. La propagation par ces immigrants et immigrantes d'une épidémie de choléra qui entraîne des milliers de morts dans la colonie ne fait rien pour arranger les choses.

Les conditions économiques s'avèrent elles aussi défavorables, en partie à cause de la récession (ralentissement de l'activité économique) qui frappe alors les États-Unis et l'Angleterre. Une crise agricole menace le Bas-Canada, où l'on commence à manquer de terres fertiles. De plus, l'épuisement des sols et le manque d'engrais entraînent une baisse des rendements. Comme si tous ces malheurs n'étaient pas suffisants, les conditions météorologiques difficiles et les dévastations causées par certains insectes dans les champs provoquent une série de mauvaises récoltes. La société semble au bord de l'éclatement.

Le port de Québec en 1829

Le port de Québec est la principale porte d'entrée en Amérique du Nord pour les immigrants et immigrantes en provenance de l'Angleterre, de l'Irlande ou de l'Écosse. La majorité d'entre eux et elles ne demeure cependant pas au Bas-Canada et prend le chemin des États-Unis ou du Haut-Canada.

? De nos jours, à quel endroit la plupart des immigrants et immigrantes arrivent-ils au pays ?

Un Juif à la Chambre d'assemblée

Interdits de séjour en Nouvelle-France, les Juifs arrivent au Canada dans le sillage des armées britanniques. La majorité d'entre eux se rapproche donc du groupe des marchands anglophones. Ils ne subissent alors aucune discrimination particulière, jusqu'à l'élection partielle de 1807. Cette année-là, Ezekiel Hart, fils d'un riche commerçant juif de Trois-Rivières, se présente et est élu à la Chambre d'assemblée. Il devient le premier député juif du Canada.

Les francophones, qui dominent la Chambre d'assemblée, s'inquiètent de voir un nouveau député adhérer au *British Party.* Ils prétextent la religion d'Ezekiel Hart pour l'expulser, affirmant que les juifs n'ont pas le droit de se présenter en politique. Les autorités britanniques leur donnent raison et Hart doit rentrer chez lui. Il se présente pourtant une nouvelle fois lors des élections générales qui ont lieu l'année suivante et gagne de nouveau son siège. Il est encore expulsé par la majorité francophone et abandonne alors la politique pour de bon. Il faudra attendre 1832 pour que ses fils, plus proches des Patriotes, réussissent à faire adopter une loi reconnaissant les droits des Juifs.

?

1. Comment s'appelle le sentiment d'hostilité envers les Juifs ?
2. Ce sentiment existe-t-il toujours de nos jours ? Donnez des exemples.

Ezekiel Hart

Même si son élection a été contestée, Ezekiel Hart n'en demeure pas moins le premier Juif à être élu non seulement au Canada, mais dans l'ensemble de l'Empire britannique.

Les journaux s'en mêlent

Le premier journal canadien, *The Quebec Gazette/La Gazette de Québec,* n'est fondé qu'après la Conquête, en 1764. Cet hebdomadaire bilingue est bientôt suivi par d'autres journaux, surtout anglophones ou bilingues. Le premier journal entièrement français, *La Gazette du commerce et littéraire,* est fondé en 1778 et ne paraît que pendant un an. Les opinions de son éditeur, Fleury Mesplet, ne sont pas appréciées du clergé, qui demande au gouverneur de le faire emprisonner. C'est un dur combat qui s'engage alors pour la liberté de presse. En 1810, un autre journal francophone, *Le Canadien,* fait l'objet d'une saisie et ses journalistes sont emprisonnés. Le gouverneur Craig estime que ce périodique créé pour défendre les idées du Parti canadien nuit à l'ordre public.

Fleury Mesplet

Né à Marseille en 1734, Fleury Mesplet s'installe comme imprimeur à Montréal en 1776, après un court séjour à Philadelphie. Ses opinions en faveur de la Révolution américaine lui vaudront quelques démêlés avec les gouverneurs de la *Province of Quebec.*

Adoption de l'Acte constitutionnel — 1791
Premières élections — 1792
Invasion du Haut et du Bas-Canada par les Américains — 1812-1813
Adoption des 92 résolutions — 1834
Rébellions armées dans le Haut et le Bas-Canada — 1837-1838
Rapport Durham — 1839
Adoption de l'Acte d'Union — 1840
Application du principe de la responsabilité ministérielle — 1848
1850

4

Le marché Bonsecours, à Montréal

Les gens se rassemblent sur la place publique pour commercer, se divertir et échanger les dernières nouvelles.

? De nos jours, quel lieu de commerce joue un rôle semblable ?

Les débats politiques des premières décennies du 19e siècle sont propices au développement de la presse. Celle-ci sert de support aux divers partis qui y expriment leurs idées et l'utilisent pour débattre entre eux. Entre 1815 et 1840, la moitié des journaux sont anglophones (*The Quebec Mercury, Montreal Herald, The Vindicator,* etc.) et l'autre moitié, francophones (*Le Canadien, La Minerve, Le Libéral,* etc.) Les tirages sont plutôt faibles. Néanmoins, les journaux bénéficient d'une large diffusion, car ils sont souvent lus à haute voix en public.

THE QUEBEC MERCURY.

MORES ET STUDIA ET POPULOS ET PRÆLIA DICAM. Virg. Georg. iv. 5.

SATURDAY, JANUARY 5, 1805.

En-tête du jounal ***The Quebec Mercury***

QUEBEC, LUNDI 5 JANVIER 1874.

LE CANADIEN.

Nos Institutions, notre Langue et nos Lois.

L. H. HUOT,

En-tête du journal ***Le Canadien***

L'usage de la langue française

Le *Quebec Mercury,* fondé en 1805, présente le point de vue du *British Party* à la Chambre d'assemblée, tandis que *Le Canadien,* fondé l'année suivante pour lui faire concurrence, est lié au parti de la majorité francophone.

« Que reste-t-il à faire ? Retirer ces privilèges qui sont représentés comme trop rares, mais qui sont en réalité trop nombreux, et dont les conquis se réjouissent trop librement ; et prendre des mesures pour que l'administration des affaires publiques se fasse en anglais, par des Anglais, ou par des hommes ayant des principes anglais. Ce serait le premier pas, et le plus efficace, vers l'anglicisation de la province. »

The Quebec Mercury, 24 novembre 1806.

« Vous dites que les Canadiens [français] usent trop librement de leurs privilèges pour des conquis, et vous les menacez de la perte de ces privilèges. Comment osez-vous leur reprocher de jouir des privilèges que le Parlement de la Grande-Bretagne leur a accordés ? [...] Vous mettez absurdement en question si les Canadiens ont le droit d'exercer ces privilèges dans leur langue ; et dans quelle autre langue que la leur peuvent-ils les exercer ? Le Parlement de la Grande-Bretagne ignorait-il quelle était leur langue ? »

Le Canadien, 29 novembre 1806.

?

1. À quels privilèges les textes font-ils référence ?
2. Quel terme est utilisé pour désigner les Canadiens français dans le *Quebec Mercury* ? À quel événement fait-il référence ?
3. Quel argument *Le Canadien* utilise-t-il pour justifier l'usage du français ?

Arrivée des premiers êtres humains au Québec

1791 — 1850 : 4e réalité sociale

v. –7000/–6000 | 1500 | 1600 | 1700 | 1800 | 1900 | 2000

Un point de non-retour : les *92 Résolutions*

Au début des années 1830, la situation de crise au Bas-Canada est plus intense que jamais. À la Chambre d'assemblée, les membres les plus radicaux du Parti canadien se regroupent au sein du Parti patriote, dirigé depuis 1815 par Louis-Joseph Papineau. Le mot *patriote* désigne celui qui aime et défend sa nation. Le Parti patriote est donc celui qui cherche à protéger les intérêts de sa nation, celle des Canadiens français. C'est pourquoi on donnera également le nom de Patriotes à ceux qui participeront au mouvement populaire qui mènera aux **rébellions** de 1837-1838.

Le 17 février 1834, les membres du Parti patriote présentent à la Chambre d'assemblée un long texte en 92 points qui résume leurs plaintes et leurs demandes. Même si certains députés jugent que c'est aller trop loin, les deux tiers de l'Assemblée votent pour l'adoption des 92 résolutions, qui sont envoyées aux autorités coloniales. Londres délègue alors un nouveau gouverneur, Lord Gosford, pour enquêter sur ces revendications. En mars 1837, le ministre britannique responsable des colonies, Lord Russell, répond par 10 résolutions : les demandes de la Chambre d'assemblée sont rejetées. Dans l'ensemble, les Canadiens français perçoivent ce refus comme une provocation.

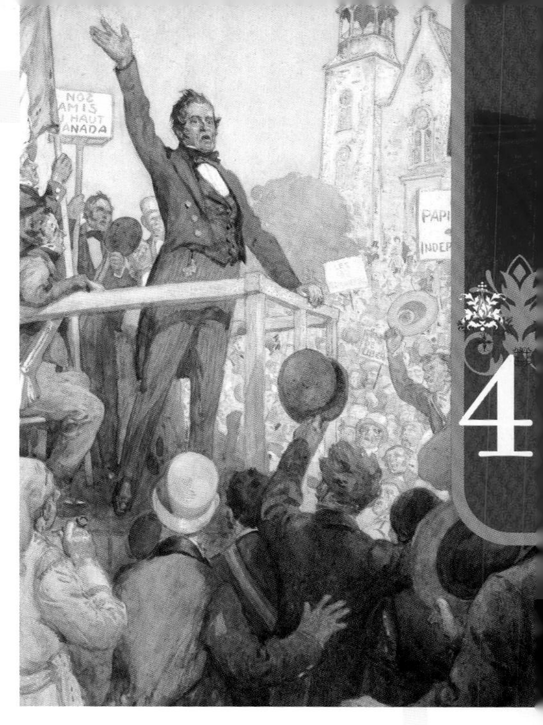

Papineau s'adressant à la foule

Les députés les plus en vue sont ceux qui, comme Louis-Joseph Papineau, sont de grands orateurs. Les gens se déplacent en grand nombre pour entendre leurs discours.

? Ce type de rassemblement politique existe-t-il encore de nos jours ?

4

Louis-Joseph Papineau

Né à Montréal en 1786, Louis-Joseph Papineau fait des études de droit et se lance très tôt en politique. Orateur de talent, il est élu une première fois en 1809. Il connaît ensuite une popularité grandissante qui lui permet de devenir le chef du Parti canadien à la Chambre d'assemblée. Avec les années, il se radicalise et devient l'un des principaux critiques des autorités britanniques et du système politique du Bas-Canada. En 1837, il est à la tête du vaste mouvement des Patriotes, mais il commence à perdre la maîtrise des événements...

? Papineau est un personnage célèbre de notre histoire. Cherchez dans votre région des traces de sa mémoire (nom d'une école, d'une rue, etc.).

Louis-Joseph Papineau

Malgré son opposition au gouvernement britannique, Louis-Joseph Papineau ne prône pas l'usage de la violence. Lorsque la rébellion éclate en 1837, sa tête est mise à prix et il se réfugie aux États-Unis. Il y demeure en exil jusqu'en 1845.

? D'après vous, à quel groupe social l'habillement de Papineau se rattache-t-il ?

- 1791 : *Adoption de l'Acte constitutionnel*
- 1792 : *Premières élections*
- 1812-1813 : *Invasion du Haut et du Bas-Canada par les Américains*
- 1834 : *Adoption des 92 résolutions*
- 1837-1838 : *Rébellions armées dans le Haut et le Bas-Canada*
- 1839 : *Rapport Durham*
- 1840 : *Adoption de l'Acte d'Union*
- 1848 : *Application du principe de la responsabilité ministérielle*
- 1850

Un vieux de 37

Cette œuvre de l'artiste Henri Julien a été créée vers 1880 pour illustrer un poème de Louis Fréchette, *Le vieux patriote*. Elle est devenue un véritable symbole des rébellions.

? Quel groupe indépendantiste québécois des années 1960 a repris ce dessin comme image de marque ?

LE CONTENU DES *92 RÉSOLUTIONS*	
INTRODUCTION	
• Le peuple du Bas-Canada et la Chambre d'assemblée se déclarent loyaux envers l'Angleterre. • La Chambre d'assemblée affirme qu'elle a reçu des autorités britanniques le droit d'exercer des pouvoirs identiques à ceux du Parlement en Angleterre.	
PRINCIPALES DÉNONCIATIONS	**PRINCIPALES RÉCLAMATIONS**
• Le favoritisme du gouverneur • Les liens trop étroits entre le Conseil législatif et le Conseil exécutif • Le favoritisme et la corruption des fonctionnaires • La mauvaise administration de la justice • Le mauvais usage des fonds publics • Les méfaits du contrôle des terres par un petit groupe de spéculateurs anglophones	• L'élection des membres du Conseil législatif • La responsabilité ministérielle • Le contrôle des dépenses publiques par la Chambre d'assemblée • L'accessibilité des francophones aux postes administratifs • Le respect de la langue, de la religion et du droit des Canadiens français

Les *92 Résolutions*

Les *92 Résolutions* sont un long texte énumérant les plaintes et les revendications de la Chambre d'assemblée. Voici un extrait de la 84e résolution :

« Résolu. Que c'est l'opinion de ce comité, qu'en outre des griefs et abus exposés ci-dessus, il en existe dans la province un grand nombre d'autres [...] :

1. La composition vicieuse et irresponsable du Conseil exécutif, dont les membres sont en même temps juges de la Cour d'appel, et le secret dans lequel on a tenu cette Chambre, lorsqu'elle a travaillé à en acquérir, non seulement les attributions dudit corps, mais même les noms de ceux qui en forment partie.

2. Les honoraires exorbitants illégalement exigés dans les divers bureaux publics de l'administration et du département judiciaire [...] »

Les 92 Résolutions, 1834.

?

1. Repérez les mots difficiles et cherchez-en la définition.
2. Que dénonce la 84e résolution ?
3. En quoi cela est-il lié au principe de la responsabilité ministérielle ?

Arrivée des premiers êtres humains au Québec

1791 1850 4e réalité sociale

v. –7000/–6000 1500 1600 1700 1800 1900 2000

Les rébellions 

Les assemblées populaires

Au printemps 1837, les Patriotes organisent de grandes assemblées populaires pour témoigner de leur mécontentement. Des chefs patriotes, comme Papineau, y prennent la parole pour dénoncer les injustices de la métropole et appeler au **boycottage** des produits anglais. En juin, le gouverneur interdit ces assemblées, ce qui n'apaise pas pour autant la population.

Assemblée des Six-Comtés

L'assemblée des Six-Comtés a lieu le 23 octobre 1837. Les principaux chefs patriotes s'adressent à une foule en liesse. Papineau demande de combattre l'Angleterre par des mesures économiques, tel le boycottage. D'autres orateurs envisagent déjà de prendre les armes.

? Analysez cette image à l'aide de la fiche méthodologique *Interpréter un document iconographique*, à la page 492.

La session parlementaire qui s'ouvre à la fin du mois d'août ne dure que quelques jours. Le gouverneur décide en effet de dissoudre la Chambre parce que les députés refusent de voter le budget. Au début du mois de septembre, quelques Patriotes fondent les Fils de la Liberté, un organisme révolutionnaire qui envisage le recours aux armes. Sa fondation répond à celle du Doric Club, une organisation politique anglophone **paramilitaire**, c'est-à-dire construite sur le modèle de l'armée, fondée un an auparavant.

De nouvelles assemblées populaires sont organisées, la plus importante étant celle des Six-Comtés, qui a lieu à Saint-Charles-sur-Richelieu. Environ 5000 personnes y assistent et les chefs patriotes les plus radicaux y lancent clairement un appel à la rébellion.

La rébellion de 1837

Bientôt, la violence éclate. À Montréal, des membres du Doric Club attaquent les Fils de la Liberté dans une bagarre de rue qui se termine par le saccage de l'imprimerie du *Vindicator*, un journal favorable aux Patriotes. Pour le gouverneur, c'en est trop ; il décrète la **loi martiale** (loi de guerre) et émet des mandats d'arrestation contre 26 chefs patriotes, accusés de trahison. Papineau et quelques autres chefs réussissent à fuir avant que les soldats viennent les arrêter.

Le 23 novembre, l'armée britannique tente de surprendre les Patriotes regroupés dans le village de Saint-Denis, mais ceux-ci obtiennent une victoire inattendue. Leur succès n'est cependant que de courte durée et deux jours plus tard, ils sont battus à Saint-Charles. Le 14 décembre, ils subissent une nouvelle défaite à Saint-Eustache. La répression est sans pitié et plusieurs villages sont pillés et brûlés.

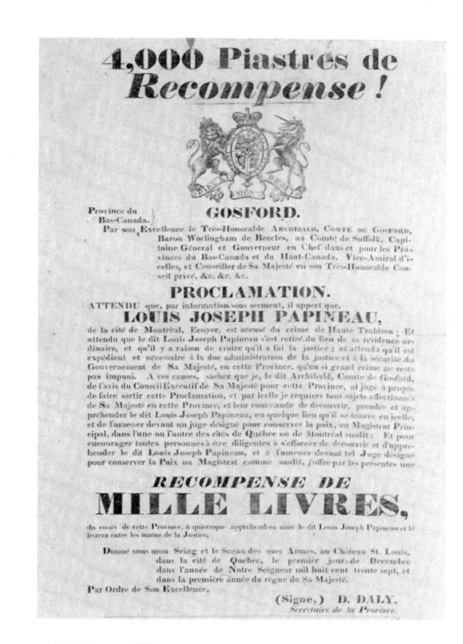

4,000 Piastres de
Recompense !

Province du Bas-Canada.

GOSFORD.

Par son Excellence le Très-Honorable Archibald, Comte de Gosford, Baron Worlingham de Beccles, au Comté de Suffolk, Capitaine Géneral et Gouverneur en Chef dans et pour les Provinces du Bas-Canada et du Haut-Canada, Vice-Amiral d'icelles, et Conseiller de Sa Majesté en son Très-Honorable Conseil privé, &c. &c. &c.

PROCLAMATION.

ATTENDU que, par information sous serment, il appert que,

LOUIS JOSEPH PAPINEAU,

de la cité de Montréal, Ecuyer, est accusé du crime de Haute Trahison ; Et attendu que le dit Louis Joseph Papineau s'est retiré du lieu de sa résidence ordinaire, et qu'il y a raison de croire qu'il a fui la justice ; et attendu qu'il est expédient et nécessaire à la due administration de la justice et à la sécurité du Gouvernement de Sa Majesté, en cette Province, qu'un si grand crime ne reste pas impuni. A ces causes, sachez que je, le dit Archibald, Comte de Gosford, de l'avis du Conseil Exécutif de Sa Majesté pour cette Province, ai jugé à propos de faire sortir cette Proclamation, et par icelle je requiers tous sujets affectionnés de Sa Majesté en cette Province, et leur commande de découvrir, prendre et appréhender le dit Louis Joseph Papineau, en quelque lieu qu'il se trouve en icelle, et de l'amener devant un juge désigné pour conserver la paix, ou Magistrat Principal, dans l'une ou l'autre des cités de Québec ou de Montréal susdit ; Et pour encourager toutes personnes à être diligentes à s'efforcer de découvrir et d'appréhender le dit Louis Joseph Papineau, et à l'amener devant tel Juge désigné pour conserver la Paix ou Magistrat comme susdit, j'offre par les présentes une

RECOMPENSE DE

MILLE LIVRES,

du cours de cette Province, à quiconque appréhendera ainsi le dit Louis Joseph Papineau et le livrera entre les mains de la Justice.

Donné sous mon Seing et le Sceau des mes Armes, au Château St. Louis, dans la cité de Québec, le premier jour de Decembre dans l'année de Notre Seigneur mil huit cent trente sept, et dans la première année du règne de Sa Majesté.

Par Ordre de Son Excellence,

(Signe,) D. DALY,
Secrétaire de la Province.

Affiche offrant une récompense pour la capture de Papineau

Le 1er décembre 1837, on offre une prime pour la capture de Louis-Joseph Papineau.

?

1. Selon vous, par qui le chef patriote est-il recherché et de quel crime l'accuse-t-on ?
2. Combien offre-t-on pour sa capture ?
3. Comment ce document peut-il vous aider à comprendre l'expression populaire « ce n'est pas la tête à Papineau » ?

Adoption de l'Acte constitutionnel — 1791
Premières élections — 1792
Invasion du Haut et du Bas-Canada par les Américains — 1812-1813
Adoption des 92 résolutions — 1834
Rébellions armées dans le Haut et le Bas-Canada — 1837-1838
Rapport Durham — 1839
Adoption de l'Acte d'Union — 1840
Application du principe de la responsabilité ministérielle — 1848
1850

4

1 Les troupes qui arrivent à Saint-Eustache pour mater la rébellion patriote sont dirigées par le général John Colborne, commandant des forces britanniques d'Amérique du Nord. Elles comptent 1280 soldats réguliers, 220 volontaires et une douzaine de canons.

2 Environ 250 Patriotes défendent Saint-Eustache. Le docteur Jean-Olivier Chénier en dirige personnellement une soixantaine, barricadés dans l'église.

3 Colborne fait bombarder les positions des Patriotes (encore aujourd'hui, on peut voir les traces des boulets de canon sur la façade de l'église de Saint-Eustache).

4 Les troupes britanniques mettent le feu à plusieurs maisons. Sur les 150 bâtiments du village, 65 sont incendiés.

5 Les Patriotes réfugiés dans l'église sont bientôt menacés par l'incendie. Ils tentent de s'enfuir en sautant par les fenêtres, mais ils sont fusillés ou capturés par les Britanniques qui les attendent en bas. Chénier meurt au cours de ce combat désespéré.

La bataille de Saint-Eustache

CHRONOLOGIE DES RÉBELLIONS DE 1837 ET 1838

1837

6 mars
Les 10 résolutions de Russell, réponse de Londres aux 92 résolutions des Patriotes.

7 mai
Assemblée populaire de Saint-Ours, suivie de plusieurs autres.

15 juin
Le gouverneur Gosford interdit les assemblées populaires.

18 août
Début de la session parlementaire du Bas-Canada.

26 août
La Chambre d'assemblée refuse de voter le budget. Le gouverneur la dissout.

Septembre (début)
Fondation des Fils de la Liberté dans le but d'organiser la lutte armée.

23 octobre
Assemblée des Six-Comtés, premier appel aux armes.

6 novembre
Début des violences. Bagarre à Montréal entre les membres des Fils de la Liberté et ceux du Doric Club.

16 novembre
Mandats d'arrêt contre 26 chefs patriotes. Papineau se réfugie aux États-Unis.

23 novembre
Victoire des Patriotes à Saint-Denis.

25 novembre
Défaite des Patriotes à Saint-Charles.

14 décembre
Défaite des Patriotes à Saint-Eustache.

1838

28 février
Proclamation d'indépendance du Bas-Canada par Robert Nelson.

Février (fin)
Formation de la société secrète des Frères chasseurs.

3 et 4 novembre
Réunion des Frères chasseurs au sud de Montréal.

7 novembre
Défaite des Frères chasseurs à Lacolle.

9 novembre
Défaite des Frères chasseurs à Odelltown. Une forte répression britannique s'ensuit.

21 décembre, 18 janvier et 15 février 1839
Pendaison de 12 Patriotes à Montréal. Une soixantaine d'autres sont exilés en Australie.

Arrivée des premiers êtres humains au Québec — *1791* — *1850* — 4e réalité sociale
v. –7000/–6000 | 1500 | 1600 | 1700 | 1800 | 1900 | 2000

La rébellion de 1838

Plusieurs Patriotes s'enfuient et trouvent refuge aux États-Unis. Ils fondent une société secrète, les Frères chasseurs, chargée de recruter et d'entraîner des volontaires pour une invasion du Canada. Au début du mois de novembre 1838, les Frères chasseurs se réunissent à plusieurs endroits au sud de Montréal et tentent de relancer la rébellion. Ils sont battus à Odelltown le 9 novembre, marquant ainsi la fin du soulèvement. Les troupes britanniques de Colborne poursuivent leurs opérations en brûlant plusieurs villages et en faisant plusieurs centaines de prisonniers.

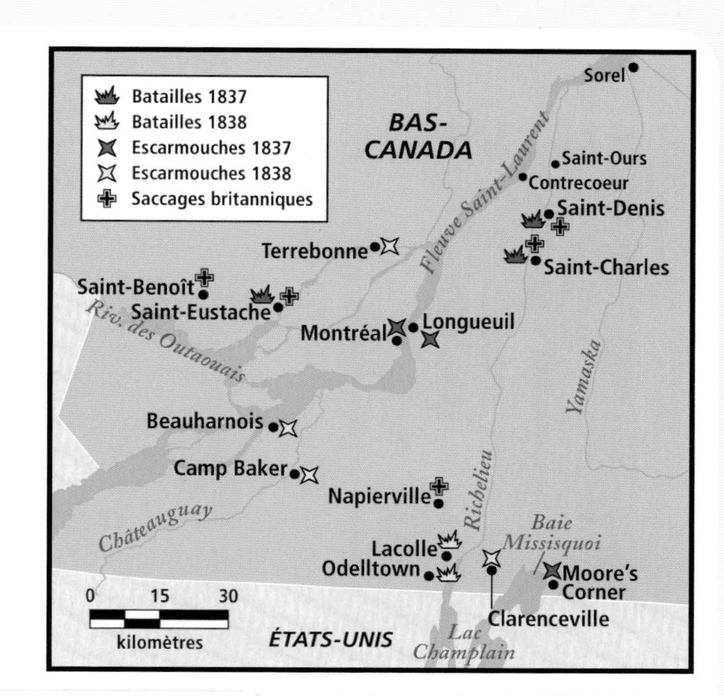

Les insurrections de 1837-1838

La région de Montréal et la vallée du Richelieu sont les châteaux forts des Patriotes. La plupart des députés radicaux de l'Assemblée viennent de ces régions.

? Quelle région, pourtant peuplée et politiquement importante, qui n'apparaît pas sur cette carte, reste à l'écart de ces événements ?

Déclaration d'indépendance du Bas-Canada

Au mois de février 1838, menés par le chef patriote Robert Nelson, les Patriotes réfugiés aux États-Unis font une brève incursion au Canada pour proclamer l'indépendance de la république du Bas-Canada.

« Déclarons solennellement

1. Qu'à compter de ce jour, le peuple du Bas-Canada est absous de toute allégeance à la Grande-Bretagne, et que toute connexion politique entre cette puissance et le Bas-Canada cesse dès ce jour.
2. Que le Bas-Canada doit prendre la forme d'un gouvernement républicain et se déclare maintenant, de fait, république. [...]
4. Que toute union entre l'Église et l'État est déclarée abolie, et toute personne a le droit d'exercer librement la religion et la croyance que lui dicte sa conscience. [...]
8. Que l'emprisonnement pour dette n'existera plus, sauf dans les cas de fraude évidente, [...].
11. Qu'il y aura liberté pleine et entière de la presse dans toutes les matières et affaires publiques. [...]
18. Qu'on se servira des langues française et anglaise dans toutes les matières publiques. »

Robert Nelson, *Déclaration d'indépendance du Bas-Canada,* 1838.

?

1. Quelle résolution souligne l'indépendance du Bas-Canada ?
2. Quel passage met en évidence la collaboration nécessaire entre les deux groupes ethniques ?

Wolfred Nelson

Le docteur Wolfred Nelson est l'un des principaux chefs patriotes. Condamné à l'exil, il revient au Canada en 1842. Il est le frère de Robert Nelson.

? Que nous apprend la présence de Nelson quant à la composition ethnique des Patriotes ?

Adoption de l'Acte constitutionnel — 1791
Premières élections — 1792
Invasion du Haut et du Bas-Canada par les Américains — 1812-1813
Adoption des 92 résolutions — 1834
Rébellions armées dans le Haut et le Bas-Canada — 1837-1838
Rapport Durham — 1839
Adoption de l'Acte d'Union — 1840
Application du principe de la responsabilité ministérielle — 1848
1850

William Lyon Mackenzie

Journaliste influent et premier maire de Toronto, William Lyon Mackenzie est le principal chef des rébellions qui ont lieu dans le Haut-Canada en 1837.

? De quelle origine vient le nom de famille Mackenzie ?

La rébellion dans le Haut-Canada

La volonté d'effectuer des changements politiques conformes aux idées libérales (gouvernement responsable, assemblée législative élue, etc.) est également très présente dans le Haut-Canada.

En 1828, des réformistes libéraux forment la majorité de l'Assemblée du Haut-Canada et plaident en faveur de changements similaires dans leur province. En 1834, la Chambre d'assemblée du Haut-Canada rédige un document qui reprend plusieurs des demandes contenues dans les *92 Résolutions*. En 1837, ces réformistes se posent la même question que les Patriotes : doivent-ils prendre les armes pour faire valoir leurs revendications ? Sous la direction de William Lyon Mackenzie, un petit groupe opte pour la voie de la rébellion. En décembre, profitant de l'envoi de militaires au Bas-Canada, il tente de s'emparer du pouvoir. Peu organisée, cette révolte est réprimée par les autorités avant la fin de l'année.

L'Église prend position

Depuis la Conquête, l'Église catholique s'est montrée généralement fidèle aux autorités britanniques. En s'alliant aux dirigeants anglophones (et protestants), elle espère pouvoir conserver ses privilèges. Cette loyauté s'est d'ailleurs clairement manifestée lors de la guerre de 1812, lorsque l'évêque a encouragé les Canadiens français à demeurer fidèles à la Couronne britannique.

L'Église catholique ne peut pas rester insensible aux événements qui secouent la colonie. Cependant, peu enclines aux idées libérales, les autorités ecclésiastiques prennent rapidement position au cours de l'été 1837. Elles rappellent à la population qu'il n'est jamais permis de se révolter contre l'autorité légitime ni de transgresser les lois du pays. Monseigneur Lartigue, l'évêque de Montréal, émet un premier **mandement** le 24 octobre 1837, dans lequel il rappelle l'importance de se soumettre au gouvernement. Le 8 janvier 1838, un second mandement condamne vigoureusement tous ceux qui se révoltent.

Les insurgés de novembre 1838

Cette image est l'œuvre de Katherine Jane Ellice, la bru du seigneur de Beauharnois. En novembre 1838, elle est prise en otage par les rebelles, mais elle est libérée saine et sauve peu après. Cette représentation est donc celle d'un témoin oculaire des événements.

? Que remarquez-vous quant à l'armement de la plupart de ces rebelles ?

Arrivée des premiers êtres humains au Québec

1791 1850 4e réalité sociale

v. –7000/–6000 1500 1600 1700 1800 1900 2000

Nouvel appel de Mgr Lartigue

Mgr Lartigue émet deux mandements pour condamner les rébellions. Dans le premier, qui précède le début des violences, il cherche à convaincre le peuple de ne pas s'allier aux rebelles. Le ton change dans un deuxième mandement émis après les combats de novembre et de décembre.

« Ils [les rebelles patriotes] ont montré ce qu'était la liberté qu'ils vous promettaient, lorsqu'ils ont dépouillé vos granges et vos maisons, qu'ils ont enlevé vos bestiaux, et vous ont réduits à la dernière pauvreté afin de se gorger de butin dans leurs camps, où ils démoralisaient notre jeunesse en l'entretenant dans un état habituel d'ivrognerie, pour étourdir ses remords. »

Monseigneur Lartigue, *Deuxième mandement à l'occasion des troubles de 1837,* 8 janvier 1838.

? Comment peut-on qualifier le ton de l'évêque dans ce texte ?

Monseigneur Lartigue

Jean-Jacques Lartigue devient le premier évêque de Montréal en 1836. Son mandement du 24 octobre 1837 lui attire la colère des Patriotes.

? Aujourd'hui, l'Église catholique prend-elle encore position dans les débats publics ?

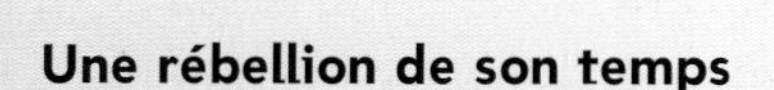

Une rébellion de son temps

Le mouvement des rébellions du Bas-Canada est loin d'être un phénomène unique : il s'inscrit dans le vaste contexte international de l'époque. En effet, depuis le début du 19e siècle, de nombreux peuples sous la domination d'une puissance étrangère cherchent à se libérer, à s'émanciper. La plupart des pays d'Amérique latine, comme l'Argentine et la Colombie, obtiennent ainsi leur indépendance de l'Espagne à cette époque. En Europe, de petits pays comme la Serbie, la Grèce et la Belgique luttent pour leur reconnaissance. En France, le peuple lutte pour faire valoir ses droits politiques. Ainsi, les Patriotes partagent leurs idéaux avec plusieurs de leurs contemporains.

QUESTIONS DE SYNTHÈSE

1. Quels sont les principaux changements politiques, économiques et sociaux dans la société du Bas-Canada au début du 19e siècle ?
2. Établissez les liens entre les luttes parlementaires, les *92 Résolutions* et les rébellions armées de 1837-1838.
3. Le développement d'un nationalisme canadien-français était-il compatible avec le projet des Britanniques ? Expliquez votre réponse.

1791 : Adoption de l'Acte constitutionnel
1792 : Premières élections
1812-1813 : Invasion du Haut et du Bas-Canada par les Américains
1834 : Adoption des 92 résolutions
1837-1838 : Rébellions armées dans le Haut et le Bas-Canada
1839 : Rapport Durham
1840 : Adoption de l'Acte d'Union
1848 : Application du principe de la responsabilité ministérielle
1850

Les premières années de l'Acte d'Union (1840-1850)

L'Acte d'Union de 1840 a notamment pour but d'assimiler les francophones du Bas-Canada et de neutraliser le pouvoir de leurs élus à la Chambre d'assemblée. L'arrivée de nouveaux chefs politiques va permettre aux Canadiens français non seulement de survivre comme peuple, mais aussi de jouer un rôle dynamique dans le développement de la colonie.

Les solutions de Durham, la décision de Londres

Un nouveau gouverneur général

En mai 1838, Londres envoie un nouveau gouverneur général dans la colonie, John George Lambton, comte de Durham. Il a pour mission d'enquêter sur les troubles survenus dans les deux Canada et de proposer des solutions. Politicien et diplomate d'expérience, l'homme a la réputation d'être libéral et réformiste. Il n'en est pas moins convaincu de la supériorité des institutions britanniques.

Dès son arrivée dans la colonie, il nomme de nouveaux conseillers qui lui sont favorables. Il décide de libérer 153 prisonniers politiques et exile aux Bermudes huit chefs patriotes qui ont reconnu leur culpabilité. Il se gagne ainsi la sympathie des francophones. Cependant, le Parlement de Londres lui reproche ses décisions hâtives, ce qui l'incite à repartir en Angleterre. Lord Durham ne demeure que cinq mois dans la colonie, mais cela lui suffit pour se faire une idée de la situation. En 1839, il publie son *Rapport sur les affaires de l'Amérique septentrionale britannique* qui connaît une grande diffusion dans les deux Canada et suscite encore aujourd'hui beaucoup de réactions.

Promenade dans la Haute-Ville de Québec

Pendant son court séjour au Canada, Lord Durham ne reste pas inactif. Il entreprend une vaste tournée de consultation dans le Haut-Canada et le Bas-Canada afin de recevoir les plaintes et les avis de tous ceux et celles qui veulent se faire entendre.

L'analyse de Lord Durham : un conflit politique et ethnique

Dans son rapport, Lord Durham dénonce les défauts des institutions canadiennes, notamment l'absence de la responsabilité ministérielle. Au Haut-Canada comme au Bas-Canada, c'est ce qui a causé les luttes opposant la Chambre d'assemblée au gouverneur.

Arrivée des premiers êtres humains au Québec

1791 | 1850 | 4e réalité sociale

v. –7000/–6000 | 1500 | 1600 | 1700 | 1800 | 1900 | 2000

Par ailleurs, ce système politique représentatif mais non responsable a favorisé la création d'une « aristocratie gouvernementale » qui regroupe le gouverneur et les membres des conseils exécutif et législatif. Dans le Bas-Canada, ce groupe est surnommé la « clique du château » alors qu'au Haut-Canada, on le nomme le *Family Compact*. Ces cliques, qui monopolisent le pouvoir, freinent le développement économique et social des colonies.

Mais au Bas-Canada, insiste Durham, les problèmes politiques sont également attribuables à une crise raciale. Selon lui, l'Acte constitutionnel de 1791 a permis la survie de la nation canadienne-française et même le développement d'un sentiment d'appartenance à cette nation. Or, selon lui, ce sentiment nationaliste nuit au développement du Canada.

Partie de la ville de Québec : le château Saint-Louis, le quai et le fleuve

Construit à l'époque de la Nouvelle-France, le château Saint-Louis à Québec sera le lieu de résidence des gouverneurs français, puis britanniques au lendemain de la Conquête. Détruit lors d'un incendie en 1834, le château ne sera pas reconstruit. En 2006, des fouilles archéologiques sont entreprises sous la terrasse Dufferin afin de retrouver les vestiges de cette résidence.

Le rapport Durham

Le rapport Durham a été publié pour la première fois dans le *Times* de Londres en 1839. Ce document est l'un des plus importants de l'histoire du Canada.

« [...] Je m'attendais à trouver un conflit entre le gouvernement et le peuple ; je trouvai deux nations en guerre au sein d'un même État ; je trouvai une lutte, non de principes, mais de races. Et je m'aperçus qu'il serait vain d'essayer d'améliorer les lois ou les institutions avant que d'avoir réussi à exterminer la haine mortelle qui, maintenant, sépare les habitants du Bas-Canada en deux groupes hostiles : Français et Anglais. [...] Jamais plus la présente génération de Canadiens français ne consentira à se soumette loyalement à un gouvernement britannique ; jamais plus la population anglaise ne tolérera l'autorité d'une Chambre d'assemblée où les Français posséderont une majorité ou même s'en approcheront. [...] »

Lord Durham, *Rapport sur les affaires de l'Amérique septentrionale britannique,* 1839.

1. Selon Durham, quelle est la source du conflit ?
2. Durham croit-il possible la coexistence entre les deux peuples ?

John George Lambton, Lord Durham

Lorsqu'il siégeait au Parlement de Londres, de 1813 à 1828, Lord Durham a appuyé les grandes mesures réformistes de son temps : la liberté du commerce, l'éducation pour tous, la création de l'Université de Londres.

? À quel concept politique abordé dans ce chapitre peut-on rattacher ces mesures ?

Adoption de l'Acte constitutionnel — 1791
Premières élections — 1792
Invasion du Haut et du Bas-Canada par les Américains — 1812-1813
Adoption des 92 résolutions — 1834
Rébellions armées dans le Haut et le Bas-Canada — 1837-1838
Rapport Durham — 1839
Adoption de l'Acte d'Union — 1840
Application du principe de la responsabilité ministérielle — 1848
1850

Les recommandations de Lord Durham

Afin de résoudre la crise politique et sociale qui secoue les colonies canadiennes, Lord Durham apporte deux recommandations principales.

D'abord, il propose d'unir les deux Canada et de fusionner leurs institutions politiques. À la Chambre d'assemblée, les Canadiens français deviendraient minoritaires : la population du Bas-Canada est de 650 000 personnes dont 150 000 sont d'origine britannique, alors que la population du Haut-Canada, essentiellement anglophone, comprend 450 000 personnes. Les Canadiens français auraient ainsi une influence moins grande sur la vie politique. Progressivement, les francophones en viendraient à perdre leur nationalité et à être assimilés aux anglophones. Aux yeux de Lord Durham, cette assimilation serait positive pour les Canadiens français, ce « peuple sans histoire et sans littérature » qu'il considère comme inférieur aux Britanniques.

En outre, la fusion des deux Canada réunirait à nouveau le couloir commercial du Saint-Laurent. Cela apparaît comme une mesure essentielle au bon développement économique de la colonie.

Ensuite, Durham recommande l'instauration du gouvernement responsable. Le gouverneur devrait choisir les membres du Conseil exécutif au sein de la majorité élue à la Chambre, comme c'est le cas en Grande-Bretagne. Cela calmerait les tensions politiques et contribuerait par le fait même à la relance de l'économie.

Vue de Québec

Depuis l'Acte constitutionnel, les députés du Haut-Canada se plaignent du fait que leur colonie ne peut profiter pleinement de l'important trafic qui passe par le fleuve Saint-Laurent à cause de l'opposition de la Chambre d'assemblée du Bas-Canada à certains projets de construction de canaux.

? Pourquoi l'union des deux colonies pourrait-elle régler ce problème, selon vous ?

LES RÉACTIONS PROVOQUÉES PAR LE RAPPORT DURHAM	
Dans le Bas-Canada	**Dans le Haut-Canada**
• La bourgeoisie professionnelle canadienne-française se réjouit de la responsabilité ministérielle. • La bourgeoisie marchande anglophone acclame le projet d'union qui permettrait de vaincre l'opposition des francophones à leurs projets de développement économique. • Les Canadiens français de même que le clergé s'opposent à l'union des deux Canada. Ils sont blessés par les propos désobligeants de Lord Durham à leur égard.	• Les membres du *Family Compact* s'opposent à la responsabilité ministérielle, car elle diminuerait leur influence politique et économique. • Les réformistes se réjouissent de la responsabilité ministérielle qu'ils réclament depuis longtemps.

Arrivée des premiers êtres humains au Québec — 1791 — 1850 — 4e réalité sociale — 7000/6000 — 1500 — 1600 — 1700 — 1800 — 1900 — 2000

Ouverture du Parlement à Montréal en 1845

De 1844 à 1849, la Chambre d'assemblée du Canada-Uni se réunit à Montréal. C'est le marché Sainte-Anne, sur la place d'Youville, qui abrite alors le Parlement.

? Qu'est-ce qui justifie le choix de Montréal comme capitale du Canada-Uni au cours de cette période ? Aujourd'hui, dans quelle province le Parlement canadien siège-t-il ?

La décision de Londres : l'Acte d'Union de 1840

Suivant les recommandations de Lord Durham, le gouvernement britannique décide d'unir les deux Canada par l'Acte d'Union de 1840. Dans la nouvelle colonie du Canada-Uni, il n'y a plus qu'une seule chambre d'assemblée, un seul conseil exécutif et un seul conseil législatif. Cependant, malgré les suggestions de Durham, la Grande-Bretagne refuse toujours d'accorder à la colonie la responsabilité ministérielle. Elle craint que cette trop grande autonomie ne provoque le déchirement de l'Empire.

L'Acte d'Union modifie peu les structures du pouvoir. Un gouverneur général nommé par Londres se trouve toujours à la tête du gouvernement et de l'armée de la colonie. C'est lui qui nomme les membres du Conseil législatif et du Conseil exécutif qui ne sont toujours pas forcés de démissionner s'ils perdent la confiance de la Chambre d'assemblée. De plus, Londres conserve le droit de rejeter une loi jusqu'à deux ans après son adoption.

Selon la loi de 1840, la nouvelle Chambre d'assemblée comprend un nombre égal de représentants du Canada-Ouest (Haut-Canada) et du Canada-Est (Bas-Canada), soit 42. Cette représentation n'est pas proportionnelle, puisque la population du Canada-Est compte 200 000 personnes de plus que celle du Canada-Ouest. La mesure place donc les francophones en situation de minorité à la Chambre, ce qui réduit leur influence politique. De plus, l'anglais devient la seule langue officielle de la colonie.

Enfin, l'Acte d'Union prévoit la mise en commun des revenus et des dettes des anciennes provinces. Or, les dettes des deux provinces sont très inégales : celles du Haut-Canada sont 12 fois plus élevées que celles du Bas-Canada. Pour les francophones, cela constitue une injustice.

La population du Canada-Uni (1840)

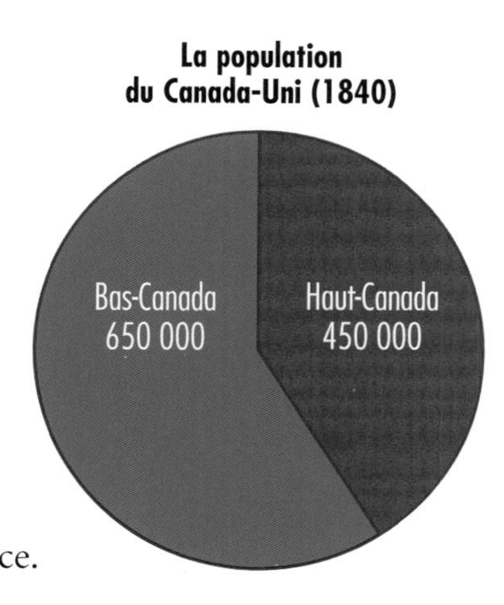

LES STRUCTURES POLITIQUES SOUS L'UNION

EN ANGLETERRE

Roi ou reine
Parlement britannique

AU CANADA-UNI

Gouverneur

Conseil exécutif 8 membres

Conseil législatif 24 membres

Assemblée législative
Canada-Ouest 42 députés
Canada-Est 42 députés

Électeurs

➔ Nomination
⇨ Élection

? Que remarquez-vous quant au nombre de députés du Canada-Ouest et du Canada-Est en fonction de leur population respective ?

1791 — Adoption de l'Acte constitutionnel
1792 — Premières élections
1812-1813 — Invasion du Haut et du Bas-Canada par les Américains
1834 — Adoption des 92 résolutions
1837-1838 — Rébellions armées dans le Haut et le Bas-Canada
1839 — Rapport Durham
1840 — Adoption de l'Acte d'Union
1848 — Application du principe de la responsabilité ministérielle
1850

Robert Baldwin

Avocat et député de York à l'Assemblée du Haut-Canada, il devient membre du Conseil législatif en 1836. Robert Baldwin est réélu député en 1841 dans le nouveau gouvernement du Canada-Uni où il devient le chef des réformistes.

Une nouvelle alliance 

Dès la parution du rapport de Lord Durham, les réformistes du Canada-Ouest, menés par Robert Baldwin, proposent une alliance politique à leurs collègues du Canada-Est. Baldwin et son parti savent qu'ils ont besoin des francophones pour former une majorité à la Chambre d'assemblée. De cette façon, ils pourront atteindre leur objectif commun: le gouvernement responsable que l'Acte d'Union leur a refusé. Ils sont prêts à faire des concessions et à respecter la présence des francophones dans la vie politique.

Robert Baldwin

Guidé par le sens du devoir et de l'honneur, Robert Baldwin n'hésite pas à démissionner plusieurs fois du gouvernement plutôt que de renier ses principes. Toutefois, lors des soulèvements de 1837, ce riche avocat préfère rester neutre dans le conflit.

Ardent défenseur de la responsabilité ministérielle, il remet un mémoire détaillé sur cette question à Lord Durham lors de sa visite à Toronto.

? D'après ce texte, qu'est-ce qui vaut à Baldwin l'étiquette de « modéré » ?

L'invitation des réformistes du Canada-Ouest

Le banquier et journaliste Francis Hincks est l'un des principaux porte-parole et stratèges des réformistes du Canada-Ouest. En 1839, il propose une alliance aux leaders canadiens-français.

« Lord Durham vous prête des objectifs nationalistes. S'il a raison, l'Union sera pour vous une catastrophe ; s'il a tort et si vous désirez véritablement des institutions libérales et démocratiques, l'Union, à mon avis, ne pourrait que vous apporter ce que vous désirez. [...] Si nous nous unissons, en tant que Canadiens, pour le plus grand bien de toutes les classes du pays, il n'y a pas l'ombre d'un doute que la nouvelle constitution que propose Durham sonnera le glas du parti bureaucrate. »

Lettre de Hincks à La Fontaine, 1839.

?

1. Quelle sera la réponse de La Fontaine à cette proposition d'alliance ?
2. Sur quel objectif politique se fonde-t-elle ?

Arrivée des premiers êtres humains au Québec

1791 1850 4e réalité sociale

v. –7000/–6000 1500 1600 1700 1800 1900 2000

Du côté du Canada-Est, le principal porte-parole des Canadiens français au lendemain de l'Union est Louis-Hippolyte La Fontaine. Il suggère de renoncer aux prétentions nationalistes des Patriotes et de collaborer avec les réformistes du Canada-Ouest pour réclamer la responsabilité ministérielle. Une fois l'autonomie politique acquise, les intérêts des francophones seront assurés puisque les anglophones auront toujours besoin de leur appui pour gouverner.

En 1841, les réformistes des deux Canada forment une alliance durable. Ils parviennent à faire élire une majorité de députés à la Chambre, soit 49 sur 84.

Louis-Hippolyte La Fontaine

Lors de l'élection de 1841, des opposants aux réformistes empêchent les partisans de La Fontaine d'atteindre le bureau de scrutin. Robert Baldwin, qui a été élu dans deux circonscriptions, lui offre celle de York (à Toronto). Cela consacre leur alliance.

? Donnez des exemples récents d'alliance entre politiciens francophones et anglophones au Canada.

Louis-Hippolyte La Fontaine

Louis-Hippolyte La Fontaine entre tôt dans la vie politique. À 23 ans, ce jeune avocat, né à Boucherville, est élu député à la Chambre d'assemblée. Il est alors un fervent admirateur de Papineau. Toutefois, en 1837, il s'oppose à l'appel aux armes et quitte le Parti patriote. Il préfère se rendre à Londres pour plaider une réforme constitutionnelle auprès du gouvernement britannique. Aux yeux des réformistes du Canada-Ouest, il apparaît donc comme un politicien modéré.

Le programme de La Fontaine

En 1840, Louis-Hippolyte La Fontaine publie *Le manifeste de Terrebonne* dans lequel il expose les objectifs qu'il poursuit : le gouvernement responsable et la liberté du peuple. « Le Canada est la terre de nos ancêtres ; il est notre patrie, de même qu'il doit être la patrie adoptive des différentes populations qui viennent, des diverses parties du globe, exploiter ses vastes forêts dans la vue de s'y établir et d'y fixer [...] leurs demeures et leurs intérêts. Comme nous, elles doivent désirer, avant toute chose, le bonheur et la prospérité du Canada. C'est l'héritage qu'elles doivent s'efforcer de transmettre à leurs descendants sur cette terre jeune et hospitalière. Leurs enfants devront être, comme nous et avant tout, Canadiens. »

Louis-Hippolyte La Fontaine,
Le manifeste de Terrebonne, 1840.

? Quelle attitude La Fontaine souhaite-t-il voir se développer chez les nouveaux arrivants et arrivantes ?

1791 – Adoption de l'Acte constitutionnel
1792 – Premières élections
1812-1813 – Invasion du Haut et du Bas-Canada par les Américains
1834 – Adoption des 92 résolutions
1837-1838 – Rébellions armées dans le Haut et le Bas-Canada
1839 – Rapport Durham
1840 – Adoption de l'Acte d'Union
1848 – Application du principe de la responsabilité ministérielle
1850

Manufacture de textile en Angleterre vers 1850

En Grande-Bretagne, depuis la fin du 18e siècle, l'économie traditionnelle s'est radicalement transformée. De plus en plus, la production est mécanisée et les biens sont fabriqués sur une grande échelle dans des usines.

? Quel avantage la Grande-Bretagne retirerait-elle du libre-échange pour ses propres manufactures ?

Un gouvernement responsable 

L'adoption du libre-échange

Dans les années 1840, la Grande-Bretagne abandonne ses politiques mercantilistes et cesse d'accorder des tarifs douaniers préférentiels pour les produits coloniaux. La métropole, alors en pleine révolution industrielle, veut élargir ses marchés. Les nouvelles élites de l'industrie britannique, adeptes du libéralisme économique, réclament le libre-échange, soit l'abolition des barrières tarifaires.

Ainsi, en 1846, le Parlement britannique abolit les lois qui assuraient aux céréales coloniales un traitement préférentiel au sein de l'Empire britannique. Cette mesure est bientôt suivie de l'élimination des tarifs **protectionnistes** pour le bois et pour des centaines d'autres produits en provenance des colonies britanniques. Ce changement dans l'économie de la métropole entraîne des répercussions majeures sur la vie politique canadienne. La Grande-Bretagne s'attend désormais à ce que ses colonies prennent entièrement en charge leur propre développement et à ce qu'elles s'affranchissent financièrement de la métropole.

James Bruce, Lord Elgin

Lord Elgin a eu une brillante carrière comme administrateur colonial. De 1842 à 1863, il a été tour à tour gouverneur de la Jamaïque, gouverneur du Canada, commissaire spécial en Chine et vice-roi en Inde.

? En quoi les différentes fonctions de Lord Elgin sont-elles le reflet de l'Empire britannique ?

L'obtention du gouvernement responsable

Pour donner à ses colonies les moyens de se prendre en charge, la Grande-Bretagne se montre de plus en plus disposée à leur accorder la responsabilité ministérielle tant réclamée par l'alliance réformiste du Canada-Uni.

Aux élections de décembre 1847, le parti de Baldwin et de La Fontaine remporte une importante victoire, faisant élire 62 députés à la Chambre d'assemblée. Avec l'accord de Londres, le nouveau gouverneur général, Lord Elgin, demande aux chefs des réformistes de former le gouvernement en mars 1848, c'est-à-dire de choisir les membres du Conseil exécutif. Il applique ainsi le principe du gouvernement responsable.

Dès lors, le rôle du gouverneur général est réduit considérablement : il ne participe plus aux réunions du Conseil exécutif et il ne nomme plus les fonctionnaires. Il demeure toutefois le représentant de la Couronne britannique et continue à servir d'agent de liaison avec la métropole.

***L'incendie du parlement à Montréal,* Joseph Légaré**

Dans les années qui ont suivi l'incendie du parlement à Montréal, le siège du gouvernement alterna entre Toronto et Québec. Mais cette solution était trop coûteuse. Il fallait choisir un emplacement fixe. En 1857, c'est Ottawa (anciennement Bytown) qui devient la nouvelle capitale.

? Quels avantages le site d'Ottawa offre-t-il ?

L'incendie du parlement à Montréal

En 1849, le gouvernement de La Fontaine et de Baldwin vote une loi pour indemniser les gens du Bas-Canada qui ont perdu des biens pendant les rébellions de 1837-1838. Seules les personnes qui ont été reconnues coupables de sédition et celles qui ont été exilées n'ont pas le droit d'être dédommagées. Une telle loi avait déjà été votée dans le Haut-Canada.

Pour les conservateurs qui siègent à la Chambre d'assemblée, c'en est trop. La loi d'indemnisation leur semble un signe de la domination française au Parlement et une manière de récompenser des traîtres. Ils s'opposent à l'adoption de la loi tandis qu'un mouvement de résistance s'organise à l'extérieur du parlement.

Il revient à Lord Elgin de trancher. D'un côté, s'il refuse de sanctionner la loi, il renie les fondements du gouvernement responsable. De l'autre, s'il accepte de faire adopter la loi, il s'attire le mécontentement d'une bonne partie de la population anglophone de Montréal. Au nom de la responsabilité ministérielle, le gouverneur choisit d'approuver la loi. À sa sortie du parlement, il est reçu par une foule en colère qui bombarde d'œufs sa voiture.

Le soir du 25 avril 1849, alors que les députés sont en session, une foule de citoyens anglophones mécontents enfoncent les portes du parlement et brisent les fenêtres de l'édifice. Ils mettent le feu aux conduites de gaz et à plusieurs endroits de l'édifice, qui s'enflamme. Les députés se sauvent de justesse. Toutefois, la bibliothèque du Canada-Uni, qui contient toutes les archives de la colonie, s'envole en fumée. Trente mille livres et manuscrits d'une valeur inestimable sont détruits dans l'incendie.

? Discutez avec vos camarades de la question suivante : La violence a-t-elle sa place dans une démocratie ?

***Le carême brisé,* du peintre Cornelius Krieghoff (1848)**

Le curé que l'on peut voir sur cette image constate que les victuailles qui trônent sur la table de cette famille d'habitants et d'habitantes sont loin de s'accorder avec le jeûne qu'il fallait observer pendant la période du carême...

? Que nous apprend l'attitude des personnages sur cette image quant aux rapports entre le curé et la population à cette époque ?

La réaction religieuse

Au début du 19e siècle, la grande majorité de la population du Bas-Canada est de religion catholique. Toutefois, tous les gens ne fréquentent pas l'église d'une manière assidue. La pratique religieuse varie d'une personne à l'autre. Une majorité assiste à la messe le dimanche, mais cette réunion hebdomadaire n'est pas seulement un rituel religieux : c'est aussi une occasion de rencontre pour les gens. Le curé est un personnage important dans le village, mais son autorité n'est pas respectée également par tout le monde. À l'époque des rébellions, plusieurs se déclarent même ouvertement **anticléricaux.**

Une période de changement

Tout change considérablement après 1840. Les Canadiens français vivent alors une situation généralement difficile. Les débouchés économiques sont plutôt minces et les terres fertiles se font de plus en plus rares. L'échec des rébellions de 1837-1838 et l'Acte d'Union ont diminué leur influence politique. Pour bon nombre de Canadiens français, l'Église semble désormais la dernière grande institution capable de les défendre.

Monseigneur Ignace Bourget

En 1840, Mgr Ignace Bourget succède à Mgr Lartigue comme évêque de Montréal. Extrêmement actif, il est l'un des principaux artisans du renouveau religieux. Il fait venir plusieurs communautés religieuses de France et suscite la fondation d'ordres religieux au Québec.

? D'après vous, quel impact ces mesures prises par l'évêque auront-elles sur l'influence de l'Église au Canada ?

Le renouveau religieux

C'est le moment que choisissent les autorités religieuses pour se faire de plus en plus présentes auprès de la population. Une quantité croissante de prêtres est formée afin de mieux encadrer les fidèles. Plusieurs ordres religieux apparaissent et de nouvelles publications pieuses sont encouragées. Des **prêcheurs** entreprennent de grandes tournées à travers la province pour renouveler la ferveur religieuse. Grâce à toutes ces initiatives, la population francophone du Canada se rapproche grandement de ses dirigeants religieux.

Une fierté nationale toujours vivante

Fidèle allié du gouvernement, le clergé est hostile aux idées libérales. Ainsi, l'évêque de Montréal, Mgr Lartigue, a condamné durement la rébellion de 1837. Les prêtres favorisent la diffusion dans la population d'idées plus conservatrices, comme le respect de l'autorité. Ils n'en contribuent pas moins à maintenir la fierté nationale des Canadiens français en se présentant comme leurs nouveaux chefs naturels.

Arrivée des premiers êtres humains au Québec

1791 1850

4e réalité sociale

v. –7000/–6000 1500 1600 1700 1800 1900 2000

Un nouveau réseau de transport

Le développement économique du Canada-Uni entraîne une augmentation des échanges commerciaux. Le Canada-Ouest profite particulièrement de l'importance du marché américain : sa production agricole connaît un grand essor et dépasse bientôt celle du Canada-Est. Pour acheminer toutes ces marchandises, il devient nécessaire de développer un réseau de transport efficace.

Les canaux

Les travaux commencent dès les années 1820. Plusieurs canaux sont alors creusés pour rendre certains cours d'eau plus aisément navigables. Le canal de Lachine, qui permet aux navires d'éviter les rapides du fleuve Saint-Laurent à la hauteur de Montréal, est achevé en 1824 et le canal Rideau, qui relie Ottawa à Kingston, est terminé en 1832.

D'autres canaux sont ensuite creusés pour permettre à la voie navigable du Saint-Laurent de demeurer compétitive relativement au réseau de transport qui se développe aux États-Unis. En effet, le port de Montréal est toujours très important, mais il est menacé par la forte concurrence des ports américains comme ceux de New York et Boston.

Le pont Victoria

Inauguré en 1860, le pont Victoria permet de relier directement l'île de Montréal au réseau de chemin de fer nord-américain. À cette époque, il est le plus long pont du monde.

? Quelle particularité ce pont possède-t-il à l'époque ?

Le chemin de fer

Bientôt, le développement des canaux ne suffit plus. C'est en effet à cette époque qu'est inventé le train, ce qui fournit un nouveau moyen de développer le réseau de transport. Même si un premier chemin de fer voit le jour au Canada en 1836, les États-Unis prennent rapidement de l'avance dans ce domaine. En 1850, leur réseau s'étale déjà sur 14 484 kilomètres, alors que celui du Canada ne fait que 106 kilomètres. La construction ferroviaire au Canada connaîtra donc une rapide et nécessaire expansion dans la seconde moitié du 19e siècle.

QUESTIONS DE SYNTHÈSE

1. En 1840, les autorités britanniques appliquent-elles toutes les recommandations du rapport Durham ? Justifiez votre réponse.
2. Comment les Canadiens français réussissent-ils à conserver un rôle politique important après la défaite des Patriotes ?
3. Peut-on affirmer que l'acquisition de la responsabilité ministérielle, en 1848, introduit dans le Canada-Uni une véritable démocratie ?

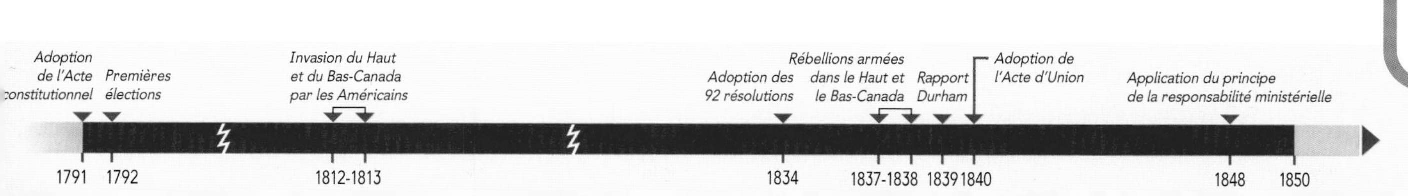

ARTS ET TRADITIONS

L'HISTOIRE ET LA LITTÉRATURE CANADIENNE

Un peuple « sans histoire et sans littérature »

Dans son rapport publié en 1839, Lord Durham déclare que les Canadiens français forment un « peuple sans histoire et sans littérature ». Ce jugement, porté par un noble anglais, indigne profondément les Canadiens français.

Depuis le début du 19e siècle, la littérature canadienne-française se limite aux textes des éditorialistes et des commentateurs politiques. À l'époque où le romantisme est à son apogée en Europe, le Canada français n'a pas de véritable tradition littéraire. Un premier roman écrit par un Canadien français, *Le chercheur de trésors ou l'influence d'un livre* de Philippe-Aubert de Gaspé fils, est publié en 1837 et connaît un vif succès. Quant à l'histoire, il n'existe alors aucun ouvrage canadien qui retrace l'épopée coloniale depuis les voyages de Jacques Cartier ou la fondation de Québec par Samuel de Champlain. Mais le rapport Durham et l'union des deux Canada provoquent le réveil culturel des Canadiens français. L'histoire et la littérature prennent alors leur envol.

Le premier historien national

Piqué au vif par le commentaire de Lord Durham, un jeune notaire autodidacte, François-Xavier Garneau, décide de lui répondre en écrivant une histoire du Canada. À partir de 1842, il entreprend de compiler les sources. De 1848 à 1852, il publie en quatre volumes son *Histoire du Canada depuis sa découverte jusqu'à nos jours,* c'est-à-dire jusqu'à l'Acte d'Union.

Écrite dans un style fougueux et romantique, cette œuvre majeure remporte un énorme succès dès sa parution. Garneau y présente l'histoire des Canadiens français comme une lutte pour la survie de leur nation. Il glorifie la Nouvelle-France, suscitant un renouveau patriotique et un sentiment de fierté parmi la population francophone. Pendant plus d'un siècle, poètes, romanciers et penseurs politiques seront influencés par les interprétations et la documentation de celui qu'ils considèrent comme le premier « historien national ».

François-Xavier Garneau

François-Xavier Garneau étudie l'histoire et la littérature de l'Angleterre et de la France grâce à la remarquable bibliothèque du notaire qui lui apprend son métier. Puis, de 1831 à 1833, il travaille à Londres et en profite pour visiter Paris à deux reprises.

? Quel motif pousse Garneau à rédiger son *Histoire du Canada* ?

Arrivée des premiers êtres humains au Québec — v. –7000/–6000 — 1500 — 1600 — 1700 — 1791 — 1800 — 4e réalité sociale — 1850 — 1900 — 2000

Les Anciens Canadiens

Le roman *Les Anciens Canadiens* de Philippe Aubert de Gaspé père est aujourd'hui considéré comme la première œuvre classique de fiction écrite par un Canadien français. Ce roman historique se déroule dans le Québec rural à l'époque de la Conquête. Il relate l'amitié de Jules d'Haberville, seigneur de Saint-Jean-Port-Joli, et d'Archibald Cameron, un exilé écossais. Mais leur relation est durement éprouvée pendant la guerre de la Conquête, lorsqu'ils se retrouvent dans des camps ennemis.

Le roman *Les Anciens Canadiens* brosse un portrait réaliste et vivant des mœurs et des traditions de la société rurale à la fin du Régime français. Le récit est également truffé d'anecdotes, de légendes et de contes tirés du folklore canadien. Dès sa publication en 1863, le roman est accueilli avec grand enthousiasme. L'année suivante, il fait l'objet d'une nouvelle édition et est traduit en anglais.

Contes et légendes

Si les Canadiens français sont un peuple « sans littérature » jusqu'à la fin des années 1830, ils n'en possèdent pas moins une riche tradition orale. Les contes et les légendes qui meublent les veillées s'inspirent de thèmes originaux : les coureurs des bois, l'hiver, les relations avec les Amérindiens, etc. Ils sont souvent peuplés de diables, de loups-garous et de feux follets, laissant une large place à l'imaginaire et au merveilleux.

Au 19e siècle, les périodiques littéraires et les journaux publient des dizaines de contes et de légendes, dont plus de 200 seront ensuite regroupés en recueils. De plus, la littérature canadienne qui apparaît dans les années 1830 puise abondamment dans ce riche folklore, reprenant les mêmes thèmes. *La chasse-galerie* d'Honoré Beaugrand, publiée en 1900 et qui s'inspire d'une légende célèbre, en est un bon exemple.

***La chasse-galerie,* Henri Julien**

La chasse-galerie est une invention du diable : c'est un canot qui vole à la vitesse de l'éclair. À la veille du jour de l'An, des bûcherons décident de vendre leur âme au diable pour aller retrouver leurs belles et leurs familles le temps d'une soirée.

? À quelle activité économique ce conte est-il lié ?

Adoption de l'Acte constitutionnel — 1791
Premières élections — 1792
Invasion du Haut et du Bas-Canada par les Américains — 1812-1813
Adoption des 92 résolutions — 1834
Rébellions armées dans le Haut et le Bas-Canada — 1837-1838
Rapport Durham — 1839
Adoption de l'Acte d'Union — 1840
Application du principe de la responsabilité ministérielle — 1848
1850

SCIENCE ET TECHNOLOGIE

4

LES DÉBUTS DE LA VAPEUR

L'idée de créer une machine à vapeur apparaît au 17e siècle. Plusieurs chercheurs, comme le Français Denis Papin, expérimentent alors diverses façons d'exploiter la transformation de l'eau en vapeur pour faire fonctionner un mécanisme. Au 18e siècle, d'autres inventeurs, comme l'Écossais James Watt, perfectionnent ces mécanismes pour les rendre plus efficaces. Au tournant du 19e siècle, les premières véritables machines à vapeur font leur apparition.

Lancement du *Royal William* à Québec

Inauguré le 27 avril 1831, le *Royal William* est le premier navire canadien à traverser l'Atlantique en n'utilisant que la vapeur. Son périple entre la Nouvelle-Écosse et l'Angleterre prendra 25 jours.

? Donnez des avantages de la vapeur sur les voiles pour un navire transatlantique.

Une « chaloupe à fumée »

Les applications de cette technologie concernent tout d'abord le monde des transports. Le premier bateau à vapeur commercial est ainsi mis en service aux États-Unis en 1807. Deux ans plus tard, l'industriel montréalais John Molson fait construire l'*Accomodation*. Les moteurs de cette première embarcation à vapeur canadienne proviennent des Forges du Saint-Maurice et le bateau est propulsé par deux roues à aubes latérales. Mis à l'eau le 19 août 1809, l'*Accomodation* parcourt le trajet de Montréal à Québec en 36 heures. Cette « chaloupe à fumée », comme la surnomment les journaux de l'époque, nécessite encore quelques ajustements, mais la mode est lancée. À partir de 1820, plusieurs navires à vapeur sillonnent régulièrement le fleuve Saint-Laurent.

Le premier train

Les applications de la vapeur ne se limitent pas au transport maritime. En 1825, on inaugure en Angleterre la première ligne de chemin de fer dans le monde. Au Canada, on suit la tendance et la Champlain and St Lawrence Railway Company est fondée dès 1832 pour développer cette nouvelle technologie. Financée par le très actif John Molson, la compagnie entreprend rapidement la construction d'un chemin de fer, dont les rails sont en bois recouvert de métal, sur la rive sud de Montréal afin de relier la ville à la rivière Richelieu. La locomotive alors utilisée ne dépasse guère la vitesse de 35 km/h, mais ces débuts modestes ouvrent la voie à de grands accomplissements.

Le premier chemin de fer au Canada

C'est en juillet 1836 qu'est inauguré le premier tronçon de la Champlain and St Lawrence Railway Company, reliant La Prairie à Saint-Jean-sur-Richelieu.

? Quel avantage offre le train par rapport au transport maritime ?

Arrivée des premiers êtres humains au Québec | 1791 | 1850 | 4e réalité sociale

v. –7000/–6000 | 1500 | 1600 | 1700 | 1800 | 1900 | 2000

SANTÉ PUBLIQUE ET HYGIÈNE

Des conditions exécrables

Au début du 19e siècle, comme un peu partout en Europe ou en Amérique, les villes et les villages du Bas-Canada sont généralement très sales. Les égouts à ciel ouvert se déversent directement dans les rivières où certains vont puiser leur eau potable. Les détritus s'amoncellent un peu partout. Les dépotoirs sont situés au cœur des villes et des animaux domestiques s'y promènent sans grande surveillance.

Sauf chez quelques membres de l'élite, la notion d'hygiène personnelle n'est guère plus développée. La propreté consiste généralement à changer de vêtements régulièrement et à se laver les mains et le visage de temps en temps. Les bains, le savon et les brosses à dents sont à peu près inconnus.

Distribution d'eau par la Mort

Cette image illustre les dangers de la pollution de l'eau dans les villes. La consommation de cette eau non potable est la cause de plusieurs maladies.

? Selon vous, pourquoi représente-t-on souvent la mort par un squelette ?

Les épidémies

Ces conditions d'hygiène sont propices à la propagation des maladies. Les épidémies mortelles de choléra ou de variole frappent la population à répétition. Les connaissances médicales sont encore très limitées et l'on croit communément que les maladies se répandent par la contamination de l'eau et de l'air. Ainsi, pour lutter contre l'épidémie de choléra en 1832, les autorités de la ville de Québec n'hésitent pas à tirer des coups de canon dans le vide pour tenter d'assainir l'air... sans grand succès.

De nouvelles conditions

Peu à peu, certaines mesures plus efficaces sont adoptées, comme la mise en quarantaine des victimes et des nouveaux arrivants et arrivantes. La vaccination contre la variole fait des progrès, même si les masses populaires continuent de s'en méfier pendant longtemps. À partir du milieu du siècle, on commence à comprendre qu'un milieu de vie propre et une bonne hygiène personnelle peuvent jouer un rôle important en matière de santé publique. Il reste encore beaucoup de progrès à faire dans ce domaine, mais à partir de ce moment, les conditions de vie de la population ne cessent de s'améliorer.

Ailleurs : L'Irlande

La conquête de l'Irlande par les Britanniques

Au début du 16e siècle, les souverains britanniques entreprennent d'étendre leur domination sur l'Irlande. En effet, à cette époque, cette petite île voisine de l'Angleterre est encore largement indépendante, ce qui inquiète les rois anglais. Ils craignent que des rivaux politiques ou des nations ennemies ne se servent de l'Irlande comme base d'opération pour envahir l'Angleterre. La conquête de l'Irlande leur semble un bon moyen pour prévenir cette invasion.

Pour arriver à leurs fins, les Anglais utilisent plusieurs méthodes. Ils négocient avec les seigneurs locaux, mais ils n'hésitent pas à employer la force. À force de diplomatie et de répression militaire, ils parviennent peu à peu à imposer leur pouvoir sur toute l'île.

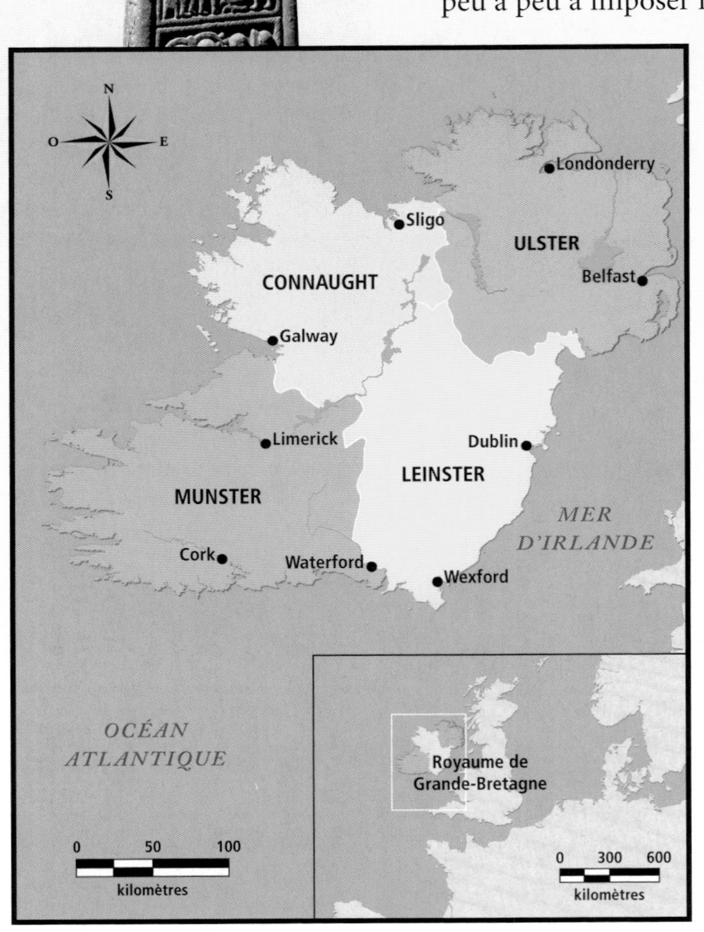

L'Irlande au 18e siècle

Les plantations

Pour sécuriser le pays, les autorités britanniques encouragent l'établissement de colons anglais et écossais en Irlande. Les terres nécessaires pour ces colonies, appelées « plantations », sont confisquées aux Irlandais et redistribuées aux nouveaux venus, dont la fidélité à la couronne d'Angleterre est jugée plus certaine. En Ulster, la province du nord de l'île, des dizaines de milliers de colons profitent de cette occasion. La répartition ethnique de l'Irlande en est durablement affectée.

Le protestantisme

C'est aussi à cette époque que les Anglais adoptent le protestantisme comme religion officielle. Les Irlandais, eux, demeurent très majoritairement catholiques, ce qui accentue les tensions entre les deux groupes. Lorsque les Anglais adoptent des lois pour diminuer l'influence des catholiques, les Irlandais sont parmi les premiers touchés.

Les lois pénales

Tout au long des 17e et 18e siècles, la majorité catholique d'Irlande est affaiblie par les lois pénales, une série de règlements qui visent à limiter ses droits. Les catholiques sont ainsi exclus de la plupart des fonctions publiques, y compris les postes politiques au Parlement irlandais. Ils ne peuvent pas non plus exercer une fonction dans le domaine judiciaire (avocat, juge, etc.) ni dans l'enseignement. De plus, il est interdit aux catholiques de s'engager dans l'armée ou tout simplement de posséder une arme à feu, de même que de pratiquer publiquement leur religion. À partir de 1728, il leur est même interdit de voter. Ils doivent également payer une taxe spéciale parce qu'ils n'assistent pas aux services religieux protestants.

Il faut cependant préciser qu'à partir du début du 18e siècle, certains protestants sont également affectés par les lois pénales. Celles-ci favorisent en effet un type particulier de protestantisme, l'anglicanisme, qui est la religion officielle de l'Angleterre. Les autres confessions protestantes, comme le **presbytérianisme** de l'Ulster, sont donc elles aussi touchées par les mesures répressives.

Le parlement irlandais à Dublin (aujourd'hui la banque d'Irlande)

L'institution du Parlement irlandais remonte au Moyen Âge, mais ce n'est qu'à partir du 16e siècle qu'il commence à détenir un véritable pouvoir. Il demeure toutefois subordonné au Parlement anglais.

Des problèmes économiques

Toutes ces mesures ont pour effet de marginaliser considérablement la population catholique irlandaise. En 1641, elle possédait près de 60 % des terres de l'île. Cinquante ans plus tard, les catholiques n'en contrôlent plus que 14 % alors qu'ils représentent près des trois quarts de la population. Au cours du 18e siècle, ce pourcentage diminuera même jusqu'à 5 %. Ces inégalités entraînent de sérieux problèmes économiques qui laissent la population complètement démunie dans les périodes plus difficiles. En 1740-1741, après un dur hiver et une mauvaise récolte, la famine terrasse près de 10 % de la population de l'île.

Fermiers irlandais pauvres vers 1800

La famine de 1740-1741 n'est pas la dernière que connaîtra l'Irlande. Un siècle plus tard, une autre grande famine, qui sévira de 1845 à 1849, entraînera l'émigration d'un très grand nombre d'Irlandais. Plusieurs d'entre eux trouveront refuge au Canada.

- 1791 : *Adoption de l'Acte constitutionnel*
- 1792 : *Premières élections*
- 1812-1813 : *Invasion du Haut et du Bas-Canada par les Américains*
- 1834 : *Adoption des 92 résolutions*
- 1837-1838 : *Rébellions armées dans le Haut et le Bas-Canada*
- 1839 : *Rapport Durham*
- 1840 : *Adoption de l'Acte d'Union*
- 1848 : *Application du principe de la responsabilité ministérielle*
- 1850

Theobald Wolfe Tone

Theobald Wolfe Tone est le principal chef de la Société des Irlandais unis. Issu d'une famille anglaise, il est né à Dublin et se considère d'abord et avant tout comme un Irlandais. Capturé par les Britanniques en 1798, il se donnera lui-même la mort plutôt que d'être exécuté comme rebelle.

Quelques réformes

À la fin du 18e siècle, plusieurs groupes cherchent à rectifier la situation en militant pour l'adoption de politiques libérales et pour une plus grande autonomie à l'égard de l'Angleterre. Même des membres de l'élite protestante, qui avec le temps ont fini par percevoir l'Irlande comme leur terre natale, souhaitent une plus grande liberté politique.

Plusieurs de leurs demandes sont satisfaites en 1782, lorsque les autorités retirent une ancienne loi qui plaçait le Parlement irlandais sous l'autorité directe du Parlement anglais. Le développement du commerce est également favorisé par l'adoption du libre-échange entre l'Irlande et l'Angleterre.

Les réformes se poursuivent jusqu'en 1793, les catholiques étant désormais autorisés à acheter des terres, à participer aux jurys et à voter, sans pour autant pouvoir être élus comme députés. L'entrée en guerre de l'Angleterre contre la France révolutionnaire met cependant un frein à ces progrès. Les autorités britanniques s'inquiètent en effet de l'influence que les idées véhiculées par la Révolution française exercent sur les libéraux d'Irlande.

La Société des Irlandais unis en 1798

Inspirés par la Révolution française de 1789, les Irlandais unis espèrent être soutenus par les Français afin de déclencher une rébellion en Irlande. Les renforts envoyés par la France seront cependant trop peu nombreux et arriveront trop tard.

La rébellion irlandaise de 1798

La Société des Irlandais unis

En peu de temps, un groupe révolutionnaire se forme en Irlande. La Société des Irlandais unis (Society of the United Irishmen) est fondée dès 1791 par des protestants radicaux et libéraux. Ils prônent l'égalité religieuse et souhaitent abolir la monarchie pour fonder une république libérale en Irlande. Ils sont bientôt appuyés par un grand nombre de catholiques et de presbytériens de l'Ulster.

La Société des Irlandais unis est bannie par les autorités en 1793. Elle n'en continue pas moins à se développer secrètement. Plutôt que de demander des réformes politiques, elle opte désormais pour l'organisation d'une rébellion armée.

Arrivée des premiers êtres humains au Québec

1791 — 1850 : 4e réalité sociale

v. –7000/–6000 · 1500 · 1600 · 1700 · 1800 · 1900 · 2000

La répression des autorités britanniques

La réplique du gouvernement anglais ne se fait pas attendre. Les membres de la Société des Irlandais unis qui sont découverts et capturés sont souvent torturés, exécutés ou déportés sans autre forme de procès. En 1795, les protestants irlandais qui demeurent loyaux à la Couronne britannique fondent à leur tour une société secrète : l'ordre d'Orange. Contrairement aux Irlandais unis, les orangistes se vouent à la défense des intérêts britanniques et au maintien du lien avec l'Angleterre.

La rébellion irlandaise de 1798

En 1798, sous la direction de Theobald Wolfe Tone, les Irlandais unis décident de passer à l'action. Forts de l'appui d'au moins 100 000 membres, ils tentent de déclencher une révolution pour se débarrasser du pouvoir anglais. À Dublin, la capitale de l'Irlande, l'insurrection échoue rapidement, mais elle se répand un peu partout dans le pays. Elle est particulièrement importante dans le comté de Wexford, où se livrent d'importantes batailles. La répression du gouvernement anglais est cependant très sévère et les combats cessent bientôt. Au cours des trois mois que dure la révolte, entre 15 000 et 30 000 personnes perdent la vie.

La réplique britannique

En réponse à la rébellion de 1798, l'Angleterre supprime le Parlement irlandais et proclame l'Acte d'Union en 1801. Désormais, l'Irlande est unie à l'Angleterre et à l'Écosse à l'intérieur d'une entité politique appelée Royaume-Uni. Elle est ainsi privée de l'indépendance relative qu'elle possédait et ses députés doivent aller siéger à Londres, où ils deviennent minoritaires.

Cette situation durera jusqu'au début du 20e siècle, lorsque la république d'Irlande déclarera son indépendance. Toutefois, encore aujourd'hui, une partie de l'île (l'Irlande du Nord) demeure rattachée au Royaume-Uni.

Défilé orangiste en Irlande du Nord, aujourd'hui

L'ordre d'Orange tire son nom de Guillaume d'Orange, roi d'Angleterre de 1689 à 1702. Cette société protestante est d'abord fondée pour s'opposer aux républicains des Irlandais unis, mais elle se répand ensuite un peu partout dans le monde où l'on retrouve des protestants irlandais, y compris au Canada.

Bataille de Vinegar Hill, comté de Wexford

À l'occasion du centenaire de la rébellion, en 1898, Patrick Joseph McCall compose une ballade qui deviendra célèbre. Intitulée *Boolavogue,* du nom d'un petit village du comté de Wexford, cette chanson raconte les succès, puis la défaite des rebelles de 1798.

Adoption de l'Acte onstitutionnel — 1791
Premières élections — 1792
Invasion du Haut et du Bas-Canada par les Américains — 1812-1813
Adoption des 92 résolutions — 1834
Rébellions armées dans le Haut et le Bas-Canada — 1837-1838
Rapport Durham — 1839
Adoption de l'Acte d'Union — 1840
Application du principe de la responsabilité ministérielle — 1848
1850

L'Italie

Ailleurs : L'Italie

À la fin du 18e siècle, l'Italie est constituée d'une multitude d'États indépendants. Toutefois, sous l'influence des idées libérales et dans la foulée de la Révolution française, on assiste à la naissance d'un sentiment nationaliste : plusieurs souhaitent que la péninsule italienne devienne un État unique, à l'image de la France, de l'Espagne ou de la Grande-Bretagne.

Un pas vers l'unification du territoire est amorcé quand les armées françaises, dirigées par Napoléon Bonaparte, s'emparent de la majeure partie de l'Italie. Le territoire devient successivement une république (1802), puis un royaume (1805), tous deux dirigés par Napoléon. Celui-ci réforme l'Italie sur le modèle français : il supprime la féodalité, vend les biens de l'Église, fait appliquer une loi uniforme et permet à la bourgeoisie d'accéder au pouvoir en créant des chambres d'assemblée.

Après la chute de Napoléon, en 1815, les anciennes monarchies sont restaurées et le pays est de nouveau morcelé. Le retour des pouvoirs autoritaires entraîne des résistances au sein de la bourgeoisie libérale. Des sociétés secrètes apparaissent, comme celle des Carbonari dans le sud de l'Italie. Ces sociétés réclament des constitutions pour modérer le pouvoir des monarques absolus. Elles veulent voir « resurgir » la nation italienne. Ce mouvement s'appelle le *Risorgimento* (resurgissement, en italien).

En 1821, 1831 et 1848, des révolutions éclatent partout dans le pays. Elles sont menées par des patriotes ardents, tel Giuseppe Mazzini, un membre de la société des Carbonari. Toutefois, les révolutionnaires ne subissent que des échecs, d'autant plus que les puissances européennes interviennent pour réprimer leur mouvement. Il faudra attendre 1870 pour que l'Italie soit enfin unifiée.

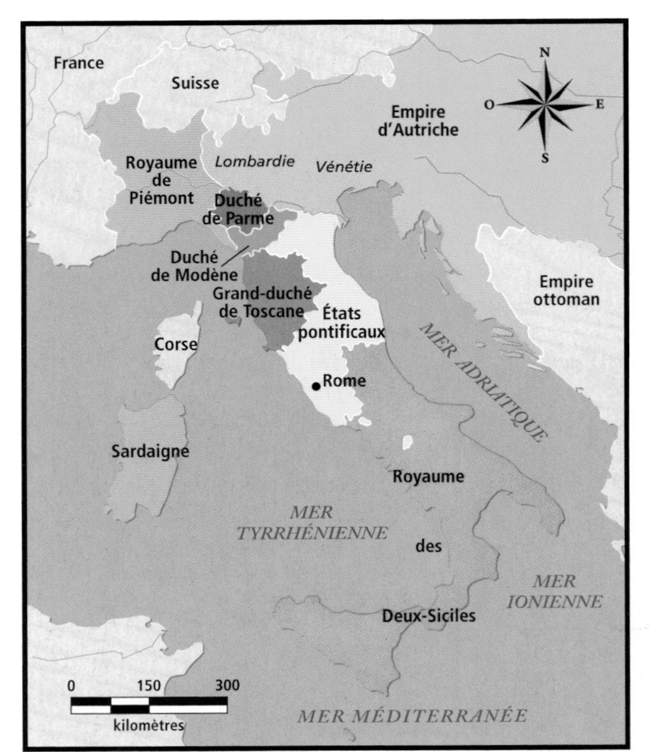

L'Italie avant son unification

Cristina Trivulzio, princesse de Belgiojoso

Cristina Trivulzio est très active dans la politique italienne. Elle soutient les mouvements révolutionnaires qui veulent unifier le pays. Elle conduit même une armée au combat lors de la révolution de 1848.

Ailleurs :
Le Venezuela et la révolution bolivarienne

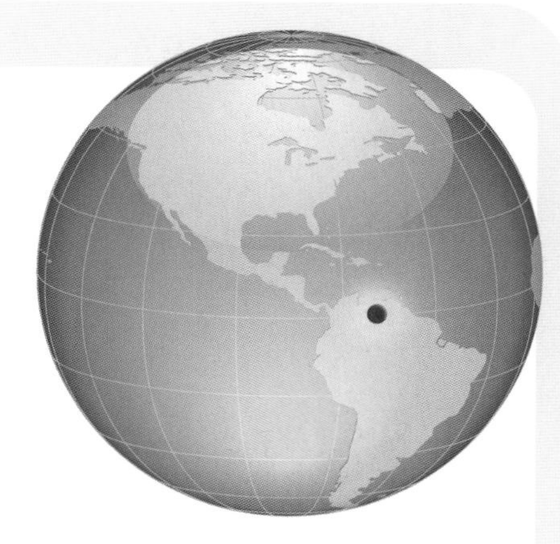

Le Venezuela

Depuis l'arrivée de Christophe Colomb en Amérique, le continent sud-américain est dominé par les Portugais et les Espagnols. Ceux-ci partagent le territoire en différentes provinces qu'ils administrent à leur profit, en suivant les principes du mercantilisme. Bien que l'essentiel du gouvernement repose entre les mains d'administrateurs venus directement d'Europe, des élites locales (créoles) font leur apparition. Influencées par les idées libérales des Lumières et par la Révolution française, ces élites réclament bientôt une plus grande participation au pouvoir.

Devant le manque de souplesse des autorités espagnoles, des révoltes éclatent un peu partout. Au Venezuela, au début du 19e siècle, Francisco de Miranda mène une série de rébellions. Il proclame même à deux reprises l'indépendance du Venezuela, en 1811 et en 1813. Les autorités espagnoles répriment sévèrement toutes ces tentatives qui échouent.

Avec l'arrivée de Simón Bolívar, le mouvement libéral et indépendantiste connaît quelques succès. En 1819, il proclame la fondation de la Grande-Colombie, une fédération qui réunit le Venezuela, la Colombie, l'Équateur, le Panamá et certaines parties du Costa Rica, du Pérou, du Brésil et de la Guyane. Les Espagnols refusent de reconnaître ce nouveau pays, mais Bolívar remporte plusieurs victoires militaires décisives qui les obligent à admettre l'indépendance du pays en 1821.

Simón Bolívar

Les nombreuses luttes menées par Simón Bolívar pour l'indépendance des colonies espagnoles d'Amérique du Sud lui méritent le surnom de *Libertador*, le libérateur.

Cette même année, Bolívar devient président de la Grande-Colombie et poursuit son œuvre de libération à travers l'Amérique du Sud. Il entretient le rêve d'une Amérique latine totalement unie et libérée de l'emprise espagnole. Toutefois, après sa mort, des tensions politiques ont raison de cet idéal. La Grande-Colombie est dissoute et donne naissance à plusieurs pays indépendants. Chacun d'entre eux suivra désormais une trajectoire autonome.

Caracas, capitale du Venezuela

La République bolivarienne du Venezuela est le nom officiel du pays depuis l'adoption d'une nouvelle constitution en 1999.

1791 — Adoption de l'Acte constitutionnel
1792 — Premières élections
1812-1813 — Invasion du Haut et du Bas-Canada par les Américains
1834 — Adoption des 92 résolutions
1837-1838 — Rébellions armées dans le Haut et le Bas-Canada
1839 — Rapport Durham
1840 — Adoption de l'Acte d'Union
1848 — Application du principe de la responsabilité ministérielle
1850

DU PASSÉ au présent

RÉCAPITULONS

L'art du résumé

1. Au fil du temps, il arrive que des événements soient liés les uns aux autres par des liens de cause à effet, comme les maillons d'une chaîne. On parle alors parfois de « chaîne causale », ou de « chaîne de cause à effet ». Ainsi, un fait est souvent la conséquence d'un événement précédent, puis devient à son tour la cause d'un autre qui le suit. Voici trois événements tirés de la frise du temps présentée à la page 252 :
   - **1791** Création du Bas-Canada et du Haut-Canada
   - **1792** Tenue des premières élections et réunion de la première Chambre d'assemblée
   - **1806** Fondation du journal *Le Canadien*

   À l'aide de l'information contenue dans ce chapitre, rédigez un court texte faisant ressortir les liens de cause à effet de ces trois événements.
2. Choisissez trois ou quatre événements relatifs à l'épisode des rébellions de 1837-1838 et rédigez un autre texte en faisant encore ressortir les liens de cause à effet.
3. Vous êtes journaliste au journal *Le Canadien* à l'époque des rébellions de 1837-1838. Rédigez un article décrivant les principaux événements qui, depuis 1791, ont conduit, selon vous, à la situation d'affrontement actuelle. Votre texte peut laisser transparaître une opinion, mais celle-ci doit être appuyée sur des faits.

Comprendre et organiser les concepts

Dans ce chapitre, le concept de nation est central. Il permet de bien comprendre l'évolution du Bas-Canada et l'avènement du régime de l'Union.

1. Définissez dans vos mots le concept de nation.
2. Choisissez trois événements de la période de 1791 à 1850 où cette définition s'applique. Justifiez votre choix pour chaque événement.
3. D'autres concepts abordés dans ce chapitre sont liés au concept de nation et viennent l'appuyer, par exemple le concept de libéralisme. Expliquez en quoi les concepts de nation et de libéralisme sont liés, et citez deux faits ou événements qui illustrent ce lien. Vous pouvez exprimer vos réponses à l'aide d'une carte conceptuelle.

Transférer l'histoire vers le présent

Aujourd'hui encore, des peuples cherchent à s'affirmer et à se libérer d'une dépendance envers un gouvernement qu'ils contestent. Au Canada, les Autochtones se désignent comme les Premières Nations et réclament davantage d'autonomie. Au Québec, un mouvement indépendantiste milite pour l'indépendance politique. Cherchez dans les journaux ou sur Internet des exemples de mouvements de libération nationale dans le monde. Informez-vous sur l'un d'eux : l'origine historique, les leaders actuels, les objectifs visés, etc.

Au début de ce chapitre, nous vous invitions à formuler une hypothèse pour répondre à la question suivante.

Comment les idées de liberté qui circulent en Europe et en Amérique au 19e siècle ont-elles pu favoriser l'émergence du sentiment national chez les Canadiens français ?

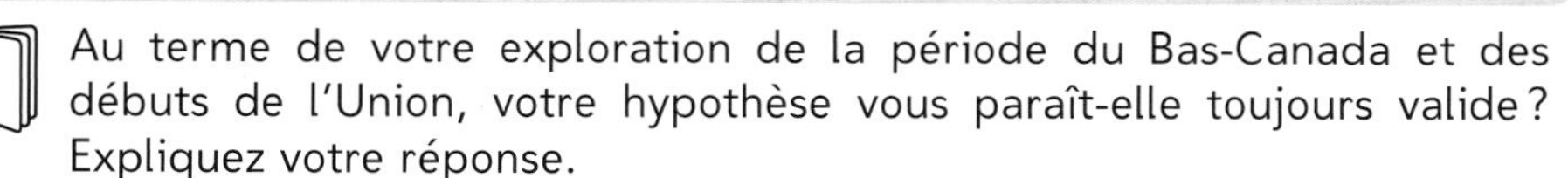

Au terme de votre exploration de la période du Bas-Canada et des débuts de l'Union, votre hypothèse vous paraît-elle toujours valide ? Expliquez votre réponse.

POUR EN SAVOIR PLUS

Documentation

BERNARD, Jean-Paul. *Les rébellions de 1837-1838,* Montréal, Boréal, 1983, 349 p.

GREER, Allan. *Habitants et Patriotes : la Rébellion de 1837 dans les campagnes du Bas-Canada,* Montréal, Boréal, 1997, 368 p.

LACOURSIÈRE, Jacques. *Histoire populaire du Québec, de 1791 à 1841,* Québec, Septentrion, 1996, 446 p.

VAUGEOIS, Denis. *Québec 1792, Les acteurs, les institutions et les frontières,* Montréal, Fides, 1992, 172 p.

Littérature

CARON, Louis. *Le canard de bois,* Paris, Seuil, 1981, 330 p.

CARON, Louis. *La corne de brume, Les Fils de la liberté II,* Montréal, Boréal, 1989, 271 p.

DUPÉRÉ, Yves. *Les derniers insurgés,* Montréal, HMH, 2006, 456 p.

HÉBERT, Anne. *Kamouraska,* Paris, Seuil, 1997, 245 p.

ROBITAILLE, Denis. *Une nuit, un capitaine,* Montréal, Fides, 2005, 362 p.

ROUY, Maryse. *Mary l'Irlandaise,* Montréal, Québec-Amérique, 2001, 374 p.

SIMARD, Louise. *La route de Paramatta,* Montréal, Libre-Expression, 1998, 501 p.

Cinéma

15 Février 1839, réalisateur : Pierre Falardeau, Québec, 2001.

Quand je serai parti... vous vivrez encore, réalisateur : Michel Brault, Québec, 1999.

Adoption de l'Acte constitutionnel — 1791
Premières élections — 1792
Invasion du Haut et du Bas-Canada par les Américains — 1812-1813
Adoption des 92 résolutions — 1834
Rébellions armées dans le Haut et le Bas-Canada — 1837-1838
Rapport Durham — 1839
Adoption de l'Acte d'Union — 1840
Application du principe de la responsabilité ministérielle — 1848
1850

4

Les techniques de l'histoire

1. a) Lisez attentivement la fiche méthodologique *Interpréter et construire un tableau à entrées multiples,* à la page 493.

   b) À l'aide de l'information présentée aux pages 261 et 262, dressez un tableau comparatif des trois grandes révolutions inspirées des idées libérales. La comparaison devra se faire sur les points suivants :
   - le sort réservé au roi ;
   - un document historique produit (nom et points saillants) ;
   - les conséquences sur la vie politique ou les résultats.

2. a) Choisissez un des deux thèmes suivants.
   - L'Acte constitutionnel de 1791 : causes et conséquences
   - L'Acte d'Union de 1840 : causes et conséquences

   b) À propos du thème choisi, exécutez les deux premières étapes de la fiche méthodologique *Réaliser un travail de recherche,* à la page 497. Concentrez-vous surtout sur les deux éléments suivants : le choix d'une problématique et l'établissement d'un plan provisoire.

Jean-Paul Bernard

Cet historien a profondément marqué par ses écrits la connaissance du 19e siècle québécois. Ses recherches sur les « Rouges » et sur les rébellions de 1837-1838 demeurent encore des sources incontournables. Il a derrière lui une longue carrière d'historien et de professeur à l'Université du Québec à Montréal.

Jacques Lacoursière

Coauteur du manuel *Canada-Québec, synthèse historique* utilisé dans les années 1970 dans les écoles secondaires, cet historien est un des meilleurs vulgarisateurs de l'histoire du Québec. Il a collaboré à la télésérie *Épopée en Amérique* et a rédigé une imposante *Histoire populaire du Québec.*

Arrivée des premiers êtres humains au Québec

1791 *1850*

4e réalité sociale

v. –7000/–6000 1500 1600 1700 1800 1900 2000

Retour sur l'héritage

La période de 1791 à 1850 est marquée par des confrontations entre le nationalisme canadien-français et le pouvoir colonial anglo-britannique. S'appuyant sur les idées libérales qui circulaient à cette époque, les Canadiens français ont revendiqué une plus grande autonomie politique. Ces débats persistent encore aujourd'hui. Ils ont été particulièrement vifs lors du référendum de 1995 sur la souveraineté du Québec.

PROJET DE LOI

SUR L'AVENIR

DU QUÉBEC

INCLUANT
LA DÉCLARATION DE SOUVERAINETÉ
ET L'ENTENTE DU 12 JUIN 1995

Québec

English version available on request
1-800-363-3043

Texte du projet de souveraineté proposé par le gouvernement du Parti québécois au référendum de 1995

***Love in* à Montréal à la veille du référendum de 1995**

Jacques Parizeau et Lucien Bouchard, les deux chefs indépendantistes lors du référendum de 1995

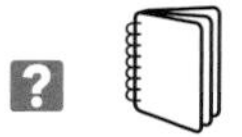

1. Choisissez un événement parmi ceux des 10 dernières années concernant la question nationale au Canada ou au Québec.
2. a) À l'aide d'Internet ou d'autres sources d'information, documentez-vous sur votre sujet : lieu, date, personnages importants, causes et conséquences de cette question, etc.
   b) À l'aide d'une affiche ou d'un autre support, présentez votre sujet en montrant les ressemblances et les différences avec les débats de la période de 1791 à 1850.

- 1791 — *Adoption de l'Acte onstitutionnel*
- 1792 — *Premières élections*
- 1812-1813 — *Invasion du Haut et du Bas-Canada par les Américains*
- 1834 — *Adoption des 92 résolutions*
- 1837-1838 — *Rébellions armées dans le Haut et le Bas-Canada*
- 1839 — *Rapport Durham*
- 1840 — *Adoption de l'Acte d'Union*
- 1848 — *Application du principe de la responsabilité ministérielle*
- 1850

Développer sa citoyenneté

Le premier ministre du Canada, Stephen Harper, responsable de la motion

En novembre 2006, le Parlement fédéral adoptait une motion dans laquelle il reconnaissait que « les Québécois forment une nation au sein d'un Canada uni ».

Depuis le renouveau nationaliste des années 1960, plusieurs Québécois et Québécoises cherchent à faire reconnaître officiellement leur province en tant que société distincte, que ce soit à l'intérieur de la Confédération canadienne ou à l'extérieur de celle-ci. Le reste du Canada réagit plutôt négativement à ces efforts. On craint qu'en qualifiant explicitement le Québec de « société distincte », on accorde à cette province des pouvoirs trop importants.

En novembre 2006, le Bloc québécois, un parti fédéral prônant la souveraineté du Québec, dépose une nouvelle motion devant le Parlement afin de faire reconnaître formellement le Québec comme nation. Quelques jours plus tard, à la surprise générale, le premier ministre conservateur Stephen Harper réplique en déposant sa propre motion qui reconnaît que « les Québécois et les Québécoises forment une nation au sein d'un Canada uni ».

De vifs débats s'ensuivent afin de mesurer la signification exacte des termes utilisés. Les fédéralistes insistent sur le fait que la motion parle d'un Canada uni, et donc indivisible. Les souverainistes s'attachent plutôt à la reconnaissance du Québec comme nation, une déclaration qu'ils interprètent comme un premier pas vers la reconnaissance de l'indépendance.

Le 28 novembre, la motion proposée par Stephen Harper est adoptée à 266 voix contre 16, les chefs de tous les partis représentés au gouvernement fédéral ayant voté en faveur de la proposition. Toutefois, tant les fédéralistes que les souverainistes s'entendent pour dire que la motion n'est pas un amendement constitutionnel et qu'elle n'entraîne donc aucune conséquence juridique.

La motion à la une du journal montréalais *Le Devoir*, le 23 novembre 2006

Ottawa reconnaît la nation québécoise

En voulant neutraliser le Bloc, Harper offre une bouée de sauvetage aux libéraux

HÉLÈNE BUZZETTI

Ottawa — En voulant neutraliser le Bloc québécois, le premier ministre Stephen Harper a offert une bouée de sauvetage inespérée aux libéraux hier en proposant une motion de son cru en ce qui a trait à la reconnaissance de la nation québécoise. Le Parti libéral, dont les prétendants à la chefferie tentaient en matinée hier de trouver une issue de secours à ce débat déchirant, se retrouve donc avec soulagement à partager le feu des projecteurs.

On posait la question à tous les députés hier, et en particulier aux députés fédéralistes québécois: voteront-ils pour ou contre la motion bloquiste déclarant que les Québécois forment une nation? Plusieurs élus conservateurs tentaient d'esquiver cette délicate question quand Stephen Harper est arrivé à la rescousse de ses députés et, par la bande, de ses adversaires libéraux.

Les conservateurs demanderont à la Chambre des communes de reconnaître que le Québec forme une nation *«au sein d'un Canada uni»*, ce dernier passage étant un ajout comparativement à la motion bloquiste. *«La vraie question est simple*, a lancé M. Harper en Chambre: *est-ce que les Québécois forment une nation au sein d'un Canada uni? La réponse est oui. Les Québécois forment-ils une nation indépendante du Canada? La réponse est non, et elle sera toujours non. Tout*

VOIR PAGE A 8: NATION

■ Autres informations en page A 3

Arrivée des premiers êtres humains au Québec

v. –7000/–6000 | 1500 | 1600 | 1700 | 1791 | 1800 | 1850 | 1900 | 2000

4e réalité sociale

LES RÉACTIONS À L'ADOPTION DE LA MOTION

Pour	Pourquoi ?
Stephen Harper, premier ministre du Canada	Reconnaître que les Québécois et les Québécoises forment une nation est une question de réconciliation nationale.
Jean Charest, premier ministre du Québec (fédéraliste)	La motion est un geste d'ouverture du gouvernement fédéral envers les Québécois et les Québécoises qui consolidera l'unité canadienne.
André Boisclair, chef du Parti québécois (souverainiste)	La motion marque un gain dans la reconnaissance du Québec par le Canada anglais. Selon lui, la mention « au sein d'un Canada uni » n'est pas un obstacle à une éventuelle indépendance du Québec.
Contre	**Pourquoi ?**
Une partie des souverainistes québécois	Ils et elles déplorent que la reconnaissance de la nation québécoise soit liée à une mention de l'unité canadienne.
La majorité de la population canadienne-anglaise	Elle n'approuve pas l'attribution d'un statut particulier au Québec et considère la motion comme un « bonbon » donné au Québec.

Le premier ministre du Québec, Jean Charest, à l'Assemblée nationale

Organisez en classe un débat sur cette question en suivant le modèle des débats parlementaires tels qu'ils se déroulent à l'Assemblée nationale ou à la Chambre des communes.
Pour ce faire, suivez les étapes ci-dessous.

1. Divisez la classe en deux « partis » ou groupes : l'un en faveur de la motion et l'autre, contre. Nommez un président ou une présidente d'assemblée qui dirigera les débats (cette personne peut être l'enseignant ou l'enseignante).
2. Informez-vous pour mieux défendre votre point de vue et dressez une liste d'arguments pour l'appuyer.
3. Après avoir établi avec votre groupe une stratégie d'argumentation, débattez de la question, puis votez la motion telle qu'elle a été présentée par le Parlement canadien en novembre 2006.

André Boisclair, le chef du Parti québécois à l'époque, se prononçant sur la motion à l'Assemblée nationale.

Adoption de l'Acte constitutionnel — 1791
Premières élections — 1792
Invasion du Haut et du Bas-Canada par les Américains — 1812-1813
Adoption des 92 résolutions — 1834
Rébellions armées dans le Haut et le Bas-Canada — 1837-1838
Rapport Durham — 1839
Adoption de l'Acte d'Union — 1840
Application du principe de la responsabilité ministérielle — 1848
1850

La **FORMATION** *de la fédération canadienne*

Dans les années 1850, l'Acte d'Union répond de moins en moins à la situation politique et économique qui évolue rapidement. Adoptée en 1867, une nouvelle constitution, la Confédération canadienne, se veut une réponse globale aux problèmes économiques, territoriaux et politiques du moment. Le Canada tel qu'on le connaît aujourd'hui voit alors le jour. Ancienne colonie britannique, le Québec devient une province canadienne, avec son propre gouvernement. C'est dans ce contexte qu'il devra gérer les profondes transformations économiques qui marquent la période 1850-1929.

Enfants travaillant dans une filature de coton

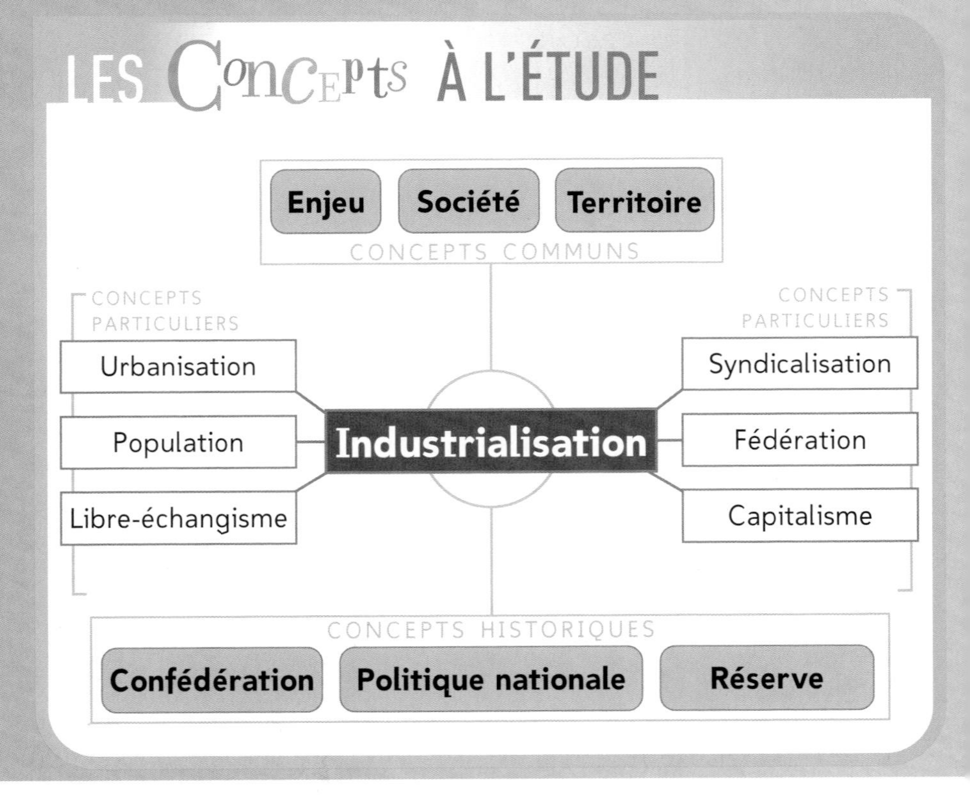

Arrivée des premiers êtres humains au Québec

1850 — 1929 : 5e réalité sociale

v. –7000/–6000 · 1500 · 1600 · 1700 · 1800 · 1900 · 2000

Délégués réunis à la Conférence de Charlottetown

TABLE DES MATIÈRES

Marie Gérin-Lajoie

- 1854 — *Traité de réciprocité avec les États-Unis*
- 1867 — *Acte de l'Amérique du Nord britannique*
- 1878 — *Politique nationale*
- 1887 — *Élection du gouvernement Mercier au Québec*
- 1896 — *Élection du gouvernement Laurier au Canada*
- 1914 - 1918 — *Première Guerre mondiale*
- 1921 — *Fondation de la Confédération des travailleurs catholiques du Canada*
- 1929 — *Krach boursier à New York*

DU PRÉSENT *vers le passé*

5

L'HÉRITAGE EN QUESTIONS

Aujourd'hui, le Canada est le deuxième plus grand pays au monde en superficie. Sur le plan économique, il fait partie du groupe restreint des pays les plus industrialisés et le niveau de vie y est plus élevé que dans la plupart des autres pays de la planète.

Dès la fondation du Canada, en 1867, le Québec fait partie de cet ensemble économique dans lequel il évolue et auquel il contribue. Le Québec est la plus grande province en superficie et la deuxième au regard de la population et de la production économique.

Mais la croissance économique a aussi des aspects négatifs. Si elle est trop rapide et désordonnée, elle peut créer des inégalités et des tensions entre les groupes sociaux.

Selon vous, en tant que futur citoyen ou future citoyenne, quel pouvoir aurez-vous sur les ensembles économiques dans lesquels vous vivrez ?

Le train *Le Canadien,* qui relie Toronto et Vancouver

***Les Pères de la Confédération,* Rex Woods (1968)**

Conférence fédérale provinciale sur les droits des Autochtones, en novembre 2005

La colline parlementaire à Ottawa

Arrivée des premiers êtres humains au Québec

1850 — 1929 : 5e réalité sociale

v. –7000/–6000 · 1500 · 1600 · 1700 · 1800 · 1900 · 2000

Le canal Lachine, à Montréal, berceau de l'industrialisation au Canada

Siège social de la Confédération des syndicats nationaux, fondée en 1921

La fête du Canada de nos jours

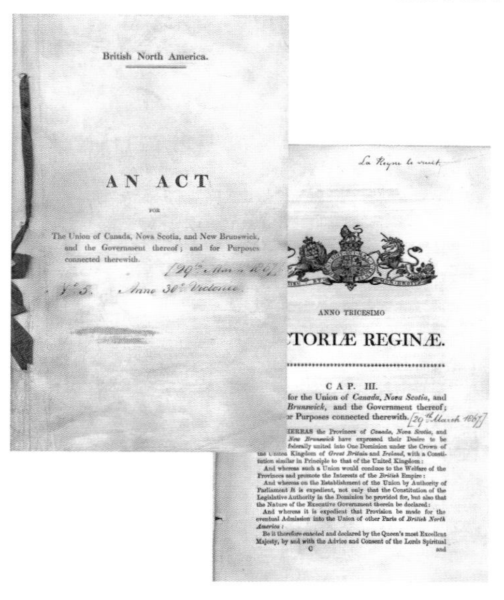

British North America.

AN ACT

FOR

The Union of Canada, Nova Scotia, and New Brunswick, and the Government thereof; and for Purposes connected therewith.

ANNO TRICESIMO

TORIÆ REGINÆ.

CAP. III.

for the Union of *Canada, Nova Scotia,* and *Brunswick,* and the Government thereof; r Purposes connected therewith.

HEREAS the Provinces of *Canada, Nova Scotia,* and *New Brunswick* have expressed their Desire to be federally united into One Dominion under the Crown of the United Kingdom of *Great Britain* and *Ireland,* with a Constitution similar in Principle to that of the United Kingdom:

And whereas such a Union would conduce to the Welfare of the Provinces and promote the Interests of the *British* Empire:

And whereas on the Establishment of the Union by Authority of Parliament *It* is expedient, not only that the Constitution of the Legislative Authority in the Dominion be provided for, but also that the Nature of the Executive Government therein be declared:

And whereas it is expedient that Provision be made for the eventual Admission into the Union of other Parts of *British North America*:

Be it therefore enacted and declared by the Queen's most Excellent Majesty, by and with the Advice and Consent of the Lords Spiritual and

L'Acte de l'Amérique du Nord britannique

Statue du curé Labelle, promoteur de la colonisation des Laurentides

Interrogez-vous

1. a) Observez les images des pages 312 et 313.
   b) Lesquelles se rapportent à la vie économique ? Lesquelles concernent la vie politique ?
   c) Certaines images concernent-elles à la fois l'économie et la politique ? Pourquoi ?
2. Trouvez dans votre entourage des traces de la période 1850-1929.
   a) Concernent-elles davantage la politique ou l'économie ?
   b) Est-il facile de départager ces deux domaines ?
3. Énoncez d'autres questions que vous inspirent ces images.

1854	1867	1878	1887	1896	1914 - 1918	1921	1929
Traité de réciprocité avec les États-Unis	*Acte de l'Amérique du Nord britannique*	*Politique nationale*	*Élection du gouvernement Mercier au Québec*	*Élection du gouvernement Laurier au Canada*	*Première Guerre mondiale*	*Fondation de la Confédération des travailleurs catholiques du Canada*	*Krach boursier à New York*

ESPACE-TEMPS

Durant la seconde moitié du 19e siècle et au début du 20e, les pays européens se lancent dans une deuxième vague de conquêtes coloniales. Cette fois, c'est l'intérieur de l'Afrique et l'Asie qui sont les régions principalement convoitées. De nombreuses colonies européennes y sont créées. Les puissances européennes s'enorgueillissent de placer ainsi sous leur contrôle une partie importante de la population mondiale. Les rivalités coloniales ne sont d'ailleurs pas étrangères aux tensions qui ont mené au déclenchement de la Première Guerre mondiale.

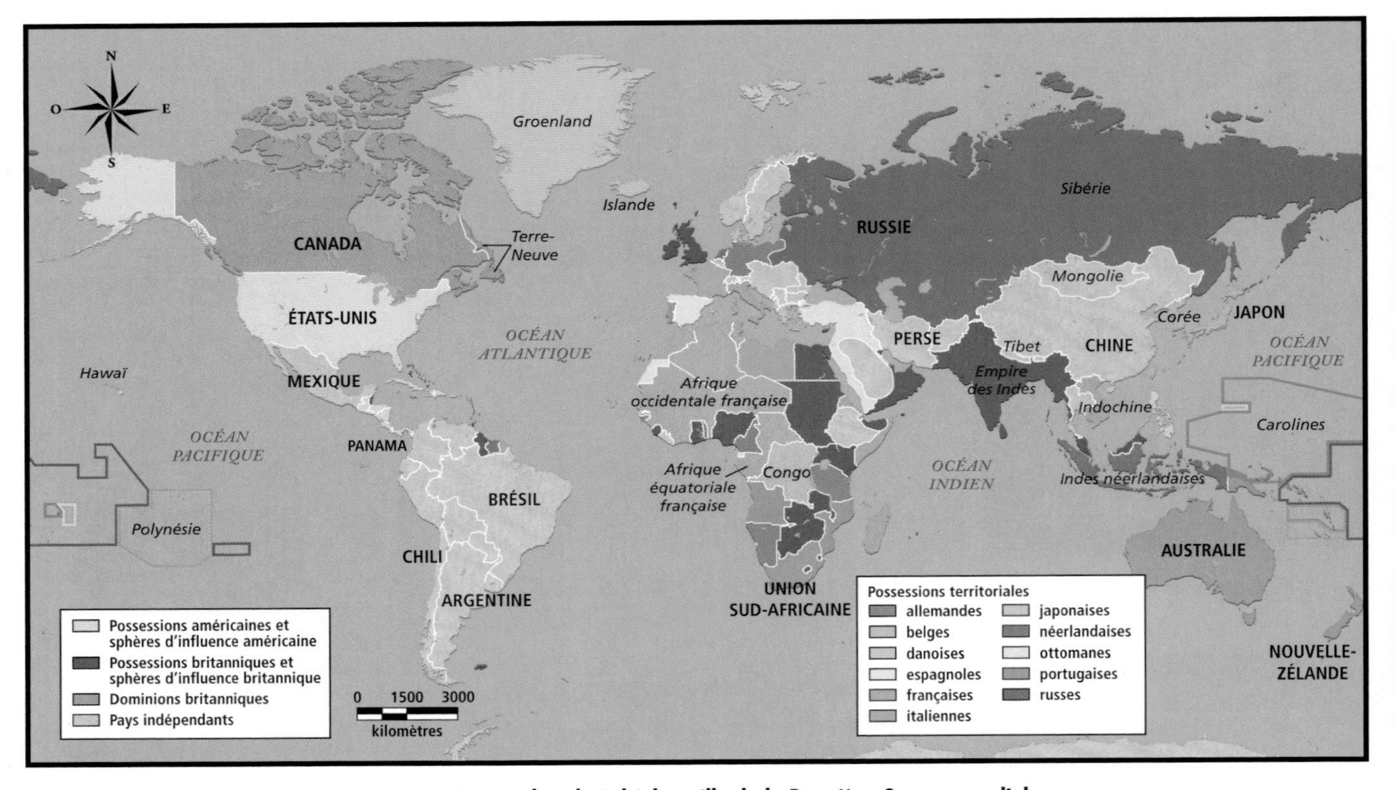

Le monde colonial à la veille de la Première Guerre mondiale

? Comparez cette carte avec celle de la page 250. Quels pays européens se sont ajoutés à la liste de ceux qui possèdent des colonies ?

Arrivée des premiers êtres humains au Québec

1850 1929

5e réalité sociale

v. –7000/–6000 1500 1600 1700 1800 1900 2000

Le territoire du Québec s'agrandit (1867-1912)

Depuis la création du Canada, la superficie du Québec s'est agrandie à quelques reprises pour intégrer les régions plus au nord.

? Quel peuple autochtone est inclus dans le territoire québécois en 1912 ?

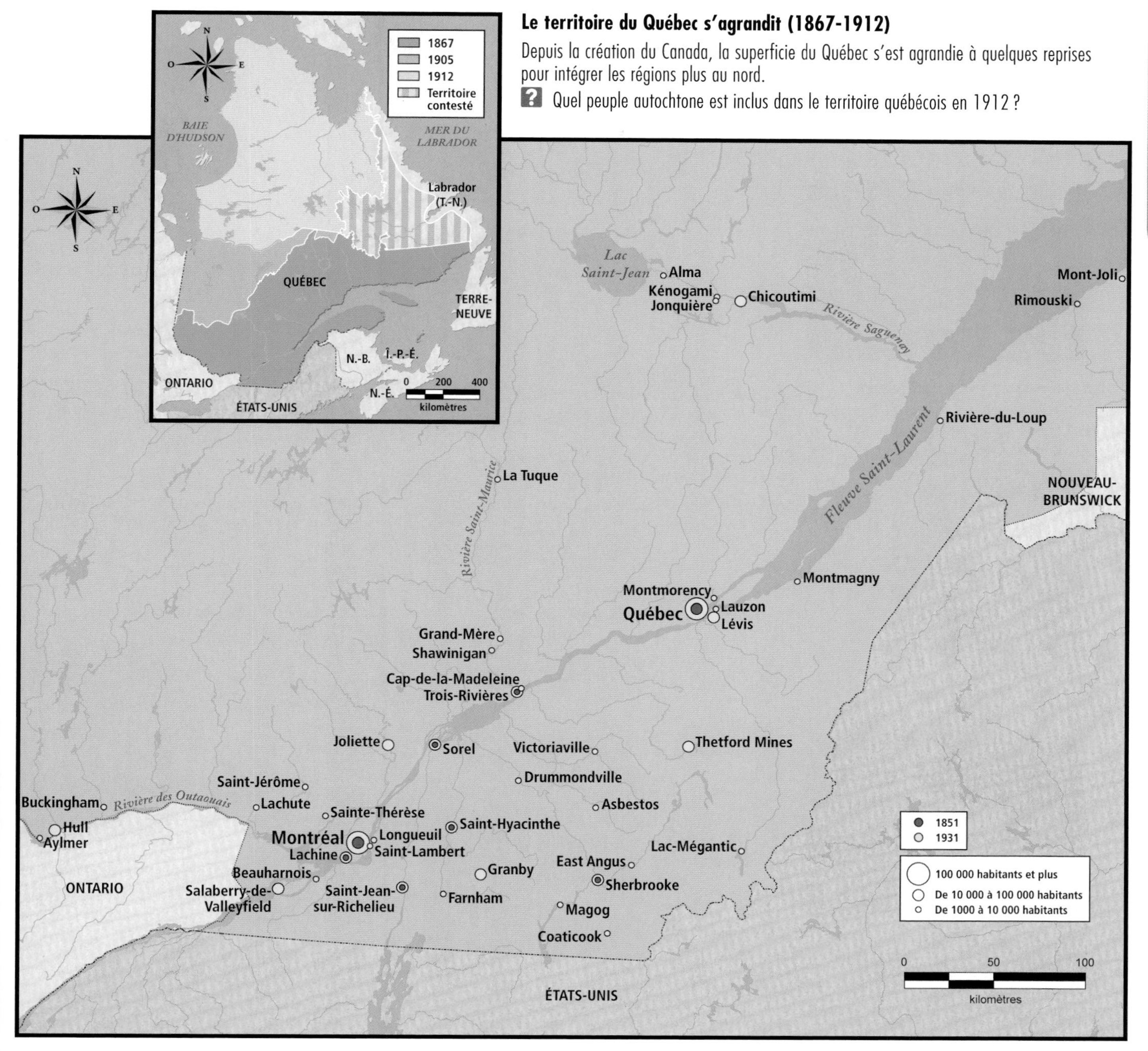

Une population urbaine en croissance

À partir des années 1850, le Québec connaît un important développement urbain.

? Quelles régions se sont urbanisées entre 1851 et 1931 ? Émettez des hypothèses pour expliquer la croissance de la population urbaine au cours de cette période.

1854	1867	1878	1887	1896	1914 - 1918	1921	1929
Traité de réciprocité avec les États-Unis	Acte de l'Amérique du Nord britannique	Politique nationale	Élection du gouvernement Mercier au Québec	Élection du gouvernement Laurier au Canada	Première Guerre mondiale	Fondation de la Confédération des travailleurs catholiques du Canada	Krach boursier à New York

La FORMATION de la fédération canadienne

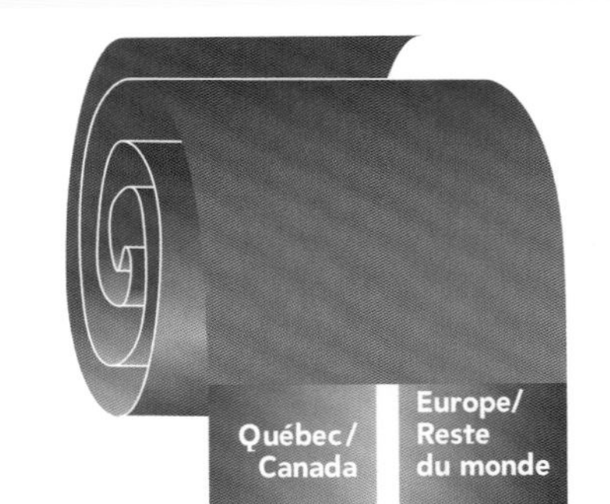

Les Pères de la Confédération

Honoré Mercier

Shawinigan vers 1930

Soldat noir durant la guerre de Sécession

L'assassinat de l'archiduc François-Ferdinand en 1914

Québec/Canada

- 1852 *Fondation de la Compagnie du Grand Tronc*
- 1854 *Traité de réciprocité entre le Canada et les États-Unis*
- 1867 *John A. Macdonald est élu premier ministre du Canada*
- 1869 *Début du premier soulèvement des Métis*
- 1872 *Reconnaissance des syndicats par le gouvernement fédéral*
- 1876 *Adoption de la Loi sur les Indiens*
- 1878 *Macdonald propose sa Politique nationale*
- 1885 *Inauguration du chemin de fer Canadien Pacifique*
- 1887 *Élection du gouvernement Mercier au Québec*
- 1896 *Élection du gouvernement Laurier au Canada*
- 1899 *Envoi en Afrique du Sud d'un premier contingent de militaires canadiens pour combattre les Boers aux côtés de la Grande-Bretagne*
- 1920 *Obtention du suffrage universel aux élections fédérales*
- 1921 *Fondation de la Confédération des travailleurs catholiques du Canada*
- *Première participation des femmes aux élections fédérales*

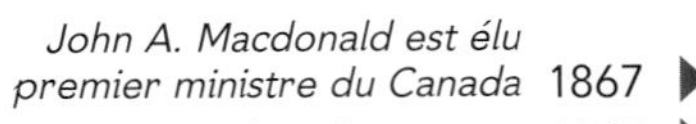

Europe/Reste du monde

- 1861–1865 *Guerre de Sécession aux États-Unis*
- 1867 *Adoption à Londres de l'Acte de l'Amérique du Nord britannique*
- 1869 *Ouverture du canal de Suez*
- 1873 *Début d'une longue dépression économique qui durera jusqu'à la fin du 19ᵉ siècle*
- 1885 *Mise au point de l'automobile à essence*
- 1899–1902 *Guerre des Boers*
- 1903 *Premier vol en aéroplane par les frères Wright*
- 1914–1918 : *Première Guerre mondiale*
- 1917 : *Révolution russe*
- 1919 *Création de la Société des Nations*
- 1926 *Publication du rapport Balfour*
- 1929 *Effondrement de la Bourse de New York*

?

1. Au Québec comme ailleurs dans le monde, l'industrialisation de l'économie marque la période 1850-1929. Relevez-en des traces ou des manifestations dans les documents des pages 314 à 317.
2. Au cours de la période 1850-1929, le Canada et le Québec sont fortement marqués par les événements internationaux. Établissez des liens possibles de cause à effet entre des événements des deux côtés de cette frise du temps. Dans la suite de ce chapitre, vérifiez si ces liens s'avèrent justes.

La proportion de travailleurs et travailleuses membres d'un syndicat au Québec

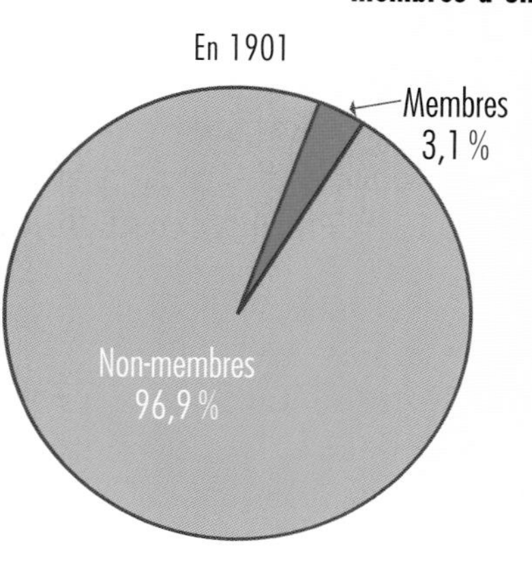

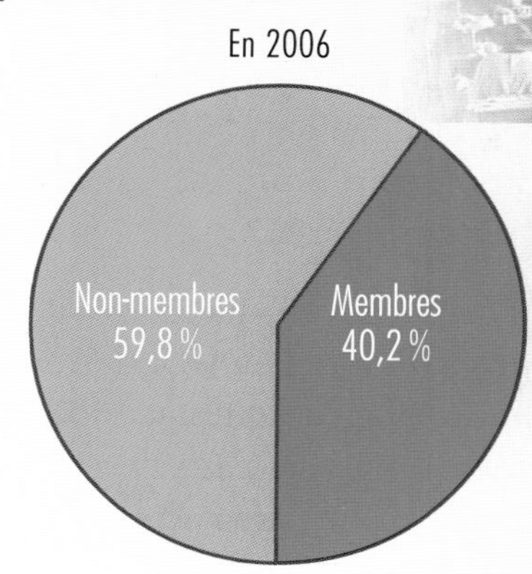

La proportion de la population urbaine au Québec

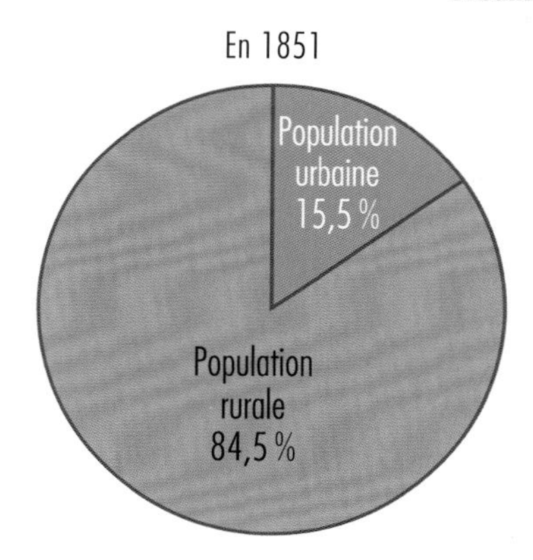

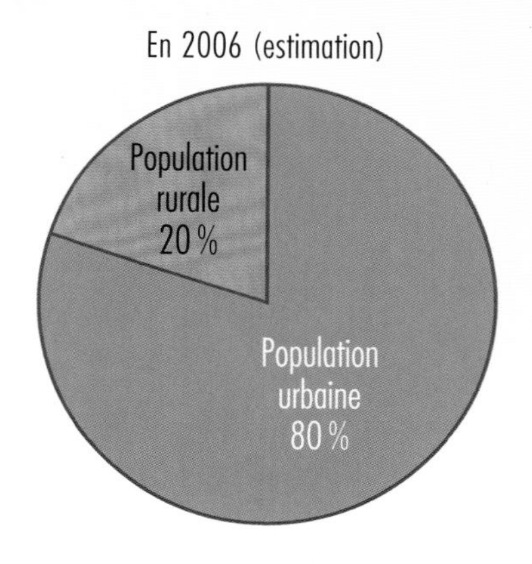

Déclarations de revenus fédérale et provinciale

De la QUESTION à l'HYPOTHÈSE

À l'aide des indices ci-dessus, des documents présentés dans les pages précédentes et de vos connaissances actuelles, formulez une hypothèse pour répondre à la question-problème suivante.

Comment l'apparition et le développement des industries modernes, entre 1850 et 1929, ont-ils transformé le Québec sur les plans

a) de la société ? **b)** du territoire ? **c)** de la vie politique ?

Rédigez une hypothèse pour répondre à cette question. Au besoin, donnez des exemples concrets pour illustrer vos propos.

- 1854 — *Traité de réciprocité avec les États-Unis*
- 1867 — *Acte de l'Amérique du Nord britannique*
- 1878 — *Politique nationale*
- 1887 — *Élection du gouvernement Mercier au Québec*
- 1896 — *Élection du gouvernement Laurier au Canada*
- 1914 - 1918 — *Première Guerre mondiale*
- 1921 — *Fondation de la Confédération des travailleurs catholiques du Canada*
- 1929 — *Krach boursier à New York*

L'HISTOIRE *en action*

PROJETS DE SOCIÉTÉ

Au cours des années 1850, le Canada-Uni fait face à des problèmes politiques et économiques qui incitent les politiciens francophones et anglophones à chercher des solutions à long terme. C'est ainsi que se dessine un projet d'union des colonies britanniques de l'Amérique du Nord, qui culmine en 1867 avec la formation de la fédération canadienne.

C'est aussi à cette époque que le Québec, dans le contexte de la montée du capitalisme industriel en Occident, se lance dans d'importantes transformations économiques. Ces phases d'industrialisation provoquent des changements majeurs dans la structure même de la société québécoise qui doit s'adapter. Ainsi, de rural et agricole, le Québec devient urbain et industriel, avec ce que cela comporte de défis pour la société.

1er TEMPS FORT

UN PAYS EN DEVENIR (1850-1867)

Louis-Antoine Dessaules

Louis-Antoine Dessaules est le neveu de Louis-Joseph Papineau. Seigneur, journaliste et homme politique, il est l'un des principaux chefs du Parti rouge. Ses idées libérales lui attirent l'hostilité de l'Église.

? Quel aspect des idées libérales irrite surtout l'Église catholique ?

Dès les années 1850, l'Acte d'Union ne répond plus à la nouvelle situation coloniale. La métropole anglaise relâche graduellement ses liens avec ses colonies d'Amérique, ce qui affecte leur économie, au moment même où les États-Unis menacent à nouveau le Canada. Ce contexte favorise un rapprochement des colonies de l'Amérique du Nord britannique et entraîne la formation de la fédération canadienne.

Une situation politique changeante 

Depuis l'Acte d'Union en 1840, la politique canadienne est dominée par le Parti réformiste de Louis-Hippolyte La Fontaine et de Robert Baldwin. À cette époque, c'est le système de la double majorité, selon lequel le gouvernement doit être formé par un parti qui détient une majorité de députés à la fois au Canada-Est et au Canada-Ouest, qui prévaut. Si le gouvernement perd sa majorité dans l'une des deux régions, on s'attend à ce que les ministres remettent leur démission. Tout se passe bien tant que le Parti réformiste conserve la majorité partout au Canada. Toutefois, le retrait politique de La Fontaine et de Baldwin en 1851 et l'apparition de nouveaux partis politiques rendent la formation d'un **gouvernement majoritaire** de plus en plus difficile. Le principe de la double majorité devient alors source d'instabilité ministérielle.

Arrivée des premiers êtres humains au Québec — *1850* — *1929* — 5e réalité sociale

v. –7000/–6000 | 1500 | 1600 | 1700 | 1800 | 1900 | 2000

LES PARTIS POLITIQUES DU CANADA-UNI	
PARTI	**POLITIQUE**
Parti réformiste	• Formé par l'union des modérés du Canada-Ouest et du Canada-Est après l'Acte d'Union de 1840, il est dirigé jusqu'en 1851 par La Fontaine et Baldwin. • En 1854, il devient le **Parti libéral-conservateur.** • Le clergé catholique, qui n'apprécie pas les positions anticléricales des rouges, lui donne son appui.
Parti rouge	• Au Canada-Est, certains radicaux quittent le Parti réformiste pour fonder le Parti rouge. • Formé par les héritiers du Parti patriote, ce parti défend des idées libérales, démocratiques et nationalistes. • Il est fortement opposé à l'Union de 1840. • Il demande l'élargissement du droit de vote à tous les hommes. • Il milite en faveur d'une séparation de l'Église et de l'État. • Il reçoit l'appui d'une minorité francophone, surtout dans la grande région de Montréal.
Clear Grits	• Au Canada-Ouest, les *Clear Grits* constituent un autre parti aux idées libérales. • Ce parti demande des réformes démocratiques : suffrage universel pour les hommes, élection du gouverneur et des membres du Conseil législatif. • Il milite en faveur du *Rep by Pop.* • Il favorise le développement d'un réseau d'écoles non confessionnelles. • Il réclame l'annexion des terres de l'Ouest, qui appartiennent à la Compagnie de la Baie d'Hudson. • Il s'oppose au catholicisme et à l'influence des francophones.
Parti libéral	• Il est formé en 1861 par l'union de ceux qui défendent des idées libérales : les rouges du Canada-Est et les *Clear Grits* du Canada-Ouest.

Vue de Toronto au milieu du 19e siècle

La ville de Toronto est en plein essor tout au long du 19e siècle. Sa population passe de 9000 personnes au début des années 1830 à plus de 180 000 vers 1890.

? Aujourd'hui, quel nom donne-t-on à la ville de Toronto pour signifier l'importance de son agglomération urbaine ?

Le *Rep by Pop*

Une des principales revendications des *Clear Grits* est le *Rep by Pop* (*Representation by Population*), c'est-à-dire l'élection d'un nombre de députés proportionnel à la population de chaque région. L'Acte d'Union prévoyait en effet un nombre égal de sièges pour le Canada-Est et le Canada-Ouest, afin d'éviter que les francophones, dont le nombre était alors plus important, ne contrôlent les institutions politiques. À partir du moment où la population du Canada-Ouest devient plus importante que celle du Canada-Est, les *Clear Grits* demandent l'abolition de cette mesure qu'ils jugent désormais inutile et même injuste à l'endroit du Canada-Ouest.

La population du Canada-Uni

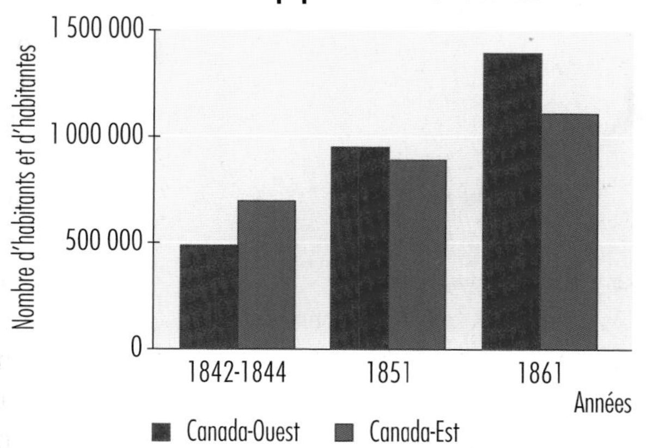

? Comment cette évolution s'explique-t-elle ? À qui profite-t-elle ?

Traité de réciprocité avec les États-Unis — 1854
Acte de l'Amérique du Nord britannique — 1867
Politique nationale — 1878
Élection du gouvernement Mercier au Québec — 1887
Élection du gouvernement Laurier au Canada — 1896
Première Guerre mondiale — 1914 - 1918
Fondation de la Confédération des travailleurs catholiques du Canada — 1921
Krach boursier à New York — 1929

Dix gouvernements en dix ans

Depuis l'acquisition de la responsabilité ministérielle, le gouvernement du Canada-Uni est administré par deux dirigeants, un du Canada-Ouest et un du Canada-Est. Ainsi, on parle du ministère Macdonald-Cartier en 1857 qui succède au ministère Taché-Macdonald. Toutefois, officiellement, un seul de ces deux dirigeants peut porter le titre de premier ministre. À partir de 1854, aucun parti ne parvient à dominer la scène politique, entraînant ainsi une période d'**instabilité ministérielle**. Dès que des questions délicates sont débattues en chambre, les fragiles alliances politiques s'écroulent et les ministères tombent. De 1854 à 1864, dix gouvernements se succèdent.

Le Canada contre l'Irlande

Une autre menace militaire inquiète les Canadiens au cours des années 1860 : les Fenians. Ces Irlandais radicaux réfugiés aux États-Unis rêvent de conquérir le Canada pour forcer l'Angleterre à accorder à l'Irlande son indépendance. Entre 1866 et 1871, quelques combats ont lieu le long de la frontière, mais les Fenians n'ont jamais représenté un véritable danger.

Des relations tendues

L'instabilité politique n'est pas le seul problème qui préoccupe les Canadiens. Au tournant des années 1860, la possibilité d'une invasion américaine est une autre source d'inquiétude. Les autorités se souviennent des attaques de 1775-1776 et de 1812-1814. Lorsque la guerre de Sécession éclate en 1861, beaucoup craignent une nouvelle tentative de conquête du Canada par les États-Unis.

La guerre de Sécession

La guerre de Sécession est une guerre civile qui oppose les États du Nord des États-Unis, industrialisés et antiesclavagistes, aux États du Sud, dont l'économie plus traditionnelle repose en bonne partie sur l'agriculture et l'esclavagisme. En général, les Canadiens se montrent plus favorables aux États du Nord tandis que l'Angleterre, pour des raisons économiques, est plus proche de ceux du Sud. Cela fait craindre aux Canadiens que les nordistes ne décident d'envahir le Canada en guise de représailles.

Bataille de Ridgeway contre les Fenians

Les Fenians ont effectué cinq raids au Canada. La bataille de Ridgeway, dans la région du Niagara, est leur seule victoire. Ils se sont ensuite retirés aux États-Unis.

? Le conflit entre Irlandais et Britanniques existe-t-il encore aujourd'hui ?

Arrivée des premiers êtres humains au Québec — v. –7000/–6000 — 1500 — 1600 — 1700 — 1800 — *1850* — 5e réalité sociale — *1929* — 1900 — 2000

S'unir pour mieux se défendre

La défense des colonies britanniques en Amérique du Nord se révèle donc un enjeu important mais problématique puisque l'Angleterre ne semble pas intéressée à dépenser d'importantes sommes à cet effet. Certains commencent à penser que l'union des colonies britanniques permettrait de mieux se protéger et pourrait représenter une solution à l'imposante supériorité démographique, économique et militaire des États-Unis. Cela permettrait également de mieux veiller sur les terres peu habitées de l'Ouest, qui intéressent vivement les Américains.

Un marché commun

La situation économique du Canada-Uni est une autre raison qui incite certains à promouvoir l'idée d'une union des colonies britanniques d'Amérique du Nord. En effet, au cours des années 1840, l'Angleterre abandonne progressivement sa politique économique de **protectionnisme**. En 1854, à cause de la baisse de la demande anglaise, les Canadiens signent avec les États-Unis un traité de réciprocité qui abolit les droits de douane entre les deux pays sur les matières premières et les produits agricoles. Toutefois, en raison des tensions politiques, on craint bien vite que les États-Unis choisissent de ne pas renouveler cet accord, ce qui arrive effectivement en 1866. La création d'un marché commun entre les colonies britanniques d'Amérique du Nord devient alors une solution intéressante pour compenser les pertes des marchés britannique et américain.

L'union des colonies faciliterait également le développement d'un réseau ferroviaire concurrentiel avec celui des États-Unis. La construction d'un chemin de fer intercolonial reliant la Nouvelle-Écosse au Canada-Uni permettrait non seulement de simplifier les communications et les échanges commerciaux entre les colonies britanniques mais aussi d'assurer un débouché sur l'Atlantique en tout temps pour les produits du Canada-Uni grâce au port de Halifax. Contrairement au port de Montréal, celui-ci est en effet libre de glace toute l'année.

Le port de Montréal en 1884

Au cours du 19e siècle, d'importants travaux sont entrepris pour améliorer le port de Montréal. De nombreux quais sont construits, puis entre 1851 et 1888, on procède au dragage du chenal afin de permettre à des bateaux de fort tonnage de remonter le fleuve. Le port de Montréal devient ainsi l'un des plus importants en Amérique.

? Quelles structures permettent aux navires en partance de Montréal de se rendre aux Grands Lacs ?

Intérieur d'un wagon-lit des chemins de fer du Grand Tronc

L'intérieur de ce luxueux wagon semble très confortable, mais l'absence de ventilation peut le rendre étouffant durant les grandes chaleurs de l'été.

? Selon vous, pourquoi les passagers hésitent-ils à ouvrir les fenêtres des wagons ?

Traité de réciprocité avec les États-Unis — 1854
Acte de l'Amérique du Nord britannique — 1867
Politique nationale — 1878
Élection du gouvernement Mercier au Québec — 1887
Élection du gouvernement Laurier au Canada — 1896
Première Guerre mondiale — 1914 - 1918
Fondation de la Confédération des travailleurs catholiques du Canada — 1921
Krach boursier à New York — 1929

Les chefs du Parti libéral-conservateur

Suivant le principe de double majorité alors appliqué au Parlement, le Parti libéral-conservateur a deux chefs. George-Étienne Cartier, qui défend les intérêts de la majorité francophone, dirige les conservateurs du Canada-Est tandis que John A. Macdonald est responsable de ceux du Canada-Ouest.

Conférences et débats : vers la Confédération

Le gouvernement de coalition

En 1864, l'instabilité ministérielle du Canada-Uni est toujours aussi importante. Pour y mettre fin, George Brown, le chef des *Clear Grits* du Canada-Ouest, propose une alliance avec le Parti libéral-conservateur. Il souhaite trouver une solution aux problèmes politiques en créant un grand gouvernement de coalition destiné à promouvoir une fédération des deux Canada ou de toutes les colonies britanniques d'Amérique du Nord. Les conservateurs acceptent de relever le défi malgré l'opposition des rouges, qui estiment que le pouvoir des francophones diminuera inévitablement dans ce vaste ensemble.

George-Étienne Cartier

Avocat de formation, George-Étienne Cartier participe aux rébellions de 1837-1838 aux côtés des Patriotes, puis se rallie au Parti réformiste dirigé par La Fontaine. Il est aussi l'un des principaux promoteurs du chemin de fer. En 1857, il est à la tête des conservateurs du Canada-Est et premier ministre du Canada-Uni de 1858 à 1862. Son collègue et ami John A. Macdonald est à la tête des conservateurs du Canada-Ouest.

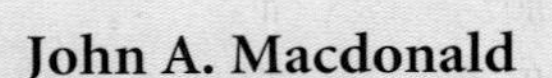

John A. Macdonald

Originaire d'Écosse, la famille de John A. Macdonald émigre au Canada alors qu'il est encore enfant. Après avoir fait des études de droit, il exerce sa profession d'avocat pendant plusieurs années avant de se lancer en politique avec les conservateurs du Canada-Ouest, dont il devient le chef en 1856. Il est le principal artisan de la Confédération canadienne.

LES RAISONS EN FAVEUR DE LA CONFÉDÉRATION	
Sur le plan politique	• Mettre fin à l'instabilité ministérielle.
Sur le plan économique	• Faciliter les échanges commerciaux en créant un nouveau marché intérieur. • Financer le développement du réseau ferroviaire.
Sur les plans militaire et territorial	• Améliorer la défense des frontières du Canada-Uni par la création d'une armée canadienne. • Permettre l'expansion territoriale vers l'ouest.

La Conférence de Charlottetown

Au cours de l'été 1864, on apprend que les représentants des colonies des Maritimes se réunissent en septembre à Charlottetown, la capitale de l'Île-du-Prince-Édouard, afin de discuter d'un projet de fédération. Une délégation du Canada-Uni s'y rend et réussit à convaincre les participants d'élargir le projet pour y inclure le Canada-Uni. Tout le monde accepte d'envoyer des représentants à Québec pour discuter en profondeur du projet.

La Conférence de Québec

Les négociations reprennent donc du 10 au 28 octobre afin d'établir les bases d'une nouvelle fédération. On rejette l'idée d'une union législative, c'est-à-dire un État unitaire avec un gouvernement unique, pour adopter plutôt le principe d'une union fédérale où les pouvoirs sont répartis entre un gouvernement central et plusieurs gouvernements locaux (voir le concept de fédéralisme à la page 325). La plupart des colonies souhaitent en effet préserver une partie de leur indépendance. Leurs représentants acceptent cependant que l'union fédérale soit fortement centralisée, c'est-à-dire que le gouvernement fédéral détienne les pouvoirs les plus importants, qui touchent l'ensemble du pays, alors que les provinces se contentent des pouvoirs qui concernent plutôt les affaires locales et culturelles.

***Les Pères de la Confédération*, Rex Woods (1968)**

L'original de ce tableau célèbre qui illustre la Conférence de Québec est malheureusement disparu lors de l'incendie du parlement d'Ottawa en 1916. Il en existe cependant plusieurs copies.

? D'après ce tableau, que peut-on dire sur le rôle des femmes dans l'élaboration de la Constitution ? De nos jours, les femmes sont-elles présentes en politique ? Nommez d'autres groupes qui ne sont pas représentés par *Les Pères de la Confédération*.

La question de la représentation de chaque province au gouvernement fédéral est également chaudement discutée. On accepte que le nombre de députés à la Chambre d'assemblée soit déterminé par le pourcentage de la population de chaque colonie (le *Rep by Pop*). Toutefois, pour répondre aux inquiétudes des provinces les moins populeuses, le nombre de représentants au Sénat est fixé à 24 pour chaque région (Canada-Est, Canada-Ouest et Maritimes).

Le principe de la construction d'un chemin de fer intercolonial, condition jugée essentielle par les colonies des Maritimes, est également accepté. À l'issue de la Conférence de Québec, on adopte **72 résolutions** qui résument les résultats des débats. Les représentants de chaque colonie doivent maintenant faire approuver ces résolutions par leur Parlement.

Traité de réciprocité avec les États-Unis — 1854
Acte de l'Amérique du Nord britannique — 1867
Politique nationale — 1878
Élection du gouvernement Mercier au Québec — 1887
Élection du gouvernement Laurier au Canada — 1896
Première Guerre mondiale — 1914 - 1918
Fondation de la Confédération des travailleurs catholiques du Canada — 1921
Krach boursier à New York — 1929

LES RÉACTIONS	
Canada-Uni	• Le 10 mars 1865, après des débats houleux, l'Assemblée du Canada-Uni approuve les résolutions de Québec.
Canada-Est	• Le Parti rouge juge le projet inacceptable, y voyant une union législative déguisée qui rendra les francophones minoritaires. Il dénonce aussi le fait qu'il n'y a ni consultation populaire ni référendum sur la question. • Le clergé catholique accepte de se rallier puisque les libertés religieuses sont respectées. • Les anglophones craignent de devenir minoritaires dans la province de Québec, mais ils obtiennent de solides garanties. • La population francophone se sent plutôt impuissante, car elle n'est pas consultée directement.
Canada-Ouest	• En général, le projet est bien accepté. Le principe du *Rep by Pop* au gouvernement fédéral donne la prépondérance aux anglophones. • Les gens d'affaires sont satisfaits : ils souhaitent la création d'un vaste marché intérieur et d'un chemin de fer intercolonial.
Maritimes	• L'Île-du-Prince-Édouard et Terre-Neuve rejettent le projet. Elles craignent une diminution de leur autonomie sans compensation. • Au Nouveau-Brunswick, une vive opposition se manifeste. Un gouvernement antifédéraliste est élu en 1865, mais il est contraint de démissionner par le gouverneur. Un nouveau gouvernement favorable au projet est élu. • En Nouvelle-Écosse, l'opposition est aussi très forte, mais le premier ministre réussit à convaincre le gouvernement de poursuivre les discussions.

VOTE DE L'ASSEMBLÉE DU CANADA-UNI SUR LA CONFÉDÉRATION (10 MARS 1865)

	POUR	CONTRE
Canada-Ouest	54	8
Canada-Est	37	25
(Canadiens français)	(26)	(22)
Total	91	33

Le débat sur la Confédération

Pour

« À l'égard de la politique, il est manifeste que nous avons des intérêts généraux qui peuvent être confiés à un gouvernement général de toute l'Amérique britannique du Nord. [...] Il faut donc que la confédération de toutes les provinces britanniques s'effectue, sans quoi nous tombons dans la confédération américaine. »

George-Étienne Cartier, 1864.

Contre

« Or, quelle indépendance les différentes provinces réunies sous la constitution proposée conserveront-elles, avec un gouvernement général exerçant une autorité souveraine, non seulement sur les mesures d'intérêt général, mais encore sur la plupart des questions de régie intérieure, et un contrôle direct sur tous les actes de législatures locales ! [...] Ce n'est donc pas une confédération qui nous est proposée, mais tout simplement une Union législative déguisée sous le nom de confédération, parce que l'on a donné à chaque province un simulacre de gouvernement sans autre autorité que celle qu'il exercera sous le bon plaisir du gouvernement général. »

Antoine-Aimé Dorion, 1864.

? Sur quels aspects les partisans et les opposants du projet de confédération insistent-ils ?

Le fédéralisme

Un État de type fédéral s'oppose à l'État unitaire, dans lequel tous les pouvoirs politiques appartiennent à un seul gouvernement. Il existe deux types d'États fédéraux : la confédération et la fédération. La confédération est une association entre États souverains qui demeurent indépendants mais qui délèguent certains de leurs pouvoirs à un gouvernement central.

Dans la fédération, les pouvoirs sont plutôt répartis entre deux ordres de gouvernement, soit le gouvernement central (fédéral) et les gouvernements locaux (ou provinciaux). Les États fédéraux oscillent toujours entre deux tendances opposées : la centralisation et la décentralisation. Dans un État centralisateur, le gouvernement central occupe une place prépondérante. Lorsque le principe de décentralisation l'emporte, les gouvernements locaux possèdent plus d'autonomie.

? Dessinez deux schémas simples, celui d'un État unitaire et celui d'un État fédéral, afin de différencier visuellement ces deux formes de gouvernement.

L'Acte de l'Amérique du Nord britannique (1867)

La Conférence de Londres

À la fin de l'année 1866, les délégués des quatre colonies qui ont accepté la fédération telle qu'elle est définie dans les 72 résolutions de Québec (le Canada-Est, le Canada-Ouest, le Nouveau-Brunswick et la Nouvelle-Écosse) se rendent à Londres pour faire accepter leur projet par la métropole. Les autorités britanniques, désireuses de se libérer du poids que représentent les dépenses coloniales, se montrent très favorables à cette fédération. Après quelques discussions, elles rédigent un projet de loi intitulé Acte de l'Amérique du Nord britannique (AANB), destiné à devenir la nouvelle Constitution canadienne. Présentée devant le Parlement britannique au début de 1867, la loi est adoptée sans difficulté et reçoit bientôt la sanction royale. Elle entre en vigueur le 1er juillet 1867, consacrant la naissance d'une nouvelle nation à laquelle on donne le nom de « Dominion du Canada ». L'adoption de la devise « D'un océan à l'autre » ne laisse aucun doute sur les prétentions du Canada d'unir l'Ouest et la Colombie-Britannique au reste du territoire.

Le Canada en 1867

? Comparez cette carte avec celle de la page 516 et déterminez quel était, en 1867, le statut de chacune des provinces actuelles du Canada. La devise du Canada, adoptée en 1867, se justifie-t-elle de nos jours ?

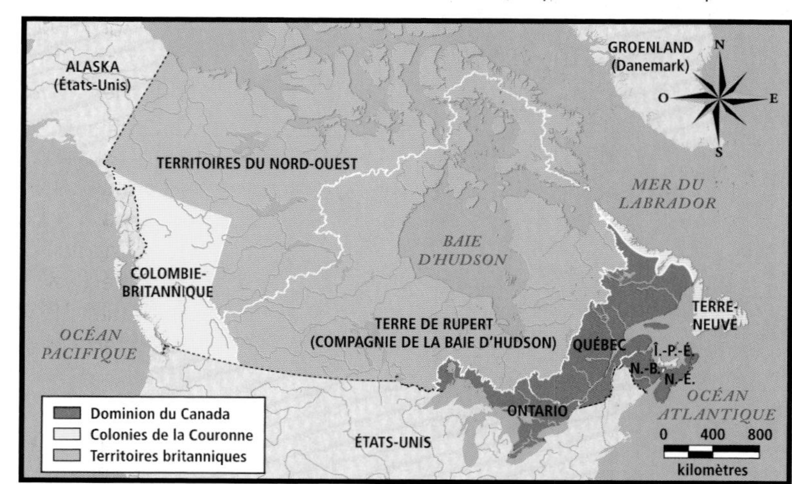

1854	1867	1878	1887	1896	1914 - 1918	1921	1929
Traité de réciprocité avec les États-Unis	*Acte de l'Amérique du Nord britannique*	*Politique nationale*	*Élection du gouvernement Mercier au Québec*	*Élection du gouvernement Laurier au Canada*	*Première Guerre mondiale*	*Fondation de la Confédération des travailleurs catholiques du Canada*	*Krach boursier à New York*

Factrice de Postes Canada

Le ministère des Postes est l'un des premiers ministères créés après la Confédération. Il prend en charge le service postal dès le 1er avril 1868. Certains commerçants y voient une occasion d'affaires et instaurent une nouvelle pratique commerciale : les commandes postales.

Soldat de l'armée canadienne

Le partage des pouvoirs

Puisque le Canada est un État fédéral, la division des pouvoirs entre le gouvernement central et les gouvernements provinciaux occupe une place particulièrement importante dans la Constitution. De manière générale, le gouvernement central joue le rôle le plus important. Tous les pouvoirs qui touchent les intérêts de l'ensemble du pays lui reviennent. Les pouvoirs des provinces se limitent aux questions d'intérêt local. Une telle division reflète la volonté de centralisation des Pères de la Confédération, notamment de John A. Macdonald.

Pour assurer sa prépondérance sur les gouvernements provinciaux, le gouvernement central dispose également de plusieurs droits particuliers, tel le droit de désaveu, qui lui permet d'annuler ou de refuser toute loi provinciale. Il possède également le droit de nommer les lieutenants-gouverneurs de chaque province et de nommer les juges des tribunaux supérieurs. En outre, ses sources de revenus sont plus importantes que celles des provinces.

LES POUVOIRS DU GOUVERNEMENT FÉDÉRAL (ARTICLE 91 DE L'AANB)	
En résumé	De manière générale, tout ce qui intéresse l'ensemble du pays.
Champs de compétence particuliers	**Économie :** monnaie, banques, emprunts, faillites, commerce, transports, etc. **Navigation et pêcheries.** **Défense :** entretien de la milice, service militaire, défense du pays, etc. **Justice :** droit criminel, pénitenciers, etc. **Administration :** fonctionnaires fédéraux. **Autres :** service postal, poids et mesures, brevets d'invention, droits d'auteur, recensements et statistiques, peuples amérindiens, etc.
Pouvoirs résiduaires	Tout ce qui n'est pas expressément nommé et qui n'est pas attribué aux provinces.

Fédération ou confédération ?

Même si l'on parle de la Confédération canadienne pour décrire le système politique qui résulte de l'union des colonies britanniques d'Amérique du Nord, le Canada n'est pas une véritable confédération (voir le concept de fédéralisme à la page 325). Il s'agit bel et bien d'une fédération, avec un gouvernement central fort et des gouvernements locaux qui lui sont subordonnés.

Arrivée des premiers êtres humains au Québec — v. –7000/–6000 — 1500 — 1600 — 1700 — 1800 — *1850* — 5e réalité sociale — 1900 — *1929* — 2000

Le gouvernement central et les gouvernements provinciaux partagent conjointement certains champs de compétence, telles l'agriculture, l'immigration et, depuis 1951, les pensions de vieillesse. Toutefois, en cas de conflit, la loi fédérale a priorité sur la loi provinciale.

Depuis 1867, l'Acte de l'Amérique du Nord britannique a subi plusieurs modifications. Son interprétation a également soulevé de nombreux débats relativement à la question du partage des pouvoirs. Ainsi, il a fallu décider à qui revenaient certains champs de compétence nouveaux qui n'avaient pas été prévus par les Pères de la Confédération, tels que l'automobile, l'aviation ou les télécommunications. Il a également fallu répartir les sources de revenus pour mieux répondre aux nouvelles réalités : l'éducation, la santé et la voirie, par exemple, représentent des coûts beaucoup plus élevés aujourd'hui qu'à la fin du 19e siècle.

LES POUVOIRS DU GOUVERNEMENT PROVINCIAL (ARTICLE 92 DE L'AANB)	
En résumé	De manière générale, tout ce qui est de nature locale.
Champs de compétence particuliers	• Terres publiques et ressources naturelles. • Santé : hôpitaux, asiles et autres établissements de charité. • Éducation, en autant que sont respectés les droits des minorités religieuses. • Administration de la justice et droit civil (incluant le droit du travail, le droit de la famille, le droit de la consommation, etc.). • Municipalités. • Licences et permis divers.

L'article 133 et la politique linguistique du Canada

« Dans les chambres du Parlement du Canada et les chambres de la législature de Québec, l'usage de la langue française ou de la langue anglaise, dans les débats, sera facultatif ; mais dans la rédaction des archives, procès-verbaux et journaux respectifs de ces chambres, l'usage de ces deux langues sera obligatoire ; [...]. »

Article 133 de l'Acte de l'Amérique du Nord britannique

? Que dit cet article sur la situation linguistique des gouvernements du Canada et du Québec ?

Traité de réciprocité avec les États-Unis — 1854
Acte de l'Amérique du Nord britannique — 1867
Politique nationale — 1878
Élection du gouvernement Mercier au Québec — 1887
Élection du gouvernement Laurier au Canada — 1896
Première Guerre mondiale — 1914 - 1918
Fondation de la Confédération des travailleurs catholiques du Canada — 1921
Krach boursier à New York — 1929

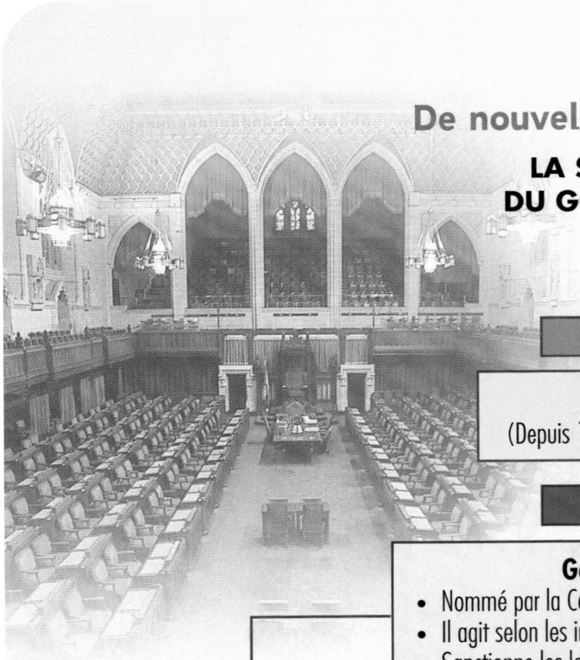

De nouvelles structures politiques

LA STRUCTURE POLITIQUE DU GOUVERNEMENT FÉDÉRAL

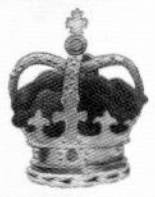

ANGLETERRE

Couronne britannique
(Depuis 1982, souverain ou souveraine du Canada)

CANADA

Gouverneur général du Canada
- Nommé par la Couronne sur la recommandation du premier ministre.
- Il agit selon les instructions du premier ministre canadien.
- Sanctionne les lois fédérales.

Pouvoir exécutif

Premier ministre
- Il est le véritable chef du gouvernement.
- Nommé par le gouverneur général, il est presque toujours le chef du parti majoritaire à la Chambre des communes.
- C'est lui qui choisit ou démet les ministres qui forment le Cabinet.

Cabinet (ou Conseil des ministres)
- Il est présidé par le premier ministre.
- Les ministres préparent des projets de loi et sont responsables de divers ministères.
- Ils sont habituellement issus du parti majoritaire à la Chambre des communes.
- Le Cabinet est chargé de faire appliquer les lois.

Pouvoir législatif

Sénat
- Il se composait de 72 membres en 1867 (105 en 2007).
- Les sénateurs sont nommés par le gouverneur général sur la recommandation du premier ministre.
- Ils conservent leur siège jusqu'à l'âge de 75 ans (avant 1965, ils étaient nommés à vie).
- Le Sénat étudie les lois votées par la Chambre des communes. Il peut proposer des amendements ou rejeter les lois s'il le juge nécessaire.

Chambre des communes
- Elle comptait 181 députés en 1867 (308 en 2007). Les députés sont élus par la population pour une période maximale de cinq ans.
- Le parti qui obtient le plus grand nombre de sièges à la suite d'élections générales forme habituellement le gouvernement.
- Les autres partis forment l'opposition.
- Ses membres étudient, débattent et votent les projets de loi.

Population
(En 1867, seuls les hommes répondant à certains critères économiques avaient le droit de vote.)

➡ Nomination
⇨ Élection

Le parcours d'un projet de loi
① La majorité des projets de loi sont soumis par le pouvoir exécutif à la Chambre des communes pour être débattus et votés.
② S'il est accepté, le projet de loi est envoyé au Sénat pour être débattu et voté.
③ Le projet de loi est envoyé au gouverneur général afin d'être sanctionné.
④ La mise en application de la loi est ensuite confiée au pouvoir exécutif.
⑤ La loi entre en vigueur.

Arrivée des premiers êtres humains au Québec

v. –7000/–6000 | 1500 | 1600 | 1700 | 1800 | *1850* | 1900 | *1929* | 2000

5e réalité sociale

LA STRUCTURE POLITIQUE DU GOUVERNEMENT PROVINCIAL DU QUÉBEC

ANGLETERRE

Couronne britannique
(Depuis 1982, souverain ou souveraine du Canada)

CANADA

Lieutenant-gouverneur
- Nommé par la Couronne sur la recommandation du premier ministre du Canada.
- Il agit selon les instructions du premier ministre du Québec.
- Sanctionne les lois provinciales.

Pouvoir exécutif

Premier ministre du Québec
- Il est le véritable chef du gouvernement.
- Nommé par le lieutenant-gouverneur, il est normalement le chef du parti majoritaire à l'Assemblée législative.
- C'est lui qui choisit ou démet les ministres qui forment le Conseil exécutif.

Conseil des ministres (ou Conseil exécutif)
- Il est présidé par le premier ministre.
- Les ministres préparent des projets de loi et sont responsables de divers ministères.
- Ils sont normalement issus du parti majoritaire à l'Assemblée législative du Québec.
- Le Conseil des ministres est chargé de faire appliquer les lois.

Pouvoir législatif

Conseil législatif
- En 1867, il se composait de 24 membres nommés à vie par le lieutenant-gouverneur sur la recommandation du premier ministre du Québec.
- Il jouait un rôle semblable à celui du Sénat canadien.
- Le Conseil législatif a été aboli en 1968.

Nomination
Élection

Assemblée législative (Assemblée nationale depuis 1968)
- Elle comptait 65 députés en 1867 (125 en 2007). Les députés sont élus par la population pour une période maximale de cinq ans.
- Le parti qui obtient le plus grand nombre de sièges à la suite d'élections générales forme normalement le gouvernement.
- Les autres partis forment l'opposition.
- Ses membres étudient, débattent et votent les lois.

Population
(En 1867, seuls les hommes répondant à certains critères économiques avaient le droit de vote.)

Le parcours d'un projet de loi provincial est identique à celui d'un projet de loi fédéral.

QUESTIONS DE SYNTHÈSE

1. Établissez des liens de cause à effet entre l'instabilité ministérielle, l'arrivée de nouveaux partis politiques au Canada-Uni et le principe de la double majorité. Vous pouvez présenter les liens sous forme de schéma.
2. Dressez un tableau des avantages économiques et politiques de l'union des colonies de l'Amérique du Nord britannique.
3. Expliquez en quoi les articles 91 et 92 de l'Acte de l'Amérique du Nord britannique illustrent bien le caractère fédéral du Canada.

2e TEMPS FORT

EXPANSION ET INDUSTRIALISATION (1867-1896)

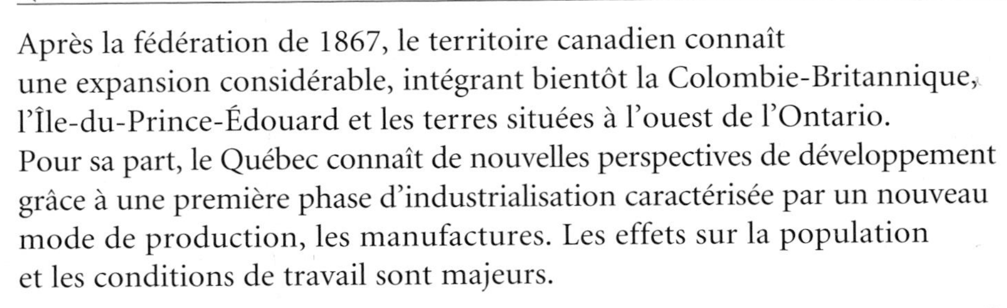

Après la fédération de 1867, le territoire canadien connaît une expansion considérable, intégrant bientôt la Colombie-Britannique, l'Île-du-Prince-Édouard et les terres situées à l'ouest de l'Ontario. Pour sa part, le Québec connaît de nouvelles perspectives de développement grâce à une première phase d'industrialisation caractérisée par un nouveau mode de production, les manufactures. Les effets sur la population et les conditions de travail sont majeurs.

Le développement de l'Ouest 

La création du Manitoba

En 1867, le Canada est formé de quatre provinces : le Québec, l'Ontario, le Nouveau-Brunswick et la Nouvelle-Écosse. Cette situation change rapidement avec la politique d'expansion mise de l'avant par le premier ministre John A. Macdonald. En 1869, il conclut une entente avec la Compagnie de la Baie d'Hudson pour lui acheter la Terre de Rupert au coût de un million et demi de dollars. Le gouvernement fédéral procède rapidement à l'arpentage des terres fertiles le long de la rivière Rouge, au sud du Manitoba actuel, sans se soucier de la population de cette région, les **Métis.** Au nombre d'environ 10 000, ces descendants des coureurs des bois et des Amérindiennes sont majoritairement francophones et catholiques. Ils s'offusquent de n'avoir pas été consultés à propos de leur intégration au Canada et s'inquiètent des répercussions d'une immigration massive en provenance de l'est du Canada.

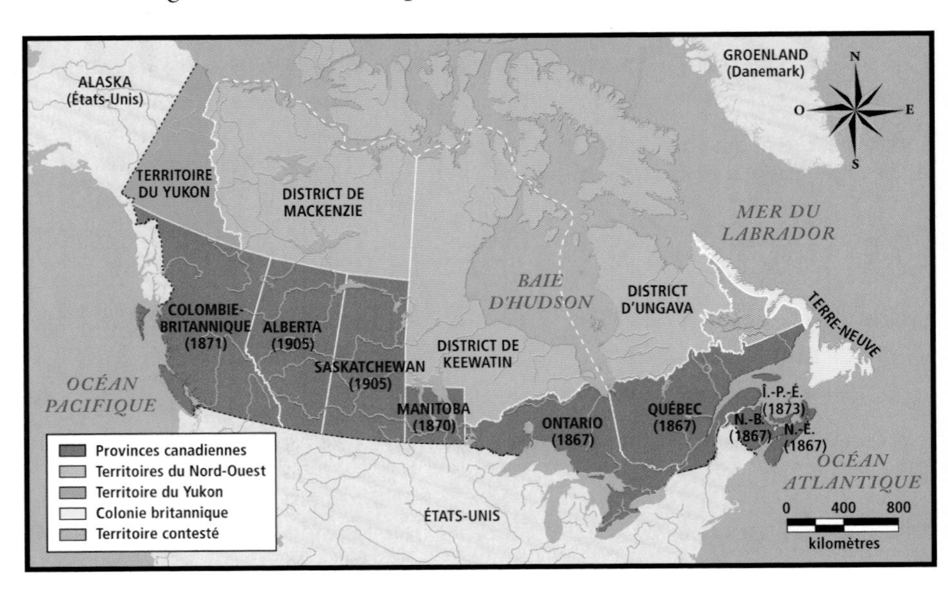

Le Canada en 1905

? Comparez cette carte avec celle de la page 325 et notez les territoires qui se sont ajoutés depuis la Confédération.

Sous la direction d'un des leurs, Louis Riel, les Métis forment un gouvernement provisoire en décembre 1869 et s'emparent de Fort Garry (aujourd'hui Winnipeg). Afin de faire respecter leurs droits (propriétés terriennes, usage du français au futur Parlement, religion catholique, etc.), des négociations sont entreprises avec le gouvernement du Canada. Elles mènent à la création officielle de la province du Manitoba en 1870. Toutefois, l'exécution par les Métis de Thomas Scott, originaire d'Ontario et farouche opposant au projet, provoque la colère des anglophones. Le gouvernement fédéral envoie des troupes pour rétablir l'ordre et Louis Riel, malgré son élection comme député, doit s'exiler aux États-Unis. Ce premier soulèvement permet donc aux Métis d'obtenir des garanties pour leurs droits.

Route des Prairies

Avant la construction du chemin de fer du Canadien Pacifique de 1881 à 1885, l'ouest du Canada n'est accessible que par des pistes peu entretenues ou par la navigation sur les rivières.

? Comparativement à une route comme celle-ci, quel est l'avantage du chemin de fer pour le transport des personnes et des marchandises ?

Le Canada continue à s'agrandir

En 1871, la Colombie-Britannique se joint à la fédération canadienne. En échange, le Canada s'engage à régler son importante dette et à construire un chemin de fer traversant le continent pour la relier au reste du pays. En 1873, l'Île-du-Prince-Édouard devient à son tour une nouvelle province. Il faudra attendre jusqu'en 1905 pour que l'Alberta et la Saskatchewan deviennent des provinces. Terre-Neuve sera la dernière province à s'ajouter à l'ensemble canadien, mais elle n'entrera dans la Confédération qu'en 1949.

Le train à la conquête de l'Ouest

Le Canadien Pacifique est le premier chemin de fer transcontinental canadien, reliant Montréal à la Colombie-Britannique. Sa réalisation était d'ailleurs l'une des conditions de l'entrée de cette province dans la Confédération. La construction s'étale de 1881 à 1885 et représente un véritable défi financier et logistique. Le gouvernement canadien doit intervenir à plusieurs reprises pour éviter la faillite de l'entreprise, qui doit également surmonter d'importants problèmes d'ingénierie, tel le difficile passage des montagnes Rocheuses. La réalisation de cette voie ferrée est rendue possible grâce au travail acharné de milliers d'employés, en particulier des ouvriers chinois sous-payés qui travaillent souvent dans des conditions extrêmement dangereuses. C'est à eux que l'on demande de poser les charges d'explosifs pour pulvériser le roc. Plusieurs sont blessés ou tués au cours de ces opérations.

? Selon vous, pourquoi confiait-on ces tâches aux immigrants chinois ?

Pont ferroviaire sur la voie du Canadien Pacifique

Considérées encore de nos jours comme des prouesses techniques, ces structures étaient particulièrement utiles dans les Rocheuses où les dénivellations profondes étaient nombreuses. Ces ponts permettaient d'éviter les pentes trop abruptes. Le bois étant un matériau qui se dégrade rapidement, il a été progressivement remplacé par l'acier, plus durable.

? Selon vous, quel avantage y avait-il à utiliser du bois pour construire ces ponts ?

1854 — Traité de réciprocité avec les États-Unis
1867 — Acte de l'Amérique du Nord britannique
1878 — Politique nationale
1887 — Élection du gouvernement Mercier au Québec
1896 — Élection du gouvernement Laurier au Canada
1914 - 1918 — Première Guerre mondiale
1921 — Fondation de la Confédération des travailleurs catholiques du Canada
1929 — Krach boursier à New York

Amérindien cri, 1884

Après l'adoption de la Loi sur les Indiens, tout autochtone qui désire circuler en dehors de sa réserve doit être muni d'une carte d'identité, un peu comme un passeport.

Pour le gouvernement, les Amérindiens ne sont pas aptes à exercer leurs droits dans une société démocratique de type occidental. Au fédéral, le droit de vote leur sera refusé jusqu'en 1960.

? Que pensez-vous de ces mesures ? Laquelle de ces deux photographies vous semble le mieux traduire la réalité des Amérindiens de cette époque ? Pourquoi ?

Chef huron vers 1880

La Loi sur les Indiens de 1876

La Constitution de 1867 ne fait référence aux Amérindiens qu'une seule fois ; c'est pour dire que leurs affaires relèvent du gouvernement fédéral. Celui-ci décide donc de réorganiser toutes les anciennes lois qui avaient été adoptées à leur sujet et de les consolider dans un nouvel acte. Il s'agit de la Loi sur les sauvages adoptée en 1876, aujourd'hui connue sous le nom de Loi sur les Indiens. Au cours des ans, plusieurs détails ont été modifiés, mais cette loi demeure encore valide pour l'essentiel.

À l'époque, cette loi vise essentiellement à superviser l'assimilation graduelle des peuples amérindiens à la civilisation occidentale en les mettant temporairement sous **tutelle.** Pour ce faire, le gouvernement instaure le système des réserves, qui sont des terres réservées aux Amérindiens mais qui appartiennent à la Couronne. Ceux qui y demeurent jouissent de certains avantages mais en contrepartie, ils n'ont pas tous les mêmes droits que les autres citoyens canadiens. Après la Loi sur les Indiens, plusieurs autres réglementations seront adoptées pour encadrer les Amérindiens.

Qui est Amérindien ou Amérindienne ?

La Loi sur les Indiens définit qui a le droit de se déclarer Amérindien ou Amérindienne. La clause selon laquelle une femme amérindienne perd son statut lorsqu'elle se marie avec un non-Amérindien n'a été abrogée qu'en 1985.

« L'expression « Sauvage » signifie [...]. Tout individu du sexe masculin et de sang sauvage, réputé appartenir à une bande particulière ; [...]. Tout enfant de tel individu ; [...]. Toute femme qui est ou a été légalement mariée à tel individu : [...].

[...] toute femme Sauvage qui se mariera à un autre qu'un Sauvage [...] cessera d'être une Sauvage dans le sens du présent acte, [...].

[...] toute femme Sauvage qui se mariera à un Sauvage d'une autre bande [...] cessera de faire partie de la bande à laquelle elle appartenait antérieurement, et deviendra membre de la bande [...] dont son mari fera partie ; [...] ».

Article 3 de l'*Acte pour amender et refondre les lois concernant les Sauvages* (Loi sur les Indiens), 1876.

? Montrez, en citant les passages appropriés, que cet extrait est à la fois raciste et sexiste.

Arrivée des premiers êtres humains au Québec

v. –7000/–6000 | 1500 | 1600 | 1700 | 1800 | 1850 | 1900 | 1929 | 2000

5e réalité sociale

La rébellion du Nord-Ouest de 1885

Dans les années qui suivent la création du Manitoba, de nombreux colons viennent s'installer dans la région de la rivière Rouge. Afin de préserver leur mode de vie, de nombreux Métis vendent leurs terres et s'établissent à l'ouest, sur des territoires encore peu peuplés, sur les bords de la rivière Saskatchewan. Ils sont rapidement rejoints par les colons de l'Est à la recherche de nouvelles terres fertiles et par l'avancée du chemin de fer du Canadien Pacifique.

Constatant que les arpenteurs envoyés par le gouvernement fédéral procèdent avec la même arrogance, les Métis décident d'organiser leur résistance. Pour ce faire, ils sollicitent de nouveau l'aide de Louis Riel, réfugié aux États-Unis. Sous sa direction, ils créent un gouvernement local provisoire et se préparent à combattre les forces fédérales. Ils sont soutenus par plusieurs tribus amérindiennes.

Au début de 1885, des militaires sont envoyés pour soumettre les Métis et leur rébellion est durement réprimée. Louis Riel se rend. À la suite d'un procès devant un jury composé exclusivement d'anglophones, il est accusé de haute trahison et condamné à mort. Il est pendu à Regina le 16 novembre 1885.

Métis lors de la rébellion de 1885

Après la rébellion de 1885, les Métis sont négligés par le gouvernement fédéral. Ils devront attendre jusqu'en 1982 avant d'être reconnus en tant que peuple distinct.

? Selon vous, est-il important pour un gouvernement de reconnaître les injustices du passé ? Pourquoi ?

Une opinion divisée

Le procès de Louis Riel divise le pays. Les anglophones, surtout les orangistes (anti-francophones et anti-catholiques) de l'Ontario, qui souhaitent venger la mort de Thomas Scott en 1869, veulent sa mort tandis que les francophones, sensibles à la cause des Métis qu'ils perçoivent comme leurs frères, réclament son acquittement.

« Riel est un rebelle ; il a pris les armes contre l'administration des lois du pays ; il est coupable d'avoir excité les Sauvages et les Métis à la révolte ; il est la cause immédiate des meurtres, des outrages, des grandes pertes de biens et des dépenses de plusieurs millions de piastres. Les griefs des Métis sont quelque chose et les outrages perpétrés par Riel en sont une autre. »

Free Press, journal anglophone d'Ottawa.

« Riel, notre frère, est mort, victime de son dévouement à la cause des Métis dont il était le chef, victime du fanatisme et de la trahison : [...]. Cette mort qui a été un crime chez nos ennemis, va devenir un signe de ralliement et un instrument de salut pour nous. »

Honoré Mercier, futur premier ministre du Québec.

? De quels ennemis Mercier parle-t-il ?

Louis Riel

Il semble qu'à la fin de sa vie, Louis Riel souffrait de troubles mentaux. Le juge qui l'a condamné à mort n'a pas tenu compte de ce fait.

? Louis Riel fut un héros pour les francophones du Québec, mais il était perçu comme un « traître » par les anglophones de l'Ontario. Comment cela peut-il s'expliquer selon vous ?

Traité de réciprocité avec les États-Unis — 1854
Acte de l'Amérique du Nord britannique — 1867
Politique nationale — 1878
Élection du gouvernement Mercier au Québec — 1887
Élection du gouvernement Laurier au Canada — 1896
Première Guerre mondiale — 1914 - 1918
Fondation de la Confédération des travailleurs catholiques du Canada — 1921
Krach boursier à New York — 1929

Honoré Mercier

Honoré Mercier est le premier dirigeant québécois à défendre l'idée de l'autonomie provinciale après la Confédération. Réélu en 1890, il rehausse le prestige du Québec en resserrant ses liens avec la France.

? L'attitude de Mercier envers le gouvernement central existe-t-elle encore de nos jours au Québec ?

Un mouvement d'autonomie provinciale

La situation au Manitoba et le procès de Louis Riel en 1885 contribuent à relancer le sentiment nationaliste des Canadiens français. En voyant la manière dont sont traités les Métis, majoritairement francophones et catholiques eux aussi, ils réalisent qu'ils ne seront jamais majoritaires ailleurs que dans la province de Québec. Des hommes politiques s'unissent afin de lutter pour une plus grande autonomie provinciale. Ils cherchent particulièrement à faire respecter les pouvoirs accordés aux provinces lors de la création de la Confédération.

Honoré Mercier est l'un de ces hommes. Il quitte la direction du Parti libéral du Québec et fonde, en 1886, le Parti national, qui réunit des politiciens choqués par le refus des conservateurs fédéraux d'intervenir lors du procès de Riel. Il est élu premier ministre du Québec en 1887 et prend la direction d'un mouvement de contestation des provinces à l'égard du gouvernement central. Il réclame une augmentation des subventions fédérales aux provinces et cherche à accroître la place du Québec sur la scène internationale. Une de ses priorités est d'ouvrir des routes et de construire des chemins de fer pour relier les nouvelles régions de colonisation au reste du Québec.

Les collines parlementaires

Depuis l'Acte d'Union de 1840, la capitale du Canada-Uni change souvent de place. D'abord à Kingston, elle déménage ensuite à Montréal avant de se déplacer entre Toronto et Québec, une solution qui ne satisfait personne. En 1857, les dirigeants du pays s'adressent à la reine Victoria pour choisir un lieu définitif. Celle-ci tranche en faveur du petit village d'Ottawa, sur la frontière entre le Canada-Est et le Canada-Ouest. L'adoption de la Confédération en 1867 confirme le statut d'Ottawa comme capitale du pays.

En tant qu'État fédéral, le Canada a un gouvernement central et plusieurs gouvernements provinciaux. Des édifices parlementaires sont donc également construits dans chaque province pour abriter les gouvernements locaux. L'actuel parlement de Québec a été conçu par l'architecte Eugène-Étienne Taché. La construction a duré de 1877 à 1886.

Le parlement d'Ottawa en construction

À Ottawa, des travaux pour l'érection d'un parlement digne de ce nom commencent dès 1865. Ils durent jusqu'en 1927, parce qu'un incendie majeur a réduit en cendres la majorité des bâtiments en 1916.

? Selon vous, les dirigeantes et dirigeants politiques ont-ils raison de vouloir que le siège de leur pouvoir soit un lieu de prestige ?

Arrivée des premiers êtres humains au Québec

1850 *1929* 5e réalité sociale

v. –7000/–6000 1500 1600 1700 1800 1900 2000

La Politique nationale de Macdonald

En 1873, une importante crise économique secoue les milieux financiers autrichiens. Elle se répercute rapidement à travers l'Europe et l'Amérique du Nord, plongeant l'Occident dans une longue **récession**: plusieurs usines sont forcées de cesser leurs activités, le taux de chômage augmente, les salaires baissent... Au Québec, la période de 1874 à 1879 est particulièrement difficile.

John A. Macdonald, qui a été réélu premier ministre du Canada en 1878, propose plusieurs solutions afin de lutter contre cette crise. Elles prennent la forme d'un vaste programme économique que Macdonald baptise « National Policy » ou « Politique nationale ». La Politique nationale de Macdonald comporte trois points principaux: une hausse des tarifs douaniers, l'extension du réseau ferroviaire vers l'Ouest et l'intensification de l'immigration.

Après des années de libre-échange, notamment avec l'Angleterre et les États-Unis, le Canada revient donc à une politique protectionniste. Les taxes douanières sont augmentées et atteignent entre 25 et 30 % sur certains produits importés. L'industrie canadienne est ainsi mieux protégée contre la concurrence et les revenus du gouvernement augmentent.

La Politique nationale de Macdonald n'obtient pas un succès instantané. Toutefois, elle oriente durablement les pratiques économiques du pays. Elle demeure largement en place jusque dans les années 1950. Ce n'est qu'au cours des années 1990 que le libre-échange recommence à jouer un rôle important dans l'économie canadienne.

Politique nationale ou libre-échange ?

La Politique nationale oppose libre-échange et économie protectionniste. On peut lire ce qui suit sur la caricature. Sous la Politique nationale (haut), le fermier affirme: « Avec un marché intérieur, je peux vendre mes produits aux ouvriers des villes. » Sous le libre-échange (bas), le fermier se demande: « Où sont passés mes amis les ouvriers ? Qui va m'acheter mes produits ? »

? Cette caricature est-elle l'œuvre d'un partisan ou d'un détracteur de la Politique nationale ? Relevez les détails que le caricaturiste a illustrés pour appuyer son opinion.

LA LOGIQUE DE LA POLITIQUE NATIONALE

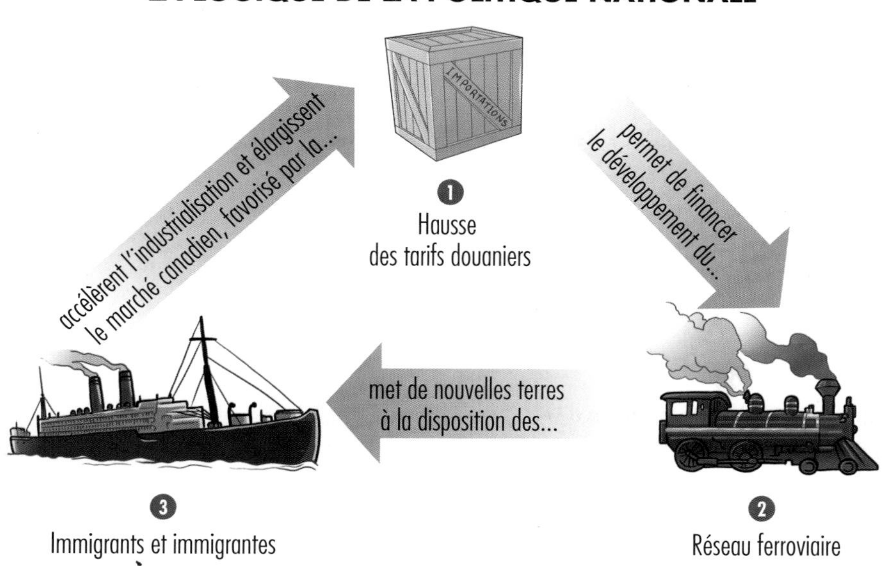

- 1854 – *Traité de réciprocité avec les États-Unis*
- 1867 – *Acte de l'Amérique du Nord britannique*
- 1878 – *Politique nationale*
- 1887 – *Élection du gouvernement Mercier au Québec*
- 1896 – *Élection du gouvernement Laurier au Canada*
- 1914 - 1918 – *Première Guerre mondiale*
- 1921 – *Fondation de la Confédération des travailleurs catholiques du Canada*
- 1929 – *Krach boursier à New York*

L'industrialisation

Depuis la fin du 18e siècle, la Grande-Bretagne connaît des transformations sociales et économiques majeures : c'est la révolution industrielle. Les autres pays occidentaux lui emboîtent bientôt le pas en amorçant leur propre industrialisation. Ces transformations s'effectuent en trois étapes :

1 Avant le début de l'industrialisation, les biens de consommation sont produits dans les nombreux ateliers des artisans. Ceux-ci contrôlent l'ensemble du processus de production, de l'achat des matières premières jusqu'à la vente des produits finis. Ils sont habituellement propriétaires de leur boutique et emploient un petit nombre de personnes, généralement des apprentis.

2 Un entrepreneur, souvent un marchand qui a accumulé des capitaux grâce au commerce, rassemble plusieurs artisans dans une même manufacture. Les moyens de production lui appartiennent et les artisans travaillent sous ses ordres en échange d'un salaire. Cela permet de diviser le processus de production en plusieurs opérations distinctes, ce qui accroît l'efficacité du travail. Les artisans spécialisés n'effectuent plus toutes les tâches ; ils n'exécutent que les plus complexes. Les tâches plus simples, qui ne requièrent pas de formation, sont confiées à des travailleurs sans qualification qui sont moins bien payés.

3 À la dernière étape de l'industrialisation, la machine à vapeur devient la principale source d'énergie et remplace en partie la force humaine. Les riches entrepreneurs qui possèdent ces machines font des profits considérables, car ils produisent en plus grande quantité tout en diminuant les coûts de fabrication. Les profits réalisés n'enrichissent toutefois que les entrepreneurs et ne sont pas redistribués parmi les ouvriers.

? Pour le consommateur ou la consommatrice, quel est l'avantage d'une production rapide et sur une grande échelle à l'aide de machines ?

Machine à vapeur

La machine à vapeur transforme l'énergie thermique contenue dans la vapeur d'eau en énergie mécanique utilisable par l'être humain. Inventée au 18e siècle par le Français Denis Papin, la machine à vapeur a été grandement améliorée au siècle suivant par le Britannique James Watt.

? Quels combustibles utilisait-on pour faire chauffer l'eau et créer de la vapeur au début de la révolution industrielle ?

Fabrique de chaussures Louis Côté et Frères à Saint-Hyacinthe vers 1886

? Quel sort de telles entreprises réservent-elles aux artisans qui fabriquent ces produits à la main ? Pourquoi ?

Arrivée des premiers êtres humains au Québec | v. –7000/–6000 | 1500 | 1600 | 1700 | 1800 | 1850 | 5e réalité sociale | 1900 | 1929 | 2000

Les débuts de l'industrialisation au Québec

Dans la seconde moitié du 19e siècle, le Québec connaît un premier essor industriel. De nombreuses manufactures ouvrent leurs portes. On y transforme les ressources naturelles du territoire tels le bois, le cuir, le blé et le tabac. La production industrielle se concentre principalement dans la région de Montréal, qui est alors le centre économique du pays.

LES INDUSTRIES QUÉBÉCOISES À LA FIN DU 19e SIÈCLE	
L'INDUSTRIE LÉGÈRE (QUI NÉCESSITE DES PROCESSUS DE TRANSFORMATION SIMPLES)	
La production alimentaire	Très diversifiée, elle regroupe des meuneries (qui transforment le blé en farine), des raffineries de sucre, des brasseries et des entreprises de transformation des produits laitiers (beurreries, fromageries). Ces industries, souvent de taille modeste, sont dispersées sur tout le territoire.
L'industrie du cuir et de la chaussure	L'industrie de la chaussure est celle qui connaît la plus forte croissance dans la seconde moitié du 19e siècle. Au début des années 1870, elle emploie 3000 travailleurs et travailleuses à Montréal et 2000 à Québec. À cette époque, de 60 à 75 % des chaussures fabriquées au Canada proviennent de Montréal, principalement de la banlieue ouvrière de Maisonneuve.
Le textile et le vêtement	Dans les dernières décennies du siècle, le Québec devient le centre de production du textile et du vêtement du Canada. Ces industries emploient une main-d'œuvre bon marché, en majorité des femmes et des enfants.
L'INDUSTRIE FORESTIÈRE	
Les scieries et les industries connexes	Le bois reste un secteur clé de l'économie québécoise à la fin du 19e siècle. L'industrie du bois équarri est toutefois remplacée par celle du bois scié qui est exporté vers les États-Unis. De grandes scieries s'installent près des réserves de bois, notamment à Hull, à Chicoutimi et à Rivière-du-Loup. Diverses entreprises connexes sont mises sur pied afin de transformer le bois scié en tonneaux, en portes et châssis, en pièces de mobilier ou en allumettes.
Les pâtes et papiers	L'industrie des pâtes et papiers, qui connaîtra un grand succès au 20e siècle, n'en est qu'à ses débuts. Elle ne parvient pas encore à concurrencer les entreprises américaines.
L'INDUSTRIE LOURDE (QUI NÉCESSITE DES PROCESSUS DE TRANSFORMATION COMPLEXES)	
Le fer et l'acier	Cette industrie se développe surtout après 1880 et se concentre à Montréal. Elle produit des pièces de quincaillerie, des tuyaux de fer, des poêles ainsi que du matériel roulant de chemin de fer (rails, wagons, locomotives).

L'ESSOR DE LA PRODUCTION INDUSTRIELLE DE 1861 À 1901 (en milliers de dollars)

DOMAINE	1861	1881	1901
Alimentation	3 830	22 440	33 099
Cuir et chaussure	1 207	21 680	20 325
Vêtement	28	10 040	16 542
Bois	4 156	12 790	16 340
Fer et acier	1 473	4 220	12 842
Textile	788	2 400	12 352
Tabac	262	1 750	8 231
Pâtes et papiers	268	1 342	6 461
Équipement de transport	648	3 600	8 058

? Décrivez en une phrase l'évolution générale de la production industrielle selon les données de ce tableau.

Améliorations au canal Lachine

Réaménagé en 1848, le canal Lachine fournit aux usines installées à proximité l'énergie hydraulique nécessaire au fonctionnement de leurs machines.

Traité de réciprocité avec les États-Unis — 1854
Acte de l'Amérique du Nord britannique — 1867
Politique nationale — 1878
Élection du gouvernement Mercier au Québec — 1887
Élection du gouvernement Laurier au Canada — 1896
Première Guerre mondiale — 1914 - 1918
Fondation de la Confédération des travailleurs catholiques du Canada — 1921
Krach boursier à New York — 1929

Bourgeoises à la fin du 19e siècle

Les femmes de la bourgeoisie se réunissent pour broder, coudre ou lire. Les médecins leur conseillent d'ailleurs de s'en tenir à ces activités tranquilles, adaptées à leur constitution physique « fragile ».

? Que nous apprend cette attitude sur les préjugés de la société de cette époque envers les femmes ? Selon vous, comment peut-elle s'expliquer dans le contexte de la société québécoise de l'époque ?

Le salon de la résidence Allan, 1911

D'origine écossaise, Hugh Allan est parmi les hommes les plus riches du Québec et du Canada. Dans les années 1870, il crée une société de transport maritime et se lance dans la construction de chemins de fer. Il possède aussi de nombreuses manufactures au Québec et en Ontario : textile, chaussure, fer et acier, tabac, papier.

? Nommez d'autres hommes d'affaires d'origine écossaise qui ont marqué la vie économique du Québec après la Conquête.

L'essor de la bourgeoisie industrielle

Dans la seconde moitié du 19e siècle, le développement économique du Québec favorise l'essor d'une nouvelle classe sociale, la bourgeoisie industrielle. Les possibilités de s'enrichir se multiplient, encourageant de nombreux entrepreneurs à se lancer en affaires, à créer des manufactures, des commerces et des entreprises de services.

Au sommet de cette bourgeoisie, quelques familles parmi les plus riches contrôlent les grandes institutions économiques du pays telles que la Banque de Montréal ou le Canadien Pacifique. Originaires d'Angleterre ou d'Écosse, elles résident pour la plupart à Montréal, centre industriel et financier du Canada. En plus d'orienter l'économie canadienne, elles exercent une grande influence sur la vie politique. Les membres de ces familles siègent au Parlement fédéral ou provincial, ou aux conseils municipaux.

L'essentiel de la bourgeoisie est toutefois composé de petits entrepreneurs spécialisés dans une activité particulière. Parmi eux se trouvent des Anglais, des Écossais, des Irlandais et des Canadiens français. Leur influence est plus restreinte que celle de la grande bourgeoisie et se limite souvent à l'échelle régionale. On les retrouve à Montréal et à Québec, mais aussi dans des villes de région telles que Saint-Hyacinthe, Sherbrooke, Hull ou Saint-Jean.

Quartiers chics

La montée de la bourgeoisie industrielle entraîne une transformation de l'aménagement des grandes villes. Un fossé se creuse entre les quartiers riches et les quartiers pauvres. À Montréal, les bourgeois quittent la vieille ville pour s'installer en hauteur, sur les versants du mont Royal, dans le *Golden Square Mile*. À Québec, ils résident dans la haute-ville et le long de la Grande-Allée. Plusieurs d'entre eux se construisent de magnifiques demeures en pierre aux allures de petits châteaux. Pour se rencontrer dans un cadre social, ils fondent des clubs privés au recrutement très sélectif tels le St. James Club et le Mount Royal Club.

Arrivée des premiers êtres humains au Québec

v. –7000/–6000 | 1500 | 1600 | 1700 | 1800 | *1850* | 1900 | *1929* | 2000

5e réalité sociale

Une population en mouvement

Dans la seconde moitié du 19e siècle, le Québec est le théâtre d'importants mouvements migratoires. La population de la province ne cesse d'augmenter, passant de 890 261 personnes en 1851 à 1 648 898 en 1901. De nombreux Québécois se voient forcés de quitter leur milieu d'origine pour aller chercher leur subsistance ailleurs.

PROBLÈME	SOLUTION POSSIBLE
• Surpeuplement des terres • Épuisement des sols • Diminution de la main-d'œuvre agricole à cause de la mécanisation de l'agriculture • Concurrence des céréales de l'Ouest	**Coloniser de nouvelles terres au Saguenay, au Témiscamingue ou dans les Laurentides** • Il est facile et peu coûteux d'acheter une terre. • Cette solution est encouragée par les élites francophones et par le clergé. • Pour eux, la colonisation garantit la survivance de la langue, de la foi et de la culture francophone (agriculturisme). **S'établir dans une ville du Québec** • De nombreux habitants et habitantes quittent les campagnes pour trouver un emploi salarié dans les manufactures. • Cet exode rural entraîne la croissance des villes (urbanisation). **Émigrer aux États-Unis** • Les terres de bonne qualité abondent dans l'ouest des États-Unis. • Un travail salarié pour toute la famille est possible dans les manufactures américaines. • Entre 1840 et 1930, 900 000 Canadiens français choisissent de partir aux États-Unis. C'est une véritable hémorragie démographique.

Défrichement de nouvelles terres

On estime que 50 000 Canadiens participent à la colonisation de nouvelles terres au Québec au 19e siècle. Parmi eux, de nombreux colons, déçus, plient bagage après quelques années de dur labeur pour se diriger vers les villes.

? Ces villes se situaient-elles uniquement au Québec ?

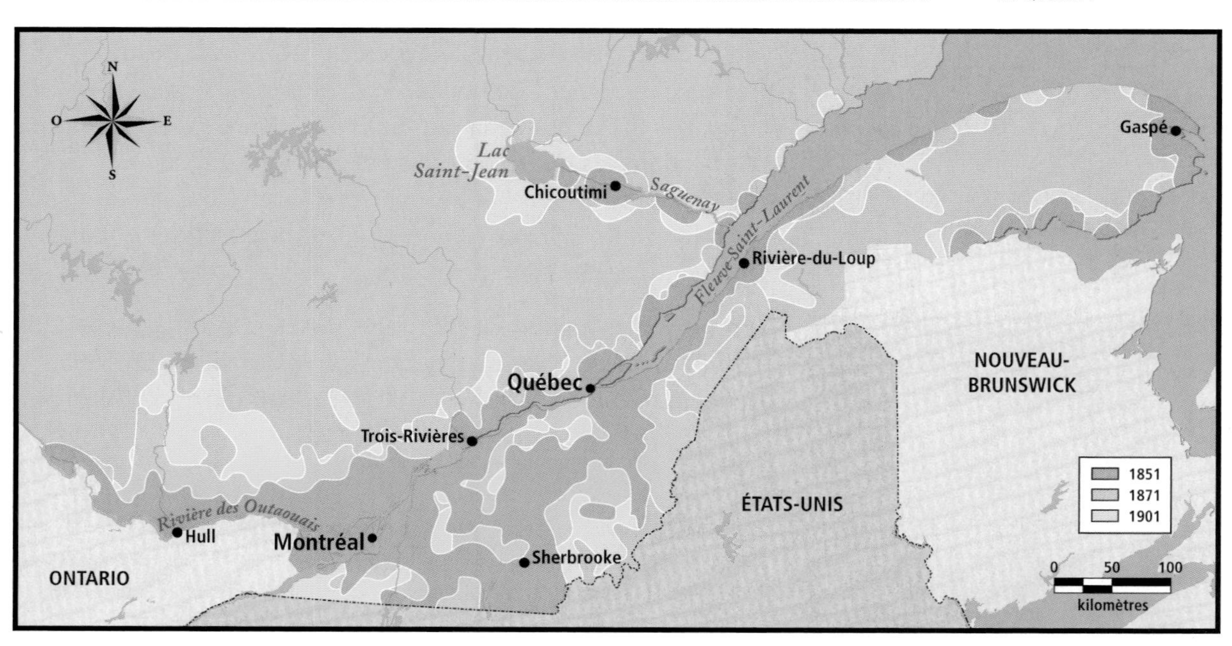

L'expansion du territoire québécois habité entre 1851 et 1901

? Dans quelles régions le peuplement est-il le plus intense pendant cette période ? Depuis quand votre région est-elle habitée ?

1854	1867	1878	1887	1896	1914 - 1918	1921	1929
Traité de réciprocité avec les États-Unis	*Acte de l'Amérique du Nord britannique*	*Politique nationale*	*Élection du gouvernement Mercier au Québec*	*Élection du gouvernement Laurier au Canada*	*Première Guerre mondiale*	*Fondation de la Confédération des travailleurs catholiques du Canada*	*Krach boursier à New York*

La rue Petit-Champlain, à Québec

À Québec, les travailleurs et travailleuses s'entassent le long du fleuve, dans le quartier Champlain, à proximité de l'activité économique. D'autres s'installent dans les quartiers Saint-Roch et Saint-Sauveur, le long de la rivière Saint-Charles.

? D'après cette photographie, quelles sont les principales caractéristiques de la vie ouvrière à cette époque ?

L'ÉVOLUTION DE LA POPULATION DES DEUX PLUS IMPORTANTES VILLES DU QUÉBEC (1851-1901)

Année	Montréal	Québec
1851	57 715	42 052
1861	90 323	59 990
1871	107 225	59 699
1881	140 747	62 446
1891	216 650	63 090
1901	277 730	68 840

? Traduisez ces renseignements sous la forme d'un diagramme à lignes brisées. D'après ce diagramme, laquelle de ces deux villes connaît la croissance la plus rapide ?

Les conditions de vie des familles ouvrières

L'industrialisation modifie profondément le visage des villes québécoises, surtout celui de Montréal. Alors que les villes n'abritent que 15 % de la population en 1851, ce pourcentage grimpe à 36 % en 1901. La plupart des nouveaux venus, qu'ils arrivent d'Europe ou des campagnes québécoises, s'entassent dans des quartiers ouvriers situés à proximité des manufactures, c'est-à-dire près des ports, des canaux et des chemins de fer.

La construction des logements nécessaires à cet afflux de population se fait de façon désordonnée, sans que les autorités municipales interviennent. Bâtis rapidement, ces logements petits et chers sont souvent insalubres et peu sécuritaires. Ne pouvant acheter leur logement, plus des trois quarts des familles ouvrières sont locataires. De plus, deux ou trois familles partagent souvent un même logement parce que leurs revenus sont insuffisants.

Les quartiers ouvriers connaissent d'importants problèmes d'hygiène et de santé. En effet, la plupart des maisons n'ont pas de toilettes intérieures. Les gens utilisent une fosse d'aisance creusée dans le fond de la cour. De plus, comme il n'y a pas de collecte des ordures, les détritus s'amassent dans les rues et dans les cours. Ils dégagent des gaz dangereux qui s'ajoutent à la fumée des usines environnantes.

De telles conditions sanitaires créent un milieu propice au développement de maladies, d'autant plus que l'eau n'est pas filtrée et que la population souffre de malnutrition. Ainsi, dans les quartiers ouvriers de Montréal, le taux de mortalité atteint 36,7 ‰ entre 1877 et 1896 (aujourd'hui ce taux est de 7 ‰ au Québec). Plus du quart des enfants n'atteignent pas l'âge de un an.

En outre, les épidémies de toutes sortes se propagent rapidement dans les quartiers pauvres des villes. En 1885, une épidémie de variole fait plus de 3000 morts à Montréal.

***L'incendie du quartier Saint-Jean à Québec*, Joseph Légaré (1845)**

La nuit du 28 juin 1845, un incendie majeur détruit près de 1300 demeures dans le faubourg Saint-Jean, laissant dans la rue plusieurs milliers de personnes. De tels incendies sont fréquents pendant tout le 19e siècle, surtout dans les villes où règne la promiscuité.

? Quel service les municipalités ont-elles mis en place pour combattre ce fléau ?

Arrivée des premiers êtres humains au Québec

v. −7000/−6000 | 1500 | 1600 | 1700 | 1800 | 1850 | 1900 | 1929 | 2000

5e réalité sociale

Des conditions de travail difficiles

La naissance du capitalisme industriel bouleverse les conditions de travail. En ville, les ouvriers et les ouvrières travaillent entre 60 et 70 heures par semaine, à raison de 10 à 12 heures chaque jour pour un maigre salaire. Comme le salaire des ouvriers non qualifiés est insuffisant pour assurer la subsistance d'une famille, les femmes et les enfants doivent souvent contribuer au revenu familial.

Les usines où ils et elles passent six jours sur sept sont mal éclairées, mal aérées et manquent d'installations sanitaires. De plus, les machines avec lesquelles ils et elles travaillent ne sont pas sécuritaires et font un bruit assourdissant. Les accidents sont fréquents mais les patrons n'accordent aucune indemnité à ceux et celles qui en sont victimes. Enfin, le travail en usine n'est pas garanti : les employeurs peuvent licencier des ouvriers et des ouvrières sans raison. Ils n'hésitent pas à le faire en période de ralentissement économique.

La Commission royale d'enquête sur le capital et le travail

En décembre 1886, le gouvernement de John A. Macdonald met sur pied une commission royale d'enquête pour étudier les conditions de travail des ouvriers et ouvrières. Voici un des témoignages recueillis :

« Q. – Avez-vous payé beaucoup d'amendes ? R. – Oui, monsieur, si j'avais toutes les amendes que j'ai payées !

Q. – Savez-vous à peu près combien d'amendes vous avez payées pendant les trois ans ? R. – Je ne puis dire combien, mais je crois bien que ça fait au-dessus de 12 à 13 piastres, parce que, à toutes les quinzaines, j'avais toujours 40 à 50 cents d'amendes.

Q. – Pourquoi vous a-t-on imposé des amendes ; vous en rappelez-vous ? R. – Parce que des fois, c'était du mauvais coton qu'on travaillait, même ça ne valait pas la peine de payer pour ; deux brins seulement cassaient ; pour des manques et des taches noires lavées, mais pas bien lavées et des "barres claires".

Q. – À quelle heure alliez-vous à la fabrique ? R. – La journée devait commencer à six heures et demie. Si on n'était pas rendu à la minute, on était mis à l'amende, ou bien réprimandé.

Q. – À quelle heure le travail finissait-il ? R. – Quand on ne travaillait pas le soir, on finissait à six heures et quart et quand on travaillait le soir, à sept heures et quart. »

Adèle Lavoie, 19 ans, employée de la manufacture de coton Sainte-Anne à Hochelaga.

?

1. D'après ce témoignage, que peut-on dire à propos du pouvoir des patrons sur leurs ouvriers et ouvrières ?
2. Quelle organisation les ouvriers et ouvrières créeront-ils pour répondre à cette situation ?

Travailleuses du tabac au début du 20e siècle

À la fin du 19e siècle, le Québec est le premier producteur de tabac du Canada. La variété qui y est cultivée est le Burley, une sorte de tabac à pipe. En 1871, le Québec produit 542 208 kg de tabac.

? À cette époque, pourquoi un grand nombre de femmes quittent-elles le foyer familial pour aller travailler en usine ?

1854	1867	1878	1887	1896	1914 - 1918	1921	1929
Traité de réciprocité avec les États-Unis	*Acte de l'Amérique du Nord britannique*	*Politique nationale*	*Élection du gouvernement Mercier au Québec*	*Élection du gouvernement Laurier au Canada*	*Première Guerre mondiale*	*Fondation de la Confédération des travailleurs catholiques du Canada*	*Krach boursier à New York*

Locomotive dans les ateliers du Grand Tronc à Montréal en 1859

Les ateliers du Grand Tronc sont situés à Pointe-Saint-Charles, dans le sud-ouest de Montréal. On y fabrique des wagons, en plus de réparer et d'entretenir le matériel roulant de chemin de fer. En 1880, 2000 ouvriers y sont employés.

? Selon vous, pourquoi n'y a-t-il aucune femme dans ce type d'atelier, alors que de nombreuses femmes travaillent dans les manufactures de tabac ?

Le travail des hommes

Les hommes et les femmes travaillent dans des secteurs différents. Certains domaines, telles la transformation des métaux, la fabrication de matériel ferroviaire, la construction navale et la construction résidentielle demeurent exclusivement masculins. Dans le secteur de l'alimentation, ils travaillent principalement dans les boulangeries, les boucheries, les brasseries et les minoteries.

Les salaires des hommes varient beaucoup d'un métier à l'autre. Ainsi, dans les années 1880, ceux qui n'ont pas de formation gagnent entre 1 $ et 1,25 $ par jour alors que les travailleurs qualifiés comme les cordonniers et les charpentiers reçoivent quotidiennement entre 1,50 $ et 2 $. Plusieurs ne peuvent pas compter sur un travail régulier pendant toute l'année. En effet, des secteurs tels les transports maritimes et la construction résidentielle sont pratiquement paralysés pendant l'hiver. Or, à cette époque, il n'existe ni assurance emploi ni assurance salaire.

Enfants travaillant dans une filature de coton

Les filatures de coton ne sont pas à Montréal même, mais en banlieue, à Hochelaga et à Saint-Henri. Elles sont souvent situées dans de petites villes reliées par chemin de fer, telles que Magog, Valleyfield, Coaticook et Chambly.

? Selon vous, ces enfants travaillent-ils par choix ?

Le travail des femmes et des enfants

Les entrepreneurs capitalistes n'hésitent pas à embaucher des femmes et des enfants dans leurs manufactures. Cela leur permet d'augmenter leurs profits puisque cette main-d'œuvre est peu coûteuse et facile à remplacer. Les femmes et les enfants occupent une place bien définie dans le secteur de la production industrielle. On les trouve principalement dans les fabriques de vêtements, de chaussures, de cigarettes et de cigares. En 1891, à Montréal, les enfants de moins de 16 ans représentent 6,3 % de la main-d'œuvre alors que les femmes en constituent environ 30 %.

Les salaires des femmes et des enfants sont nettement inférieurs à ceux des hommes, même quand le travail est similaire.

EXEMPLES DE SALAIRES HEBDOMADAIRES À MONTRÉAL EN 1889

	Filature de coton	Tabac
Homme	Entre 4,80 $ et 6,00 $	Entre 6,00 $ et 8,50 $
Femme	Entre 4,50 $ et 4,80 $	Entre 1,50 $ et 3,75 $
Enfant	Entre 1,50 $ et 1,80 $	Entre 1,50 $ et 5,00 $

? Comment s'expliquent de tels écarts ?

Arrivée des premiers êtres humains au Québec

v. –7000/–6000 · 1500 · 1600 · 1700 · 1800 · 1850 · 1900 · 1929 · 2000

5e réalité sociale

La naissance des syndicats

Dès la première moitié du 19e siècle, des travailleurs d'un même métier commencent à se regrouper en syndicats pour réclamer des améliorations dans leurs conditions de travail. Ces premiers syndicats de métier rassemblent surtout des employés qualifiés que les patrons peuvent difficilement remplacer (charpentiers, cigariers, cordonniers, etc.). Ces travailleurs comprennent qu'ils doivent s'unir pour défendre leurs intérêts et forcer leurs employeurs à négocier.

Dans la seconde moitié du 19e siècle, des organisations syndicales américaines s'implantent au Québec et au Canada. Ainsi, de grands syndicats de métier américains (typographes, charpentiers, etc.) viennent fonder ici des sections syndicales. Les Chevaliers du travail (*Knights of Labor*) connaissent un grand succès au Québec. Leur objectif est de regrouper tous les travailleurs et travailleuses, peu importe leur métier, leur couleur ou leur sexe.

Pendant longtemps, les syndicats doivent agir dans la clandestinité, car ils sont considérés comme illégaux. Toutefois, en 1872, Macdonald fait adopter une loi qui rend légale l'action syndicale et oblige les patrons à la reconnaître. Dans les années 1880, les syndicats se dotent de structures pour intervenir auprès des gouvernements. En 1883, ils créent le Congrès des métiers et du travail du Canada (CMTC), le plus important regroupement d'associations syndicales du pays.

Caricature des Chevaliers du travail

L'organisation des Chevaliers du travail est constituée par les tailleurs aux États-Unis en 1869. Elle fait son entrée en Ontario en 1875 et s'étend rapidement à l'ensemble du Canada. Sur cette caricature, on voit au centre M. Powderly, le chef de l'organisation, qui barre la route au patron et au « scab », le briseur de grève engagé par les employeurs pour remplacer les grévistes.

? Nommez une centrale syndicale actuelle. De nos jours, les travailleurs et les travailleuses bénéficient-ils tous d'une protection syndicale ?

LES PRINCIPALES REVENDICATIONS SYNDICALES À LA FIN DU 19e SIÈCLE

- Interdiction du travail des enfants de moins de 14 ans.
- Réduction de la journée de travail à huit heures pour les femmes et les enfants.
- Mise en place de mesures de sécurité et d'hygiène à l'usine.
- Création d'écoles du soir et de bibliothèques publiques.

QUESTIONS DE SYNTHÈSE

1. Quels sont les principaux problèmes du Canada au début de la Confédération ? Comment la Politique nationale de MacDonald prévoyait-elle régler ces problèmes ?
2. Quelles sont les principales transformations de l'économie du Québec à la fin du 19e siècle ? En quoi cela affecte-t-il les conditions de vie et de travail des Québécois et des Québécoises ?
3. Qu'est-ce qui explique la naissance du syndicalisme au cours de cette période ?

1854 – Traité de réciprocité avec les États-Unis
1867 – Acte de l'Amérique du Nord britannique
1878 – Politique nationale
1887 – Élection du gouvernement Mercier au Québec
1896 – Élection du gouvernement Laurier au Canada
1914 - 1918 – Première Guerre mondiale
1921 – Fondation de la Confédération des travailleurs catholiques du Canada
1929 – Krach boursier à New York

3e TEMPS FORT

AFFIRMATION NATIONALE ET DÉVELOPPEMENT ÉCONOMIQUE (1896-1929)

Au début du 20e siècle, le Canada connaît un essor économique sans précédent qui attire de nombreux immigrants venus principalement d'Europe. La Première Guerre mondiale, qui ravage l'Europe de 1914 à 1918, favorise l'industrialisation et l'autonomie politique du pays. Le Québec participe à cette prospérité économique grâce à ses ressources naturelles et cet essor continue à provoquer d'importants changements sociaux.

LA POPULATION DU QUÉBEC ET CELLE DU CANADA (1891-1931)		
Année	**Québec**	**Canada**
1891	1 488 535	4 833 810
1901	1 648 898	5 371 315
1911	2 005 776	7 206 643
1921	2 360 510	8 787 949
1931	2 874 662	10 376 786

? Comparez ces chiffres avec ceux d'aujourd'hui.

L'origine ethnique de la population immigrante (1900-1930)

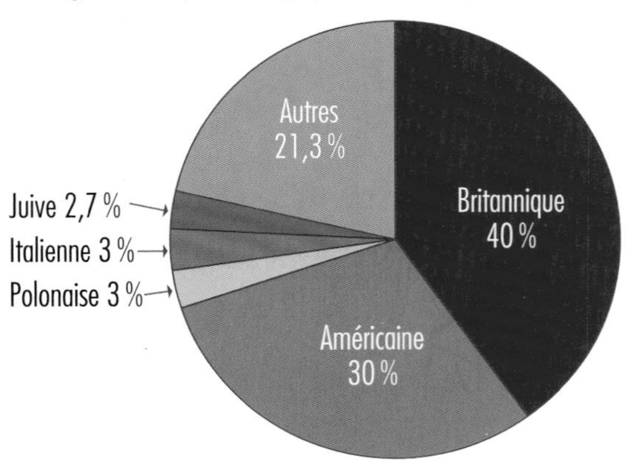

? Selon vous, comment expliquer que les Britanniques et les Américains dominent nettement les autres groupes ?

Le « siècle du Canada » 

Le début de l'essor économique du Canada coïncide avec l'arrivée au pouvoir d'un nouveau premier ministre libéral, Wilfrid Laurier. Élu en 1896, il est le premier Canadien français à accéder au poste de premier ministre du Canada, une fonction qu'il exercera sans interruption pendant quinze ans. Il se montre très confiant en l'avenir du pays, affirmant : « Le 19e siècle a été le siècle des États-Unis, le 20e siècle sera celui du Canada. »

La croissance démographique et économique du Canada qui dure jusqu'à la fin des années 1920 explique l'optimisme du nouveau premier ministre. En effet, la valeur totale des exportations canadiennes passe de 88 millions de dollars en 1891 à 741 millions de dollars en 1914. De plus, la production industrielle du pays fait plus que quadrupler pendant cette période.

Dans les premières décennies du 20e siècle, la population canadienne augmente rapidement, doublant pratiquement entre 1901 et 1931 (voir le tableau ci-contre). Cette croissance phénoménale est attribuable en grande partie à l'arrivée massive de 4 600 000 immigrants et immigrantes au cours de ces années. Notons qu'à cette époque les États-Unis n'ont plus de terres disponibles pour la colonisation, ce qui favorise l'immigration du Canada.

Quelques milliers d'immigrants et immigrantes s'installent au Québec pour travailler dans les manufactures, mais la plupart se dirigent plutôt vers l'ouest canadien. Les terres à cultiver y sont abondantes et facilement accessibles par le chemin de fer transcontinental. Aussi la population s'accroît-elle considérablement au début du 20e siècle sur le territoire situé entre le Manitoba et la Colombie-Britannique, passant de 66 000 personnes en 1895 à 400 000 dix ans plus tard. Cette impressionnante croissance démographique entraîne la création de deux nouvelles provinces en 1905 : la Saskatchewan et l'Alberta.

La production canadienne de céréales

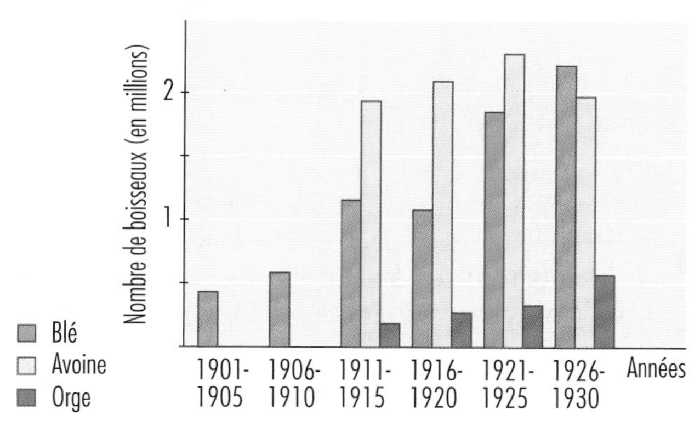

? À quelle période la production de céréales atteint-elle un sommet ? Dans quelle région du Canada les céréales sont-elles principalement cultivées ?

Le blé marquis

Les vastes prairies canadiennes deviennent rapidement le grenier à blé du Canada. Cela s'explique en partie par la mise au point d'une nouvelle sorte de blé, le blé marquis, plus résistant et mieux adapté au climat aride de l'Ouest. Créée dans une ferme expérimentale du gouvernement fédéral, cette céréale mûrit plus rapidement. Ce mûrissement rapide est idéal compte tenu du printemps tardif et de l'automne précoce dans cette région. Ce type de blé canadien est bientôt recherché dans le monde entier.

Laurier : un partisan du libéralisme économique

Le gouvernement de Laurier défend certaines des idées préconisées par le libéralisme économique. Selon cette **doctrine**, ce sont les gens d'affaires qui assurent le développement économique du pays. En conséquence, l'État intervient le moins possible. Il se contente plutôt de créer des conditions favorables au développement, par exemple en construisant des voies de transport et en faisant respecter les règles sur le fonctionnement des banques et des compagnies.

Tracteur tirant 10 charrues dans les Prairies, vers 1922

Depuis la fin du siècle dernier, pour cultiver les vastes étendues des Prairies, on utilise des machines mécanisées : batteuses, charrues, lieuses. De plus, de nombreux employés supplémentaires sont engagés pendant les moissons.

? Selon vous, combien d'ouvriers agricoles sont remplacés par une telle machine ? De manière générale, quel effet la mécanisation produit-elle sur la main-d'œuvre agricole ?

Sir Wilfrid Laurier

Élu en 1871 à l'Assemblée législative du Québec comme député libéral, Wilfrid Laurier est alors un fervent opposant de la Confédération canadienne. Trois ans plus tard, lorsqu'il se tourne vers la politique fédérale, ses positions sont plus tempérées. Il devient un ardent défenseur de l'unité nationale canadienne. Il est le premier francophone à occuper la fonction de premier ministre du Canada de 1896 à 1911.

Traité de réciprocité avec les États-Unis — 1854
Acte de l'Amérique du Nord britannique — 1867
Politique nationale — 1878
Élection du gouvernement Mercier au Québec — 1887
Élection du gouvernement Laurier au Canada — 1896
Première Guerre mondiale — 1914 - 1918
Fondation de la Confédération des travailleurs catholiques du Canada — 1921
Krach boursier à New York — 1929

Soldats canadiens pendant la guerre des Boers

Au total, 7000 soldats canadiens se portent volontaires pour prêter main forte à la Grande-Bretagne en Afrique du Sud. Cette opération engendre des dépenses de près de trois millions de dollars pour le gouvernement canadien.

? Selon vous, la participation à cette guerre était-elle justifiée ? Aujourd'hui, le Canada doit-il participer à des guerres où la défense de son territoire n'est pas en cause ?

Le Canada en guerre

Depuis la fin du 19e siècle, la Grande-Bretagne n'est plus la seule grande puissance industrielle du monde. Les États-Unis, l'Allemagne et la France lui font désormais une vive concurrence. Pour compenser, la Grande-Bretagne se tourne vers son Empire dans lequel elle voit une source possible de puissance. Elle tente de resserrer les liens avec ses dominions, souhaitant former une fédération politique, économique et militaire avec eux. Devant une telle situation, Wilfrid Laurier défend l'autonomie du Canada et soutient que les colonies doivent coopérer aux politiques impériales uniquement sur une base volontaire.

Le Canada en Afrique

En 1899, la Grande-Bretagne entre en guerre contre deux petites républiques sud-africaines colonisées par les Boers, soit les descendants des premiers colons hollandais. Ce conflit divise l'opinion canadienne. D'un côté, un grand nombre de Canadiens anglais, sympathiques à la cause impériale, pressent le gouvernement fédéral d'envoyer des troupes pour venir en aide aux Britanniques. De l'autre, une majorité de Canadiens français et plusieurs immigrants non britanniques refusent de participer à une guerre qui ne concerne pas le Canada.

Sous la pression populaire, Wilfrid Laurier adopte un compromis : il consent à envoyer un régiment de volontaires en Afrique du Sud. C'est la première fois que le Canada participe à une guerre outre-mer.

Le déclenchement de la Première Guerre mondiale

Des tensions politiques, économiques et sociales entre les États européens dégénèrent en un conflit armé qui va s'étendre au monde entier.
Le jeu des alliances politiques amène, en août 1914, la Grande-Bretagne à déclarer la guerre à l'Allemagne et à ses alliées, l'Autriche-Hongrie et l'Italie. En tant que membre de l'Empire britannique, le Canada entre automatiquement en guerre, aux côtés de sa métropole. Bien que la plupart des Canadiens n'aient pas suivi les événements complexes qui ont mené à la déclaration de guerre britannique, la majorité estime la cause juste et souhaite que le Canada participe à l'effort de guerre de l'Empire.

L'assassinat de l'archiduc François-Ferdinand de Habsbourg en 1914

L'assassinat, le 28 juin 1914, de l'archiduc François-Ferdinand, héritier de la couronne d'Autriche, déclenche la Première Guerre mondiale. Pour certaines nations, cet événement sera le prétexte pour initier un conflit qui pourrait servir leurs intérêts politiques et économiques.

? Pourquoi le Canada sera-t-il amené à participer à ce conflit ?

L'effort de guerre canadien

Dès l'automne 1914, les premiers contingents de volontaires canadiens sont envoyés en Europe pour participer aux combats. Pendant les quatre années que durera le conflit, plus de 600 000 hommes et femmes s'enrôleront dans les forces armées et près de 450 000 d'entre eux iront au front. Comparées aux troupes britanniques, françaises et américaines, les troupes canadiennes ont des effectifs réduits, mais cela ne les empêche pas d'acquérir rapidement une solide réputation de bravoure.

Dès 1915, les soldats canadiens participent activement à la guerre des tranchées qui se déroule dans le nord-est de la France et en Belgique. Ils se distinguent particulièrement en 1917 par la prise de la crête de Vimy et lors de la bataille de Passchendale. Toutefois, les sacrifices en vies humaines sont grands : en tout, 60 000 Canadiens tombent sur les champs de bataille sans compter les nombreux blessés et amputés.

Volontaires canadiens au camp d'entraînement de Valcartier

Dès que la guerre est déclarée, le gouvernement canadien décide de réunir les premiers volontaires à Valcartier, près de Québec, sous la direction de Sam Hughes. Quelques semaines après, 30 000 hommes quittent le camp d'entraînement pour l'Europe.

? Selon vous, la guerre est-elle plus acceptable lorsque les soldats sont des volontaires ? Pourquoi ?

Le témoignage d'un médecin de guerre

À partir du mois d'août 1918, les troupes canadiennes se signalent lors des combats qui se déroulent dans la région d'Amiens, en France. Dans une lettre, le capitaine Hutcheson livre son expérience du champ de bataille :

« Des obus à gaz et des explosifs brisants étaient utilisés de manière enchevêtrée. Mon travail consistait à panser les blessés, stopper l'hémorragie, donner une injection hypodermique de morphine au besoin et voir à ce que les blessés soient évacués vers l'arrière. Le gaz utilisé ce jour-là était le phosgène, gaz mortel à l'odeur douceâtre. [...] C'était bien sûr très déconcertant de chercher à panser les blessés pendant que les obus pleuvaient, faisant jaillir des gerbes de débris tout autour, et de temps à autre, l'idée m'effleurait qu'il était fort possible que je subisse dans quelques secondes le même sort que les hommes atrocement blessés que je m'efforçais de soigner. »

Lettre de guerre de la part du capitaine Bellenden S. Hutcheson, 1918.

? À quelle arme nouvelle le capitaine Hutcheson fait-il allusion ?

Affiche de recrutement

Les Canadiens anglais se plaignent du manque d'empressement des francophones à s'enrôler. Mais ces derniers, en plus d'être peu attachés à la Grande-Bretagne, acceptent mal d'être sous les ordres d'officiers unilingues anglais. Borden met du temps à créer des bataillons entièrement francophones.

? Sur quels sentiments mise-t-on dans cette affiche pour amener les Canadiens français à s'enrôler ?

1854	1867	1878	1887	1896	1914 - 1918	1921	1929
Traité de réciprocité avec les États-Unis	*Acte de l'Amérique du Nord britannique*	*Politique nationale*	*Élection du gouvernement Mercier au Québec*	*Élection du gouvernement Laurier au Canada*	*Première Guerre mondiale*	*Fondation de la Confédération des travailleurs catholiques du Canada*	*Krach boursier à New York*

Défilé anti-conscription au square Victoria

Les Canadiens français s'insurgent contre la conscription. À Montréal, des émeutes éclatent et des coups de feu sont tirés.

? Cette manifestation semble-t-elle se dérouler dans le calme ? Justifiez votre réponse.

La crise de la conscription

Vers 1916, les volontaires sont moins nombreux à s'enrôler. Or, le premier ministre Robert Borden s'est engagé à fournir 500 000 soldats, ce qui est énorme pour une population totale de 8 millions. En 1917, alors que les pertes augmentent sur les champs de bataille, le gouvernement de Borden doit se résoudre à imposer la conscription (enrôlement obligatoire des hommes valides), reniant un engagement pris par le passé. En effet, dès décembre 1914, Borden avait promis qu'il n'y aurait pas de conscription et que l'enrôlement des soldats demeurerait volontaire.

L'idée de la conscription est vivement contestée. À la Chambre des communes, Wilfrid Laurier, devenu chef de l'opposition, réclame un référendum sur la question mais sa proposition est rejetée. Dans le pays, l'opinion publique est déchirée. Les Canadiens français, dirigés par le nationaliste Henri Bourassa, s'opposent vigoureusement au service militaire obligatoire. Au Québec, des manifestations contre la conscription sont durement réprimées par les forces de l'ordre et se soldent par la mort de quelques personnes. De leur côté, les anglophones appuient majoritairement la décision de Robert Borden. Malgré ces débats passionnés, la conscription entre en vigueur le 1er janvier 1918.

Femmes au travail dans une usine de munitions

Pendant la guerre, les employeurs sont obligés de recruter des femmes pour des emplois traditionnellement réservés aux hommes. Les femmes occupent donc des emplois dans les bureaux, les banques et les usines. Elles prennent ainsi conscience du rôle qu'elles peuvent jouer dans la société.

? Quel lien pouvez-vous établir entre le travail des femmes pendant la guerre, le mouvement féministe et l'obtention du droit de vote pour les femmes en 1918 ?

Les impacts de la guerre sur l'économie

Pour financer le très coûteux effort de guerre, le gouvernement fédéral doit recourir à des mesures extraordinaires. Ainsi, il contracte des emprunts à l'étranger et emprunte à la population canadienne par la vente d'obligations appelées « bons de la Victoire ». En 1916, il crée un impôt sur les profits des compagnies suivi, l'année suivante, d'un impôt sur le revenu des particuliers. Malgré ces mesures, la dette nationale gonfle considérablement entre 1913 et 1918, passant de 463 millions de dollars à 2,46 milliards.

Par ailleurs, la guerre relance l'économie canadienne qui souffrait, en 1913-1914, d'un haut taux de chômage et d'inflation. Pour répondre aux besoins des troupes alliées, le Canada exporte des quantités croissantes de blé, de bois, de munitions et d'obus. Le conflit donne un essor extraordinaire à l'industrie canadienne, notamment l'exploitation des métaux et la fabrication des armements.

La reconnaissance internationale du Canada

À cause de la participation à l'effort de guerre impérial et des énormes sacrifices consentis par les Canadiens, un nombre croissant d'entre eux exige que leur pays participe aux décisions de la politique impériale qui les concernent. Dès lors, le premier ministre Robert Borden, qui adopte la position de Laurier envers la Grande-Bretagne, talonne le gouvernement de Londres pour que les dominions acquièrent leur autonomie et qu'ils soient traités à égalité avec la Grande-Bretagne. Grâce à sa ténacité, le Canada finit par obtenir une place parmi les États du monde. Cette reconnaissance internationale s'effectue en plusieurs étapes.

L'ACCESSION DU CANADA À L'AUTONOMIE INTERNATIONALE

Année	Événement	Contenu
1917	Création du Comité impérial de guerre	Ce comité réunit les principaux ministres britanniques et les premiers ministres des dominions. Il détermine la politique extérieure de l'Empire.
1919	Conférence de paix de Paris	Le Canada et les dominions prennent part à la conférence de paix qui met fin à la guerre. Ils signent séparément le traité de Versailles qui fixe les conditions de la paix avec l'Allemagne.
1919	Création de la Société des Nations (ancêtre de l'ONU)	Le Canada devient un membre à part entière de la Société des Nations, un organisme international créé pour maintenir la paix et éviter un nouveau conflit mondial.
1923	Signature d'un traité avec les États-Unis sur les pêcheries de flétan	Il s'agit du premier traité international conclu et signé par un dominion seul, sans l'intervention de la Grande-Bretagne.
1926	Rapport de Lord Balfour	Chargé d'étudier la question des relations interimpériales, Lord Balfour propose de traiter les dominions à égalité avec la Grande-Bretagne.
1931	Statut de Westminster	À la suite du rapport Balfour, le gouvernement britannique adopte une loi qui reconnaît légalement la pleine autonomie du Canada. Elle élimine toute ingérence de Londres dans les affaires intérieures et extérieures du Canada. Toutefois, la Constitution canadienne demeure en Grande-Bretagne et ne peut être modifiée sans le consentement du Conseil privé de Londres.

Sir Robert Borden et sir Winston Churchill (Premier lord de l'Amirauté)

Avant le déclenchement de la guerre, les conservateurs dirigés par Robert Borden souhaitent contribuer à la défense de l'Empire en fournissant, non pas des hommes, mais des sommes d'argent à la Grande-Bretagne. En 1912, au moment où cette photographie a été prise, Robert Borden vient de promettre au premier ministre britannique la somme de 35 millions de dollars pour financer la construction de navires de guerre.

? Quelle est l'attitude des Canadiens français à l'égard de l'Empire britannique ?

Traité de réciprocité avec les États-Unis — 1854
Acte de l'Amérique du Nord britannique — 1867
Politique nationale — 1878
Élection du gouvernement Mercier au Québec — 1887
Élection du gouvernement Laurier au Canada — 1896
Première Guerre mondiale — 1914 - 1918
Fondation de la Confédération des travailleurs catholiques du Canada — 1921
Krach boursier à New York — 1929

La deuxième phase d'industrialisation du Québec 

Au début du 20e siècle, alors que l'économie canadienne connaît une période de prospérité, le Québec entre dans une seconde phase d'industrialisation qui dure jusqu'à la crise économique de 1929. De nouveaux secteurs industriels se développent, basés sur l'exploitation des ressources du territoire.

L'hydroélectricité

Le premier barrage hydroélectrique du Québec est mis en chantier à Shawinigan en 1898. Dans les années qui suivent, des installations de grande envergure sont bâties sur la rivière des Outaouais, le Saguenay et le fleuve Saint-Laurent. La production québécoise d'hydroélectricité monte en flèche dans les premières décennies du siècle, passant de 61 088 kW en 1900 à 1 708 992 kW en 1930.

Les pâtes et papiers

L'industrie des pâtes et papiers bénéficie des innovations technologiques qui permettent de transformer la pâte de bois en papier. Cette industrie répond principalement à la demande des États-Unis, où la presse et la publicité consomment de plus en plus de papier. Au Québec, premier producteur de pâtes et papiers du Canada, la valeur de la production passe de 5 millions de dollars en 1900 à 130 millions en 1929.

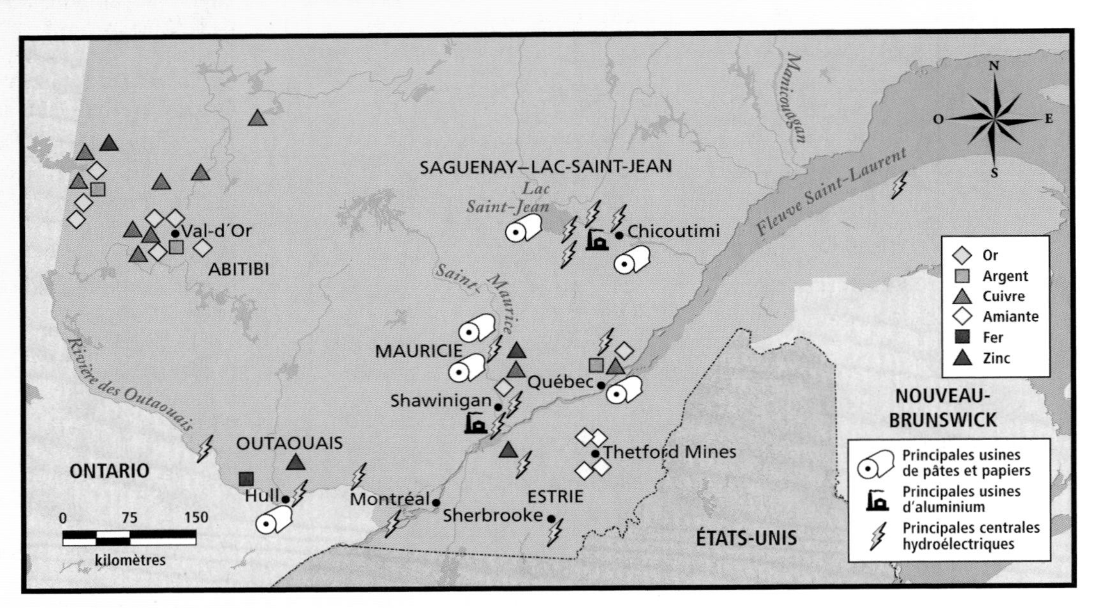

L'exploitation des ressources naturelles vers 1930

L'aluminium et l'industrie chimique

Ces industries nécessitent de grandes quantités d'énergie pour fonctionner. Elles s'installent donc le plus souvent près des centrales hydroélectriques. Grâce à l'électrolyse, un procédé chimique mis au point à la fin du 19e siècle, on transforme la bauxite en aluminium. D'autres innovations technologiques permettent de produire divers produits chimiques utilisés par l'industrie.

Les mines

L'activité minière se borne à l'extraction des métaux qui sont exportés sans être transformés. Avant la Première Guerre mondiale, seule l'amiante est extraite des mines québécoises. Puis, on se met à exploiter d'importants gisements de métaux en Abitibi. On y trouve du cuivre, de l'or, du zinc et de l'argent. En 1898, la production minière rapporte 1,6 million de dollars. Ce chiffre grimpe à 46,5 millions en 1929.

Usine de la Dominion Textile près de Québec

La Dominion Textile Company est créée en 1904 par la fusion de quatre entreprises fondées au siècle précédent. Au cours des décennies qui suivent, l'entreprise génère des profits importants.

? Quel est l'intérêt pour les capitalistes de fusionner de petites entreprises pour en former une plus grande ?

La concentration des capitaux

Les nouveaux secteurs industriels du début du 20e siècle nécessitent des sommes d'argent beaucoup plus importantes que les industries manufacturières du siècle précédent. Les technologies de pointe dans la production de l'hydroélectricité, des pâtes et papiers ou de l'aluminium nécessitent une main-d'œuvre spécialisée, des machines qui coûtent cher et de grandes usines. Seules les sociétés les plus riches, qui peuvent investir plusieurs millions de dollars, sont en mesure de fournir les capitaux nécessaires à ce type d'exploitation.

Entre 1900 et 1929, de très grandes compagnies font leur apparition au Québec et au Canada. Elles sont formées par le regroupement de plusieurs entreprises qui œuvrent dans un même domaine de production. De telles fusions permettent de diminuer la concurrence en donnant à quelques grandes entreprises le contrôle du marché. Ainsi, plusieurs petites industries locales, souvent dirigées par des Canadiens français, incapables de rivaliser, disparaissent.

Ce phénomène, que l'on appelle « concentration des capitaux » ou « monopolisation », est une tendance marquante des premières décennies du 20e siècle. Ainsi, entre 1900 et 1912, on assiste à 58 fusions impliquant 248 entreprises et, de 1923 à 1929, 228 fusions touchent 644 entreprises.

Le capitalisme

Dans un régime capitaliste, l'activité économique est motivée par la recherche du profit et de la réussite individuelle. La société capitaliste repose donc sur l'initiative privée des entrepreneurs, qui possèdent des moyens de production (machines, usines) et qui emploient des ouvriers et des ouvrières en échange d'un salaire.

Ces entrepreneurs sont en faveur du libéralisme économique, c'est-à-dire qu'ils préfèrent que l'État intervienne le moins possible dans l'économie et qu'il leur laisse la liberté d'agir comme ils le veulent dans le développement économique du pays.

? Quelles injustices ce système économique peut-il entraîner à l'égard des ouvriers et des ouvrières ?

La famille Allan en vacances à Cacouna

Pendant la saison estivale, les membres de la bourgeoisie anglophone de Montréal prennent l'habitude de fuir l'atmosphère étouffante de la ville. Par chemin de fer ou en bateau à vapeur, ils se rendent au bord du fleuve, dans les superbes demeures de Rivière-du-Loup, du Bic, de Cacouna ou de Métis.

? Repérez sur ce document des éléments qui indiquent qu'il s'agit d'une famille aisée.

Traité de réciprocité avec les États-Unis — 1854
Acte de l'Amérique du Nord britannique — 1867
Politique nationale — 1878
Élection du gouvernement Mercier au Québec — 1887
Élection du gouvernement Laurier au Canada — 1896
Première Guerre mondiale — 1914 - 1918
Fondation de la Confédération des travailleurs catholiques du Canada — 1921
Krach boursier à New York — 1929

La répartition des investissements étrangers au Canada

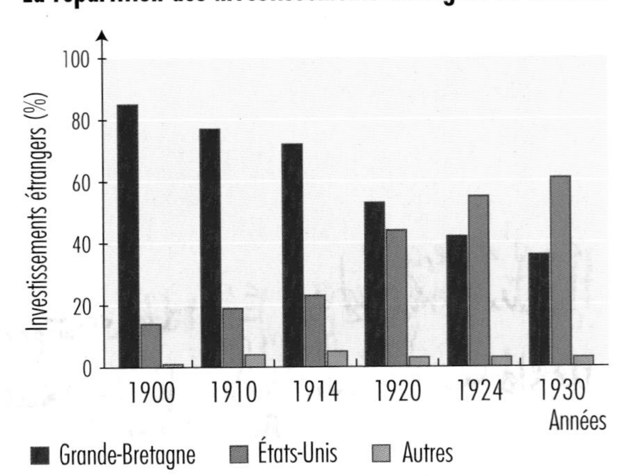

Comparez l'évolution des investissements britanniques et américains entre 1900 et 1930. Que concluez-vous ? Comment ce phénomène s'explique-t-il ?

LA VALEUR DE LA PRODUCTION MANUFACTURIÈRE AU QUÉBEC (en millions de dollars)		
Secteur	**1900**	**1929**
Alimentation	33,1	202,1
Articles en cuir	20,3	38,8
Vêtement	16,5	107,1
Produits du bois	16,3	59,4
Produits du fer et de l'acier	12,8	77,9
Textile	12,4	85,2
Tabac	8,2	74,4
Matériel de transport	8,1	82,3
Papier	6,5	138,8
Produits chimiques	4,1	45,5
Appareils électriques	1,8	27,2
Dérivés du pétrole et du charbon	0,2	24,7
Autres	8,3	143

Dans quels secteurs a-t-on enregistré l'augmentation la plus rapide entre 1900 et 1929 ?

Les investissements étrangers

Dans les premières décennies du 20e siècle, les investissements augmentent de manière significative. La provenance de ces investissements change également pendant cette période. Les États-Unis se font de plus en plus présents. Les besoins grandissants des États-Unis en matières premières et la proximité du Canada expliquent en grande partie cette emprise des États-Unis sur l'économie canadienne.

Les Américains ne se limitent pas à prêter des capitaux aux entreprises canadiennes, comme le font les investisseurs britanniques. Ils implantent des filiales de leurs propres compagnies au Canada et prennent le contrôle des entreprises canadiennes en achetant leurs actions. Ainsi, ils peuvent puiser directement dans les ressources naturelles de leur voisin du Nord et leurs entreprises ont accès à un nouveau marché.

L'essor de la production manufacturière

Aux côtés des nouvelles industries liées à l'exploitation des ressources naturelles, les industries manufacturières créées au 19e siècle continuent à se développer, particulièrement à Montréal et à Québec.

Les produits manufacturés (aliments, chaussures, vêtements, etc.) sont avant tout destinés au marché intérieur canadien. Or, dans les premières décennies du 20e siècle, la demande augmente considérablement. La population canadienne ne cesse de croître, surtout avec l'arrivée de millions d'immigrants et immigrantes.

Dans les manufactures, les conditions de travail des ouvriers et des ouvrières ne se sont guère améliorées depuis la fin du 19e siècle. Pendant les années 1920, les semaines de travail comptent en moyenne 50 heures. Les deux tiers des travailleurs et travailleuses gagnent moins de 1300 $ par année, alors que le ministère du Travail estime à 1600 $ le revenu annuel nécessaire pour faire vivre convenablement une famille de cinq personnes. Les femmes, qui forment 30 % de la main-d'œuvre manufacturière, reçoivent à peine la moitié du salaire des hommes.

L'expansion du syndicalisme

Pendant la seconde phase d'industrialisation, les conditions de travail demeurent difficiles. Les syndicats, nés au siècle précédent, continuent à s'organiser et à se répandre pour réclamer une amélioration de la condition ouvrière. En 1901, ils regroupent entre 10 000 et 12 000 travailleurs et travailleuses du Québec. Trente ans plus tard, le nombre de leurs membres atteint 72 100, ce qui représente près de 13 % de la population active. Comme au 19e siècle, les syndicats regroupent surtout des travailleuses et travailleurs qualifiés qui sont plus en mesure d'établir un rapport de force avec leur employeur.

Dans les premières décennies du 20e siècle, le syndicalisme québécois continue d'être dominé par les organisations dites « internationales », c'est-à-dire américaines. Ainsi, dès 1902, le Congrès des métiers et du travail du Canada, le plus grand regroupement syndical du pays, passe sous le contrôle de la puissante Fédération américaine du travail.

Grève générale de Winnipeg

De 1901 à 1930, il y a près de 4000 grèves et lock-out (fermeture de l'usine par un patron) au Canada. La plus importante est la grève générale de Winnipeg qui paralyse toute la ville pendant plus d'un mois.

? Pourquoi les travailleurs et travailleuses font-ils la grève ?

Pour combattre l'influence des syndicats étrangers, des membres du clergé décident de s'engager dans le mouvement ouvrier et fondent des syndicats catholiques. En 1921, ils créent une centrale unique, la Confédération des travailleurs catholiques du Canada qui se veut authentiquement canadienne. En 1922, la CTCC compte déjà 17 600 membres catholiques, presque tous au Québec.

LES PRINCIPALES LOIS EN MATIÈRE DE TRAVAIL (1909-1928)

Domaine	Année	Portée de la loi
Accidents du travail	1909	Les ouvriers et les ouvrières victimes d'un accident du travail pourront être indemnisés jusqu'à 50 % de leur salaire, qu'ils ou elles soient responsables ou non.
	1926	Le montant de l'indemnité est porté aux deux tiers du salaire.
	1928	Création de la Commission des accidents du travail, qui sert de tribunal en matière d'accidents du travail et qui fixe le montant des indemnités.
Travail des femmes et des enfants	1910	Les femmes et les enfants ne peuvent travailler plus de 10 heures par jour et plus de 58 heures par semaine dans les filatures de laine et de coton.
	1926	Instauration d'un salaire minimum pour les femmes (12,20 $ par semaine).
Chômage	1911	Création de bureaux de placement publics pour aider les chômeurs et chômeuses à trouver un emploi.

? Selon vous, pourquoi les gouvernements adoptent-ils des lois favorables aux travailleurs et travailleuses ?

1854	1867	1878	1887	1896	1914 - 1918	1921	1929
Traité de réciprocité avec les États-Unis	*Acte de l'Amérique du Nord britannique*	*Politique nationale*	*Élection du gouvernement Mercier au Québec*	*Élection du gouvernement Laurier au Canada*	*Première Guerre mondiale*	*Fondation de la Confédération des travailleurs catholiques du Canada*	*Krach boursier à New York*

Les suffragettes

Le passage d'une société rurale à une société industrielle modifie profondément la place et le rôle des femmes qui prennent conscience des inégalités dont elles sont victimes sur les plans économique et politique. Dès la fin du 19e siècle, suivant l'exemple des Anglaises et des Américaines, des Québécoises se regroupent et militent pour une amélioration de la condition des femmes. Ces organisations, telle la section montréalaise du Conseil national des femmes du Canada fondé en 1893, rassemblent des femmes bourgeoises, surtout anglophones et protestantes. Elles revendiquent l'accès à l'éducation supérieure, le droit de vote et la reconnaissance du statut légal des femmes.

En 1913, après que le suffrage eut été élargi afin de permettre à une majorité d'hommes de voter, la Montreal Suffrage Association est créée. Cette organisation se consacre principalement à l'obtention du droit de vote pour les femmes. Ses membres sont surnommés les « suffragettes ». En 1917, lors de la crise de la conscription, le gouvernement fédéral, qui veut accroître ses appuis, accorde le droit de vote aux femmes de soldats et à celles qui travaillent dans les industries. L'année suivante, ce droit est accordé à toutes les femmes du pays.

La statue des « célèbres cinq » sur la colline parlementaire à Ottawa

Cette statue commémore l'action de cinq femmes qui ont permis aux femmes d'être admises au Sénat canadien. Pour cela, elles ont présenté leur requête à la Cour suprême du Canada, puis au Conseil privé de Londres qui était à l'époque le plus haut tribunal. Celui-ci a déclaré en octobre 1929 que les femmes étaient bien des « personnes » selon les termes de la Constitution canadienne, et qu'à ce titre, elles pouvaient siéger au Sénat.

? De nos jours, l'égalité des femmes et des hommes est-elle acquise dans les lois québécoises et canadiennes ?

Le plaidoyer de Marie Gérin-Lajoie

Au début des années 1920, toutes les provinces accordent le droit de vote aux femmes, sauf le Québec. À partir de 1922, le Comité provincial pour le suffrage féminin, avec à sa tête Marie Gérin-Lajoie, exerce des pressions sur le gouvernement provincial pour obtenir ce droit.

« La femme exerce une fonction d'une importance capitale dans une nation. Est-il exagéré de dire que son rôle est en quelque sorte plus vital que celui de l'homme et a des répercussions plus profondes sur les générations à venir ? C'est la femme qui dispense la vie et au prix de quels sacrifices, c'est elle qui élève l'enfant et façonne l'âme des peuples. [...] Elle détient dans cet ordre d'idée [sic] une expérience à nulle autre pareille et ses connaissances pratiques la rendent indispensable à la solution de nos questions nationales les plus profondes et de nos problèmes les plus angoissants [...]. »

Discours de Marie Gérin-Lajoie
à l'Assemblée législative du Québec, février 1922.

?

1. Relevez deux arguments sur lesquels s'appuie Marie Gérin-Lajoie pour justifier l'octroi du droit de vote aux femmes du Québec.
2. Que pensez-vous de ces arguments ?

Marie Gérin-Lajoie

Marie Gérin-Lajoie est la cofondatrice de la Fédération nationale Saint-Jean-Baptiste (1907), qui rassemble les femmes francophones d'organismes professionnels et d'associations caritatives. Elle consacre toute sa vie à promouvoir les droits des femmes, mais elle ne parviendra jamais à obtenir le droit de vote au provincial.

? Qu'est-ce qui peut expliquer la réticence du gouvernement du Québec à octroyer le droit de vote aux femmes dans les années 1920 ?

Arrivée des premiers êtres humains au Québec — v. –7000/–6000 — 1500 — 1600 — 1700 — 1800 — 1850 — 1900 — 1929 — 2000 — 5e réalité sociale

Vers un Québec urbain

Le mouvement d'urbanisation amorcé au 19e siècle se poursuit de manière régulière dans les premières décennies du siècle suivant. Entre 1901 et 1931, la population urbaine passe de 36 à 60 %. Dès le début des années 1920, la majorité de la population québécoise réside dans les villes, principalement à Montréal et à Québec, car c'est en zone urbaine que se concentrent les industries et l'activité économique.

L'exploitation des ressources naturelles stimule le développement de petites villes dans des régions plus éloignées, dont le Saguenay, la Mauricie et, à la fin de la période, l'Abitibi. En effet, l'installation d'une industrie de pâtes et papiers ou de produits chimiques entraîne généralement la construction d'un chemin de fer, l'amélioration du réseau routier et la croissance d'une ville afin de loger la main-d'œuvre. Certaines régions s'urbanisent donc rapidement. Par exemple, en Mauricie, les citadins constituent 60 % de la population en 1931 alors qu'ils ne représentaient que 22 % de la population au début du siècle.

L'expansion de Montréal

Montréal demeure encore, et de loin, la métropole la plus importante du Québec au début du 20e siècle. Plus de la moitié de la population québécoise y habite. En trente ans, sa population triple, notamment grâce à une série d'annexions de quartiers ouvriers. Les industries qui s'y trouvent (chaussure, vêtement, textile, tabac, acier) constituent encore le moteur de la croissance urbaine. En outre, Montréal profite du développement des Prairies puisque son port, entièrement réaménagé avant la Première Guerre mondiale, est le principal centre d'exportation des céréales de l'Ouest. Enfin, les institutions financières et administratives, les hôpitaux, les collèges et les universités qui y sont concentrés emploient de plus en plus de gens.

Aussi, des dizaines de milliers de Québécois et de Québécoises originaires des campagnes viennent tenter leur chance à Montréal et la grande majorité de la population immigrante s'y installe. Cela donne à la ville un caractère cosmopolite, car elle réunit désormais des gens de cultures et de traditions diverses, notamment des Juifs, des Italiens, des Polonais et des Chinois.

LA POPULATION DE QUELQUES VILLES DU QUÉBEC (1901-1931)

Ville	1901	1931
Montréal	267 730	818 577
Québec	68 840	130 594
Trois-Rivières	9 981	35 450
Shawinigan	2 768	15 345
Joliette	4 220	10 765
Sherbrooke	11 765	28 933
Thetford Mines	3 256	10 701
Asbestos	783	4 396
Rivière-du-Loup	4 569	8 499
Chicoutimi	38 926	11 877
Hull	13 993	29 433
Rouyn	–	3 225

? Quels facteurs favorisent cette croissance ? Ces facteurs sont-ils les mêmes d'une ville à l'autre ?

Shawinigan vers 1930

La construction d'une centrale hydroélectrique par la Shawinigan Water and Power Company en 1898 entraîne le développement rapide de la ville. Bientôt, des usines de pâtes et papiers, de briques, de câbles et de produits chimiques, ainsi qu'une aluminerie, s'installent à proximité de la centrale pour profiter de l'énergie qu'elle produit.

? Le phénomène est-il le même aujourd'hui pour les centrales hydroélectriques de la Baie-James ?

Traité de réciprocité avec les États-Unis — 1854
Acte de l'Amérique du Nord britannique — 1867
Politique nationale — 1878
Élection du gouvernement Mercier au Québec — 1887
Élection du gouvernement Laurier au Canada — 1896
Première Guerre mondiale — 1914 - 1918
Fondation de la Confédération des travailleurs catholiques du Canada — 1921
Krach boursier à New York — 1929

Journée de tempête, rue Sainte-Catherine

Le tramway électrique, mis en service en 1892, peut transporter rapidement des milliers de personnes à travers la ville. Cela permet aux travailleurs et aux travailleuses d'habiter plus loin de leur lieu de travail, favorisant ainsi l'expansion du territoire urbain et la naissance de quartiers résidentiels en périphérie du centre économique.

? Donnez d'autres exemples, toujours présents aujourd'hui, de l'introduction de l'électricité dans la vie quotidienne des gens de cette époque.

Les conditions de vie

Dans les villes, les conditions de vie restent difficiles pour la plupart des ouvriers et des ouvrières. Avec l'arrivée massive de populations rurales et immigrantes, les logements manquent et beaucoup continuent à vivre entassés les uns sur les autres dans des conditions insalubres. Le taux de mortalité est nettement plus élevé dans les villes que dans les campagnes, particulièrement à Montréal.

Pourtant, les conditions s'améliorent lentement. Plusieurs villes se dotent de services publics (aqueducs, égouts, distribution du gaz et de l'électricité) qui sont généralement administrés par des entrepreneurs privés. Ces services ne sont pas offerts à l'ensemble de la population. Ainsi, l'électricité est d'abord réservée au fonctionnement du tramway, à l'éclairage des rues et à l'alimentation des usines et des quartiers bourgeois.

Le mode de vie trépidant des villes continue d'attirer des milliers de personnes. La presse à grand tirage, la radio, le cinéma, les spectacles, les grands magasins, les parcs d'attractions sont autant de divertissements qui se trouvent presque exclusivement dans les milieux urbains.

Brasserie Dawes, à Lachine, en 1920

La lutte contre l'abus d'alcool constitue l'un des chevaux de bataille du mouvement féministe.

? Selon vous, quel lien les féministes établissaient-elles entre la condition des femmes et l'alcoolisme ?

Plus une goutte !

Au 19e siècle, plusieurs personnes croient que la pauvreté et la criminalité qui sévissent dans les villes sont attribuables à l'alcoolisme. Au Canada et aux États-Unis, des mouvements de tempérance qui prônent une consommation modérée des boissons alcoolisées, voire l'abstinence totale, sont créés.

À la fin des années 1910, sous la pression de ces mouvements, les gouvernements adoptent des lois interdisant la fabrication, l'importation et la vente d'alcool (prohibition). Le gouvernement fédéral du Canada promulgue une telle loi en 1918 et les États-Unis suivent deux ans plus tard.

Au Québec, bien que l'Assemblée législative ait aussi voté la prohibition en 1918, un référendum tenu dans la population l'oblige à abolir la loi. Cependant, pour contrôler la vente et la possession de vins et de bières, le gouvernement québécois fonde en 1921 la Commission des liqueurs, l'ancêtre de l'actuelle Société des alcools du Québec.

Le Québec rural

Dans les premières décennies du 20e siècle, les milieux ruraux subissent des transformations importantes. Avec l'essor de l'industrialisation, l'agriculture n'est plus la principale activité économique de la population québécoise comme c'était le cas au 19e siècle. Les campagnes se vident au profit des villes, la main-d'œuvre agricole diminue progressivement, tout comme le nombre de fermes.

Depuis la seconde moitié du 19e siècle, la production agricole change. La production du blé régresse au profit d'autres céréales (foin, avoine, orge, sarrasin) et de la pomme de terre. En contrepartie, la production laitière connaît un essor constant et représente 28 % du revenu des agriculteurs en 1929. Le lait est consommé à l'état naturel ou transformé en beurre et en fromage, qui sont exportés notamment en Grande-Bretagne.

Les villes québécoises en plein essor fournissent de bons débouchés pour les agriculteurs des régions les plus proches. Des **productions maraîchères** se développent autour des villes, particulièrement aux environs de Montréal. Des cultures régionales apparaissent également, dont le tabac dans la région de Joliette et la pomiculture à Saint-Hilaire, Rougemont, Oka et Saint-Bruno.

L'agriculture demeure avant tout une activité familiale qui met à contribution tous les membres de la famille. Toutefois, au début du 20e siècle, la population rurale s'ouvre de plus en plus à la société industrielle. Le chemin de fer et l'automobile permettent en effet une plus grande mobilité des populations. La radio pénètre lentement dans les foyers. Cette lenteur s'explique en partie par le fait que la majorité des fermes n'a pas encore l'électricité. De plus, seulement 14 % des habitations rurales possèdent l'eau courante en 1930.

Travaux agricoles

Les techniques agricoles s'améliorent lentement dans les campagnes québécoises. Le ministère de l'Agriculture investit de plus en plus dans le développement de nouvelles techniques. Des écoles d'agronomie et des journaux agricoles sont fondés pour diffuser les connaissances dans les milieux ruraux.

? Existe-t-il une école d'agronomie dans votre région ?

Ferme laitière

Encore aujourd'hui, la production du lait, avec lequel on fait du fromage et du beurre, est un des piliers de l'économie rurale au Québec. Au début du 20e siècle, comme il n'existe pas de grandes usines laitières, mais plutôt des petites unités de production, le coût de production est relativement élevé.

? Pourquoi le coût de production tend-il à diminuer lorsque la production se fait sur une grande échelle, c'est-à-dire en grande quantité ?

QUESTIONS DE SYNTHÈSE

1. Comment Wilfrid Laurier entrevoit-il la participation du Canada à l'Empire britannique ? Donnez des exemples de décisions qui vont dans ce sens.
2. Au Canada, quels ont été les impacts politique, social et économique de la Première Guerre mondiale ? Vous pouvez présenter votre réponse sous forme de tableau.
3. Quelles sont les caractéristiques de la deuxième phase d'industrialisation du Québec ?

Traité de réciprocité avec les États-Unis — 1854
Acte de l'Amérique du Nord britannique — 1867
Politique nationale — 1878
Élection du gouvernement Mercier au Québec — 1887
Élection du gouvernement Laurier au Canada — 1896
Première Guerre mondiale — 1914 - 1918
Fondation de la Confédération des travailleurs catholiques du Canada — 1921
Krach boursier à New York — 1929

ARTS ET TRADITIONS

LA POÉSIE D'ÉMILE NELLIGAN

Né à Montréal d'un père d'origine irlandaise et d'une mère québécoise francophone, Émile Nelligan découvre la poésie à l'âge de 16 ans. Cette découverte lui inspire une telle passion qu'il abandonne ses études l'année suivante pour se consacrer entièrement à la poésie. Nelligan se joint à l'École littéraire de Montréal, un groupe d'écrivains québécois passionnés par la littérature et la poésie, qui se réunissent régulièrement pour en discuter et pour réciter les derniers vers qu'ils ont écrits.

Nelligan mène une vie de bohême. Il ne conserve que quelques jours les emplois que son père s'efforce de lui procurer, préférant vivre par et pour la poésie. Le 26 mai 1899, il triomphe au cours d'une séance publique de l'École littéraire de Montréal. Il prévoit bientôt publier son premier recueil.

Sa réussite est cependant de courte durée : au cours de l'été 1899, il sombre dans la folie. Il n'a que 19 ans et c'est déjà la fin de sa courte carrière. Il demeurera interné jusqu'à sa mort, en 1941. Un de ses amis et admirateurs, Louis Dantin, rassemble ses poèmes et les publie en 1904. Ses poèmes merveilleux et son destin tragique en font l'un des plus grands poètes du Québec.

Émile Nelligan

L'œuvre d'Émile Nelligan a été écrite en trois ans, entre 1896 et 1899. Le génie de ce jeune poète suscite l'émerveillement encore aujourd'hui. Ses poèmes ont été mis en musique par des chansonniers et sa vie a inspiré un opéra.

Soir d'hiver

Ah ! comme la neige a neigé !
Ma vitre est un jardin de givre.
Ah ! comme la neige a neigé !
Qu'est-ce que le spasme de vivre
À la douleur que j'ai, que j'ai !

Tous les étangs gisent gelés,
Mon âme est noire : Où vis-je ? où vais-je ?
Tous ses espoirs gisent gelés :
Je suis la nouvelle Norvège
D'où les blonds ciels s'en sont allés.

Pleurez, oiseaux de février,
Au sinistre frisson des choses,
Pleurez, oiseaux de février,
Pleurez mes pleurs, pleurez mes roses,
Aux branches du genévrier.

Ah ! comme la neige a neigé !
Ma vitre est un jardin de givre.
Ah ! comme la neige a neigé !
Qu'est-ce que le spasme de vivre
À tout l'ennui que j'ai, que j'ai !...

Arrivée des premiers êtres humains au Québec
1850 *1929*
5e réalité sociale
v. –7000/–6000 1500 1600 1700 1800 1900 2000

LA PEINTURE CANADIENNE

L'Art Association of Montreal

Au cours de la seconde moitié du 19e siècle, les milieux bourgeois aisés de Montréal encouragent grandement le développement de la vie culturelle canadienne. Ces riches industriels possèdent de très grandes fortunes, ce qui leur permet d'accumuler de brillantes collections d'œuvres d'art. C'est ainsi qu'avec leur soutien, l'Art Association of Montreal voit le jour en 1863.

L'Art Association demeure pendant longtemps le principal endroit du Canada où les artistes peuvent exposer leurs travaux. Chaque année, elle organise un grand salon, qui est une occasion unique pour les peintres locaux de faire connaître leurs œuvres aux collectionneurs. Une galerie permanente est ouverte à Montréal en 1879. Elle deviendra le Musée des beaux-arts de Montréal en 1948.

***Neige dorée,* Ozias Leduc (1916)**

La peinture d'Ozias Leduc cherche moins à représenter la réalité de manière très nette qu'à en offrir une interprétation personnelle. Leduc s'apparente ainsi au mouvement artistique des symbolistes.

Ozias Leduc

Plusieurs grands peintres québécois profitent de cette nouvelle visibilité, tel Ozias Leduc. Ce peintre se spécialise dans la décoration intérieure des édifices religieux : tout au long de sa carrière, il ornera près de 30 églises et chapelles à travers le Québec. Il ne se limite cependant pas aux œuvres religieuses, peignant également de nombreuses natures mortes et des paysages inspirés.

Le Groupe des sept

Avec l'arrivée du 20e siècle, un vent nouveau souffle sur la peinture canadienne. Entre 1911 et 1913, une bande de jeunes peintres ontariens se rencontrent à Toronto. Ils souhaitent créer une école de peinture qui soit véritablement canadienne, et non une simple imitation des styles européens. Ils peignent surtout des paysages typiques du pays, comme ceux du nord de l'Ontario et cherchent moins à reproduire la nature de manière exacte qu'à exprimer leurs émotions. À partir de 1920, ils sont connus sous le nom de Groupe des sept. Ce sont Franklin Carmichael, Lawren Harris, A. Y. Jackson, Frank Johnston, Arthur Lismer, J. E. H. MacDonald et Frederick Varley.

***Le Pin,* Tom Thompson (1916-1917)**

Admiré et respecté par ses confrères, Tom Thompson aurait pu être le huitième membre du Groupe des sept, mais il meurt noyé en 1917 dans des circonstances nébuleuses.

Traité de réciprocité avec les États-Unis — 1854
Acte de l'Amérique du Nord britannique — 1867
Politique nationale — 1878
Élection du gouvernement Mercier au Québec — 1887
Élection du gouvernement Laurier au Canada — 1896
Première Guerre mondiale — 1914 - 1918
Fondation de la Confédération des travailleurs catholiques du Canada — 1921
Krach boursier à New York — 1929

SCIENCE ET TECHNOLOGIE

L'INVENTION DE L'AUTOMOBILE

Le tournant du 20e siècle annonce la naissance d'un nouveau mode de transport promis à un très grand avenir : l'automobile. Le premier conducteur du Québec est probablement le docteur Henri-Edmond Casgrain, qui se procure un véhicule dès 1897. Pendant plusieurs années, il fait certainement figure d'original sur les routes cahoteuses de la province puisque 10 ans plus tard, en 1907, on ne compte encore que 254 automobiles dans tout le Québec.

C'est que l'engin est cher... En 1908, il faut dépenser jusqu'à 850 $ pour s'en procurer un, alors qu'un ouvrier ordinaire ne gagne guère plus de 375 $ par année. Bien des histoires circulent également sur ce moyen de transport encore inusité. Certains scientifiques racontent que la vitesse extrême à laquelle les automobiles circulent, c'est-à-dire un peu moins de 70 kilomètres à l'heure, pourrait être très dangereuse pour l'organisme humain. D'autres estiment que le grand air que respirent les conducteurs et leurs passagers et passagères est au contraire excellent pour la santé.

Automobile en 1904

Les premières automobiles n'offrent pas une très grande protection. Elles ne possèdent même pas de pare-brise. Ce problème sera vite réglé pour éviter au conducteur d'être complètement aveuglé par la poussière.

Un véhicule de plus en plus populaire

La sortie de nouveaux modèles plus économiques, telle la Ford T, et la production industrielle en masse permettent bientôt de réduire les prix et de rendre l'automobile beaucoup plus abordable. Alors qu'elle se vendait près de 850 $ en 1908, elle n'en coûte plus que 300 $ au début des années 1920. Après la Première Guerre mondiale, elle se répand donc très rapidement dans toutes les couches de la population. En 1924, on en compte déjà plus de 570 000 à travers le pays.

Il faut cependant un certain moment pour que les réglementations gouvernementales s'adaptent à ce nouveau phénomène. Au début des années 1920, l'obtention d'un permis de conduire est très simple : il suffit d'avoir déjà parcouru une centaine de milles, soit environ 160 kilomètres. Aucun examen n'est exigé et il n'existe même pas d'inspecteur qualifié pour s'assurer des aptitudes des nouveaux conducteurs !

Sortie du dimanche

Bien des gens préfèrent passer leur dimanche à se promener en voiture plutôt que d'assister à la messe, qui est un devoir pour tout catholique. Plusieurs prêtres n'hésitent donc pas à dénoncer l'automobile comme un objet dangereux et immoral.

Arrivée des premiers êtres humains au Québec — *1850* — *1929* — **5e réalité sociale**

v. –7000/–6000 · 1500 · 1600 · 1700 · 1800 · 1900 · 2000

Les véhicules sont d'ailleurs très rarement réglementaires. On a souvent oublié de les doter de phares ou de réflecteurs, ce qui rend la conduite nocturne extrêmement dangereuse. Quant aux limites de vitesse, la plupart des conducteurs agissent comme si elles n'existaient pas. On ne s'étonne donc pas que les accidents soient très nombreux, bien que pas trop souvent mortels vu la faible vitesse de la plupart des véhicules.

En facilitant les déplacements, l'automobile inaugure une nouvelle ère. Les gens peuvent se rendre de plus en plus loin, de plus en plus rapidement, ce qui permet entre autres l'essor des banlieues et le développement du tourisme. Bref, l'automobile entraîne d'importantes transformations sociales. Certaines, comme la liberté de déplacement, sont positives. D'autres, tels les problèmes de circulation, les accidents et la pollution, le sont beaucoup moins. Nous apprenons encore aujourd'hui à mesurer les impacts de cette étonnante invention.

LE PREMIER CINÉMA

Le 27 juin 1896, le public québécois peut s'ébahir pour la première fois devant une autre invention fascinante de la toute fin du 19e siècle : le cinéma. Plusieurs personnes comprennent rapidement tout le parti qu'il y a à tirer de cette incroyable technologie. Ainsi, dès 1897, un fermier du Manitoba filme la vie dans l'Ouest canadien et la Compagnie de chemin de fer Canadien Pacifique utilise son film en Angleterre pour favoriser l'immigration.

C'est cependant à titre de divertissement que le cinéma devient rapidement très populaire. Léo-Ernest Ouimet ouvre dès 1906 la première salle de cinéma permanente de Montréal, le Ouimetoscope. Il est bientôt imité par de nombreux concurrents. Malgré l'opposition de l'Église aux projections le dimanche, en 1911, Montréal compte déjà près de 42 salles de projection. On y présente essentiellement des films muets accompagnés par un ou une pianiste : le cinéma ne deviendra parlant qu'à la fin des années 1920.

Une des premières salles de cinéma de Montréal, vers 1915

Les premiers cinémas diffusent des nouvelles et des films étrangers mais certains entrepreneurs locaux, tel Léo-Ernest Ouimet, n'hésitent pas à tourner leurs propres courts métrages de fiction ou d'actualités.

Traité de réciprocité avec les États-Unis — 1854
Acte de l'Amérique du Nord britannique — 1867
Politique nationale — 1878
Élection du gouvernement Mercier au Québec — 1887
Élection du gouvernement Laurier au Canada — 1896
Première Guerre mondiale — 1914 - 1918
Fondation de la Confédération des travailleurs catholiques du Canada — 1921
Krach boursier à New York — 1929

Ailleurs : L'Allemagne

L'unification de l'Allemagne

Otto von Bismarck

Bismarck est l'un des principaux artisans de l'unification allemande. Aristocrate et conservateur, il adopte tout de même plusieurs mesures sociales favorables aux ouvriers afin de combattre l'influence du socialisme.

Depuis le début du 19e siècle, l'Allemagne est formée d'une quarantaine d'États indépendants qui partagent une langue et une culture communes. Parmi eux, les deux États les plus importants sont la Prusse et l'Empire austro-hongrois (Autriche). Tous ces États forment une confédération très souple qui possède des structures en commun telle une union douanière. Avec le temps, des sentiments nationalistes et des intérêts économiques poussent de nombreux Allemands à envisager une unification plus poussée de la région.

Au début des années 1860, Otto von Bismarck est nommé premier ministre du royaume de Prusse. Il sera le principal instigateur de l'unification allemande, un projet qu'il entreprend à la fois par la force et par la diplomatie. Ses manœuvres permettent de réunir les États allemands en une nouvelle entité politique, à l'exclusion de l'Autriche qui demeure indépendante. En 1871, le roi de Prusse Guillaume Ier reçoit le titre d'empereur du nouvel Empire allemand.

Après l'unification de 1871, Bismarck, devenu chancelier de l'Empire (dirigeant), se consacre au renforcement de l'unité nationale et au développement industriel de l'Allemagne. Ainsi, il crée un parlement (le *Reichstag*), instaure une monnaie unique (le mark) pour l'ensemble du royaume, fonde une banque impériale et adopte diverses mesures sociales.

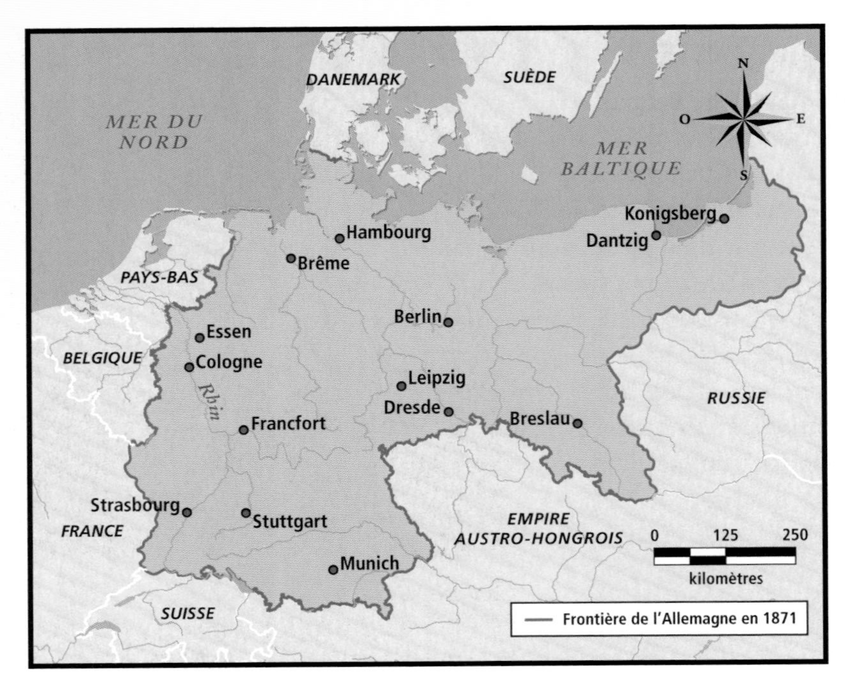

L'Allemagne en 1871

Arrivée des premiers êtres humains au Québec

v. –7000/–6000 1500 1600 1700 1800 1850 1900 1929 2000

5e réalité sociale

L'industrialisation de l'Allemagne

Au début du 19e siècle, l'Allemagne entre dans une première phase d'industrialisation. Celle-ci est basée sur l'exploitation de la houille (charbon), ce qui entraîne le développement de la vallée de la Ruhr, à l'ouest du Rhin. Cette région riche en gisements houillers devient un des principaux centres industriels du pays. De plus, la production agricole commence à être exportée vers l'Angleterre. Toutefois, les progrès de cette industrialisation demeurent limités en raison de la division allemande.

Le Rhin

Le Rhin, qui traverse le pays en entier, est le fleuve emblématique de l'Allemagne. Ses rives densément peuplées sont l'un des principaux sites de la révolution industrielle en Occident.

L'unification du pays par Bismarck en 1871 permet un nouvel essor industriel. Les différentes régions allemandes sont désormais unies par un réseau routier et un réseau ferroviaire. Entre 1860 et 1880, le nombre de kilomètres de chemin de fer passe de 11 600 à 61 000. À la fin des années 1880, l'Allemagne devient également une puissance navale, produisant autant de bateaux que la Grande-Bretagne. Hambourg devient le plus important port d'Europe.

La seconde phase d'industrialisation repose sur l'utilisation de nouvelles énergies plus efficaces : l'électricité et le pétrole. De nouveaux secteurs industriels font leur apparition, dont l'industrie automobile, l'industrie chimique et la production de l'acier. Les fonderies produisent des rails d'acier pour le chemin de fer mais aussi des canons, des armes et des munitions. De grandes familles industrielles émergent, telle la famille Krupp qui possède la plus grande aciérie au monde.

L'intérêt accordé à la recherche scientifique par l'État, les universités et les entreprises allemandes permet la mise au point de nombreuses innovations technologiques. Ainsi, de 1901 à 1918, 7 des 16 prix Nobel de chimie sont accordés à des Allemands. Grâce à tous ces facteurs, l'Allemagne devient la plus grande puissance économique européenne à partir de la fin du 19e siècle.

Les usines Krupp

En 1912, les aciéries de la famille Krupp emploient plus de 70 000 personnes. Leur grande production d'armement joue un rôle important pour l'Allemagne au cours des deux guerres mondiales.

1854	1867	1878	1887	1896	1914 - 1918	1921	1929
Traité de réciprocité avec les États-Unis	*Acte de l'Amérique du Nord britannique*	*Politique nationale*	*Élection du gouvernement Mercier au Québec*	*Élection du gouvernement Laurier au Canada*	*Première Guerre mondiale*	*Fondation de la Confédération des travailleurs catholiques du Canada*	*Krach boursier à New York*

Le port de Hambourg

La ville de Hambourg connaît un grand essor au cours de la seconde moitié du 19e siècle. En moins de 50 ans, sa population quadruple pour atteindre près de 800 000 personnes et son port devient le troisième plus important d'Europe.

La société allemande à l'époque industrielle

Dans la seconde moitié du 19e siècle, l'Allemagne connaît une forte croissance démographique. Sa population passe de 41 millions en 1871 à 68 millions en 1914. La population urbaine s'accroît parce que les hommes et les femmes viennent chercher du travail dans les villes. Après 1871, elle passe de 36 à 61 % en quarante ans, ce qui permet le développement de très grands centres urbains. Au cours de cette période, le nombre de villes abritant plus de 100 000 personnes passe de 12 à 48.

L'industrialisation suscite ainsi l'émergence d'une importante classe ouvrière en Allemagne. Celle-ci représente plus de 40 % de la population totale. Comme la main-d'œuvre est facilement disponible, les salaires demeurent très bas et les conditions de travail, extrêmement difficiles. Par ailleurs, les ouvriers et les ouvrières s'entassent dans des logements insalubres situés dans des quartiers défavorisés.

Portrait de Richard Wagner

L'unification allemande et la Première Guerre mondiale stimulent les sentiments nationalistes de la population. De célèbres artistes allemands tels que le compositeur Richard Wagner gagnent alors en popularité.

Ces conditions de travail difficiles provoquent la création d'associations ouvrières telles que les syndicats. Ces mouvements se consacrent à la défense des droits des travailleurs et travailleuses. Des penseurs préoccupés par la situation ouvrière élaborent une idéologie qui critique les injustices créées par le système capitaliste.

La Première Guerre mondiale (1914-1918)

Au début du 20e siècle, l'Allemagne s'impose comme une puissance internationale. À l'instar des autres dirigeants européens, le gouvernement allemand entretient des aspirations guerrières. C'est pourquoi en 1914 il ne faut qu'un simple prétexte comme l'assassinat de l'héritier du trône de l'Empire austro-hongrois pour que l'Europe entière bascule dans le chaos de la Première Guerre mondiale. Au bout de quatre années de destruction qui auront fait plus de 10 millions de victimes, l'Allemagne et ses alliés doivent s'avouer vaincus.

Ailleurs : L'Argentine

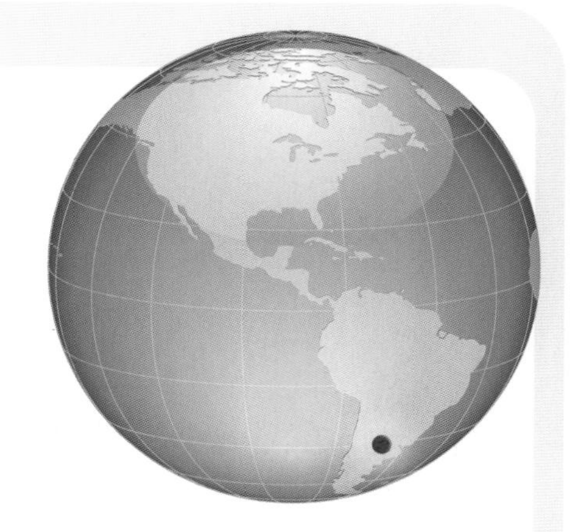

L'Argentine

La Pampa

La Pampa est une immense plaine qui couvre la partie centrale de l'Argentine, au sud du Chaco et au nord de la Patagonie. Habitée autrefois par une population d'indigènes, les Pampas, la région a été conquise par le gouvernement argentin lors de la « guerre du Désert », en 1879-1880.

Comme ses voisins de l'Amérique du Sud, l'Argentine se libère de la domination espagnole au début du 19e siècle. En 1816, elle déclare son indépendance et prend d'abord le nom de Provinces-Unies d'Amérique du Sud, puis celui de Confédération Argentine. Parmi les 14 provinces qui forment le nouveau pays, celle de Buenos Aires est la plus peuplée et la plus prospère.

Rapidement, des divisions apparaissent entre les gens de Buenos Aires (les *porteños*), qui veulent un gouvernement central fort, et les gens des autres provinces (les *caudillos*), qui souhaitent une union de type fédéral. Après de nombreuses luttes, la province de Buenos Aires parvient à étendre son autorité sur les autres provinces. En 1880, la ville de Buenos Aires devient même la capitale nationale du pays.

Entre 1880 et 1930, l'Argentine connaît une période de prospérité économique sans précédent. Après avoir chassé les Amérindiens de leur territoire, le gouvernement s'empare d'immenses étendues de terres qu'il utilise pour l'agriculture et l'élevage. Pour assurer leur exploitation, il fait venir des millions d'immigrants et d'immigrantes, surtout des Italiens et des Espagnols. L'arrivée d'investissements étrangers et le développement du réseau de chemin de fer contribuent également à la croissance économique du pays.

En 1916, après une réforme électorale qui instaure le suffrage secret et universel, les Argentins élisent un président radical, Hipólito Yrigoyen. Personnalité marquante de l'histoire argentine, Yrigoyen adopte des mesures nationalistes et sociales. Ainsi, il fonde une entreprise pétrolière d'État et une marine nationale, il étend le réseau ferroviaire vers l'océan Pacifique et le nord du Chili. Il adopte également un code du travail, fixant un salaire minimum et limitant la journée de travail à huit heures. En 1930, alors que l'Argentine est durement touchée par la crise économique, le pouvoir d'Yrigoyen est renversé par un coup d'État militaire.

Hipólito Yrigoyen

Hipólito Yrigoyen est président de l'Argentine à deux reprises, de 1916 à 1922 et de 1928 à 1930. Le parti qu'il fonde, l'Union civique radicale, reçoit l'appui des classes moyennes du pays.

- 1854 — *Traité de réciprocité avec les États-Unis*
- 1867 — *Acte de l'Amérique du Nord britannique*
- 1878 — *Politique nationale*
- 1887 — *Élection du gouvernement Mercier au Québec*
- 1896 — *Élection du gouvernement Laurier au Canada*
- 1914 - 1918 — *Première Guerre mondiale*
- 1921 — *Fondation de la Confédération des travailleurs catholiques du Canada*
- 1929 — *Krach boursier à New York*

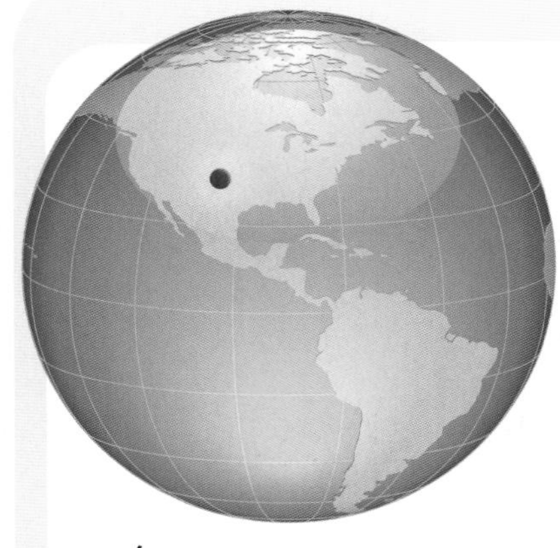
Les États-Unis

Ailleurs : Les États-Unis

Depuis le début du 19e siècle, les États-Unis sont un pays en pleine croissance. De 1810 à 1850, la population triple et le pays s'agrandit considérablement avec l'achat de la Louisiane à la France en 1803 et l'annexion du Texas en 1845. Cette expansion vers l'ouest se poursuit par la signature en 1846 d'un traité avec la Grande-Bretagne pour la possession de l'Oregon. Deux ans plus tard, une guerre avec le Mexique se conclut par la cession aux États-Unis d'importants territoires sur la côte du Pacifique.

San Francisco en 1849, au début de la ruée vers l'or
En 1848, San Francisco ne comptait guère plus de 1000 habitants et habitantes. Deux ans plus tard, en 1850, la population de la ville dépasse les 25 000 résidants, sans compter les nombreux voyageurs de passage.

La ruée vers l'or

C'est d'ailleurs dans l'un de ces territoires, la Californie, que l'on trouve de l'or au début de l'année 1848. Cette découverte entraîne une véritable ruée vers l'or : de 1848 à 1853, près de 370 tonnes du métal précieux sont extraites. Au cours de ces quelques années, plus de 300 000 personnes partent pour la Californie dans l'espoir de profiter de cette manne. Leur présence stimule considérablement le développement de la région.

La guerre de Sécession

Toutefois, la croissance des États-Unis ne s'effectue pas sans heurts. L'intégration de régions aussi diverses à l'intérieur d'un même ensemble politique cause inévitablement d'importantes tensions. Le Nord industrialisé s'oppose au Sud agricole, dont les vastes plantations de coton sont exploitées par une main-d'œuvre formée d'esclaves. En 1860, l'élection du président Abraham Lincoln, qui prône l'abolition de l'esclavage, suscite la colère de plusieurs États du Sud, qui déclarent leur indépendance. De 1861 à 1865, les nordistes et les sudistes s'affrontent dans ce que l'on appelle la guerre de Sécession ou Guerre civile américaine (*American Civil War*). Les États du Nord, favorisés par une économie industrialisée plus productive, remportent finalement la victoire. C'est la fin de l'esclavage aux États-Unis.

Harriet Tubman vers 1860
Harriet Tubman est une ancienne esclave qui a lutté pour l'abolition de l'esclavage aux États-Unis. Elle a dirigé plusieurs expéditions afin de libérer des Noirs qu'elle conduisait secrètement au Canada.

Arrivée des premiers êtres humains au Québec
1850 — 1929 : 5e réalité sociale
v. –7000/–6000 | 1500 | 1600 | 1700 | 1800 | 1900 | 2000

Ailleurs : La Suisse

La Suisse

Au début du 19e siècle, la Suisse est une fédération regroupant une vingtaine de cantons (provinces) largement indépendants les uns des autres. Cette situation entrave le développement économique du pays. Chacun possède sa propre monnaie, ses barrières douanières et son système de **poids et mesures.** Les biens ne peuvent pas circuler librement d'un canton à l'autre.

Toutefois, à partir des années 1830, des idées progressistes se répandent dans bon nombre de cantons. Leurs partisans souhaitent un gouvernement fédéral fort, des institutions politiques représentatives et la liberté d'entreprise et de commerce. Ils s'opposent aux conservateurs qui défendent les structures et les cultures locales contre un gouvernement centralisé. La lutte entre ces deux tendances aboutit en 1847 à une courte guerre civile que remportent les progressistes.

L'année suivante, les vainqueurs font adopter une nouvelle constitution qui accroît grandement le pouvoir du gouvernement fédéral et prévoit la création d'une assemblée fédérale formée de représentants élus. Elle établit également la libre circulation des biens et des personnes ainsi que la liberté religieuse et la liberté de presse. Le gouvernement fédéral prend rapidement des mesures pour centraliser l'administration du pays. Il adopte entre autres une monnaie unique et un système de poids et mesures commun.

Horloge suisse du 17e siècle

L'industrie horlogère suisse, qui conserve encore aujourd'hui une réputation d'excellence, est née à Genève au 16e siècle. Aux 18e et 19e siècles, cette industrie connaît un grand essor dans les montagnes du Jura, où de nombreux paysans occupent leurs longs hivers en fabriquant des montres et des horloges.

Cela favorise le développement économique de la Suisse qui s'industrialise à un rythme accéléré depuis le début du siècle. La construction d'un réseau dense de chemin de fer contribue également à la prospérité du pays et au développement du tourisme. Cette construction est d'abord confiée à des entreprises privées puis, en 1902, le gouvernement fédéral rachète les cinq entreprises les plus importantes pour former une entreprise publique, les Chemins de fer fédéraux.

La Suisse étant un très petit pays, elle adopte une position de neutralité dans les conflits politiques mondiaux. Elle ne participe donc ni à la Première ni à la Seconde Guerre mondiale. Cela lui permet par ailleurs de développer une politique humanitaire. Ainsi, en 1863, Henri Dunant fonde le Comité international de la Croix-Rouge, un organisme voué au développement du droit international et humanitaire.

Le palais fédéral à Berne

La première Assemblée fédérale, réunie en novembre 1848, désigne Berne comme capitale de la Suisse. L'actuel palais fédéral, où siège aujourd'hui l'Assemblée, a été inauguré en 1902.

Traité de réciprocité avec les États-Unis — 1854
Acte de l'Amérique du Nord britannique — 1867
Politique nationale — 1878
Élection du gouvernement Mercier au Québec — 1887
Élection du gouvernement Laurier au Canada — 1896
Première Guerre mondiale — 1914 - 1918
Fondation de la Confédération des travailleurs catholiques du Canada — 1921
Krach boursier à New York — 1929

DU PASSÉ *au présent*

5

CANADA-UNI

Confédération → solution unique à ces problèmes :

1. Solution politique, car...

2. Solution militaire, car...

3. Solution économique, car...

RÉCAPITULONS

L'art du résumé

1. Reproduisez le schéma ci-contre et complétez-le afin de montrer que la Confédération se veut une solution globale à plusieurs types de problèmes.

2. En histoire, il arrive souvent que le développement économique entraîne des problèmes dans la société, forçant les gouvernements à prendre des mesures politiques.

Changements économiques

Problèmes sociaux

Mesures politiques

a) Montrez par des exemples concrets comment ce schéma s'applique à trois phénomènes de la période de 1850 à 1929 au Québec, soit l'industrialisation, le syndicalisme et les lois du travail.

b) Faites de même pour les phénomènes suivants : l'industrialisation, le féminisme et l'obtention du suffrage féminin.

3. Vous êtes journaliste à Shawinigan en 1928 et, à l'occasion de l'ouverture d'une nouvelle usine dans cette ville, vous devez rédiger un article résumant l'évolution industrielle du Québec depuis les 30 dernières années. Votre article doit notamment comporter une comparaison entre les nouvelles industries et celles de la première phase (1850-1900).

Comprendre et organiser les concepts

1. a) Après avoir relu les pages 336 à 343, expliquez verbalement à un ou une camarade de classe le concept d'industrialisation. Il importe que votre définition soit axée sur l'essentiel et qu'elle soit énoncée dans vos mots.

b) Présentez deux exemples ou applications de cette définition pour le Québec des années 1850-1929 et deux exemples pour le Québec actuel.

c) Demandez ensuite à votre camarade de construire le schéma conceptuel de sa compréhension du concept d'industrialisation (voir la fiche méthodologique *Construire un schéma conceptuel,* à la page 496).

d) Révisez son schéma, complétez-le avec son aide et validez-le en consultant les pages 336 à 343 de ce chapitre.

2. En équipe, réalisez une carte conceptuelle montrant les liens qui existent entre les concepts suivants : industrialisation, capitalisme, urbanisation, syndicalisation, Confédération de 1867, Politique nationale et libre-échangisme.

Arrivée des premiers êtres humains au Québec — *1850* — *1929* — **5e réalité sociale**

v. –7000/–6000 · 1500 · 1600 · 1700 · 1800 · 1900 · 2000

Transférer l'histoire vers le présent

Aujourd'hui encore, certains pays connaissent une rapide croissance économique, ce qui entraîne des problèmes semblables à ceux que l'industrialisation a apportés au Québec de 1850 à 1929. Ainsi, depuis quelques années, la Chine connaît une croissance industrielle aussi rapide que désordonnée. Dans la ville de Shanghai, on construit chaque mois de nouveaux gratte-ciel ultramodernes en détruisant sans ménagement plusieurs vieux quartiers résidentiels. À l'aide d'Internet, de journaux, de revues ou d'autres sources d'information, documentez-vous sur l'industrialisation rapide en Chine ou dans d'autres régions du monde et sur les conséquences de cette industrialisation sur les populations et les territoires concernés.

Le quartier des affaires de Shanghai, aujourd'hui

RETOUR sur l'HYPOTHÈSE

Au début de ce chapitre, nous vous invitions à formuler une hypothèse pour répondre à la question suivante.

Comment l'apparition et le développement des industries modernes, entre 1850 et 1929, ont-ils transformé le Québec sur les plans

a) de la société ? **b)** du territoire ? **c)** de la vie politique ?

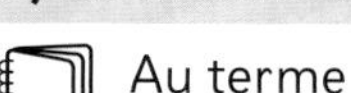

Au terme de votre exploration de la période 1850-1929, votre hypothèse vous paraît-elle toujours valide ? Expliquez votre réponse.

POUR EN *SAVOIR PLUS*

Documentation

DICKINSON, A., et John et Brian YOUNG. *Brève histoire socio-économique du Québec,* Québec, Septentrion, 1992, 383 p.

DUROCHER, René, et autres. *Histoire du Québec contemporain, De la Confédération à la crise,* Montréal, Boréal, 1979, 660 p.

ROUILLARD, Jacques. *Histoire du syndicalisme québécois,* Montréal, Boréal, 1989, 535 p.

Le collectif Clio, *L'histoire des femmes au Québec depuis quatre siècles,* Montréal, éd. Le Jour, 1992, 646 p.

Bandes dessinées

FREYNET, Robert. *Louis Riel,* Saint-Boniface, Éditions des Plaines, 1990, 58 p.

LOISEL & TRIPP. *Magasin général,* Tournai, Casterman, 2006, 72 p.

ZORAN & TOUFIK. *Louis Riel, le père du Manitoba,* Saint-Boniface, Éditions des Plaines, 1996, 48 p.

Littérature

CARON, Louis. *Le bouleau et l'épinette, les chemins du nord,* tome 2, Paris, Archipel/Édipresse, 1993.

COUSTURE, Arlette. *Les filles de Caleb,* tome 1 et tome 2, Montréal, Québec/Amérique, 1985.

FOURNIER, Claude. *Les tisserands du pouvoir,* Montréal, Québec/Amérique, 1989.

POLIQUIN, Daniel. *La kermesse,* Montréal, Boréal, 2006, 336 p.

Cinéma

La guerre oubliée, réalisateur : Richard BOUTET, Québec, 1987, 97 min.

LES TECHNIQUES DE L'HISTOIRE

1. **a)** À l'aide des indications fournies sur la fiche méthodologique *Interpréter et construire un diagramme* à la page 494, choisissez le type de diagramme le plus approprié pour représenter les données du tableau « L'essor de la production industrielle de 1861 à 1901 (en milliers de dollars) » à la page 337.

b) Justifiez votre choix.

c) Construisez le diagramme.

d) Montrez par quelques exemples concrets comment la représentation de ces informations sous la forme de diagramme facilite l'analyse des données du tableau.

2. Choisissez une caricature apparaissant dans ce chapitre et analysez-la en suivant la méthode proposée sur la fiche méthodologique *Interpréter une caricature* à la page 500.

3. En suivant l'étape **3** de la réalisation d'un travail de recherche à la page 497 et à l'aide de la fiche méthodologique *Faire des fiches* à la page 501, rédigez une dizaine de fiches (résumé, citation et commentaire) sur les conditions de vie ou les conditions de travail des ouvriers et des ouvrières à la fin du 19e siècle.

Jacques Rouillard

Historien et professeur titulaire à l'Université de Montréal, il est l'un des meilleurs spécialistes de l'histoire ouvrière et de l'histoire du syndicalisme au Québec.

Brian Young

Historien anglo-québécois, il s'intéresse à l'histoire du Canada en général. Il est spécialisé en histoire du Québec au 19e siècle. Il enseigne à l'Université McGill depuis 1975.

Retour sur l'héritage

La période 1850-1929 est marquée par l'industrialisation, un phénomène économique majeur qui vient bouleverser, au Québec comme dans le reste du monde occidental, presque tous les aspects de la vie en société et le mode de vie des gens. Ces transformations ont engendré des tensions, parfois très vives, entre les groupes sociaux (patrons, ouvriers et ouvrières, féministes, anglophones, francophones, Amérindiens, etc.), qui se sont tournés vers le pouvoir politique pour faire pression et faire valoir leurs intérêts.

Les héritages économiques, sociaux et politiques de cette période sont nombreux dans la société québécoise d'aujourd'hui.

Héritage politique

Les normes du travail d'aujourd'hui sont la version moderne des premières lois du travail.

Héritage économique

L'usine de papiers Rolland à Saint-Jérôme, aujourd'hui

Héritage social

Des militantes féministes et syndicalistes, aujourd'hui

1. Choisissez un héritage encore présent de la période 1850-1929 lié à l'industrialisation et à ses effets (entreprise, institution économique, sociale ou politique, élément culturel ou lié à la vie quotidienne, etc.). Cet héritage doit vous toucher personnellement (il concerne votre famille, votre municipalité, votre région, etc.). Expliquez dans un court texte en quoi il vous touche.
2. À l'aide d'Internet ou d'autres sources d'information, documentez-vous sur cet héritage et sur son évolution jusqu'à nos jours.
3. À l'aide d'une affiche ou d'un autre support, faites connaître cet héritage et le rôle qu'il joue dans la société québécoise d'aujourd'hui.

Traité de réciprocité avec les États-Unis — 1854
Acte de l'Amérique du Nord britannique — 1867
Politique nationale — 1878
Élection du gouvernement Mercier au Québec — 1887
Élection du gouvernement Laurier au Canada — 1896
Première Guerre mondiale — 1914 - 1918
Fondation de la Confédération des travailleurs catholiques du Canada — 1921
Krach boursier à New York — 1929

Opposants au projet de privatisation d'une partie du parc du Mont-Orford

Mont Orford: la résistance se durcit

ALEXANDRE SHIELDS

Plus de 2000 personnes ont joint leur voix à celle de la coalition SOS parc Orford hier pour réclamer l'abandon de la privatisation partielle de cette aire actuellement protégée. Les défenseurs du projet se sont également fait entendre, soulignant pour leur part que la qualité de vie et l'avenir des habitants de la région dépendent grandement de ce projet immobilier.

«Avec la force de la population, on peut faire en sorte qu'ils révisent leur décision, qu'ils retirent leur projet de loi spéciale et qu'ils respectent la Loi sur les Parcs», a expliqué la présidente de Memphrémagog Conservation, Gisèle Benoît-Lacasse. Rassemblés devant la mairie du canton d'Orford, les opposants ont réaffirmé leur volonté de s'attaquer en priorité au projet de loi spéciale, une voie de contournement *«qui permettrait de vendre des terrains qui appartiennent au public*, selon Mélanie Desrochers, membre de la coalition. *Pourtant, les arguments économiques invoqués pour justifier le projet n'ont pas encore été prouvés hors de tout doute»*.

Moins de trois semaines après l'annonce de la vente de 640 hectares de terrains, les opposants ont donc espoir de faire reculer le gouvernement de Jean Charest.

Titre d'un journal concernant cette polémique

Développer sa citoyenneté

Comme vous l'avez vu en étudiant cette réalité sociale, le pouvoir politique peut agir pour contrôler ou régulariser le développement économique et ses conséquences sur la société. Cependant, il arrive que des décisions heurtent certaines personnes. Ces dernières peuvent s'organiser et se mobiliser pour faire pression sur les gouvernements et faire valoir leurs points de vue et leurs intérêts.

En 2006, une partie de la population québécoise s'est mobilisée pour s'opposer au projet de gens d'affaires visant à **privatiser** une partie du parc provincial du Mont-Orford. Son action a réussi.

Chronologie des événements

8 avril 1938 Le gouvernement du Québec crée le parc national du Mont-Orford, à 35 km à l'ouest de Sherbrooke. Il y interdit la colonisation comme l'exploitation des ressources forestières et minières. Son but est de protéger la faune et la flore du parc, et d'en faire un lieu de délassement pour le public. Il y aménage un centre de ski et un terrain de golf.

6 mars 2006 Le gouvernement libéral, dirigé par Jean Charest, annonce son intention de vendre des terres situées autour de la station de ski du mont Orford à des promoteurs immobiliers afin qu'ils y construisent 1000 habitations de luxe et un nouveau terrain de golf. Rapidement, des citoyens et des citoyennes se réunissent, et forment la coalition SOS Parc Orford pour protester contre ce projet.

21 avril 2006 Profitant de la journée de la Terre, SOS Parc Orford organise à Montréal une marche nationale d'opposition qui rassemble 12 000 manifestants et manifestantes, dont plusieurs personnalités publiques.

Le premier ministre Jean Charest expliquant sa position devant les médias

3 mai 2006 Le gouvernement de Jean Charest dépose le projet de loi 23 qui autorise la vente de 5,79 km^2 de terres sur les flancs du mont Orford.

12 juin 2006 Le gouvernement libéral impose le **bâillon** à l'Assemblée nationale afin d'adopter le projet de loi sur la privatisation du mont Orford.

7 mai 2007 Le gouvernement libéral de Jean Charest, devenu minoritaire après les élections de mars 2007, annule la vente du mont Orford et l'appel d'offres qu'il avait lancé pour réaliser le projet.

Arrivée des premiers êtres humains au Québec

1850 1929 5e réalité sociale

v. –7000/–6000 1500 1600 1700 1800 1900 2000

Les arguments des promoteurs immobiliers et du gouvernement libéral

- Les promoteurs immobiliers, en construisant des unités d'habitation, en rachetant la station de ski et en bâtissant un nouveau terrain de golf espèrent réaliser des profits importants qui seront réinvestis dans la région.
- Leur projet favoriserait le développement économique de la région et la création d'emplois.
- Le gouvernement croit que la gestion des équipements du centre de ski et du terrain de golf ne devrait pas être du ressort de l'État.

Les arguments des opposants à la privatisation du mont Orford

- La privatisation du mont Orford va à l'encontre de la mission de conservation du parc national. Elle aurait des conséquences néfastes sur la faune et la flore.
- Or, le mont Orford possède une flore et une faune riches et diversifiées qui doivent être protégées. On y trouve par ailleurs plusieurs espèces menacées ou vulnérables.
- Les terres que souhaite vendre le gouvernement se trouvent au cœur du parc national, ce qui menace son écosystème.

Caricature de Garnotte dans le journal *Le Devoir*

1. À l'aide d'Internet ou d'autres sources d'information, menez en équipe des recherches parallèles sur des débats récents où le développement économique a été mis en cause et où le pouvoir politique a été interpellé.
2. Départagez les arguments des groupes en présence et déterminez s'ils sont d'ordre économique, politique, social, culturel, etc.
3. Mettez en commun les résultats de chaque équipe et énumérez les différents types d'actions possibles pour les personnes qui veulent réagir aux transformations économiques.

1854	*Traité de réciprocité avec les États-Unis*
1867	*Acte de l'Amérique du Nord britannique*
1878	*Politique nationale*
1887	*Élection du gouvernement Mercier au Québec*
1896	*Élection du gouvernement Laurier au Canada*
1914 - 1918	*Première Guerre mondiale*
1921	*Fondation de la Confédération des travailleurs catholiques du Canada*
1929	*Krach boursier à New York*

La **MODERNISATION** *de la société québécoise*

En 1929, après trois décennies de prospérité, une profonde crise économique mondiale ébranle la confiance des citoyens et citoyennes dans le système capitaliste libéral. Plusieurs demandent que l'État intervienne dans l'économie et la société afin de mieux réglementer l'activité économique et de protéger les plus démunis. Il faudra la Seconde Guerre mondiale (1939-1945) pour relancer la croissance économique. Une longue période de prospérité marque les trente années suivantes, au cours desquelles les mentalités et le mode de vie se modernisent, tandis que l'État joue un rôle accru dans la vie des Québécois et Québécoises.

Ouvrières dans une usine de munitions

LES CONCEPTS À L'ÉTUDE

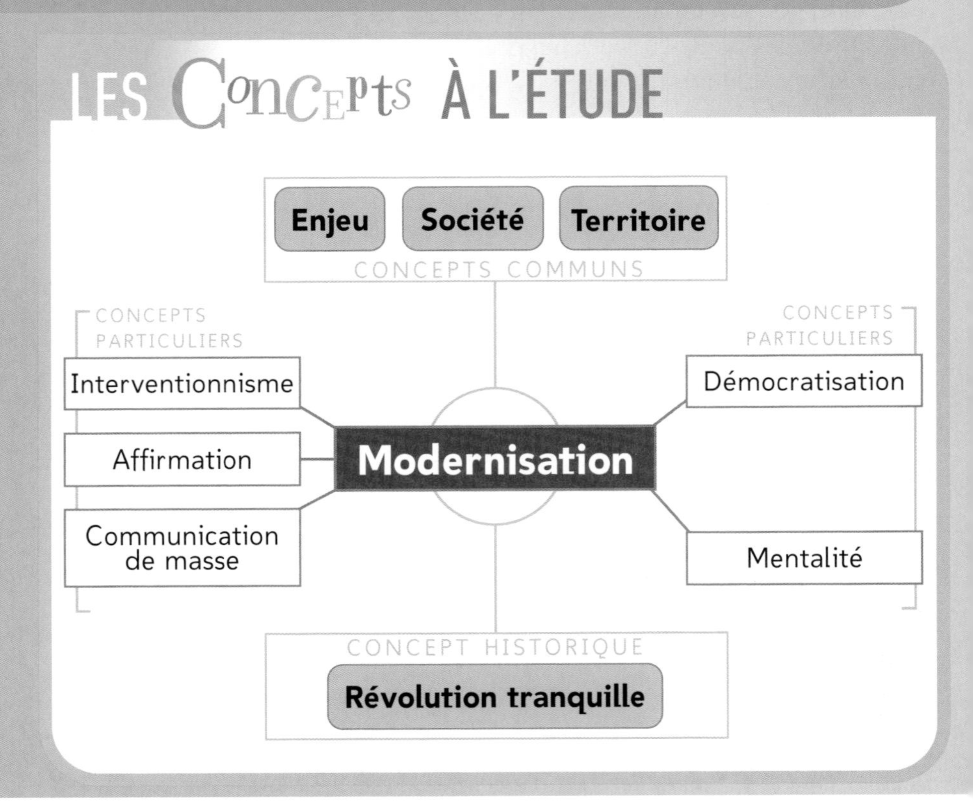

Le barrage Daniel-Johnson

Table des matières

Maurice Duplessis

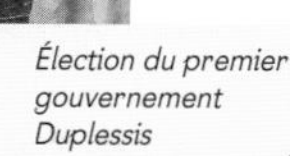

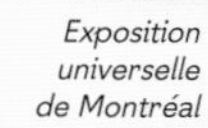

Effondrement de la Bourse de New York — 1929
Élection du premier gouvernement Duplessis — 1936
Seconde Guerre mondiale — 1939-1945
Début de la télévision au Québec — 1952
Début de la Révolution tranquille — 1960
Exposition universelle de Montréal — 1967
Crise d'Octobre — 1970
Élection du Parti québécois — 1976
Adoption de la Charte de la langue française — 1977
1980

DU PRÉSENT *vers le passé*

6

L'HÉRITAGE EN QUESTIONS

Aujourd'hui, le Québec est perçu à l'étranger comme une société moderne où l'État est présent pour garantir une certaine égalité des chances et offrir des services et des protections facilitant le bien-être collectif des citoyens et citoyennes. Cette présence active de l'État dans la vie des gens résulte d'un choix fait par la population québécoise au cours de la période 1930-1980 et constitue toujours, bien qu'à des degrés divers, une valeur chère aux yeux de la plupart des gens.

La télévision d'hier et d'aujourd'hui

Le Jardin botanique de Montréal

Le complexe G à Québec : un État présent et moderne

Arrivée des premiers êtres humains au Québec

1929 *1980*

6e réalité sociale

v. –7000/–6000 | 1500 | 1600 | 1700 | 1800 | 1900 | 2000

Vue aérienne d'une banlieue

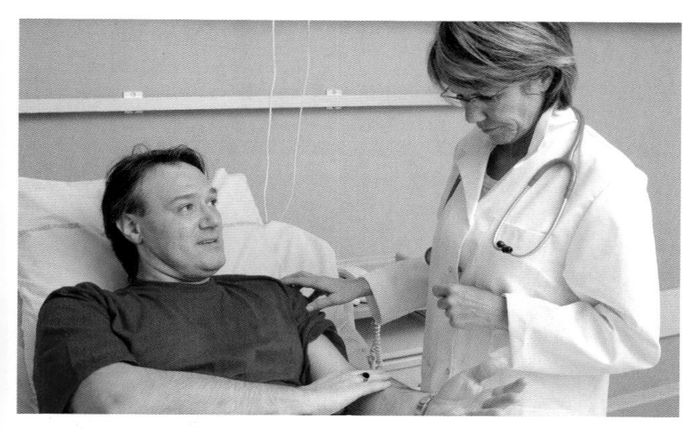

Un système de santé étatisé

Gilles Vigneault : poète et chansonnier, il a chanté le Québec, sa modernité et ses racines.

Interrogez-vous

1. a) Observez les images des pages 376 et 377.
   b) En vous fondant sur votre connaissance de la période 1850-1930 (5e réalité sociale, pages 310 à 373) et de la période actuelle, dites en quoi chacune de ces images correspond à une certaine modernisation du Québec.
2. Montrez ces images à vos grands-parents ou à d'autres aînés et demandez-leur ce qu'évoque pour eux la période 1930-1980. Quels souvenirs en gardent-ils ? Quel jugement global portent-ils sur cette période ?
3. Quelles autres questions ces images vous inspirent-elles ?

- 1929 : Effondrement de la Bourse de New York
- 1936 : Élection du premier gouvernement Duplessis
- 1939-1945 : Seconde Guerre mondiale
- 1952 : Début de la télévision au Québec
- 1960 : Début de la Révolution tranquille
- 1967 : Exposition universelle de Montréal
- 1970 : Crise d'Octobre
- 1976 : Élection du Parti québécois
- 1977 : Adoption de la Charte de la langue française
- 1980

ESPACE-TEMPS

Durant la Seconde Guerre mondiale, presque toute l'Europe est occupée par l'Allemagne nazie. Au sortir de ce conflit, le monde est divisé en deux camps.

L'Europe durant la Seconde Guerre mondiale (1942)

? La Seconde Guerre mondiale aura de nombreux impacts sur la société québécoise. Proposez-en quelques-uns, puis vérifiez si vos hypothèses se confirment dans la suite du chapitre.

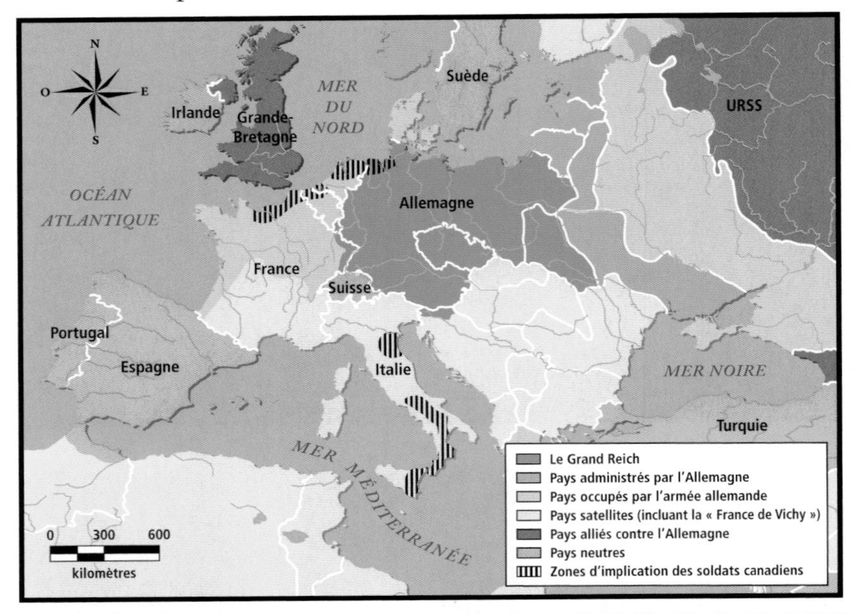

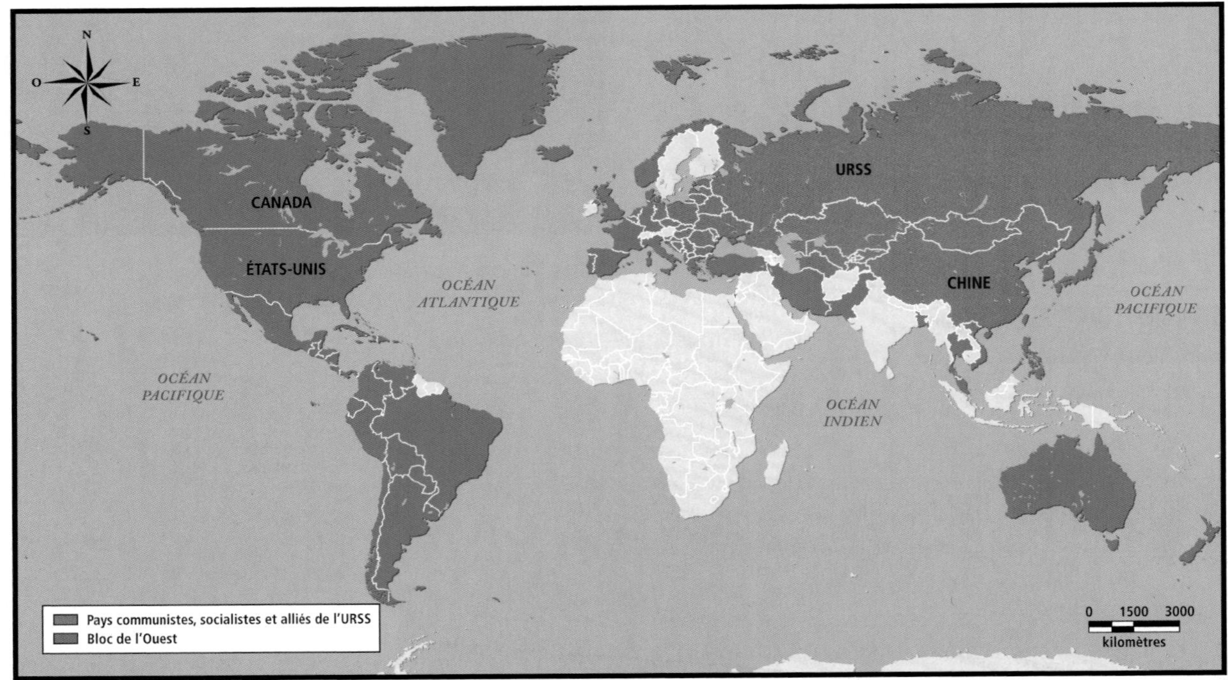

Le monde de la guerre froide

? La guerre froide aura de nombreux impacts sur la société québécoise. Proposez-en quelques-uns, puis vérifiez si vos hypothèses se confirment dans la suite du chapitre.

Arrivée des premiers êtres humains au Québec

1929 1980

6e réalité sociale

v. –7000/–6000 1500 1600 1700 1800 1900 2000

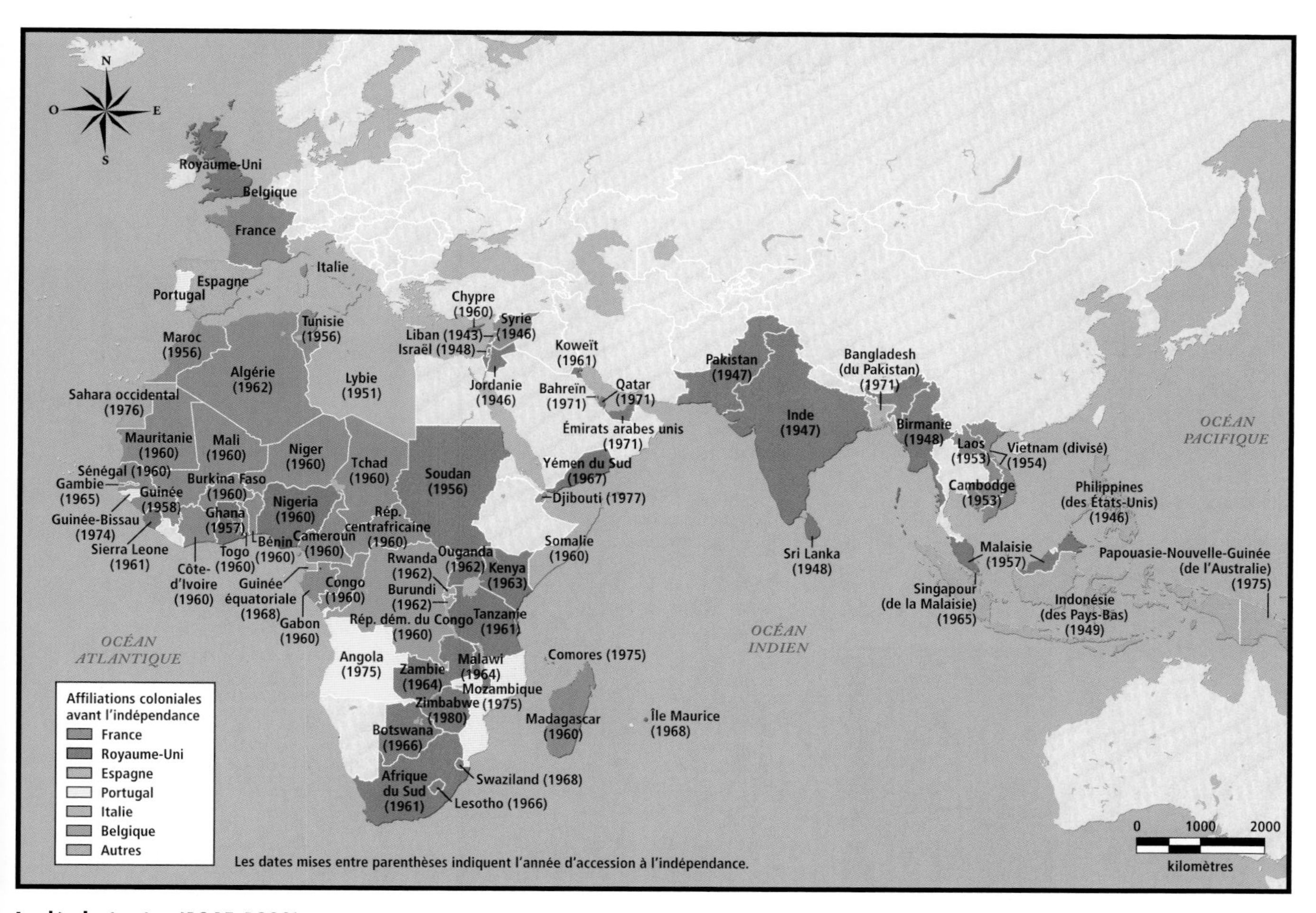

La décolonisation (1945-1980)

La Seconde Guerre mondiale a pour effet d'accélérer le mouvement d'émancipation des colonies européennes.

?

1. Quelles régions du monde sont plus particulièrement touchées par ce mouvement ?
2. Quelles métropoles européennes sont touchées par ce mouvement ?
3. Pourquoi le Canada ne figure-t-il pas sur cette carte, bien qu'il soit une ancienne colonie de la Grande-Bretagne ?
4. Proposez une hypothèse pour répondre à la question suivante : « Selon vous, quel impact le mouvement de décolonisation aura-t-il sur la vie politique du Québec ? »

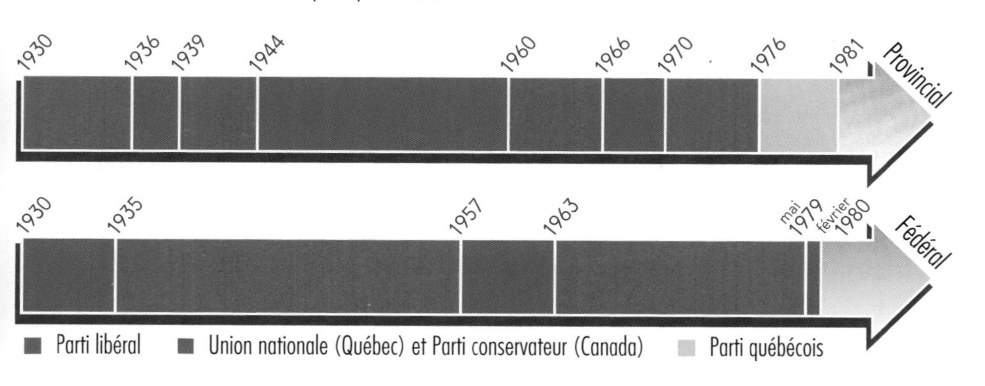

La succession des partis politiques au pouvoir (1930-1980)

?

1. Parmi les partis politiques apparaissant sur ces deux rubans du temps, quels sont ceux qui existent encore aujourd'hui et quels sont ceux qui ont disparu ?
2. Selon vous, pourquoi l'Union nationale, au gouvernement provincial, et le Parti conservateur, au gouvernement fédéral, sont-ils représentés par la même couleur ?

Effondrement de la Bourse de New York — 1929
Élection du premier gouvernement Duplessis — 1936
Seconde Guerre mondiale — 1939-1945
Début de la télévision au Québec — 1952
Début de la Révolution tranquille — 1960
Exposition universelle de Montréal — 1967
Crise d'Octobre — 1970
Élection du Parti québécois — 1976
Adoption de la Charte de la langue française — 1977

1929 1936 1939 1945 1952 1960 1967 1970 1976 1977 1980

6

La MODERNISATION de la société québécoise

Chômeurs en déplacement

Thérèse Casgrain

Jean Lesage

Pierre Elliott Trudeau

Adolf Hitler

Québec / Canada	Reste du monde
Début de la pire récession économique de l'histoire canadienne 1929	1929 *Krach boursier à New York*
Le chômage atteint un sommet au Canada 1933	1933 *Le New Deal de Roosevelt aux États-Unis*
Le New Deal *de R. B. Bennett* 1935	
Duplessis fonde l'Union nationale et devient premier ministre du Québec 1936	
	1939–1945 *Seconde Guerre mondiale*
1940 *Les femmes obtiennent le droit de vote aux élections provinciales*	
1944 *Création d'Hydro-Québec*	
	1945 *Création des Nations Unies*
	1947 *Début de la guerre froide*
	1948 *Assassinat de Gandhi*
1949 *Grève de l'amiante*	
1952 *Début de la télévision au Canada*	
	1954 *Les Français sont battus à Diên Biên Phu (Vietnam)*
	1959 *Castro prend le pouvoir à Cuba*
Début de la Révolution tranquille 1960	
	1962 *Indépendance de l'Algérie*
Nationalisation des dernières compagnies d'électricité 1963	1963 *Assassinat du président américain John F. Kennedy*
Création du ministère de l'Éducation du Québec 1964	
Exposition universelle de Montréal 1967	
Pierre E. Trudeau devient premier ministre du Canada et René Lévesque fonde le Parti québécois 1968	1968 *Assassinat du pasteur noir Martin Luther King*
	1969 *Premier homme sur la Lune*
1970 *Crise d'Octobre* *Création du Régime de l'assurance maladie du Québec*	
Le Parti québécois est porté au pouvoir 1976	
1977 *Adoption de la Charte de la langue française (projet de loi 101)*	1977 *Premiers micro-ordinateurs*
	1979 *Révolution iranienne*

?

1. Choisissez trois événements mondiaux mentionnés dans la frise du temps.
2. À l'aide d'Internet ou d'autres sources d'information, documentez-vous sur ces événements et montrez comment ils ont eu une influence sur la société québécoise.

Arrivée des premiers êtres humains au Québec — v. –7000/–6000 — 1500 — 1600 — 1700 — 1800 — 1900 — *1929* — *1980* (6e réalité sociale) — 2000

« La société actuelle est caractérisée par d'évidentes inégalités de richesses et de chances de succès, et par le gaspillage et l'instabilité ; en une époque d'abondance, elle condamne toujours la grande masse de la population à la pauvreté et à l'insécurité. »

Extrait du programme du parti Cooperative Commonwealth Federation (CCF), 1933.

« L'État protège les parcs nationaux, et il fait bien : ce sont là des biens communs. La langue [française] aussi est un bien commun et l'État devrait la protéger avec autant de rigueur. Une expression vaut bien un orignal, un mot vaut bien une truite. »

Jean-Paul Desbiens, *Les insolences du frère Untel*, 1960.

« Il faut [...] assurer à l'ensemble de la population un niveau d'instruction assez élevé. [...] Il est certain que l'initiative privée ne saurait poursuivre efficacement des objectifs aussi ambitieux, ni suffire à tant de tâches [...]. Il faut un plan d'ensemble, une orientation unifiée en vue du bien commun [...]. »

Extraits du *Rapport de la Commission Parent*, Ministère de l'Éducation du Québec, 1963.

De la QUESTION à l'HYPOTHÈSE

À l'aide des citations ci-dessus, des documents présentés dans les pages précédentes et de vos connaissances actuelles, formulez une hypothèse pour répondre à la question-problème suivante.

À partir de la grande crise des années 1930, comment les transformations de la société québécoise, notamment les changements de mentalité, ont-elles influencé le rôle de l'État ?

- Expliquez les liens qui existent entre chacun des éléments de cette question en les représentant dans un schéma conceptuel. Inspirez-vous du modèle de la fiche méthodologique *Construire un schéma conceptuel* à la page 496.
- Rédigez une hypothèse pour répondre à cette question.

Effondrement de la Bourse de New York — 1929
Élection du premier gouvernement Duplessis — 1936
Seconde Guerre mondiale — 1939–1945
Début de la télévision au Québec — 1952
Début de la Révolution tranquille — 1960
Exposition universelle de Montréal — 1967
Crise d'Octobre — 1970
Élection du Parti québécois — 1976
Adoption de la Charte de la langue française — 1977

1929 1936 1939 1945 1952 1960 1967 1970 1976 1977 1980

L'HISTOIRE *en action*

PROJETS DE SOCIÉTÉ

À partir de 1929, une grave crise économique secoue la plupart des pays du monde. Au Québec comme ailleurs, les usines ferment, le chômage prend de l'ampleur et la misère touche de nombreux foyers. Dans les années 1930, les Québécois, comme les autres Canadiens, cherchent des moyens pour remédier à la situation.

En septembre 1939, le Canada se trouve une seconde fois en guerre contre l'Allemagne et ses alliés. Sa participation à ce conflit met un terme à la crise économique et relance les industries.

Au début des années 1960, le Québec connaît d'importantes transformations sociales et économiques. Défini dans les années de crise, le nouveau rôle de l'État, plus interventionniste, s'impose comme moteur du développement et de la modernisation du Québec.

1er TEMPS FORT

DE LA CRISE À LA GUERRE (1929-1945)

La profonde crise économique qui secoue le monde occidental frappe durement le Québec et le Canada. Devant cette situation, la population réclame une intervention plus grande de l'État et de nouveaux partis politiques naissent. Pourtant, ce n'est qu'avec la Seconde Guerre mondiale que la production industrielle reprend sous le contrôle étroit du gouvernement fédéral. Malgré l'emprise d'Ottawa, le gouvernement libéral d'Adélard Godbout au Québec entreprend de nombreuses réformes dans les domaines économique et social.

Le cercle vicieux d'une économie en récession

Baisse de la production → Baisse de l'emploi (chômage) → Baisse du pouvoir d'achat → Baisse de la demande → Surproduction → Baisse de la production

? Y a-t-il un point de départ à un tel cercle ? Où se situe-t-il, selon vous ?

L'économie en crise

Dans les années 1920, l'économie canadienne est prospère. Elle bénéficie largement des progrès industriels des États-Unis qui investissent d'importants capitaux au Canada et au Québec, surtout pour y exploiter les ressources naturelles. En Amérique du Nord, la production de biens manufacturés ne cesse d'augmenter. Ainsi, pendant ces « années folles », les ventes de véhicules automobiles atteignent des sommets, tandis que de nouveaux produits électriques apparaissent sur le marché, tels que la radio, le fer à repasser, la machine à laver, la machine à coudre et l'aspirateur. La consommation monte en flèche, et on achète parfois même à crédit.

Les premiers signes de l'essoufflement

À la fin des années 1920, le système industriel commence à montrer des signes de fragilité. L'Europe, après s'être relevée des ruines de la Première Guerre mondiale, achète de moins en moins de céréales et de produits américains et canadiens. Dans un premier temps, le nombre élevé de consommateurs et de consommatrices en Amérique du Nord parvient à absorber le surplus de la production. La confiance continue à régner parmi les investisseurs. À la **Bourse**, les spéculateurs achètent de plus en plus d'**actions**, espérant les revendre plus cher et faire ainsi un gain rapide. Rares sont ceux qui s'inquiètent d'un ralentissement possible de l'économie.

Toutefois, à partir de 1927, les marchés américains et canadiens commencent à être saturés. La population ne peut pas acheter tout ce que produit l'industrie, d'autant plus qu'elle commence à être endettée. Malgré cela, pendant quelques mois, la **spéculation** continue à prendre de l'ampleur sur les marchés boursiers. Les investisseurs, séduits par la possibilité de gains faciles, n'hésitent pas à emprunter pour acheter des actions.

Pour comprendre les termes économiques

Action Document écrit qui correspond à une part du capital d'une entreprise.

Bourse Endroit où s'achètent et se vendent les actions des compagnies.

Faillite Situation d'une personne ou d'une entreprise qui ne peut plus payer ses dettes, ce qui l'oblige à liquider ses biens.

Krach Effondrement spectaculaire du prix des actions en Bourse.

Spéculation Opération qui consiste à acheter un bien ou un titre financier (des actions, par exemple) lorsque son prix est bas et à le revendre lorsque son prix est plus élevé.

Le « jeudi noir »

Soudain, le jeudi 24 octobre 1929, après une semaine d'activités à la baisse, la Bourse de New York s'effondre complètement. En ce « jeudi noir », la panique s'empare des investisseurs et le cours des actions chute de manière vertigineuse, car tout le monde cherche à les vendre en même temps. Le **krach** new-yorkais est bientôt suivi par celui de nombreuses autres Bourses occidentales, dont celle de Montréal.

De nombreux spéculateurs, ruinés, sont incapables de rembourser les sommes que leur ont prêtées les institutions financières. Ils acculent ainsi plusieurs banques à la **faillite**. À leur tour, ces faillites bancaires provoquent des faillites industrielles et personnelles. Plusieurs voient leurs épargnes s'évaporer, tandis que les industries manquent de capitaux pour fonctionner. Beaucoup d'entreprises congédient du personnel, quand elles ne sont pas contraintes de fermer leurs portes.

Wall Street après le krach

Lors du « jeudi noir », environ 14 millions d'actions sont vendues à Wall Street à des prix de plus en plus bas. Le 1er janvier 1930, les principaux titres boursiers ont perdu environ 25 % de leur valeur, ruinant des milliers d'investisseurs.

? À l'aide du texte ci-dessus, construisez un schéma conceptuel montrant les étapes par lesquelles on est passé du krach boursier à une crise économique et sociale majeure.

Effondrement de la Bourse de New York — 1929
Élection du premier gouvernement Duplessis — 1936
Seconde Guerre mondiale — 1939–1945
Début de la télévision au Québec — 1952
Début de la Révolution tranquille — 1960
Exposition universelle de Montréal — 1967
Crise d'Octobre — 1970
Élection du Parti québécois — 1976
Adoption de la Charte de la langue française — 1977
1980

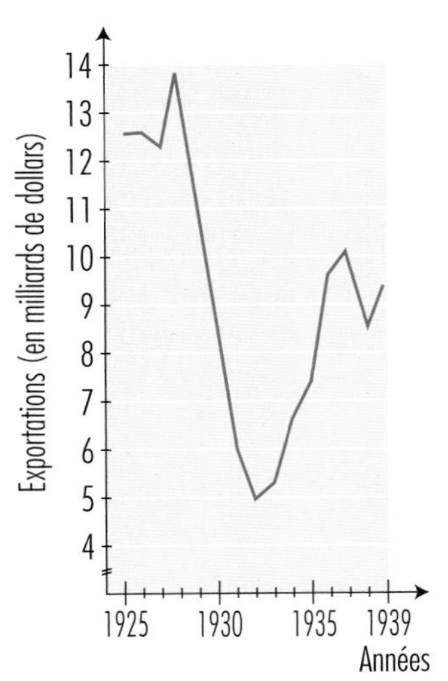

? Que peut-on dire des exportations canadiennes dans les années 1930 ?

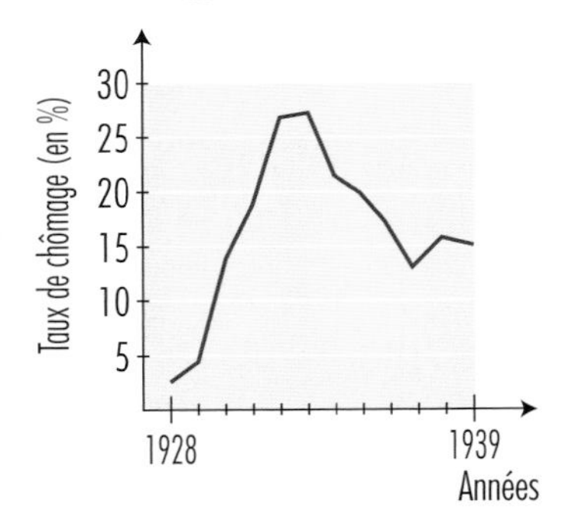

Le chômage constitue la conséquence sociale la plus importante de l'effondrement de l'économie.

? Pourquoi la perte d'un emploi a-t-elle des conséquences financières si graves pour une personne à cette époque ? Quel programme géré par l'État existe aujourd'hui pour atténuer les effets du chômage ?

Les conséquences économiques et sociales

L'effondrement de l'économie des États-Unis, première puissance industrielle du monde, a des répercussions dans l'ensemble des pays industrialisés. Toutefois, le Canada reste le pays le plus durement touché par la crise, car son économie dépend étroitement de celle des États-Unis. Dès 1929, les Américains cessent d'investir des capitaux au Canada, ce qui affecte particulièrement les industries liées à l'exploitation des ressources naturelles.

La crise économique désorganise également le commerce international, dominé jusqu'alors par les États-Unis. Pour protéger leur économie, la plupart des pays occidentaux adoptent des mesures protectionnistes, c'est-à-dire qu'ils haussent leurs tarifs douaniers. Cette décision entraîne une baisse dramatique des exportations canadiennes, provoquant ainsi des conséquences néfastes pour une économie qui repose en bonne partie sur ses exportations.

Ce sont les Prairies qui subissent le plus cruellement les effets de la crise, car il n'y a plus de marchés pour écouler les céréales de l'Ouest, qui représentaient auparavant le tiers des exportations canadiennes. Les prix s'effondrent : un boisseau de blé qui se vendait 1,03 $ en 1928 ne se vend plus que 0,38 $ quatre ans plus tard. Les activités du port de Montréal, le principal port d'exportation du blé vers l'Europe, diminuent fortement, ce qui entraîne de nombreuses pertes d'emplois chez les débardeurs et les cheminots.

D'autres secteurs, comme les industries forestières et minières, souffrent particulièrement du manque d'investissements et de la fermeture des marchés internationaux. Ainsi, au Québec, la valeur de la production annuelle des pâtes et papiers passe de 129 millions de dollars à 56 millions entre 1929 et 1933.

Jusqu'en 1933, la production nationale est en chute libre. Partout au Canada, les usines ferment, et celles qui parviennent à survivre licencient de nombreux employés. L'ampleur du chômage entraîne bientôt une baisse marquée de la consommation, ce qui réduit à son tour la production des biens manufacturés.

Le *Dust Bowl*

Dans les années 1930, les Prairies canadiennes sont victimes de la sécheresse et du *Dust Bowl* (tempête de poussière), laissant de nombreux agriculteurs dans la misère.

? Quels phénomènes autres que le *Dust Bowl* expliquent la courbe du diagramme ci-dessus concernant les exportations ?

Soupe populaire dans le sous-sol d'une église

Les organismes de charité comme la Société Saint-Vincent-de-Paul distribuent aux nécessiteux un bol de soupe et un morceau de pain. Certains ouvrent aussi des dortoirs pour les sans-abri.

? Selon vous, ces mesures étaient-elles suffisantes ?

Le monde ouvrier

La Grande Dépression (nom donné à cette crise économique) jette des millions de personnes dans la misère. Au pire de la crise, en 1933, on estime que 27 % de la population active au Canada et au Québec est sans emploi. Comme il n'existe ni assurance emploi ni aide sociale à cette époque, toutes ces personnes et souvent leurs familles se retrouvent sans ressources. Elles ne peuvent compter que sur les organismes de charité pour subvenir à leurs besoins.

Quant aux travailleurs et aux travailleuses, leurs conditions se détériorent. Ils acceptent d'importantes diminutions de salaire, en moyenne autour de 40 %. Dans plusieurs usines, le nombre d'heures de travail est réduit. En outre, les femmes sont invitées à laisser les emplois disponibles à des pères ayant une famille à leur charge. Malgré ces conditions, les ouvriers et les ouvrières se révoltent peu, par peur de perdre leur emploi mal rémunéré. L'affaiblissement du pouvoir de négociation des syndicats affecte le recrutement de leurs membres. Ainsi, en 1931, ils ne regroupent plus que 9 % des travailleurs et travailleuses comparativement à 17,3 % en 1921.

Témoignage d'un chômeur pendant la crise

John, un menuisier de profession, explique comment il voyage de ville en ville en quête d'un travail.

« Il arrivait fréquemment que les gars voyageaient entre deux wagons [de train]. C'était pour éviter le vent, les escarbilles [la poussière de goudron] qui leur arrivaient dans les yeux et pour se mettre principalement à l'abri du vent quand il faisait un peu froid. C'était une position très dangereuse parce qu'ici, s'ils avaient le pied pris entre les tampons, et que les employés donnaient un coup de frein, alors ils avaient le pied complètement broyé.

C'était tous les gens qui cherchaient du travail. Ils allaient d'une place à l'autre et ils n'avaient pas d'argent pour se transporter. Ils se servaient des *freights* [trains de marchandises]. »

Extrait du film *La turlute des années dures.*

? Selon vous, quels sont, pour un historien ou une historienne, les avantages et les inconvénients d'un témoignage oral comme celui-ci ?

Chômeurs en déplacement

Pour trouver du travail, les chômeurs voyagent à travers le pays.

? Selon vous, pourquoi ces personnes voyagent-elles sur le toit des wagons plutôt qu'à l'intérieur ?

1929 Effondrement de la Bourse de New York – *1936 Élection du premier gouvernement Duplessis* – *1939–1945 Seconde Guerre mondiale* – *1952 Début de la télévision au Québec* – *1960 Début de la Révolution tranquille* – *1967 Exposition universelle de Montréal* – *1970 Crise d'Octobre* – *1976 Élection du Parti québécois* – *1977 Adoption de la Charte de la langue française* – 1980

Paysans de la Gaspésie pendant la crise

Entre 1926 et 1935, les agriculteurs voient leurs revenus diminuer du tiers. En 1934, le gouvernement fédéral met sur pied un programme de subventions pour venir en aide aux fermiers endettés.

? Quel effet la crise aura-t-elle sur la migration des ruraux vers les villes ?

Le monde rural

Au Québec, les agriculteurs souffrent généralement moins de la crise économique que les ouvriers et les ouvrières dans les villes. Bien sûr, la baisse des prix et celle des exportations entraînent une diminution des revenus qu'ils tirent de la vente des céréales, des produits laitiers et du tabac. Mais, au moins, leur ferme leur assure un toit et une nourriture suffisante pour subvenir aux besoins de leur famille. Beaucoup retournent à une agriculture de subsistance pendant les années sombres et licencient une bonne partie de leur main-d'œuvre. Les agriculteurs ont du mal à rembourser les dettes qu'ils ont contractées avant 1929 et ils cessent d'investir dans la machinerie agricole.

Les mesures d'urgence

Au début de la crise, les gouvernements, persuadés que la situation ne durera pas, réagissent peu. Ils laissent aux organismes de charité privés, souvent dirigés par des communautés religieuses, le soin de soulager les chômeurs démunis. Toutefois, devant l'aggravation de la crise, ces organismes ne suffisent plus à la demande et le gouvernement comprend qu'il doit agir pour venir en aide à la population. Le gouvernement fédéral recourt d'abord à une méthode traditionnelle : comme la plupart des autres pays, il hausse ses tarifs douaniers pour protéger le marché intérieur canadien. Il contribue ainsi à la désorganisation du commerce international, créant une situation qui nuit aux exportations canadiennes.

La voix du monde ordinaire

Pendant la Grande Dépression, Mary Travers, mieux connue sous le nom de La Bolduc, devient la chanteuse la plus populaire du Québec et la première femme à vivre de ce métier. Elle se fait la porte-parole des hommes et des femmes de la classe ouvrière du Québec, racontant leur pauvreté et leurs misères dans des ballades telles que *Sans emploi* ou *Découragez-vous pas, ça va venir.* Issue elle-même d'une famille pauvre, elle a travaillé comme domestique et comme ouvrière avant de se marier et d'avoir de nombreux enfants.

Mary Rose Anna Travers, surnommée « La Bolduc »

« Ça coûte cher ce temps-ci, y faut se nourrir à crédit ;
Faut pas que ça monte à la grocerie, je me rabats sur les biscuits ;
Mais je peux pas faire de l'extra, mon petit mari ne travaille pas ;
À force de me priver de manger, j'ai l'estomac ratatiné. »
(Extrait de la chanson *Découragez-vous pas, ça va venir,* 1930)

? À quelle réalité de la crise économique ce passage fait-il référence ?

Les travaux publics et les camps de travail

Pour venir en aide aux chômeurs, l'État crée, à partir de 1930, des chantiers de travaux publics dont les coûts sont partagés entre le gouvernement fédéral, le gouvernement provincial et les municipalités. Pour donner de l'emploi aux hommes valides, les gouvernements font construire des routes, des tunnels, des terrains de jeux, etc. C'est d'ailleurs à cette époque que la construction de l'autoroute transcanadienne est entreprise.

En 1932, le gouvernement fédéral met également sur pied des camps de travail destinés aux chômeurs célibataires. En plus d'être logés et nourris, ceux-ci reçoivent 0,20 $ par jour pour effectuer divers travaux forestiers et routiers.

Chômeurs construisant une route au camp de Valcartier

Sous la direction de l'armée, un camp de travail est organisé à Valcartier, près de Québec. Au printemps 1935, le camp regroupe environ 1700 pensionnaires.

? Pour quelle raison le gouvernement met-il en place ce type de mesures ?

Les secours directs

Malgré les millions de dollars investis, les travaux publics n'absorbent qu'une partie du chômage. L'État se résigne à mettre sur pied des « secours directs », c'est-à-dire des allocations aux familles dans le besoin. Financés par les trois ordres de gouvernement (fédéral, provincial et municipal), ces secours sont gérés par les municipalités. Celles-ci distribuent des coupons échangeables contre de la nourriture, des vêtements, du bois de chauffage ou du charbon. Toutefois, les sommes allouées assurent à peine le minimum vital et les femmes doivent faire preuve d'une grande ingéniosité pour nourrir leur famille.

Les municipalités distribuent également de la nourriture et offrent des gîtes provisoires aux plus démunis. Ainsi, en 1930, la municipalité de Montréal distribue plus de un million de repas gratuits et loge 178 000 personnes.

Le retour à la terre

Pour résoudre les problèmes de chômage, les gouvernements fédéral et provincial encouragent la colonisation de nouvelles terres pour l'agriculture. Au Québec, les chômeurs reçoivent des subventions pour aller s'installer en Gaspésie, en Abitibi, au Saguenay–Lac-Saint-Jean et dans le Bas-Saint-Laurent. Le clergé, qui considère l'agriculture comme le refuge des traditions francophones, soutient lui aussi ce retour à la terre. Toutefois, cette colonisation est souvent temporaire. Une fois la prospérité revenue, plusieurs nouveaux colons abandonnent ces terres peu fertiles et reviennent en ville pour y trouver du travail.

LES SOMMES INVESTIES POUR L'AIDE AUX CHÔMEURS QUÉBÉCOIS, 1930-1940 (en millions de dollars)

	Secours directs	Travaux publics	Total
Fédéral	45,9	17,1	63,0
Provincial	59,6	56,4	116,0
Municipal	39,4	9,7	49,1
Total	145,0	83,2	248,1

? Quelle différence y a-t-il entre les secours directs et les travaux publics ?

Effondrement de la Bourse de New York — 1929
Élection du premier gouvernement Duplessis — 1936
Seconde Guerre mondiale — 1939-1945
Début de la télévision au Québec — 1952
Début de la Révolution tranquille — 1960
Exposition universelle de Montréal — 1967
Crise d'Octobre — 1970
Élection du Parti québécois — 1976
Adoption de la Charte de la langue française — 1977
1980

6

Colons en Abitibi

Dans les années 1930, la colonisation de l'Abitibi est organisée par le gouvernement, qui assure le transport et l'installation des colons. Cela transforme radicalement cette région.

? Selon vous, quelle différence y a-t-il entre ces colons et ceux de l'époque de la Nouvelle-France ?

La ruée vers le Nord !

Pendant la crise économique, l'Abitibi-Témiscamingue connaît un essor rapide : entre 1932 et 1939, 40 000 personnes viennent s'y installer. De nombreux colons tirent leurs revenus à la fois de l'agriculture et de l'exploitation forestière. Puis, en 1934, on découvre des mines d'or autour de Val-d'Or, de Malartic et de la faille minéralogique de Cadillac. Des dizaines de mines sont alors exploitées, stimulant le développement de la région. En 1935, l'Abitibi-Témiscamingue est devenue la région minière la plus importante de la province.

L'État intervient

Les mesures d'urgence adoptées par les gouvernements s'avèrent insuffisantes pour relancer l'économie du pays. Plusieurs hommes politiques remettent en cause le libéralisme économique et envisagent une intervention plus poussée de l'État dans les mécanismes de l'économie. Ils souhaitent contrôler davantage les rouages de l'économie, contrer les abus possibles de la libre entreprise et venir en aide aux travailleurs et aux travailleuses dans les périodes de récession. Cette intrusion de l'État dans le domaine économique s'appelle l'interventionnisme.

Le *New Deal* de Bennett

En 1935, le premier ministre du Canada, Richard B. Bennett, propose une série de mesures interventionnistes inspirées du *New Deal* du président américain F. D. Roosevelt, adopté deux ans plus tôt. Il fait adopter un **impôt progressif** sur le revenu, une réduction du nombre d'heures de travail, un salaire minimum, une assurance contre le chômage, les accidents du travail et les maladies, un ajustement des pensions de vieillesse (instaurées en 1927) et un programme d'aide aux agriculteurs.

Malgré cela, Bennett est battu lors des élections de 1935. Son successeur, le libéral William Lyon Mackenzie King, voulant s'assurer que le gouvernement fédéral a vraiment le droit d'intervenir dans ces domaines, demande au Conseil privé de Londres, la plus haute autorité judiciaire canadienne, de se prononcer sur cette question. Le tribunal invalide les mesures de Bennett car, selon la Constitution canadienne, elles relèvent des compétences provinciales. Il faudra attendre la Seconde Guerre mondiale pour que des lois interventionnistes soient adoptées de manière durable.

Richard Bedford Bennett

Le conservateur Richard Bedford Bennett est premier ministre du Canada de 1930 à 1935. Au début de la crise, il parvient à obtenir des tarifs préférentiels pour le Canada dans les pays de l'Empire britannique. Cette mesure, qui soulage l'économie canadienne, n'est cependant pas suffisante pour redresser la situation.

? Selon vous, comment cette mesure devait-elle favoriser l'économie canadienne ?

Arrivée des premiers êtres humains au Québec

1929 1980

6e réalité sociale

v. –7000/–6000 1500 1600 1700 1800 1900 2000

Le renouveau politique

Dans tout l'Occident, la crise économique provoque un bouillonnement d'idées. On cherche des explications à l'effondrement économique et des solutions pour remédier à la misère sociale créée par la crise. Le libéralisme, qui valorise la réussite individuelle et la libre entreprise, est fortement remis en cause. Beaucoup souhaitent que l'État abandonne le laisser-faire et qu'il intervienne davantage dans les rouages économiques et sociaux du pays. Au Canada et au Québec, les nouvelles idéologies favorisent la naissance de partis politiques, tant sur la scène fédérale que provinciale. Ces partis prônent tous un plus grand interventionnisme de l'État.

LES NOUVEAUX PARTIS POLITIQUES FÉDÉRAUX

PARTI	PROGRAMME PROPOSÉ
Parti communiste du Canada (PCC) Fondateur : Tim Buck Année : 1921	• À terme, il vise la suppression de la propriété privée et donc du système capitaliste. • Il veut donner le pouvoir à tous les travailleurs et travailleuses. • L'État, au nom des travailleurs et travailleuses, posséderait tous les biens de production, dirigerait l'économie et organiserait la société.
Crédit social (CS) Fondateur : William Aberhart (dit *Bible Bill*) Année : 1932	• Il soutient que les Canadiens n'ont pas assez d'argent pour consommer tous les biens produits. • Il voudrait distribuer des allocations (des crédits sociaux) à tous les citoyens pour augmenter leur pouvoir d'achat. • Cette mesure permettrait un meilleur équilibre entre la production et la consommation.
Cooperative Commonwealth Federation (CCF) Fondateur : J. S. Woodsworth Année : 1933	• Ce parti socialiste souhaite le bien-être général de la collectivité. • Il est en faveur de la nationalisation des secteurs les plus importants (chemin de fer, banques et assurances). • Il réclame des mesures sociales : assurance maladie, bien-être social, assurance chômage, allocations familiales, crédit agricole, indemnités pour les accidentés du travail.
Parti national social chrétien (PNSC) Fondateur : Adrien Arcand Année : 1934	• Ce parti, qui s'inspire du parti nazi allemand, souhaite le renforcement du pouvoir central au Canada et la consolidation des liens avec l'Empire britannique. • Il s'oppose aux communistes et aux Juifs. • En 1938, il s'allie aux partis nazis des Prairies et de l'Ontario pour former le Parti de l'unité nationale.

LES NOUVEAUX PARTIS POLITIQUES PROVINCIAUX

PARTI	PROGRAMME PROPOSÉ
Action libérale nationale (ALN) Fondateur : Paul Gouin Année : 1934	• Parti formé de jeunes libéraux dissidents qui dénoncent la corruption du Parti libéral. • Inspirée par la doctrine sociale de l'Église, l'ALN met l'accent sur l'agriculture et la colonisation, valeurs traditionnelles des Canadiens français. • Ce parti lutte contre les monopoles qui contrôlent les ressources naturelles essentielles, en particulier l'hydroélectricité. • Comme le CCF, l'ALN demande l'intervention de l'État en matière de sécurité sociale.
Union nationale (UN) Fondateur : Maurice Duplessis Année : 1936	• Parti formé par une alliance entre l'ALN et les conservateurs. Le chef du nouveau parti est le conservateur Maurice Duplessis. • Pendant la campagne électorale de 1936, le programme que propose l'Union nationale reprend les idées progressistes de l'ALN. Cependant, une fois élu, Duplessis abandonne une bonne part de ces idées.

? D'après ces deux tableaux, qu'est-ce qui distingue le programme du Parti communiste des autres programmes ?

Adolf Hitler

Dès son arrivée au pouvoir en 1933, Adolf Hitler interdit tous les autres partis politiques et enferme des milliers d'opposants et de Juifs dans des camps de concentration. Pendant la Seconde Guerre mondiale, six millions de Juifs et de Juives trouvent la mort dans les camps d'extermination.

? Selon vous, pourquoi Hitler a-t-il convaincu une grande partie du peuple allemand de le suivre ?

Le Canada de nouveau en guerre

Le déclenchement de la guerre

Pendant la crise économique, certains pays d'Europe, dont l'Italie et l'Allemagne, adoptent des régimes **fascistes.** Dans ces dictatures, l'État possède le contrôle absolu sur tous les aspects de la société (politique, économie, culture, vie privée de la population). Les idéologies fascistes glorifient également la guerre et l'expansion du territoire.

En Allemagne, Adolf Hitler fonde le Parti national-socialiste des travailleurs allemands, appelé le parti nazi. Ce parti fasciste exalte la supériorité de la race allemande et souhaite la purifier, notamment en éliminant les Juifs et les communistes. Arrivé au pouvoir en 1933, Hitler relance l'économie allemande en militarisant la société et en adoptant une politique extérieure agressive.

Le 1er septembre 1939, l'invasion de la Pologne par les armées allemandes pousse la France et la Grande-Bretagne à déclarer la guerre deux jours plus tard. Éclate alors un nouveau conflit mondial, plus long et plus meurtrier que le précédent. Il s'étend rapidement à presque tous les pays et oppose deux grands blocs. D'un côté, les puissances de l'Axe : l'Allemagne, l'Italie et le Japon. De l'autre, les Alliés : la France, la Grande-Bretagne, les pays du Commonwealth et, à partir de 1941, l'URSS et les États-Unis.

L'entrée en guerre du Canada

Le 10 septembre 1939, le Canada déclare lui aussi la guerre à l'Allemagne et, quelques mois plus tard, à l'Italie et au Japon. Comme le pays ne dépend plus de la Grande-Bretagne en matière de politique extérieure, c'est le Parlement qui vote son entrée en guerre. La Loi sur les mesures de guerre est aussitôt décrétée, ce qui confère au gouvernement fédéral des pouvoirs très étendus.

Afin de mobiliser toutes les ressources humaines et matérielles du pays pour l'effort de guerre, l'État gère désormais la main-d'œuvre, fixe les prix, décide de l'usage des différentes ressources, rationne les produits. Il peut aussi censurer l'information et interner des personnes sans procès. Enfin, pendant les six années que dure le conflit, le Cabinet fédéral peut gouverner par **décret,** en se passant du Parlement.

Internement des Canadiens d'origine japonaise pendant la Seconde Guerre mondiale

En 1942, en vertu de la Loi sur les mesures de guerre, le gouvernement canadien ordonne le déplacement de tous les Japonais résidant en Colombie-Britannique. Jusqu'à la fin du conflit, 760 personnes de nationalité japonaise sont emprisonnées alors que 20 000 autres sont relocalisées dans des régions isolées. En 1990, le gouvernement canadien reconnaît être allé trop loin et accorde un dédommagement financier aux victimes de ces mesures.

? Selon vous, ce geste du gouvernement fédéral est-il justifié ? En vertu de son « devoir de mémoire », un gouvernement doit-il dédommager toutes les victimes d'injustice dans le passé ?

Une économie de guerre

Au début de la guerre, le Canada dispose d'une armée réduite ; il n'a pratiquement aucune réserve de munitions et ses armes datent en général de la Première Guerre mondiale. Les industries du pays entreprennent donc de se reconvertir afin de fournir des vêtements, des armes, du matériel de guerre et de la nourriture aux troupes alliées. Ainsi, les ateliers de vêtements confectionnent des uniformes, les fabriques de chaussures produisent des bottes pour les soldats, les usines d'automobiles fabriquent des véhicules blindés, les usines chimiques préparent des explosifs, etc.

Pour satisfaire à la demande des Alliés, les usines doivent tourner à plein régime et embaucher des milliers de travailleurs et de travailleuses. Au Québec, les industries connaissent une croissance importante, surtout les usines de produits chimiques, de métaux non ferreux, de construction aéronautique et navale, de produits du fer et de l'acier, et d'appareils électriques.

Ainsi, la guerre ramène la prospérité au pays. Elle relance également l'agriculture, car le Canada, en plus de nourrir sa population, doit fournir des vivres aux troupes alliées. Celles-ci deviennent presque totalement dépendantes de la production canadienne après la défaite de la France en août 1940, alors qu'Hitler contrôle pratiquement toute l'Europe occidentale.

Affiche de propagande pour l'effort de guerre

Pendant la guerre, le gouvernement fédéral lance des campagnes publicitaires massives pour influencer le comportement de la population. En vertu de la Loi sur les mesures de guerre, il censure également l'information diffusée au public.

? Quel message cette affiche veut-elle transmettre ? À qui s'adresse-t-elle plus particulièrement ?

L'État et l'économie de guerre

Afin de fournir le meilleur soutien matériel possible, le gouvernement oriente et contrôle l'ensemble de la production, plaçant les objectifs militaires en priorité absolue. Le budget alloué par l'État à cette production gonfle de manière spectaculaire. Pendant quelques années, le gouvernement fédéral est le principal acheteur de tous les biens et services.

Pour financer l'effort de guerre, le gouvernement émet des « bons de la victoire », comme il l'avait fait pendant la Première Guerre mondiale. Il emprunte de cette manière 12 milliards de dollars aux Canadiens. De plus, en 1942, il s'entend avec toutes les provinces pour obtenir le droit exclusif de lever des impôts sur le revenu des particuliers et les profits des entreprises pendant la durée de la guerre.

Sous-marin allemand

Pendant toute la guerre, les Allemands tentent d'empêcher les navires canadiens de se rendre en Grande-Bretagne. Quelques sous-marins allemands parviennent même à pénétrer dans l'embouchure du Saint-Laurent.

1929	1936	1939	1945	1952	1960	1967	1970	1976	1977	1980
Effondrement de la Bourse de New York	Élection du premier gouvernement Duplessis	Seconde Guerre mondiale		Début de la télévision au Québec	Début de la Révolution tranquille	Exposition universelle de Montréal	Crise d'Octobre	Élection du Parti québécois	Adoption de la Charte de la langue française	

Travailler pendant la guerre

Avec le retour de la prospérité, des milliers de travailleurs et de travailleuses reprennent le chemin de l'usine. Les mouvements de cette main-d'œuvre sont soigneusement contrôlés par l'État : les travailleurs ne peuvent pas changer d'emploi sans autorisation officielle, les agriculteurs ne peuvent pas travailler dans l'industrie, les employeurs doivent passer par des agences officielles pour embaucher des ouvriers, les chômeurs doivent être enregistrés, etc.

Malgré cela, les conditions de travail s'améliorent sensiblement. Grâce à la forte demande de main-d'œuvre, les salaires augmentent substantiellement : la moyenne des salaires hebdomadaires passe de 21,26 $ en 1939 à 30,88 $ en 1945. Des avantages sociaux, telles des vacances payées et des caisses de retraite, commencent à se répandre. De plus, de nombreuses personnes reçoivent une meilleure formation pour répondre aux besoins des industries de pointe qui utilisent des technologies avancées telles l'avionnerie et l'industrie chimique.

Les femmes sont de plus en plus nombreuses sur le marché du travail, car elles prennent la relève des soldats partis au front. Ainsi, la proportion de femmes salariées est d'environ 22 % au cours de la guerre et leur nombre atteint plus de 285 000 à la fin du conflit. Certaines d'entre elles ont la possibilité d'apprendre des métiers traditionnellement réservés aux hommes et deviennent mécaniciennes, chauffeuses de camion ou soudeuses.

Ouvrières dans une usine de munitions

Pendant la guerre, les femmes démontrent qu'elles possèdent les compétences nécessaires pour occuper des emplois traditionnellement masculins. Elles prennent conscience du rôle important qu'elles peuvent jouer dans la vie économique.

? Selon vous, comment la Seconde Guerre mondiale a-t-elle transformé la condition féminine au Québec ?

Le rationnement

Le gouvernement fédéral invite toute la population à participer à l'effort de guerre en imposant une diminution de la consommation quotidienne sur certains produits de base devenus plus rares. Il distribue aux familles des cartes de rationnement qu'elles utilisent pour se procurer du sucre, du lait, du beurre, de la viande, du thé ou du café. À compter de 1942, l'essence est aussi rationnée et les limites de vitesse sont abaissées à 65 km/h, ce qui réduit la consommation d'essence et ménage les pneus.

Enfin, le gouvernement appelle les mères de famille à recycler leurs déchets afin de les réutiliser dans l'industrie de guerre. Ainsi, le métal des vieilles casseroles, des boîtes de conserve et des autres contenants métalliques est employé dans la fabrication des armes.

Affiche de propagande pour la récupération

La publicité gouvernementale destinée à promouvoir le recyclage des déchets s'adresse en particulier aux mères de famille, car ce sont elles qui gèrent la vie domestique. On veut les convaincre que leur participation est indispensable à l'effort de guerre. Ce message s'adresse aussi à d'autres groupes de la société, dont les agriculteurs.

? Décrivez dans vos mots le message de cette affiche et le moyen pris pour le transmettre. Aujourd'hui, fait-on de la récupération pour les mêmes raisons ?

Les combattants canadiens

La participation du Canada à la guerre ne se limite pas au soutien matériel des Alliés. Dès les premiers mois du conflit, des milliers d'hommes s'enrôlent volontairement pour aller combattre outre-mer. Au total, près de 600 000 Canadiens, principalement des hommes, partent pour l'Europe. De ce nombre, 42 000 tombent au front et 53 000 sont blessés, portés disparus ou non rapatriés.

Débarquement de soldats canadiens en Normandie

Le débarquement de Normandie est l'une des opérations militaires les plus gigantesques jamais organisées. Le 6 juin 1944, connu aussi sous le nom de « jour J », 2154 navires et péniches traversent la Manche pour envahir le nord-ouest de l'Europe. Ils transportent 250 000 hommes protégés par une flotte aérienne de 9000 avions.

? D'après cette photographie, les soldats canadiens semblent-ils se heurter à une forte résistance des Allemands ?

Les Canadiens français, désireux d'échapper au chômage, joignent eux aussi les rangs de l'armée en grand nombre. En 1941, ils représentent près de 20 % des effectifs militaires. Toutefois, les forces armées demeurent peu accueillantes pour eux, car la vie s'y déroule majoritairement en anglais, particulièrement dans la marine et dans l'aviation. Il n'existe que trois unités strictement francophones dans l'infanterie canadienne, ce qui est insuffisant pour absorber toutes les recrues francophones.

En août 1942, les soldats canadiens participent pour la première fois aux combats armés lors d'un débarquement à Dieppe, dans le nord de la France. Sur les 6000 soldats, 5000 sont Canadiens. Des incidents imprévus entraînent l'échec du débarquement, faisant 900 morts, 500 blessés et plus de 1000 prisonniers. En 1943, environ 90 000 soldats canadiens prennent part à la campagne d'Italie, puis en juin 1944, ils participent au débarquement de Normandie et à la libération de l'Europe. Ils interviennent surtout en Belgique, aux Pays-Bas, en Allemagne et dans le nord de la France. Les 400 navires de la marine canadienne sont chargés d'assurer la sécurité des navires marchands qui transportent des vivres et du matériel militaire vers la Grande-Bretagne. De plus, l'aviation royale du Canada participe à toutes les opérations en Europe et fait la chasse aux sous-marins allemands dans l'Atlantique Nord.

Les femmes jouent également un rôle important dans l'armée canadienne. À cause de la pénurie de soldats, le gouvernement enrôle 45 000 femmes pendant le conflit ; la plupart sont célibataires. Dès la fin des hostilités, on les encourage à rentrer au foyer, tout comme les ouvrières, car on considère toujours que la place des femmes est à la maison. Néanmoins, à plus long terme, la guerre aura changé les mentalités à l'égard de la place des femmes dans la société.

Femmes militaires pliant des parachutes

Le gouvernement organise trois sections féminines à qui il confie des tâches auxiliaires : travail de bureau, infirmerie, cuisine, ménage, communications, mécanique, etc. Toutefois, ces femmes n'approchent guère des champs de bataille.

? Qu'en est-il aujourd'hui de la présence des femmes dans l'armée canadienne ?

1929 Effondrement de la Bourse de New York – 1936 Élection du premier gouvernement Duplessis – 1939-1945 Seconde Guerre mondiale – 1952 Début de la télévision au Québec – 1960 Début de la Révolution tranquille – 1967 Exposition universelle de Montréal – 1970 Crise d'Octobre – 1976 Élection du Parti québécois – 1977 Adoption de la Charte de la langue française – 1980

La conscription

Avant même que la Seconde Guerre mondiale soit déclenchée, la menace du conflit ranime les débats sur la conscription. Le premier ministre du Canada, William Lyon Mackenzie King, désireux d'éviter une crise comme celle de 1917, promet à plusieurs reprises aux Canadiens français que l'enrôlement dans l'armée ne sera pas obligatoire pour le service outre-mer. En octobre 1939, lors des élections provinciales, les libéraux fédéraux apportent leur appui aux libéraux provinciaux, alors dirigés par Adélard Godbout, en soutenant qu'ils sont le meilleur rempart contre la conscription. Mais en 1942, alors que la situation s'aggrave en Europe et que la demande de soldats se fait de plus en plus grande, des groupes canadiens-anglais réclament le service militaire obligatoire. Ils accusent en outre les francophones de ne pas faire leur part.

André Laurendeau, fondateur du Bloc populaire

En septembre 1942, des anciens de la Ligue pour la défense du Canada fondent un nouveau parti politique, le Bloc populaire canadien. André Laurendeau, futur rédacteur en chef du *Devoir,* dirige la branche provinciale du parti.

Mackenzie King organise alors un **plébiscite** pour demander à la population canadienne de le libérer des promesses faites. Au Québec, sachant que la majorité canadienne-anglaise approuve la conscription et se sentant trahis par le premier ministre qui veut se libérer de ses promesses, les francophones s'opposent farouchement à la tenue d'un plébiscite national. Les Canadiens français acceptent de participer à l'effort de guerre, mais ils se montrent peu empressés à aller combattre pour l'Angleterre, qu'ils considèrent toujours comme une puissance impérialiste. Aussi, en février 1942, un mouvement de protestation contre la conscription s'organise. De jeunes nationalistes, dont André Laurendeau, Jean Drapeau, Maxime Raymond, Michel Chartrand et Simonne Monet-Chartrand fondent la Ligue pour la défense du Canada.

Le 27 avril 1942, les résultats du plébiscite révèlent une fois de plus la division entre les francophones et les anglophones. Dans l'ensemble du Canada, le oui l'emporte avec 63,7 %, mais ce résultat est tout autre au Québec, où 71,2 % de la population, dont 85 % de francophones, refuse de libérer le gouvernement de ses engagements. Dans le reste du Canada, 77 % de la population vote oui, autorisant le fédéral à ordonner la conscription. Toutefois, Mackenzie King n'impose cette mesure qu'à la fin de 1944. Seul un petit nombre de soldats conscrits se rendent effectivement sur le champ de bataille, car les combats cessent en mai 1945.

On ne rit pas avec la conscription

Le 2 août 1940, le maire de Montréal et ancien chef du Parti conservateur du Québec, Camillien Houde, déclare à des journalistes qu'il s'oppose à la conscription et qu'il n'entend pas se conformer à l'enregistrement national. Ses propos choquent les anglophones. Trois jours plus tard, des policiers fédéraux procèdent à son arrestation et l'emmènent au camp de Petawawa en Ontario, où il restera pendant toute la période de la guerre. À son retour en 1944, il sera réélu à la mairie de Montréal.

Une vague de modernisation au Québec

Aux élections provinciales d'octobre 1939, les Québécois élisent les libéraux d'Adélard Godbout. L'accession au pouvoir de ce gouvernement donne une orientation nettement **progressiste** à la politique québécoise. Godbout entreprend de nombreuses réformes dans les domaines économique et social.

Les réformes d'Adélard Godbout

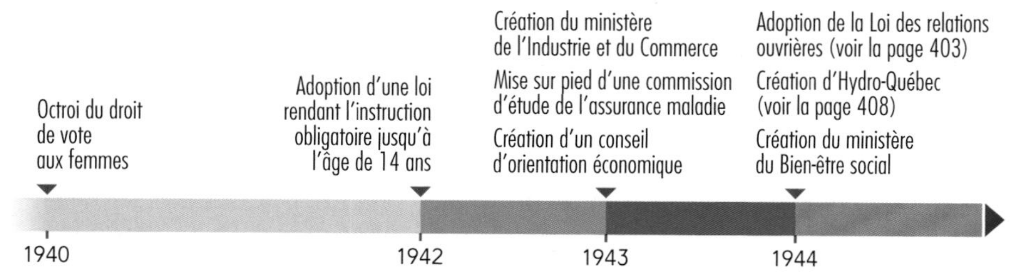

Adélard Godbout

Adélard Godbout est premier ministre du Québec de 1939 à 1944. Malgré toutes les réformes qu'il entreprend, on lui reproche de n'avoir pas su protéger les intérêts du Québec contre la centralisation du gouvernement fédéral.

? Récemment, certaines personnes ont déploré l'oubli dans lequel était tombé Godbout dans notre histoire à cause de sa position à l'égard du gouvernement fédéral. Qu'en pensez-vous ?

Les Québécoises aux urnes

Malgré l'opposition du clergé, des féministes québécoises ne cessent de revendiquer le droit de vote pour les femmes depuis la Première Guerre mondiale. En 1927, Idola Saint-Jean fonde l'Alliance canadienne pour le vote des femmes au Québec. L'année suivante, Thérèse Casgrain devient présidente du Comité provincial pour le suffrage féminin (qu'elle nomme Ligue des droits de la femme). Année après année, ces deux associations se présentent devant l'Assemblée législative du Québec pour réclamer le droit de vote.

Durant la campagne électorale de 1939, Godbout promet d'accorder le vote aux femmes s'il est élu. Il remplit sa promesse en 1940, après avoir réussi à convaincre les autorités catholiques.

? Débattez de la question suivante en classe : « Qu'est-ce qui explique que le Québec soit la dernière province canadienne à accorder le droit de vote aux femmes aux élections provinciales ? »

Thérèse Casgrain

Thérèse Casgrain est l'une des grandes figures du mouvement féministe au Québec. En plus d'œuvrer pour l'obtention du droit de vote, elle participe à la fondation de la Ligue des droits de l'homme en 1960 et à celle de la Fédération des femmes du Québec en 1966.

? Selon vous, peut-on réaliser des changements importants dans la société sans l'action militante de personnes comme Thérèse Casgrain ?

QUESTIONS DE SYNTHÈSE

1. Quelles sont les causes de la crise des années 1930 ? Quelles sont les principales conséquences économiques et sociales de cette crise au Québec ?
2. Comment cette crise a-t-elle entraîné des changements sur la scène politique au Québec et au Canada ?
3. Décrivez les principaux effets de la Seconde Guerre mondiale au Québec en ce qui a trait à l'effort de guerre, aux relations intergouvernementales et à la situation des femmes.

Entre la tradition et le changement (1945-1960)

La production manufacturière et minière du Québec (1940-1960)

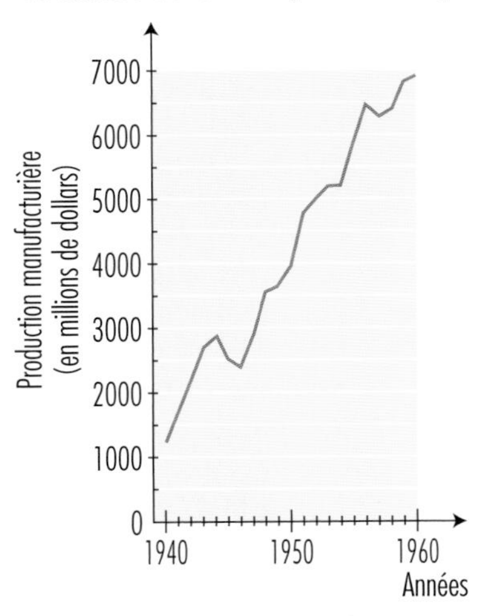

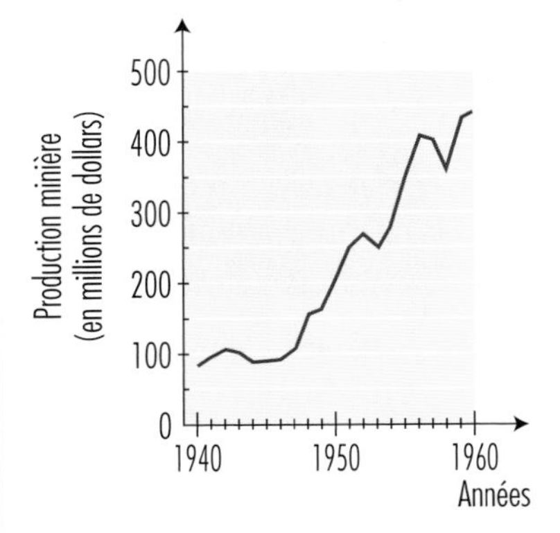

D'après ces deux diagrammes, que pouvez-vous dire de l'évolution de l'économie québécoise au cours de cette période ? Quelles ont été les années de ralentissement économique ?

Après la Seconde Guerre mondiale, le Québec est dominé par la personnalité de son premier ministre, Maurice Duplessis. La société est alors marquée, d'une part, par l'opposition entre les forces de la tradition et, d'autre part, par les transformations rapides et la volonté de changement. Le développement des nouveaux moyens de **communication de masse,** telle la télévision, mène à une américanisation du mode de vie axé de plus en plus sur la société de consommation.

La prospérité économique

Au cours des trente années qui suivent la Seconde Guerre mondiale, le Québec connaît une activité économique fébrile, comme la plupart des pays occidentaux. Ces années d'intense croissance économique portent le nom de « Trente Glorieuses ». La production et le nombre d'emplois augmentent rapidement alors que l'Europe, en pleine reconstruction, importe de nombreux produits canadiens. Les économies accumulées pendant la guerre favorisent la consommation de produits manufacturés tels des automobiles, des meubles et des appareils électroménagers.

La prospérité économique est également liée au contexte de la **guerre froide** qui oppose les capitalistes et les communistes. Les États-Unis se dotent d'un arsenal militaire et viennent puiser au Québec un grand nombre de ressources naturelles, notamment du fer. Ils implantent plusieurs entreprises au Québec, notamment dans le secteur minier, le papier et l'affinage des métaux. Au total, ils contrôlent les trois quarts des investissements étrangers au Canada, ce qui place le pays dans une situation de dépendance économique. Vers 1960, seuls les secteurs traditionnels (aliments et boissons, textile, vêtement) sont encore aux mains d'intérêts canadiens, le plus souvent aux mains des anglophones.

Navire marchand dans la voie maritime du Saint-Laurent

Inaugurée en 1959, la voie maritime est un réseau d'écluses et de canaux qui permet de naviguer entre les Grands Lacs et l'océan Atlantique. Financée à la fois par les États-Unis et le Canada, elle permet d'acheminer plus facilement les ressources naturelles vers le marché américain.

Selon vous, quels avantages le transport maritime offre-t-il comparativement au transport aérien ou terrestre ?

L'heure du conte à Rivière-du-Loup

En raison du baby-boom, les enfants occupent une place croissante dans la vie économique et sociale du Québec. On doit construire des écoles, des cliniques de pédiatrie et d'obstétrique, mettre sur pied des colonies de vacances, etc.

? Aujourd'hui, à quelle tranche d'âge les enfants du baby-boom correspondent-ils ?

6

Le baby-boom et l'immigration

Après le retour des soldats, la population du Québec connaît une remarquable croissance. Entre 1951 et 1961, elle passe de 4 à 5 millions alors que celle du Canada passe de 14 à 18 millions.

Le baby-boom

La crise et la guerre ont provoqué une baisse de la natalité au Québec. Les difficultés économiques et le rationnement ont contraint les couples à retarder leur mariage ou les naissances. Mais le retour des soldats canadiens et la prospérité économique entraînent une explosion des naissances qui permet de rattraper le retard. Ce phénomène, qualifié de **baby-boom**, se produit ailleurs aussi, par exemple en Australie, aux États-Unis et dans le reste du Canada.

Parallèlement au taux de natalité élevé des années 1945-1960 (environ 30 naissances pour mille personnes), on enregistre une diminution constante de la mortalité infantile. Cette situation est attribuable à de meilleures conditions d'hygiène, notamment à l'amélioration de la qualité de l'eau et du lait. La combinaison de ces facteurs entraîne un rajeunissement de la population du Québec : en 1961, plus de 44 % des Québécois et Québécoises ont moins de 19 ans.

L'immigration

Après la guerre, de nombreux étrangers, fuyant leur pays en ruine, arrivent au Canada dans l'espoir d'y trouver une vie meilleure. La plupart viennent du sud de l'Europe, notamment d'Italie. De 1946 à 1960, le Canada accueille près de deux millions d'immigrants et d'immigrantes. De ce nombre, plus de 400 000 choisissent de s'installer au Québec, principalement à Montréal.

À cette époque, la province ne possède aucune structure d'accueil et d'intégration pour les nouveaux venus. Ce sont généralement les membres des diverses communautés ethniques déjà installés au pays qui prennent en charge les arrivants. Ces communautés ont tendance à se regrouper dans certains quartiers pour y perpétuer leur culture et leurs traditions. Leur venue transforme le visage de Montréal qui devient plus cosmopolite.

Immigrants hollandais arrivant au Québec

Le gouvernement fédéral, qui administre l'immigration, facilite la venue d'immigrants en provenance d'Europe, mais il limite l'immigration des Asiatiques, des Africains et des Sud-Américains.

? Selon vous, pourquoi tant d'Européens ont-ils voulu quitter leur pays après 1945 ? Selon vous, pourquoi le gouvernement limite-t-il l'immigration des Asiatiques, des Africains et des Sud-Américains ?

Effondrement de la Bourse de New York (1929) – *Élection du premier gouvernement Duplessis* (1936) – *Seconde Guerre mondiale* (1939-1945) – *Début de la télévision au Québec* (1952) – *Début de la Révolution tranquille* (1960) – *Exposition universelle de Montréal* (1967) – *Crise d'Octobre* (1970) – *Élection du Parti québécois* (1976) – *Adoption de la Charte de la langue française* (1977) – 1980

Le développement des banlieues

Dans les années 1950, les banlieues se développent autour de Montréal et de Québec. Mal desservies par les transports en commun, elles deviennent le royaume de l'automobile. Les familles y vivent dans des maisons individuelles entourées de pelouse, loin de la pollution du centre-ville.

? D'après cette photographie, relevez quelques caractéristiques d'un quartier de banlieue.

Un nouveau mode de vie : l'*American way of life*

Une société de consommation

La prospérité de l'après-guerre entraîne une amélioration du niveau de vie des Québécois et Québécoises. Leur revenu annuel s'accroît sensiblement, passant d'une moyenne de 655 $ en 1946 à une moyenne de 1455 $ en 1961. De plus, comme le niveau des prix augmente plus lentement que celui des revenus personnels, chacun a un plus grand pouvoir d'achat. Plusieurs consommateurs et consommatrices peuvent également compter sur les épargnes faites pendant la guerre, alors que le rationnement et la production militaire les empêchaient de se procurer les biens qu'ils convoitaient.

Un nombre croissant de Québécois et de Québécoises adoptent des habitudes de consommation et un mode de vie à l'américaine. Cet *American way of life* repose sur la réussite personnelle, sur la capacité de consommer des biens autrefois considérés comme luxueux, tels l'automobile et les appareils électroménagers, sur l'accès à la propriété et sur les loisirs. Il exprime aussi un idéal selon lequel la consommation est un gage de bonheur.

Les publicités qui véhiculent cette nouvelle façon de vivre présentent une image de la femme au foyer souriante, entourée des appareils électroménagers qui allègent ses tâches quotidiennes et lui facilitent la vie. Quant à l'homme, il se tient fièrement aux côtés de son automobile avec les nombreux outils qu'il utilise pour l'entretien de sa propriété.

Jusqu'à $150 ALLOUÉS
pour votre vieux poêle
Sans égard à sa condition sur l'achat du poêle neuf
McCLARY
Occasion unique de vous débarrasser de votre vieux poêle
POELE COMBINE
• ELECTRICITE
• BOIS
• CHARBON
Rég. $358
Allocation $129
pour aussi peu que $229
POELE ELECTRIQUE
Rég. $358
Allocation $139
pour aussi peu que $219
POELE à GAZ
• 4 feux réglables
• Réchaud-grilleur
Rég. $219
Allocation $60
pour aussi peu que $159
POELE à GAZ
avec brûleur (pot burner)
• Four réglé au thermostat
• Réchaud-grilleur
• Lampe de surface, etc.
REG. $289
ALLOCATION $100
$189
Autres modèles $99
Termes faciles
18 mois pour payer
LIVRAISON IMMEDIATE
Visitez notre département d'accessoires électriques
Stock neuf et complètement garanti.
"Argent remis si non satisfait"
Quincaillerie TRUDEAU Ltée
6541 ST-LAURENT GR. 3594

Publicité parue dans le journal *La Patrie*

Les publicités qui envahissent les journaux, les magazines, les émissions de radio et de télévision stimulent la consommation, et illustrent les idéaux de l'*American way of life*.

? D'après cette image, nommez quelques caractéristiques de la publicité en tant que source d'information pour un historien ou une historienne.

Le règne des électroménagers

Après la Seconde Guerre mondiale, la production d'électroménagers, qui avait pratiquement cessé pendant le conflit, reprend à un rythme accéléré. Grâce aux réfrigérateurs, aux machines à laver, aux aspirateurs, aux grille-pain et aux autres appareils électriques, une bonne partie de la population accède au confort matériel moderne.

Le nombre de foyers dotés de tels appareils grimpe rapidement. Entre 1951 et 1961, le pourcentage de logements équipés d'un réfrigérateur passe de 47 à 92 %. Quant au téléphone, il est présent dans 84 % des foyers en 1960 alors que cette proportion n'était que de 33 % avant la guerre.

? Dans votre environnement immédiat, cherchez des appareils datant des années 1950 ou 1960 et déterminez la date de leur fabrication.

Les médias de masse

Les moyens de communication de masse, qui se développent de manière spectaculaire à cette époque, propagent les valeurs de la société américaine. Les publicités diffusées par la radio, la télévision, les journaux et les magazines stimulent la consommation et font l'éloge du confort moderne. Les salles de cinéma, dont la fréquentation atteint des sommets, projettent surtout des longs métrages en provenance des États-Unis.

Quant à la radio, elle continue d'étendre son rayonnement, atteignant 90 % des foyers en 1950. Les stations de radiodiffusion privées se multiplient, passant de 25 en 1948 à 42 en 1960. Elles diffusent les orchestres de jazz et les vedettes du rock and roll américain, dont Elvis Presley et les Platters. Seule la Société Radio-Canada, créée par le gouvernement de Mackenzie King en 1936, privilégie un contenu principalement canadien et des émissions éducatives et culturelles (concerts, pièces de théâtre).

Elvis Presley

Elvis Presley, surnommé le « King », est l'une des figures mythiques du rock and roll, courant musical auquel s'identifie rapidement la jeunesse québécoise. De son vivant, Elvis a vendu 700 millions d'albums, donné 1054 concerts aux États-Unis et 3 au Canada, et il a joué dans 31 films.

? De nos jours, les jeunes Québécoises et Québécois apprécient-ils toujours autant la culture anglo-américaine ?

Toutefois, la grande innovation de l'après-guerre est sans conteste la télévision. Mise au point à la fin des années 1920, elle se répand tardivement au Canada. À l'automne 1952, la production et la diffusion d'émissions télévisées sont confiées à Radio-Canada. Cette chaîne transmet des émissions culturelles, des émissions pour enfants, des émissions d'information, des jeux télévisés et la célèbre *Soirée du hockey*. En outre, elle transforme les radioromans les plus populaires en téléromans, dont *Les Plouffe* et *Le Survenant*. Plusieurs émissions américaines traduites sont aussi diffusées sur les ondes de Radio-Canada. En quelques années, les toits se couvrent d'antennes de télévision : en 1960, on trouve des téléviseurs dans 89 % des foyers québécois.

L'essor des communications de masse uniformise le mode de vie et transforme les manières de penser de la population québécoise. Celle-ci s'ouvre davantage sur le monde et sur les idées nouvelles. Même l'isolement des campagnes est brisé par la radio et la télévision. Ces médias participent donc activement à la modernisation de la société québécoise.

***Les Plouffe*, une série télévisée populaire**

Inspirées d'un roman de Roger Lemelin publié en 1948, les aventures de la famille Plouffe sont avidement suivies par la population québécoise à la radio en 1952, puis à la télévision de 1953 à 1959. Une adaptation en anglais connaît même un grand succès dans le reste du Canada.

? Pourquoi dit-on que la télévision est le miroir de la société ?

Effondrement de la Bourse de New York — 1929
Élection du premier gouvernement Duplessis — 1936
Seconde Guerre mondiale — 1939–1945
Début de la télévision au Québec — 1952
Début de la Révolution tranquille — 1960
Exposition universelle de Montréal — 1967
Crise d'Octobre — 1970
Élection du Parti québécois — 1976
Adoption de la Charte de la langue française — 1977
1980

Maurice Le Noblet Duplessis

Surnommé le « Chef », Maurice Duplessis domine entièrement son parti et l'Assemblée législative du Québec. Il cumule les fonctions de premier ministre et de procureur général, c'est-à-dire de ministre de la Justice.

? Certaines personnes ont dit de Duplessis qu'il était un « dictateur ». Qu'en pensez-vous ? Justifiez votre réponse.

Le gouvernement Duplessis

Aux élections de 1944, l'Union nationale, avec à sa tête Maurice Duplessis, fait élire plus de députés que le Parti libéral et forme le gouvernement. Pendant 15 ans, le parti de Duplessis se maintient au pouvoir. Certains historiens et historiennes ont qualifié cette période de « Grande Noirceur », faisant allusion à une époque sombre et peu glorieuse de l'histoire du Québec. Les politiques de Duplessis se caractérisent en effet par leur conservatisme, c'est-à-dire qu'elles cherchent à perpétuer des valeurs traditionnelles, axées sur l'importance de l'agriculture, de la religion catholique et de la langue française.

Les politiques économiques

Sur le plan économique, Duplessis applique le libéralisme qui prévalait avant la crise. Il intervient le moins possible et laisse le soin aux entreprises privées de développer l'économie de la province et de créer des emplois. Il se montre très favorable aux investissements étrangers et cherche à attirer des entreprises américaines en leur accordant des conditions avantageuses. Ainsi, il leur cède de vastes concessions minières et forestières à des prix dérisoires tout en leur imposant des taxes peu élevées. En contrepartie, les entreprises s'engagent à mettre en place l'infrastructure nécessaire (ponts, routes, chemins de fer, services aux citoyens). Cela entraîne le développement de nouvelles régions, dont la Côte-Nord, le Nouveau-Québec et la Gaspésie.

Les politiques sociales

Sur les plans social et économique, le gouvernement Duplessis intervient peu. Il ne préconise pas de politique sociale d'ensemble : il préfère confier aux communautés religieuses les soins de santé et l'enseignement. Toutefois, avec l'explosion démographique, les religieux et les religieuses n'arrivent plus à combler tous les besoins, et doivent embaucher un nombre croissant de laïcs et de laïques. Par conséquent, l'État se voit obligé de subventionner de plus en plus les services sociaux. En 1946, Duplessis crée un ministère du Bien-être social et de la Jeunesse chargé d'appliquer les mesures sociales, de superviser l'administration et l'enseignement dans les écoles spécialisées, et de s'occuper des jeunes délinquants et délinquantes qui ont des démêlés avec la justice.

Mineur à Chibougamau en 1953

L'exploitation des richesses naturelles entraîne l'apparition de nouvelles villes, dont Schefferville (Nouveau-Québec), Chibougamau (Saguenay–Lac-Saint-Jean) et Murdochville (Gaspésie). Ces villes sont situées dans des régions isolées, loin des grands axes de communication.

? Selon vous, le gouvernement Duplessis avait-il raison de favoriser les entreprises américaines pour qu'elles viennent s'installer au Québec ? Justifiez votre réponse.

Les campagnes se branchent

L'électrification des campagnes contribue à la modernisation des techniques agricoles. Par exemple, les fermes laitières disposent désormais de systèmes de réfrigération pour la conservation du lait.

? Nommez d'autres effets de l'électricité sur la vie des agriculteurs de cette époque.

Les résultats des élections provinciales (1944-1956)

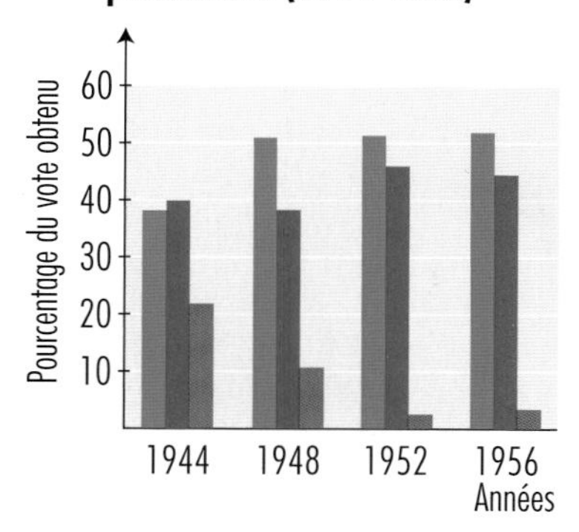

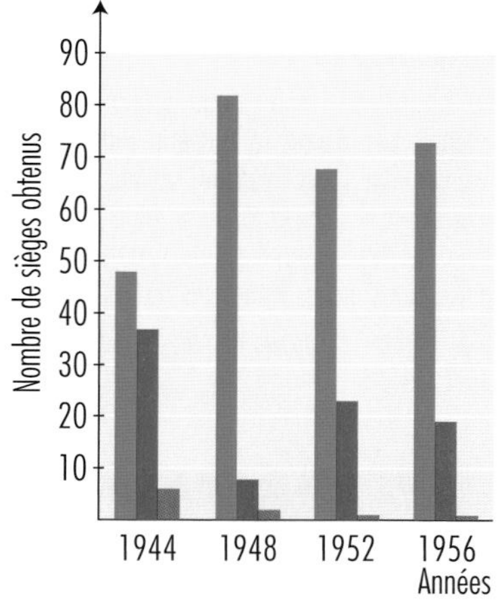

- Union nationale
- Parti libéral
- Autres

? Pour l'année 1944, comparez le pourcentage du vote et le nombre de sièges obtenus par l'Union nationale. Que remarquez-vous ?

Le Québec agricole

Même si la majorité de la population québécoise vit dans les villes, Maurice Duplessis continue d'affirmer que l'agriculture constitue le fondement du Québec et de favoriser les milieux ruraux. En 1945, il lance un vaste programme d'électrification des campagnes qui permet à 90 % des exploitations agricoles d'avoir l'électricité au début des années 1960. Il met sur pied l'Office du crédit agricole, qui accorde aux fermiers des prêts à faible taux d'intérêt afin qu'ils achètent de l'outillage. Il subventionne également les coopératives, c'est-à-dire les regroupements d'agriculteurs qui mettent en commun leurs capitaux pour l'achat de matériel coûteux et s'entraident dans la transformation et la distribution des produits de leur ferme.

Si les campagnes bénéficient des largesses de l'État, c'est aussi parce que l'Union nationale s'appuie largement sur l'électorat rural pour se maintenir au pouvoir. En effet, la carte électorale comprend de nombreuses inégalités qui favorisent les circonscriptions rurales. Par exemple, le député du comté rural de Brome ne représente que 7648 personnes, alors que celui de Laval, dans la région de Montréal, en représente 135 733 !

« Le ciel est bleu et l'enfer est rouge »

Le conservatisme de Maurice Duplessis trouve des appuis non seulement dans les milieux ruraux mais aussi auprès des élites traditionnelles, notables et clergé. Pour attirer et fidéliser ses électeurs et électrices, le premier ministre recourt au « patronage », c'est-à-dire qu'il favorise les amis du parti en leur accordant des contrats lucratifs et en leur confiant des postes au sein du gouvernement.

Pendant les campagnes électorales, il multiplie les promesses de toutes sortes. De plus, il utilise de nombreux slogans électoraux, tels que « La prospérité rurale est la base de la prospérité urbaine » ou « Le ciel est bleu et l'enfer est rouge ». Au moment des élections, ses organisateurs de campagne n'hésitent pas à acheter le vote des électeurs et électrices, à employer des faux bulletins de vote et parfois même à intimider les sympathisants libéraux qui se présentent dans les bureaux de vote.

Le drapeau du Québec

Le 21 janvier 1948, Maurice Duplessis fait adopter par décret le drapeau national du Québec. La croix blanche qu'on y trouve représente la foi chrétienne alors que les fleurs de lys sur fond azur (bleu) font référence aux souches françaises de la province.

? Comment appelle-t-on le drapeau officiel du Québec ?

L'autonomie provinciale

Depuis 1944, Maurice Duplessis s'est toujours posé comme le défenseur de l'autonomie du Québec, ce qui lui vaut la sympathie d'une bonne part de la population. Il lutte énergiquement contre les tendances centralisatrices du gouvernement fédéral. En effet, pendant la guerre, Ottawa s'est arrogé divers pouvoirs de compétence provinciale: impôts sur le revenu des particuliers, assurance chômage, allocations familiales, etc. Une fois le conflit terminé, le gouvernement fédéral entend bien conserver le contrôle de la vie économique et sociale du pays. Mais il se heurte à l'opposition de Duplessis qui refuse de le laisser empiéter sur des compétences réservées aux provinces.

L'affrontement pour le contrôle de la taxation illustre bien cette lutte pour l'autonomie provinciale. En 1947, Duplessis demande que ce pouvoir revienne aux mains de la province, comme le stipule la Constitution. Devant le refus d'Ottawa, le premier ministre décide d'imposer une taxe provinciale sur les bénéfices des entreprises. En 1954, il étend l'impôt provincial sur le revenu des particuliers, forçant le gouvernement fédéral à diminuer son impôt de 10 %. Depuis, les Québécois et Québécoises doivent produire deux déclarations des revenus chaque année, contrairement aux autres Canadiens et Canadiennes.

La conférence fédérale-provinciale de 1945

En 1945, le gouvernement de Mackenzie King organise une conférence fédérale-provinciale, dite « conférence de la reconstruction ». Le fédéral souhaite obtenir l'accord des provinces afin de conserver les pouvoirs qu'il a acquis pendant la guerre, notamment le monopole de la fiscalité. À partir de 1947, les provinces canadiennes acceptent, sauf le Québec.

L'autonomie provinciale selon Duplessis

En 1946, lors de la conférence fédérale-provinciale, Maurice Duplessis dépose un mémoire qui résume sa conception de l'autonomie provinciale.

« Ce qui caractérise notre système fédératif, c'est que la répartition des pouvoirs entre le gouvernement central et les gouvernements provinciaux est le résultat de concessions librement consenties par les provinces. [...] Le gouvernement de la province de Québec a donc raison de soutenir que le pacte fédératif a créé une association d'États autonomes et souverains, dans leur sphère respective. Il est de plus fermement convaincu que le maintien de l'autonomie complète des provinces constitue la meilleure protection des minorités, [...]. »

Mémoire du gouvernement de la province de Québec présenté à la conférence fédérale-provinciale [...], le 25 avril 1946.

? Selon vous, pourquoi au Canada anglais se montre-t-on réticent à cette conception de la Confédération ?

Manifestation de syndicalistes en 1954 contre les lois antisyndicales de Duplessis

Au cours des années 1940 et 1950, les syndicats se développent rapidement. Malgré les obstacles créés par le gouvernement Duplessis, leurs effectifs font plus que doubler.

? Qu'est-ce qui explique la croissance des syndicats dans les années 1950 ?

Les luttes ouvrières 

La crise économique des années 1930 a entraîné une importante dégradation des conditions de travail. Toutefois, à partir de la Seconde Guerre mondiale, les conditions s'améliorent grandement. En 1944, le gouvernement Godbout vote la Loi des relations ouvrières, qui est considérée comme le premier véritable code du travail du Québec. Cette loi reconnaît aux travailleurs et aux travailleuses le droit de se joindre à un syndicat et de négocier une **convention collective** avec leurs employeurs.

Une syndicalisation accrue

Maintenant pourvu d'un cadre officiel, le mouvement syndical peut devenir une force sociale importante au Québec. Entre 1940 et 1960, les syndicats se multiplient et comptent un nombre croissant de travailleurs et de travailleuses. Le pourcentage de la main-d'œuvre syndiquée au Québec passe d'environ 20 % en 1941 à près de 30 % en 1961. Toutefois, l'élection de Duplessis en 1944 inquiète les défenseurs des droits des travailleurs et des travailleuses. Son gouvernement est en effet fortement opposé aux syndicats et cherche à restreindre leur pouvoir par divers moyens légaux et par des interventions policières lors de manifestations ou de grèves.

De meilleures conditions de travail

Les conditions de travail demeurent difficiles, mais grâce à une conjoncture économique favorable et au travail des syndicats, elles s'améliorent constamment. Dans l'industrie manufacturière, la semaine de travail passe de 48 à 44 heures, et parfois même à 40 heures. Les patrons acceptent de plus en plus de payer un meilleur tarif pour les heures supplémentaires et accordent à leur personnel une semaine (parfois deux) de vacances payées par année. Certaines entreprises offrent des bénéfices tels les congés de maladie payés, des primes d'assurance maladie ou des contributions au régime de retraite. Quant aux salaires, ils augmentent régulièrement. Ainsi, un charpentier-menuisier de Montréal qui gagnait 33,88 $ par semaine en 1940 gagne 94 $ en 1960.

Laure Gaudreault

Laure Gaudreault est une pionnière du syndicalisme dans le monde de l'éducation. Tout au long de sa vie, elle lutte pour améliorer les conditions de travail des enseignants et enseignantes du Québec, et pour défendre leurs droits.

? Selon vous, quel argument Duplessis a-t-il pu invoquer pour s'opposer au droit de grève dans l'éducation ?

Effondrement de la Bourse de New York — 1929
Élection du premier gouvernement Duplessis — 1936
Seconde Guerre mondiale — 1939-1945
Début de la télévision au Québec — 1952
Début de la Révolution tranquille — 1960
Exposition universelle de Montréal — 1967
Crise d'Octobre — 1970
Élection du Parti québécois — 1976
Adoption de la Charte de la langue française — 1977
1980

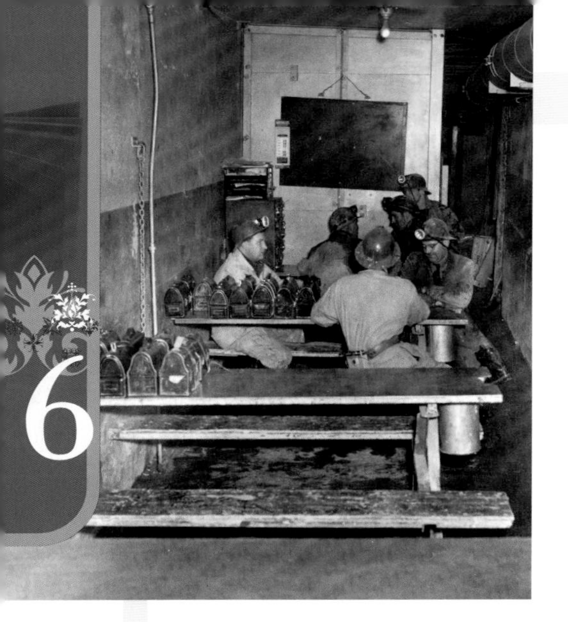

Mineurs prenant leur dîner sous terre

Pendant longtemps, les grandes compagnies minières se sont peu souciées des conditions d'hygiène dans lesquelles leurs employés travaillaient. Exposés pendant des années aux fibres d'amiante, sans protection particulière, les mineurs étaient susceptibles de développer l'amiantose, une dangereuse maladie respiratoire.

? Quels autres dangers découlent du travail dans les mines ?

Les grèves

Après la Seconde Guerre mondiale, les grèves ne sont pas plus fréquentes, mais leur intensité s'accroît. Les ouvriers et les ouvrières cherchent à faire valoir leurs droits avec de plus en plus d'insistance. Toutefois, l'hostilité de Duplessis envers les syndicats entraîne souvent l'intervention des forces policières.

La grève de l'amiante (1949)

Cette grève, qui dure quatre mois, touche près de 5000 travailleurs dans les mines d'amiante d'Asbestos et de Thetford Mines. Les mineurs réclament une augmentation de salaire de 15 cents de l'heure, une participation plus active de leur syndicat et l'adoption de mesures de sécurité et d'hygiène plus strictes dans les mines pour les protéger contre les dangers liés à la poussière d'amiante. Excédés par la lenteur des négociations avec leurs patrons, ils déclenchent une grève illégale, durement réprimée par les autorités. Quelques centaines de policiers sont envoyés afin de permettre le passage de **briseurs de grève.** Les travailleurs obtiennent une augmentation de 10 cents, mais leurs principales demandes sont rejetées. Cependant, leur action soutenue par les autres syndiqués du Québec, par plusieurs journaux et par l'Église, plus particulièrement par Mgr Charbonneau, sensibilise l'opinion publique à la cause ouvrière.

La grève du textile à Louiseville (1952-1953)

Les femmes aussi jouent un rôle important dans les luttes syndicales. Ainsi, en 1952, les 850 personnes, surtout des femmes, qui travaillent à la filature de l'Associated Textile déclenchent une grève pour obtenir la reconnaissance de leur syndicat et négocier une première convention collective. Le conflit dure 11 mois et la police intervient à plusieurs reprises. Les personnes retournent au travail après avoir obtenu 12 cents d'augmentation mais rien au sujet de leurs principales demandes.

René Lévesque, journaliste de Radio-Canada, interviewant Lester B. Pearson, futur premier ministre du Canada

Radio-Canada diffuse des émissions d'affaires publiques, telles que *Point de mire* animée par René Lévesque. Ces émissions permettent au public québécois de mieux comprendre certains grands enjeux de société.

? Les émissions de télévision de ce type jouent-elles un rôle semblable encore aujourd'hui ?

Culture et affirmation nationale

Dans le Québec des années 1940 et 1950, les forces conservatrices occupent une place importante. L'Union nationale de Duplessis et l'Église catholique sont réticentes au changement et aux idées nouvelles. On récite le chapelet à la radio tous les jours, on présente des émissions religieuses à la télévision et il existe des cotes morales pour chaque film projeté dans la province.

Pourtant, des artistes, des intellectuels et même des membres plus progressistes du clergé remettent en cause les valeurs traditionnelles, et cherchent à promouvoir des idées plus modernes. Pour ces éclaireurs, l'affirmation du Québec passe par sa modernisation.

Ces personnes n'hésitent pas à tout critiquer, qu'il s'agisse des liens étroits entre l'Église et l'État, du système d'éducation qui ne répond plus aux besoins de la population, de l'antisyndicalisme primaire du gouvernement ou du mépris des élites envers les nouveautés culturelles et artistiques. Le *Refus global,* publié en 1948 par un groupe d'artistes engagés connus sous le nom d'Automatistes, montre que sous des apparences calmes, le monde culturel québécois est déjà en ébullition.

Le manifeste du *Refus global* (1948)

Rédigé par le peintre Paul-Émile Borduas et contresigné par 15 autres artistes (dont sept femmes), parmi lesquels on trouve le poète Claude Gauvreau et les peintres Jean-Paul Riopelle et Marcelle Ferron, le *Refus global* est un texte qui dénonce le conservatisme social du Québec et encourage sa modernisation et son ouverture sur le monde. Ces créateurs et créatrices réclament une plus grande liberté d'expression. L'impact de ce texte qui annonce les grandes transformations dans la société québécoise est d'abord limité.

« Un nouvel espoir collectif naîtra. [...] D'ici là notre devoir est simple. Rompre définitivement avec toutes les habitudes de la société, se désolidariser de son esprit utilitaire. Refus d'être sciemment [volontairement] au-dessous de nos possibilités psychiques et physiques. Refus de fermer les yeux sur les vices, les duperies perpétrées sous le couvert du savoir, du service rendu, de la connaissance due. [...] Refus de se taire, – faites de nous ce qu'il vous plaira mais vous devez nous entendre [...]. »

Paul-Émile Borduas, *Refus global,* 1948.

?

1. Expliquez dans vos mots ce que refusent au juste les auteurs et les auteures de ce texte.
2. Selon vous, dans quelle mesure ce type de document est-il fiable historiquement ? Justifiez votre réponse.

Le *Refus global* et Paul-Émile Borduas

La publication du *Refus global* scandalise les autorités et Borduas perd son poste d'enseignant à l'École du meuble de Montréal. Il s'exile à New York, puis à Paris, où il meurt en 1960. Son œuvre aura une influence importante sur le développement de la peinture abstraite au Québec.

? Quel est le rôle de l'art dans la société ?

QUESTIONS DE SYNTHÈSE

1. Décrivez quelques aspects de la croissance économique des années 1945-1960 et l'effet de cette croissance sur le mode de vie de la population.
2. Qu'est-ce qui caractérise le gouvernement Duplessis sur les plans économique, social et politique ?
3. Montrez que, dans les années 1945 à 1960, la société québécoise est tiraillée entre le conservatisme et la modernité.

Effondrement de la Bourse de New York – 1929
Élection du premier gouvernement Duplessis – 1936
Seconde Guerre mondiale – 1939-1945
Début de la télévision au Québec – 1952
Début de la Révolution tranquille – 1960
Exposition universelle de Montréal – 1967
Crise d'Octobre – 1970
Élection du Parti québécois – 1976
Adoption de la Charte de la langue française – 1977
1980

UN ÉTAT MODERNE (1960-1980)

À la fin des années 1950, pour un grand nombre de Québécois et de Québécoises, le temps est venu d'accélérer la modernisation du Québec. L'État semble être l'instrument idéal pour effectuer ces changements et favoriser une plus grande maîtrise des francophones sur leur économie. La fonction publique se développe et plusieurs sociétés d'État sont mises sur pied. Les réformes sociales, économiques et politiques de cette période sont favorables à l'émergence d'un nouveau nationalisme tourné vers la modernité.

La Révolution tranquille

Lorsque Duplessis décède, le 7 septembre 1959, l'Union nationale dirige le Québec sans interruption depuis plus de 15 ans. La population ressent le besoin d'un changement et d'importantes transformations sociales et économiques apparaissent nécessaires. Paul Sauvé, qui succède à Duplessis à la tête de l'Union nationale, en est bien conscient. Il entreprend un vaste programme législatif dans ce sens. Toutefois, il meurt subitement, à peine cent jours après avoir pris le pouvoir, laissant son parti dans une position de faiblesse.

Aux élections suivantes, en 1960, le Parti libéral, qui incarne un idéal de renouveau avec son slogan « C'est le temps que ça change », est favorisé. Le nouveau premier ministre, Jean Lesage, recrute plusieurs candidats doués et dynamiques. Au sein de ce groupe qualifié d'« équipe du tonnerre », on trouve le populaire journaliste René Lévesque, l'avocat renommé Paul Gérin-Lajoie et l'ancien chef du Parti libéral, Georges-Émile Lapalme.

Aussitôt qu'il prend le pouvoir, le gouvernement de Jean Lesage déclenche une série de réformes qui touchent tous les aspects de la société québécoise, tant politiques et économiques que sociaux et culturels. Afin de bien montrer l'importance des bouleversements, les historiens et historiennes appellent cette période de rupture et de modernisation rapide la « Révolution tranquille ».

Paul Sauvé

De 1946 à 1959, Paul Sauvé est ministre du Bien-être social et de la Jeunesse. Lorsqu'il remplace Duplessis en 1959, Sauvé est conscient de la nécessité de changer les choses. Le slogan qu'il adopte, « Désormais », montre sa volonté d'agir rapidement dans ce sens.

Les funérailles de Maurice Duplessis

La mort de Maurice Duplessis donne lieu à d'imposantes funérailles d'État. Personnage controversé, il n'aura laissé personne indifférent. Avec ses 18 années au pouvoir, il détient le record de longévité politique de tous les premiers ministres du Québec.

? Si un premier ministre meurt en fonction, comment le remplace-t-on ? Sur cette photographie apparaissent deux futurs premiers ministres du Québec. Identifiez-les.

Arrivée des premiers êtres humains au Québec

v. –7000/–6000 · 1500 · 1600 · 1700 · 1800 · 1900 · 2000

1929 · 1980 · 6e réalité sociale

L'État-providence

La Révolution tranquille se caractérise d'abord par une action de l'État de plus en plus importante dans tous les domaines. Alors que Duplessis préférait laisser le champ libre au secteur privé, le gouvernement Lesage multiplie ses interventions dans de nombreux domaines. Cette systématisation de l'action gouvernementale donne naissance à l'État-providence.

Pour faire fonctionner ce système, il est nécessaire de développer une administration beaucoup plus complexe. Le nombre de fonctionnaires de la fonction publique (c'est-à-dire le personnel des ministères et des régies gouvernementales) double au cours des années 1960. Le **patronage** qui existait sous Duplessis fait place à l'embauche de technocrates.

Jean Lesage

Avocat de formation, Jean Lesage est élu à la Chambre des communes en 1945 et devient ministre dans le Cabinet de Louis Saint-Laurent. Après la défaite du gouvernement libéral à Ottawa, il se tourne vers la politique provinciale. Il est souvent présenté comme le père de la Révolution tranquille. Son gouvernement a assurément contribué grandement à la modernisation du Québec.

L'État-providence

On parle d'État-providence lorsqu'un gouvernement intervient activement dans les domaines économiques et sociaux, en vue notamment de redistribuer plus équitablement la richesse collective pour corriger les injustices sociales. Au Québec, l'État-providence se développe particulièrement au cours des années 1960 et 1970, et contribue fortement à la modernisation de la société.

Des sociétés d'État

Pour intervenir plus efficacement, le gouvernement de Jean Lesage multiplie la création de nouveaux organismes tels que les **régies** et les **sociétés d'État**. Ces dernières sont des entreprises publiques que l'État finance entièrement ou partiellement et qui sont administrées par des fonctionnaires relevant du gouvernement. Par la même occasion, ces organismes permettent à un grand nombre de jeunes professionnels et professionnelles francophones d'accéder à des postes de direction au sein d'entreprises importantes et d'augmenter la présence des Canadiens français dans l'économie.

LES SOCIÉTÉS D'ÉTAT À VOCATION ÉCONOMIQUE FONDÉES ENTRE 1960 ET 1966

Nom	Date	Objectif
Société générale de financement (SGF)	1962	Soutenir financièrement la création et le développement d'entreprises québécoises.
Sidérurgie du Québec (SIDBEC)	1964	Contribuer au développement d'une industrie de l'acier au Québec. La société est vendue à des intérêts privés en 1994.
Société québécoise d'exploration minière (SOQUEM)	1965	Prospecter et exploiter de nouveaux gisements miniers au Québec.
Caisse de dépôt et placement du Québec	1965	Gérer les fonds des autres organismes d'État en les plaçant afin de les faire fructifier.

? Quel est l'objectif commun de toutes ces sociétés d'État ?

Effondrement de la Bourse de New York — 1929
Élection du premier gouvernement Duplessis — 1936
Seconde Guerre mondiale — 1939-1945
Début de la télévision au Québec — 1952
Début de la Révolution tranquille — 1960
Exposition universelle de Montréal — 1967
Crise d'Octobre — 1970
Élection du Parti québécois — 1976
Adoption de la Charte de la langue française — 1977
1980

Le barrage Daniel-Johnson

La construction du complexe hydroélectrique Manic-Outardes commence en 1959 et s'étale sur une dizaine d'années. Elle culmine avec l'inauguration du barrage Daniel-Johnson (Manic-Cinq) en 1968. Grâce à ces travaux, les Québécois acquièrent une expérience de renommée internationale dans le domaine de la production d'électricité.

L'enjeu énergétique

Le contrôle des ressources énergétiques est toujours un enjeu majeur pour le développement économique d'une nation. Au Québec, la richesse hydrographique du territoire offre d'importantes possibilités pour la production d'électricité. Toutefois, dans la première moitié du 20e siècle, cette ressource énergétique est exploitée par plusieurs compagnies privées qui appartiennent souvent à des intérêts étrangers. Certaines régions plus éloignées sont ainsi moins bien desservies et les tarifs peuvent parfois varier considérablement d'une localité à une autre.

Afin de permettre à la nation québécoise de profiter pleinement de cette ressource précieuse et lucrative, le gouvernement Godbout entreprend en 1944 de **nationaliser** la plus importante compagnie productrice d'électricité de l'époque, la Montreal Light, Heat and Power Company. C'est de cette nationalisation que naît la Commission hydroélectrique du Québec, future Société Hydro-Québec.

Jean Lesage lors des élections de 1962

« Maîtres chez nous ! »

Pendant plusieurs années, Hydro-Québec assure la production et la distribution de l'électricité avec quelques autres compagnies privées. Le gouvernement de Jean Lesage pense cependant qu'il faut aller plus loin pour assurer le contrôle de l'État sur les sources d'énergie. René Lévesque, ministre des Richesses naturelles, propose de donner le monopole de l'électricité à Hydro-Québec et d'intégrer les autres compagnies privées qui sont toujours en activité. En 1962, Jean Lesage déclenche donc des élections sur ce thème. Pour faire campagne, il utilise le slogan « Maîtres chez nous ! ». Malgré l'opposition des milieux financiers anglophones, il remporte une éclatante victoire. Hydro-Québec devient rapidement un symbole de fierté québécoise.

Le programme électoral des libéraux en 1962

« À la suite d'études sérieuses, l'unification des réseaux d'électricité – clé de l'industrialisation de toutes les régions du Québec – s'impose comme condition première de notre libération économique et d'une politique dynamique de plein emploi. Cette importante étape exige la nationalisation de onze compagnies de production et de distribution d'électricité [...]. »

Manifeste du Parti libéral du Québec, 1962.

? À quel changement de mentalité de la population québécoise cette mesure correspond-elle ?

Arrivée des premiers êtres humains au Québec — v. –7000/–6000 — 1500 — 1600 — 1700 — 1800 — 1900 — *1929* — 6e réalité sociale — *1980* — 2000

Une démocratisation de la vie politique

Pour bien se démarquer de l'autoritarisme de Duplessis, le gouvernement Lesage entend rendre la vie politique plus démocratique. Il adopte des mesures pour limiter la corruption et le favoritisme, afin que les « amis » du parti au pouvoir ne jouissent pas de traitement de faveur. Dans le même esprit, on invite la population à participer aux affaires de l'État. Ainsi, des « comités de citoyens » se forment, invitant la population d'un quartier à s'exprimer et à proposer des moyens de résoudre ses propres problèmes. De plus, en 1964, on abaisse à 18 ans l'âge légal pour voter.

Tout le monde à l'école

L'éducation est l'une des priorités du gouvernement Lesage, qui considère qu'une réforme scolaire est indispensable pour former une main-d'œuvre qualifiée, développer l'économie et permettre à la population québécoise de se prendre en main. Il faut surtout rendre l'éducation accessible à tout le monde, peu importe l'origine sociale ou les moyens financiers.

En 1961, une commission d'enquête est donc créée pour étudier le système scolaire du Québec et proposer des améliorations. Surnommée la commission Parent, du nom de son président, Mgr Alphonse-Marie Parent, elle fait d'importantes recommandations, comme la création d'un ministère de l'Éducation, une proposition qui se concrétise en 1964.

Dès 1961, sous la direction de Paul Gérin-Lajoie, de nombreuses lois rendent obligatoire la fréquentation des écoles jusqu'à l'âge de 15 ans et instaurent la gratuité scolaire jusqu'à la 11e année. En 1964, le gouvernement lance l'« opération 55 », par laquelle les quelque 1500 commissions locales qui existaient auparavant font place à 55 commissions scolaires régionales catholiques et 9 protestantes.

Polyvalente

On offre désormais deux options au secondaire : une formation générale de cinq ans ou des cours professionnels d'une durée plus ou moins longue. Ces services sont offerts dans de nouvelles écoles construites pour l'occasion : les polyvalentes.

? À quel phénomène démographique peut-on lier la réforme de l'éducation des années 1960 ?

Quand l'État remplace l'Église

Avec la progression de l'État-providence, le gouvernement remplace l'Église dans certains domaines traditionnels, tels que l'éducation, la santé et la sécurité sociale. Dans les hôpitaux et les écoles, les religieux et les religieuses continuent à être remplacés par un personnel laïc. On assiste à une véritable **laïcisation** de la société.

Effondrement de la Bourse de New York — 1929
Élection du premier gouvernement Duplessis — 1936
Seconde Guerre mondiale — 1939–1945
Début de la télévision au Québec — 1952
Début de la Révolution tranquille — 1960
Exposition universelle de Montréal — 1967
Crise d'Octobre — 1970
Élection du Parti québécois — 1976
Adoption de la Charte de la langue française — 1977
1980

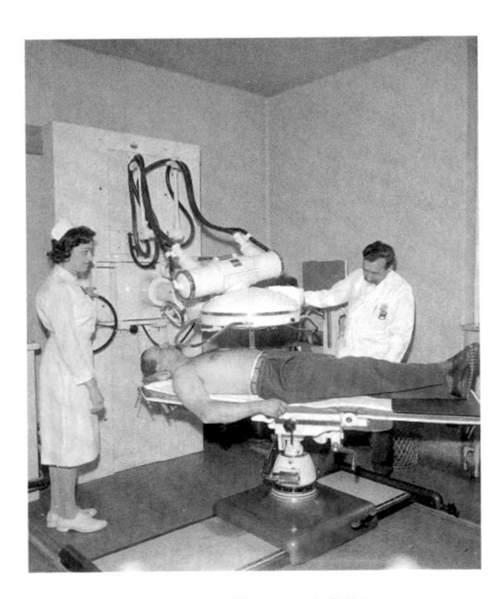

Patient entouré d'un médecin et d'une infirmière

En 1960, seulement 43 % de la population bénéficie d'une assurance médicale. Un programme d'assurance hospitalisation gouvernemental permet de combler ce manque.

? De nos jours, en plus des séjours à l'hôpital, quels autres services de santé l'État gère-t-il ?

Santé et sécurité sociale

L'action gouvernementale se fait aussi sentir fortement dans les domaines de la santé et de la sécurité sociale. Avant 1960, seuls les plus pauvres peuvent recevoir une quelconque forme d'aide gouvernementale. Le reste de la population doit compter sur des programmes d'assurance privés, qui ne sont pourtant pas abordables pour tout le monde. Diverses mesures sont donc prises, tant par le gouvernement fédéral que provincial, afin de garantir des soins et une sécurité du revenu pour tous les citoyens et citoyennes. On crée de nouveaux programmes ou on améliore ceux qui concernent l'assurance chômage, l'aide sociale, les rentes versées aux invalides, les pensions de vieillesse et les allocations familiales.

En collaboration avec le gouvernement fédéral, le gouvernement de Jean Lesage instaure également l'assurance hospitalisation, pour donner à tout le monde l'accès gratuit aux soins hospitaliers. On en profite pour réorganiser le réseau de la santé afin d'assurer une plus grande uniformité dans les services offerts.

Les relations ouvrières

Dans le monde du travail, l'antisyndicalisme de Duplessis fait place à une attitude beaucoup plus compréhensive de la part du gouvernement Lesage. Les lois qui régissent les relations entre les patrons et leurs employés sont unifiées dans un nouveau code du travail adopté en 1964. Ces mesures permettent entre autres la syndicalisation des fonctionnaires et accordent le droit de grève au personnel des hôpitaux, des commissions scolaires et des municipalités. Les conditions des travailleurs et travailleuses du Québec sont ainsi nettement améliorées.

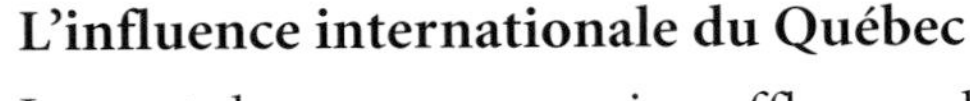

L'influence internationale du Québec

Le vent de renouveau qui souffle avec la Révolution tranquille amène également le Québec à s'ouvrir sur le monde extérieur. À partir de 1961, des délégations générales sont ouvertes à Paris, à New York, à Londres et dans quelques autres grandes villes. Plusieurs ententes de coopération sont également signées avec la France dans des domaines qui relèvent du gouvernement provincial, telles la culture et l'éducation.

Délégation du Québec à Londres

Par ces bureaux, le Québec se donne une vitrine à l'étranger, en particulier dans les pays avec lesquels il entretient d'importants liens économiques et culturels.

? À l'aide d'Internet ou d'autres sources d'information, faites une recherche sur une délégation actuelle du Québec et nommez quelques services qui y sont offerts.

Arrivée des premiers êtres humains au Québec

1929 *1980* 6e réalité sociale

v. –7000/–6000 1500 1600 1700 1800 1900 2000

L'Union nationale de retour au pouvoir

Après plusieurs années de réformes intensives, la Révolution tranquille connaît un certain essoufflement. Certaines personnes veulent accélérer les changements, d'autres préféreraient les ralentir. Ces insatisfactions permettent à l'Union nationale de reprendre le pouvoir en 1966.

La modernisation continue

Sous la direction de Daniel Johnson, les objectifs de la Révolution tranquille ne sont pourtant pas abandonnés. Au contraire, les efforts pour moderniser la société québécoise se poursuivent de plus belle dans tous les domaines.

En éducation, les réformes continuent selon les recommandations du rapport Parent. Pour remplacer les anciens collèges classiques, le gouvernement crée en 1967 un nouveau réseau de collèges d'enseignement général et professionnel (les cégeps). Ces établissements permettent aux étudiants et étudiantes de se préparer gratuitement aux études universitaires ou à l'entrée sur le marché du travail. En 1968, l'Université du Québec, avec plusieurs campus à travers la province, est fondée. La même année, Radio-Québec, une chaîne de télévision aux visées éducatives, est ouverte.

Réforme de l'État et autonomie

Les efforts de réforme de l'État se poursuivent également. Suivant l'exemple des autres provinces, le Québec abolit le Conseil législatif en 1968. La Chambre d'assemblée prend le nom d'Assemblée nationale. Plusieurs nouveaux ministères sont créés, dont celui de l'Immigration. Le gouvernement québécois affirme ainsi sa volonté d'exercer pleinement tous les pouvoirs qui lui reviennent selon la Constitution.

Cette position autonomiste crée d'ailleurs quelques tensions avec le gouvernement fédéral. Ainsi, l'accueil de véritable chef d'État que reçoit Johnson à Paris en 1967 est plutôt mal perçu par les autorités canadiennes. La même année, le président français Charles de Gaulle écourte sa visite à l'Exposition universelle de Montréal après avoir lancé du haut du balcon de l'hôtel de ville de Montréal son fameux « Vive le Québec libre ! ».

Daniel Johnson

Député de l'Union nationale depuis 1946, Daniel Johnson devient chef de ce parti en 1961. Il remporte les élections de 1966 en faisant élire plus de députés que le Parti libéral, même si, dans l'ensemble du Québec, il recueille moins de voix.

? Que pensez-vous de cette situation ? Vous semble-t-elle démocratique ?

« Vive le Québec libre » : une déclaration qui dérange

Invité par Daniel Johnson à visiter l'Expo 67, le président français Charles de Gaulle provoque un incident diplomatique entre le Canada et la France. Sa déclaration sera perçue comme un appui au mouvement indépendantiste. Sur cette caricature, on peut voir le premier ministre canadien Lester B. Pearson qui consulte un dictionnaire français-anglais en se disant : « Il doit bien y avoir quelque chose sur la façon de garder le nez de quelqu'un hors des affaires des autres. »

? Analysez cette caricature à l'aide de la fiche méthodologique *Interpréter une caricature* à la page 500.

Effondrement de la Bourse de New York — 1929; *Élection du premier gouvernement Duplessis* — 1936; *Seconde Guerre mondiale* — 1939–1945; *Début de la télévision au Québec* — 1952; *Début de la Révolution tranquille* — 1960; *Exposition universelle de Montréal* — 1967; *Crise d'Octobre* — 1970; *Élection du Parti québécois* — 1976; *Adoption de la Charte de la langue française* — 1977; 1980

Les mentalités changent

Dans les années 1960, la société québécoise subit d'importantes transformations. Ces changements ne se limitent pas aux nombreuses réformes institutionnelles entreprises par l'État. On assiste également à une évolution rapide des mentalités, qui se caractérise notamment par une plus grande ouverture sur le monde et par la multiplication des courants de pensée.

La place Ville-Marie

Plus haut gratte-ciel de Montréal à l'époque, la place Ville-Marie a été construite entre 1958 et 1962. Elle est un exemple des grands chantiers urbains de cette époque, alors que Montréal pouvait encore prétendre au titre de « métropole » du Canada.

? À quel épisode de notre passé ce gratte-ciel doit-il son nom ?

Recul du traditionalisme

Le Québec ne se perçoit plus comme une société rurale et traditionnelle. Les convictions conservatrices de l'époque duplessiste font place à une valorisation du changement et de la modernisation. Les idéologies traditionalistes ne disparaissent pas complètement, mais elles n'occupent plus la première place. Cette transformation est particulièrement visible en ce qui concerne la place de l'Église dans la société.

Dès le début des années 1960, la pratique religieuse chute rapidement. Même si la majorité de la population se dit catholique, les églises se vident et le recrutement de religieux devient de plus en plus difficile. Vers 1960, on compte près de 8400 prêtres au Québec. Vingt ans plus tard, il n'en reste plus que 4285. Les communautés religieuses sont touchées encore plus durement. À cette époque, certaines communautés perdent jusqu'à 75 % de leurs membres. En raison de cette baisse et de la place croissante occupée par l'État, l'Église se retire progressivement des secteurs de l'enseignement, de la santé et de la sécurité sociale.

Religieuses enseignantes dans les années 1960

Non seulement le clergé recrute-t-il de moins en moins de membres, mais les religieux et les religieuses quittent également en grand nombre leurs communautés. En 1961, ils sont plus de 45 000. En 1978, moins de 20 ans plus tard, il n'en reste que 29 000.

? Selon vous, pourquoi les religieuses et les religieux quittent-ils leurs communautés ?

La condition des femmes

Au début des années 1960, la diffusion des moyens de contraception, en particulier la pilule anticonceptionnelle, permet aux femmes de mieux contrôler leur sexualité. Avoir un enfant représente maintenant un véritable choix, ce qui entraîne une baisse du taux de natalité. De 1960 à 1970, la famille québécoise moyenne passe de quatre à deux enfants. Avec la baisse de l'influence de l'Église, de plus en plus de jeunes couples jugent inutile de se marier et décident de cohabiter. De plus, avec l'adoption en 1968 d'une loi facilitant le divorce, le nombre de divorces augmente rapidement.

Les transformations apportées par la Révolution tranquille permettent aux femmes d'avoir accès à une éducation supérieure qui était auparavant presque exclusivement réservée aux hommes. Elles sont de plus en plus nombreuses sur le marché du travail. Toutefois, elles occupent le plus souvent des emplois traditionnellement réservés aux femmes (secrétaire, caissière, institutrice, infirmière, etc.) et leur salaire demeure inférieur à celui de leurs collègues masculins. Il reste encore bien du chemin à faire...

En 1961, Marie-Claire Kirkland-Casgrain devient la première femme élue députée à l'Assemblée nationale. Devenue ministre, elle fait adopter le projet de loi 16, qui reconnaît l'égalité juridique des époux et donne aux femmes des responsabilités civiles ou financières auparavant réservées à leur mari. À partir du milieu des années 1960, les revendications féministes se font plus pressantes. Les femmes cherchent à obtenir une véritable égalité de rapport avec les hommes, en revendiquant notamment un salaire égal pour un travail égal.

Marie-Claire Kirkland-Casgrain

Marie-Claire Kirkland-Casgrain est une véritable pionnière de la condition féminine au Québec. Elle a été la première femme à occuper un poste de député à l'Assemblée nationale et à être nommée ministre.

? Mis à part le pouvoir politique, de quels autres moyens les femmes disposent-elles pour améliorer la condition féminine dans la société ?

Expo 67 : un passeport pour le monde

En 1967, l'année du centenaire de la Confédération, les Québécois et Québécoises participent à une fête grandiose : l'Exposition universelle de Montréal. S'inspirant du titre d'une œuvre d'Antoine de Saint-Exupéry, la manifestation a pour thème « Terre des hommes ». Plus de 50 millions de visiteurs et visiteuses se rendent sur le site construit au milieu du fleuve Saint-Laurent selon les plans de la firme d'architectes Bédard, Charbonneau et Langlois. Pour l'occasion, l'île Sainte-Hélène a été agrandie afin de faire place à un parc d'attractions, La Ronde. Une autre île a été créée de toutes pièces : l'île Notre-Dame. Les dizaines de pavillons nationaux, thématiques ou privés érigés sur les lieux permettent de faire un véritable tour du monde et de découvrir les dernières réalisations techniques dans tous les domaines. Pendant six mois, Montréal et le Québec rayonnent dans le monde.

? Cherchez dans votre entourage des personnes qui ont visité l'Expo 67 et demandez-leur quel souvenir elles en gardent.

Vue de l'île Notre-Dame pendant l'Expo 67

Pour créer l'île Notre-Dame et agrandir l'île Sainte-Hélène, on a utilisé la terre dégagée lors de la construction du métro de Montréal en 1965 et 1966.

? Quel lien y a-t-il entre cette réalisation et la fameuse tour Eiffel de Paris ?

1929	1936	1939–1945	1952	1960	1967	1970	1976	1977	1980
Effondrement de la Bourse de New York	*Élection du premier gouvernement Duplessis*	*Seconde Guerre mondiale*	*Début de la télévision au Québec*	*Début de la Révolution tranquille*	*Exposition universelle de Montréal*	*Crise d'Octobre*	*Élection du Parti québécois*	*Adoption de la Charte de la langue française*	

Pauline Julien

Pauline Julien est l'une des personnalités les plus respectées du monde culturel québécois. Auteure, interprète et comédienne, elle a également milité pour les causes féministe et nationaliste.

? Quel a été le rôle des artistes dans la modernisation du Québec ? Selon vous, les personnalités du monde artistique reflètent-elles les changements de mentalité ou les provoquent-elles ?

Le renouveau culturel

Depuis la fin de la guerre, le Québec effectue un véritable rattrapage culturel qui s'intensifie avec la Révolution tranquille. Grâce à une éducation plus accessible, à une hausse des revenus et à une augmentation des heures de loisir, les arts et la littérature touchent un public de plus en plus vaste.

Les artistes du Québec occupent une place importante dans les domaines de la littérature, du théâtre et de la musique. Au début des années 1960, des chansonniers tels Gilles Vigneault, Jean-Pierre Ferland, Claude Gauthier et Claude Léveillée suivent les traces de Félix Leclerc. Au début des années 1970, ils sont suivis par de jeunes artistes influencés par une culture plus urbaine, tels Robert Charlebois et Diane Dufresne, et des groupes tels Beau Dommage et Harmonium. Tous et toutes, à leur manière, s'inscrivent dans un grand mouvement d'affirmation nationale et culturelle.

Les Belles-Sœurs de Michel Tremblay

Créée en 1968, la pièce de théâtre *Les Belles-Sœurs* ouvre une nouvelle voie à la dramaturgie québécoise en utilisant la culture populaire et le joual (langage familier).

« **Germaine, Rose, Gabrielle, Thérèse et Marie-Ange —** [...] Moé, y'a rien au monde que j'aime plus que le bingo ! Presque toutes les mois, on en prépare un dans' paroisse ! J'me prépare deux jours d'avance, chus t'énarvée, chus pas tenable, j'pense rien qu'à ça. Pis quand le grand jour arrive, j't'assez excitée que chus pas capable de rien faire dans' maison ! Pis là, là, quand le soir arrive, j'me mets sur mon trente-six, pis y'a pas un ouragan qui m'empêcherait d'aller chez celle qu'on va jouer ! Moé, j'aime ça, le bingo ! [...]

Quand on arrive, on se déshabille pis on rentre tu-suite dans l'appartement ousqu'on va jouer. [...] Là, on s'installe aux tables, on distribue les cartes, on met nos pitounes gratis, pis la partie commence ! Là, c'est ben simple, j'viens folle ! Mon Dieu, que c'est donc excitant, c't'affaire-là ! »

Michel Tremblay, *Les Belles-Sœurs*, 1968.

? Que remarquez-vous quant à la langue utilisée dans cet extrait ?

Représentation des *Belles-Sœurs* au Théâtre du Rideau Vert en 1968

La pièce *Les Belles-Sœurs* raconte l'histoire d'une quinzaine de femmes réunies dans une cuisine l'espace d'une soirée. Parlant de tout et de rien, elles nous font prendre conscience du vide et de la misère de leur vie. Michel Tremblay trace ainsi un portrait à la fois comique et dramatique des familles ouvrières du Québec. Cette pièce connaît un succès qui dépasse les frontières du Québec. Elle est traduite en plusieurs langues et jouée dans de nombreux pays dont l'Italie et le Japon.

Défilé de la Saint-Jean-Baptiste à Montréal durant les années 1960

En 1908, le pape fait de saint Jean-Baptiste le patron des Canadiens français, et c'est en 1925 que le 24 juin devient un jour férié au Québec. Le défilé fait partie des festivités traditionnelles du 24 juin depuis des décennies.

? Selon vous, pourquoi ce défilé est-il remis en question à la fin des années 1960 par les jeunes Québécois francophones ?

La montée de l'idée d'indépendance

Les réformes sociales, économiques, politiques et culturelles de la Révolution tranquille s'inscrivent dans le cadre plus large d'un renouveau du nationalisme québécois. Pendant longtemps, le nationalisme francophone a surtout consisté en une idéologie de survivance, insistant sur la nécessité de préserver la religion et les traditions des Canadiens français.

Le néonationalisme (nouveau nationalisme) des années 1960 est plus positif et se tourne vers l'avenir. Il met l'accent sur l'affirmation nationale et sur la fierté d'être Québécois. Cette nouvelle perception amène les francophones du Québec à s'identifier de plus en plus à leur territoire provincial : ils se disent désormais Québécois et non plus Canadiens français.

Les néonationalistes approuvent les objectifs de la Révolution tranquille et encouragent une réforme de la société pour favoriser le développement des francophones. À leurs yeux, l'État peut jouer un rôle important dans cette réforme et l'adoption de diverses mesures sociales permettra de lutter contre les inégalités.

La Commission royale d'enquête sur le bilinguisme et le biculturalisme

En 1963, le gouvernement fédéral demande à André Laurendeau et à Davidson Dunton d'enquêter à travers le Canada sur la situation du bilinguisme et du biculturalisme. Les témoignages recueillis mettent en lumière les importantes inégalités économiques qui existent alors entre les francophones et les anglophones.

« Les membres de la Commission [...] ont été contraints de conclure que le Canada traverse actuellement, sans toujours en être conscient, la crise majeure de son histoire. Cette crise a sa source dans le Québec [...]. C'est le Canada français qui, par ses porte-parole, se déclare insatisfait de l'état de choses actuel et assure qu'il est victime d'inégalités inacceptables. »

Rapport préliminaire de la Commission royale d'enquête sur le bilinguisme et le biculturalisme, 1965.

? Selon vous, que pensent les Autochtones de l'idée selon laquelle le Canada est un pays biculturel ?

LE REVENU MOYEN DES SALARIÉS CLASSÉS D'APRÈS LEUR ORIGINE ETHNIQUE – QUÉBEC, 1961

Origine ethnique	Revenu (en $)	Indice
Britannique	4940	142,4
Scandinave	4939	142,4
Juive	4851	139,8
Russe	4828	139,1
Allemande	4254	122,6
Asiatique	3734	107,6
Moyenne canadienne	**3469**	**100,0**
Française	3185	91,8
Italienne	2938	84,6
Amérindienne	2112	60,8

? Comment ces données, publiées par la Commission, pouvaient-elles servir la cause des nationalistes et des indépendantistes du Québec ?

1929 – *Effondrement de la Bourse de New York*
1936 – *Élection du premier gouvernement Duplessis*
1939–1945 – *Seconde Guerre mondiale*
1952 – *Début de la télévision au Québec*
1960 – *Début de la Révolution tranquille*
1967 – *Exposition universelle de Montréal*
1970 – *Crise d'Octobre*
1976 – *Élection du Parti québécois*
1977 – *Adoption de la Charte de la langue française*
1980

Pierre Elliott Trudeau

Décédé en 2000, Pierre Elliott Trudeau est l'un des politiciens canadiens les plus influents du 20e siècle. Il est premier ministre de 1968 à 1979, puis de 1980 à 1984.

? Avec quel politicien francophone de la fin du 19e siècle et du début du 20e peut-on associer P. E. Trudeau ? Justifiez votre réponse.

Réunion du RIN

Fondé en 1960, le Rassemblement pour l'indépendance nationale (RIN) est dirigé par Pierre Bourgault à partir de 1964. Le RIN participe aux élections de 1966, mais en 1968, Bourgault prend la difficile décision de dissoudre le parti et invite ses membres à se joindre au nouveau Parti québécois de René Lévesque.

Un nationalisme canadien

Le néonationalisme québécois s'oppose à celui qui se développe au Canada anglais depuis la Seconde Guerre mondiale. Les anglophones se détachent en effet de la Grande-Bretagne et s'identifient de plus en plus au gouvernement fédéral canadien. Pour les nationalistes canadiens, le Québec n'est qu'une province canadienne parmi les autres. Ils et elles voient donc d'un mauvais œil les progrès d'un mouvement indépendantiste au Québec.

Pierre Elliott Trudeau

Fédéraliste convaincu, Pierre Elliott Trudeau entre en politique fédérale en 1965 au sein du Parti libéral du Canada. En 1968, il devient le premier ministre du pays. Pour implanter sa vision du fédéralisme canadien, il propose un gouvernement central fort, un véritable bilinguisme dans les institutions fédérales et la protection des droits individuels. Trudeau s'oppose à une plus grande autonomie des provinces et à l'idée d'un statut particulier pour le Québec.

L'idée d'indépendance

Depuis le début du siècle, l'idée de l'indépendance politique du Québec refait surface sporadiquement, mais elle acquiert une force nouvelle avec la Révolution tranquille et la montée du néonationalisme. Plusieurs Québécois et Québécoises croient en effet que leur province ne pourra jamais s'affirmer pleinement à l'intérieur de la fédération canadienne et que l'indépendance est la seule solution. Ils et elles s'inspirent notamment du mouvement de décolonisation de l'après-guerre qui a permis à plusieurs anciennes colonies européennes d'accéder à l'indépendance politique (voir la page 379).

Parmi les ardents défenseurs de l'idée d'indépendance, il y a René Lévesque, ministre libéral dans le gouvernement Lesage. En 1967, il quitte le Parti libéral pour fonder le Mouvement souveraineté-association, qui propose l'indépendance politique du Québec accompagnée d'une association économique avec le reste du Canada. Son mouvement gagne rapidement des appuis dans toutes les couches de la population.

Chronologie des mouvements indépendantistes

- 1957 : Alliance laurentienne, fondée par Raymond Barbeau
- 1959 : Action socialiste pour l'indépendance du Québec, fondée par Raoul Roy
- 1960 : Rassemblement pour l'indépendance nationale (RIN), fondé par André D'Allemagne (devient un parti politique en 1963)
- 1963 : Premières actions du Front de libération du Québec (FLQ)
  Parti républicain du Québec, fondé par Marcel Chaput
- 1966 : Ralliement national (RN), créé par une fusion entre des créditistes indépendantistes et le Regroupement national
- 1967 : Mouvement souveraineté-association (MSA), fondé par René Lévesque
- 1968 : Fondation du Parti québécois, issu de la fusion du MSA et du RN, auxquels se joignent des membres du RIN. Présidé par René Lévesque

Agitation et contestation

Après l'Expo 67, le Québec subit un net ralentissement économique marqué par une hausse du taux de chômage. L'insatisfaction de la population se traduit par une importante montée des mouvements de contestation. Dans les principales villes, des comités de citoyens et de citoyennes s'organisent pour réclamer des services communautaires et une amélioration des conditions de vie dans les quartiers défavorisés.

Pressés par les grandes réformes du monde de l'éducation, les étudiants et étudiantes souhaitent participer plus activement à la prise de décision des choix de société. Les manifestations se multiplient dans les cégeps et les universités. Quant aux syndicats, ils utilisent des moyens de pression de plus en plus radicaux afin de défendre les droits des travailleurs et travailleuses, et présentent une vision sociale d'inspiration socialiste.

Le taux de chômage entre 1956 et 1980

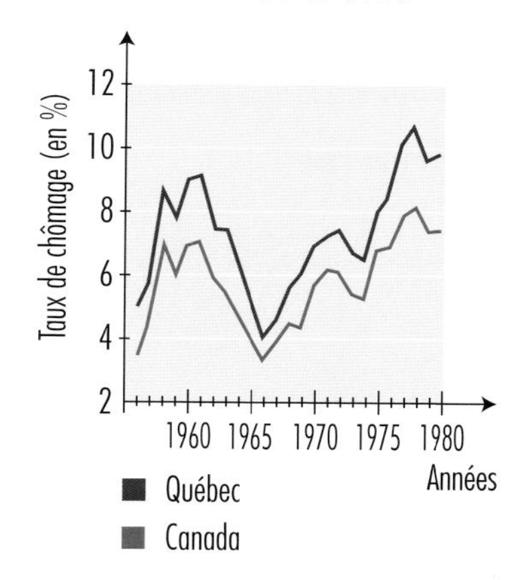

? Quel lien existe-t-il entre l'augmentation du chômage et le mécontentement social ?

Le débat linguistique

Tout au long des années 1960, les rapports d'enquêtes officielles (telle la Commission royale d'enquête sur le bilinguisme et le biculturalisme qui s'est tenue de 1963 à 1970) et la montée du néo-nationalisme québécois donnent une nouvelle ampleur à la question linguistique.

Au Québec, on s'inquiète du fait que près de 90 % des nouveaux immigrants et immigrantes choisissent de s'intégrer à la minorité anglophone, ce qui entraîne une diminution de la proportion des francophones dans l'ensemble de la population. Pour résoudre le problème, les partisans d'une plus grande francisation du Québec veulent imposer un enseignement scolaire strictement français, tout en reconnaissant des droits acquis à la minorité anglophone. Leurs opposants souhaitent plutôt que les parents soient libres de choisir la langue d'enseignement de leurs enfants.

Sur l'île de Montréal, la colère gronde lorsque la commission scolaire de Saint-Léonard adopte une résolution mettant fin aux classes bilingues obligeant les nouveaux élèves à étudier en français. En novembre 1968, le gouvernement du Québec, dirigé par Jean-Jacques Bertrand, doit intervenir pour calmer les tensions. Après le retrait d'un premier projet de loi linguistique (projet de loi 85) que rejette massivement la majorité francophone, le gouvernement de l'Union nationale revient en 1969 et adopte le projet de loi 63, qui vise à promouvoir l'usage du français sans l'imposer comme langue d'enseignement dans les écoles. Bon nombre de francophones se montrent insatisfaits, ce qui contribue à l'élection, l'année suivante, d'un gouvernement libéral dirigé par le jeune Robert Bourassa.

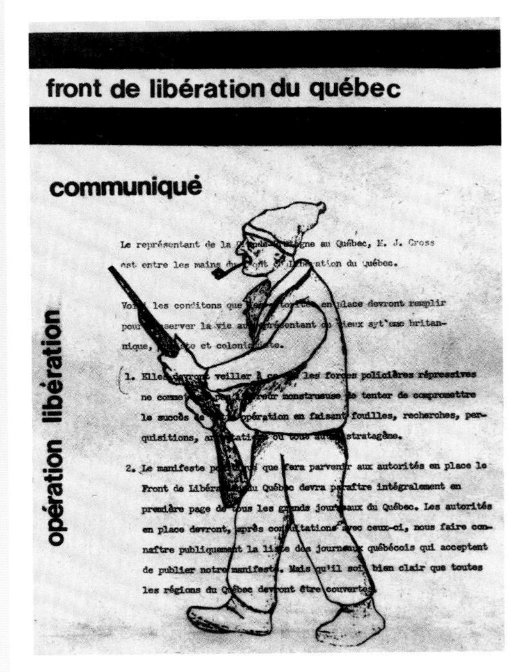

front de libération du québec

communiqué

opération libération

Le représentant de la [illegible]gne au Québec, M. J. Cross est entre les mains du [illegible] [illegible]ation du Québec.

Vo[illegible] les conditons que [illegible] en place devront remplir pour [illegible]server la vie au[illegible]sentant d[illegible] [illegible]ieux syt'eme britannique, [illegible]te et coloni[illegible]te.

1. Elles [illegible] veiller à [illegible] les forces policières répressives ne comme[illegible] [illegible] monstrueuse [illegible] tenter de compromettre le succès [illegible] opération en faisant fouilles, recherches, perquisitions, ar[illegible]atio[illegible] ou [illegible] stratagème.

2. Le manifeste p[illegible] que [illegible]era parven[illegible]r aux autorités en place le Front de Libér[illegible]u Québ[illegible] devra p[illegible]aftre intégralement en première page de [illegible]ous les g[illegible]nds jour[illegible]aux du Québec. Les autorités en place devront, après co[illegible]tations [illegible]vec ceux-ci, nous faire connaftre publiquem[illegible]t la li[illegible]e d[illegible] journ[illegible] québécois qui acceptent de publier notre manifest[illegible]. Mais qu'il soi[illegible] bien clair que toutes les régions du Q[illegible]bec de[illegible]ront être couvertes.

Communiqué du FLQ

Lors de la crise d'Octobre de 1970, les membres des deux cellules du FLQ responsables des enlèvements s'adressent aux autorités par des communiqués envoyés aux médias.

? D'après le dessin en filigrane, de quel groupe le FLQ se réclame-t-il ?

Le Front de libération du Québec

En 1962, un petit groupe d'indépendantistes qui favorisent l'établissement d'un régime socialiste fondent le Front de libération du Québec (FLQ). Pour dénoncer la place réservée au Québec à l'intérieur du Canada, ce groupuscule commet des actes terroristes. Entre 1963 et 1970, une centaine de bombes explosent. Elles visent divers symboles associés avec la domination fédérale et anglo-canadienne, telles des boîtes aux lettres et des casernes de l'armée.

La crise d'Octobre 70

À la faveur du climat de contestation et d'agitation sociale, le FLQ intensifie ses opérations. Les actes terroristes culminent au mois d'octobre 1970 avec l'enlèvement à Montréal du diplomate britannique James Richard Cross, suivi, quelques jours plus tard, de l'enlèvement du ministre québécois du Travail, Pierre Laporte. Dépassés par les événements, le maire de Montréal, Jean Drapeau, et le premier ministre du Québec, Robert Bourassa, demandent au gouvernement fédéral d'intervenir. Pierre Elliott Trudeau proclame alors la Loi des mesures de guerre, qui autorise la suspension temporaire des droits civils, et il envoie l'armée au Québec.

Dans les heures et les jours qui suivent, près de 500 personnes soupçonnées d'être liées au FLQ sont arrêtées. Le 17 octobre, le corps de Pierre Laporte est trouvé dans le coffre d'une voiture. Cet acte de violence fait perdre au FLQ tout appui populaire. La crise se termine avec la libération de Cross, le 3 décembre, et l'arrestation des responsables de l'enlèvement de Pierre Laporte quelques semaines plus tard.

Tout au long des événements, l'opinion publique est divisée. Les milieux plus conservateurs soutiennent généralement l'intervention fédérale, tandis que d'autres condamnent la suppression temporaire des droits et libertés, jugeant la mesure excessive. Un consensus émerge cependant sur la nécessité de tenir un débat démocratique sur les questions majeures comme la possible indépendance du Québec.

La crise d'Octobre 70

Aujourd'hui, la plupart des historiens et des historiennes s'entendent pour dire que les actions terroristes du FLQ étaient menées par une poignée d'amateurs mal organisés et que la réponse des autorités fut, dans un premier temps, improvisée pour devenir par la suite excessive.

? Comme le Québec est une société démocratique, le FLQ était-il justifié, selon vous, d'enlever des personnes pour faire avancer sa cause ? Les gouvernements étaient-ils justifiés de suspendre les droits civils ? Justifiez vos réponses.

Arrivée des premiers êtres humains au Québec

v. 7000/-6000 · 1500 · 1600 · 1700 · 1800 · 1900 · 1929 · 1980 · 6e réalité sociale · 2000

Les années Bourassa (1970-1976)

Élu en avril 1970, le gouvernement libéral de Robert Bourassa est durement ébranlé par la crise d'Octobre. Une fois la crise réglée, il s'attaque sérieusement à plusieurs questions économiques. De 1970 à 1973, de nombreux emplois sont créés, notamment grâce à de vastes travaux publics. Par exemple, le développement de la Baie-James, où sont construits d'importants barrages hydroélectriques, permet au Québec d'accroître grandement sa capacité énergétique.

Des mesures sociales sont également adoptées, telles que la création du Régime de l'assurance maladie en 1970 et celle des centres locaux de services communautaires (CLSC) en 1972. Ces centres ont pour objectif de rendre les soins de santé encore plus accessibles à l'ensemble de la population. En 1975, le gouvernement adopte la Charte des droits et libertés de la personne, et crée la Commission des droits de la personne afin de rendre illégale toute forme de discrimination fondée sur le sexe, la religion ou toute autre différence.

Robert Bourassa

Élu à l'âge de 36 ans, Robert Bourassa devient le plus jeune premier ministre de l'histoire du Québec. Il gouverne la province de 1970 à 1976 et revient au pouvoir de 1985 à 1994. Économiste de formation, il estime que le développement du Québec est mieux assuré si la province reste au sein du Canada.

La détérioration du climat social

À partir de 1974, la hausse des prix provoque une détérioration de la situation économique. Le taux de chômage augmente, passant de 6,6 % en 1974 à 10,9 % en 1978. Les grands syndicats accentuent leurs moyens de pression et les mouvements de grève se multiplient. En 1972, 1976 et 1979, les trois grandes centrales syndicales (FTQ, CEQ et CSN) mettent au point une nouvelle stratégie de confrontation : elles s'unissent et font front commun pour négocier avec le gouvernement.

Quant au débat linguistique, il est relancé par l'adoption en 1974 du projet de loi 22, qui consacre le français comme langue officielle du Québec. Visant à rallier tout le monde, cette loi ne réussit qu'à mécontenter la majorité des gens. Les francophones la jugent inefficace parce qu'elle n'empêche pas les familles immigrantes d'inscrire leurs enfants à l'école anglaise, tandis que les anglophones y voient une atteinte à leurs droits.

Développement hydroélectrique de la Baie-James

Les chantiers de la Baie-James, financés par l'État québécois, créent un grand nombre d'emplois dans une période économique difficile. De plus, ils assurent à la population québécoise une plus grande autonomie énergétique. Sur la photographie apparaît l'aménagement hydroélectrique Robert-Bourassa.

? Quels sont les avantages et les désavantages de l'énergie hydroélectrique ?

- 1929 — *Effondrement de la Bourse de New York*
- 1936 — *Élection du premier gouvernement Duplessis*
- 1939-1945 — *Seconde Guerre mondiale*
- 1952 — *Début de la télévision au Québec*
- 1960 — *Début de la Révolution tranquille*
- 1967 — *Exposition universelle de Montréal*
- 1970 — *Crise d'Octobre*
- 1976 — *Élection du Parti québécois*
- 1977 — *Adoption de la Charte de la langue française*
- 1980

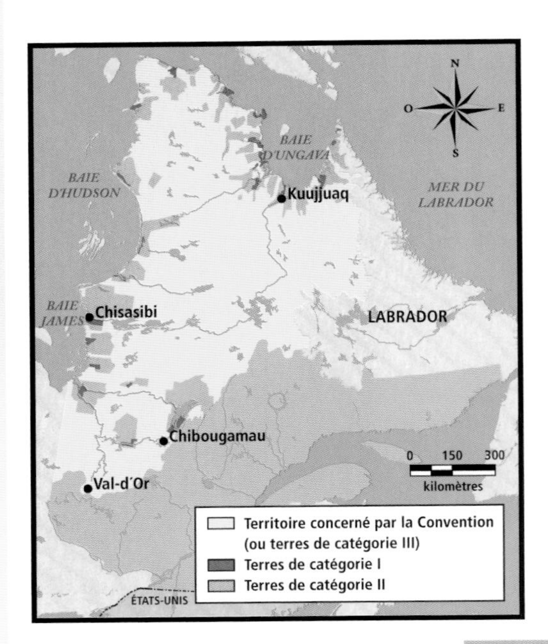

Les territoires visés par la Convention de la Baie-James et du Nord québécois

La Convention reconnaît les droits ancestraux des Autochtones sur un vaste territoire (en jaune sur la carte ci-dessus) et leur accorde des droits particuliers sur deux types de terres. Ils ont l'usage exclusif des terres de catégorie I et possèdent des droits exclusifs de chasse, de pêche et de piégeage sur les terres de catégorie II. De plus, ils participent directement au développement économique de ces terres.

La Convention de la Baie-James et du Nord québécois

Les grands projets hydroélectriques de la baie James mis de l'avant par le gouvernement Bourassa visent des terres habitées par les Cris et les Inuits qui n'ont pas été consultés. Les Autochtones s'opposent aux projets et s'adressent aux tribunaux pour faire reconnaître leurs droits. Le gouvernement québécois entreprend alors des négociations pour trouver un terrain d'entente. C'est ainsi que la Convention de la Baie-James et du Nord québécois est signée le 11 novembre 1975. Elle permet au gouvernement d'entreprendre la mise en chantier de barrages hydroélectriques dans cette région en échange de terres réservées aux nations autochtones. La Convention reconnaît aux Autochtones le droit de s'administrer eux-mêmes dans certains domaines et leur accorde une aide financière.

Des Jeux olympiques à Montréal

Au cours de l'été 1976, 6084 athlètes représentant 92 nations participent aux Jeux olympiques de Montréal. Les 198 épreuves sportives se déroulent dans des lieux spécialement conçus pour l'occasion. Les coûts de ces Jeux sont beaucoup plus élevés que ce qui avait été prévu. Néanmoins, les Jeux olympiques de 1976 laissent des souvenirs impérissables, comme celui de la jeune gymnaste roumaine Nadia Comaneci qui fait sensation en obtenant pour la première fois une note parfaite de 10 aux barres asymétriques.

Un gouvernement souverainiste

En 1976, de nouvelles élections provinciales sont déclenchées. L'insatisfaction qui résulte des difficultés économiques et de l'agitation sociale des dernières années place le Parti libéral dans une situation difficile. Dirigé par René Lévesque, le Parti québécois déclare vouloir réaliser la souveraineté-association s'il est élu, mais seulement après la tenue d'un référendum. C'est ainsi qu'il remporte la victoire le 15 novembre 1976. Pour la première fois, un parti ouvertement souverainiste prend le pouvoir au Québec.

Le Stade olympique de Montréal

Conçu par l'architecte français Roger Taillibert, le Stade olympique a été achevé juste à temps pour les Jeux olympiques de 1976. Il faudra cependant encore plusieurs années avant qu'il prenne sa forme définitive, avec son toit et sa haute tour.

? Qu'y a-t-il de commun entre cet événement et Expo 67 (voir la page 413) ? Selon vous, quel impact ces deux manifestations auront-elles sur Montréal ?

Arrivée des premiers êtres humains au Québec

v. –7000/–6000 | 1500 | 1600 | 1700 | 1800 | 1900 | 1929 | 6e réalité sociale | 1980 | 2000

Victoire du Parti québécois

La victoire du Parti québécois en 1976 cause une véritable onde de choc, tant au Québec que dans le reste du Canada. La souveraineté du Québec semble désormais une possibilité réelle.

? Analysez cette image en suivant les étapes de la fiche méthodologique *Interpréter un document iconographique* à la page 492.

Au cours des premières années de son mandat, le gouvernement de René Lévesque se lance dans une série de réformes qui s'inscrivent dans le courant de la Révolution tranquille. L'État continue à intervenir largement dans la vie sociale et économique de la province.

LES PRINCIPALES RÉALISATIONS DU GOUVERNEMENT DU PARTI QUÉBÉCOIS (1976-1980)

- Charte de la langue française (projet de loi 101)
- Loi sur le financement des partis politiques
- Loi sur la protection du consommateur
- Politique de conservation des terres agricoles
- Étatisation partielle de l'assurance automobile
- Programmes pour soutenir le développement des PME (petites et moyennes entreprises) québécoises

La Charte de la langue française

Le projet de loi 22, adopté par le gouvernement Bourassa, avait laissé la majorité de la population insatisfaite. La plupart des francophones estimaient que cette loi n'allait pas assez loin, tandis que les anglophones et les **allophones** y voyaient une atteinte à leurs droits personnels. Le problème linguistique était donc loin d'être réglé.

En 1977, le gouvernement du Parti québécois décide de frapper un grand coup pour la francisation du Québec. Il adopte la Charte de la langue française (projet de loi 101), qui fait du français la seule langue officielle du Québec. Désormais, le français doit être utilisé en priorité dans tous les domaines de la vie collective tels que le travail, les services gouvernementaux ou l'affichage. Plus contraignante que la loi précédente, la Charte de la langue française restreint encore l'accès à l'école anglaise en obligeant les enfants de toutes les nouvelles familles immigrantes à fréquenter une école française. La majorité francophone se montre satisfaite, mais les anglophones et les allophones du Québec contestent plusieurs dispositions de cette nouvelle loi devant les tribunaux.

Lise Payette

Animatrice à la radio et à la télévision, Lise Payette est élue députée du Parti québécois en 1976. Ministre au sein du gouvernement de René Lévesque, elle quitte la vie politique après le référendum de 1980. Elle connaît par la suite une fructueuse carrière en tant qu'auteure pour la télévision.

? En quoi le parcours de Lise Payette reflète-t-il les changements de mentalité qui s'opèrent au Québec au cours des années 1960 et 1970 ? Selon vous, aujourd'hui, les femmes occupent-elles une place égale à celle des hommes en politique ?

QUESTIONS DE SYNTHÈSE

1. a) Définissez brièvement la Révolution tranquille.
   b) Dressez un tableau résumant les principales réalisations de cette période sur les plans économique, politique et social.
2. Montrez par des exemples concrets que, dans les années 1960 à 1980, les mentalités changent au Québec, tant sur le plan social que politique.
3. Relevez trois événements marquants des années 1970 et justifiez votre choix.

1929 – Effondrement de la Bourse de New York
1936 – Élection du premier gouvernement Duplessis
1939–1945 – Seconde Guerre mondiale
1952 – Début de la télévision au Québec
1960 – Début de la Révolution tranquille
1967 – Exposition universelle de Montréal
1970 – Crise d'Octobre
1976 – Élection du Parti québécois
1977 – Adoption de la Charte de la langue française
1980

ARTS ET TRADITIONS

De 1930 à 1980, la société québécoise vit une véritable explosion culturelle et artistique. Les premières manifestations sont plutôt conservatrices et traditionnelles, mais peu à peu, elles se modernisent et s'ouvrent sur le monde. Déjà, dans les années qui suivent la Seconde Guerre mondiale, des artistes et des intellectuels défient le traditionalisme du gouvernement Duplessis pour innover et parfois même se rebeller. Le mouvement s'accélère à partir de la Révolution tranquille. Les Québécois et Québécoises s'expriment alors avec vigueur dans tous les médias.

LE CINÉMA

Lors de la Seconde Guerre mondiale, l'industrie cinématographique québécoise connaît ses véritables débuts. L'impossibilité d'avoir accès aux films français durant cette période entraîne le développement d'une industrie locale, qui sera toutefois durement frappée par l'avènement de la télévision en 1952. L'Office national du film du Canada (ONF), créé en 1939, produit des films de propagande et d'information, et permet de développer une solide expertise dans le domaine des documentaires.

À l'époque de la Révolution tranquille, on assiste à un renouveau du cinéma québécois au sein de cet organisme. De 1955 à 1975, l'ONF est le lieu d'une grande effervescence cinématographique. Des cinéastes tels que Pierre Perreault et Michel Brault produisent des films documentaires qui portent sur la vie des gens, et qui montrent la réalité québécoise au naturel. D'autres cinéastes se joignent à eux et tracent un portrait critique de la société dans des œuvres de fiction marquantes. Mentionnons notamment les réalisations de Jean-Pierre Lefebvre, de Claude Jutra, de Gilles Carle et de Denys Arcand. Certains films deviennent des succès populaires, tel *Deux femmes en or* de Claude Fournier, qui sera vu par près de deux millions de personnes. En outre, la Société de développement de l'industrie cinématographique canadienne, créée en 1967, joue un rôle important dans le financement des films québécois.

ONF NFB

Le logo de l'Office national du film

Dans les années 1950, les artisans de l'ONF sont reconnus non seulement pour la grande qualité de leurs documentaires mais aussi pour leur innovation dans le domaine du cinéma d'animation.

? Décrivez ce logo dans vos mots. Selon vous, que signifie-t-il ?

***Mon oncle Antoine* de Claude Jutra**

Mon oncle Antoine de Claude Jutra est considéré comme l'un des plus grands films du cinéma québécois. Tourné en 1971, il raconte la vie quotidienne dans la région de Thetford Mines au cours des années 1940, avant la grève de l'amiante.

? Quel est le rôle du cinéma dans une société ?

Arrivée des premiers êtres humains au Québec

1929 *1980* 6e réalité sociale

v. –7000/–6000 1500 1600 1700 1800 1900 2000

LA LITTÉRATURE

Avant la Seconde Guerre mondiale, la littérature québécoise est dans une situation très précaire. L'Église contrôle l'essentiel de la production, n'hésitant pas à censurer les textes qu'elle juge inconvenants. De plus, les livres demeurent peu accessibles à la majorité de la population. En 1937, une enquête révèle que sur les 642 bibliothèques publiques qui existent au Canada, le Québec n'en compte que 26. Les ouvrages publiés abordent encore majoritairement des thèmes conservateurs et nationalistes.

Anne Hébert en 1958

La longue et fertile carrière d'Anne Hébert s'étale du début des années 1940 jusqu'à son décès en 2000. Son œuvre comprend des romans, des poèmes et des pièces de théâtre. Son roman *Kamouraska* a été adapté pour le cinéma. En 1982, elle a reçu le prestigieux prix Femina pour son roman *Les fous de Bassan*.

Une ouverture sur le monde

Avec la guerre en Europe qui paralyse l'édition française pendant plusieurs années, tout change rapidement. Le Québec prend la relève, ce qui permet au public de découvrir la richesse de la production internationale et à plusieurs auteurs et auteures d'ici de se faire valoir. On découvre ainsi des œuvres telles que *Bonheur d'occasion* de Gabrielle Roy (1945), *Le Survenant* de Germaine Guèvremont (1945) et *Les Plouffe* de Roger Lemelin (1948).

Sous le régime conservateur de Duplessis, la littérature connaît des années plus difficiles, mais le mouvement amorcé se poursuit malgré tout. De nouveaux auteurs s'affirment, tel Yves Thériault qui connaît le succès avec *Agaguk* en 1958 et des poètes tels Claude Gauvreau et Gaston Miron.

La Révolution tranquille

Avec la Révolution tranquille et le mouvement d'affirmation nationale, le monde littéraire québécois connaît une véritable explosion. Le nombre de parutions augmente considérablement et la production se diversifie. La poésie, le roman et le théâtre témoignent du bouillonnement culturel de l'époque, avec par exemple Jacques Ferron, Réjean Ducharme, Anne Hébert et Michel Tremblay. Les écrivains et écrivaines jouent un rôle important dans la redéfinition de la société québécoise et leurs écrits touchent un public plus important que jamais.

***L'homme rapaillé* de Gaston Miron**

Gaston Miron publie de nombreux poèmes au cours des années 1950 et 1960. Toutefois, il faut attendre 1970 pour qu'il en rassemble un certain nombre dans un recueil intitulé *L'homme rapaillé*. Poète engagé, il milite pour la cause indépendantiste.

? Comment la littérature peut-elle influer sur l'évolution d'une société ?

1929	Effondrement de la Bourse de New York
1936	Élection du premier gouvernement Duplessis
1939–1945	Seconde Guerre mondiale
1952	Début de la télévision au Québec
1960	Début de la Révolution tranquille
1967	Exposition universelle de Montréal
1970	Crise d'Octobre
1976	Élection du Parti québécois
1977	Adoption de la Charte de la langue française
1980	

SCIENCE ET TECHNOLOGIE

Frère Marie Victorin

Le frère Marie Victorin a perdu la vie dans un accident de la route, alors qu'il revenait d'un voyage d'herborisation. Son œuvre la plus importante, *La flore laurentienne,* est un répertoire de la flore de la province.

MARIE VICTORIN

Originaire de Québec, Conrad Kirouac entre à l'âge de 16 ans dans la communauté des Frères des écoles chrétiennes et prend le nom de frère Marie Victorin. Ses premières années d'enseignement sont souvent interrompues par la maladie et il passe de longues périodes de convalescence dans la nature à étudier la botanique, un sujet qui le passionne. En 1920, il est nommé professeur de botanique à l'Université de Montréal et entreprend une carrière scientifique intense.

Marie Victorin devient le propagateur de la culture scientifique. Il participe à la fondation de l'Association canadienne-française pour l'avancement des sciences (ACFAS), un organisme qui regroupe plusieurs sociétés scientifiques. Il collabore également à la fondation du Jardin botanique de Montréal et à l'organisation du Cercle des jeunes naturalistes, permettant ainsi à des milliers de jeunes de s'initier aux sciences naturelles.

IRMA LEVASSEUR

Irma LeVasseur est la première médecin spécialiste au Québec. Comme les universités canadiennes n'acceptent pas les femmes en médecine, elle poursuit ses études aux États-Unis où elle obtient son diplôme en 1900. Pour exercer sa profession au Québec, elle doit demander à l'Assemblée législative du Québec de changer la loi afin que les femmes puissent entrer au Collège des médecins et chirurgiens de la province. Trois ans plus tard, une loi privée est adoptée.

Irma LeVasseur, sensible au problème de la mortalité infantile, se dévoue toute sa vie à la santé des enfants et elle se spécialise en pédiatrie. Elle participe à la fondation de l'hôpital Sainte-Justine, premier hôpital à recevoir les enfants de moins de deux ans. Dans les années 1920, elle fonde l'hôpital de l'Enfant-Jésus à Québec ainsi qu'une clinique et une école pour les enfants handicapés.

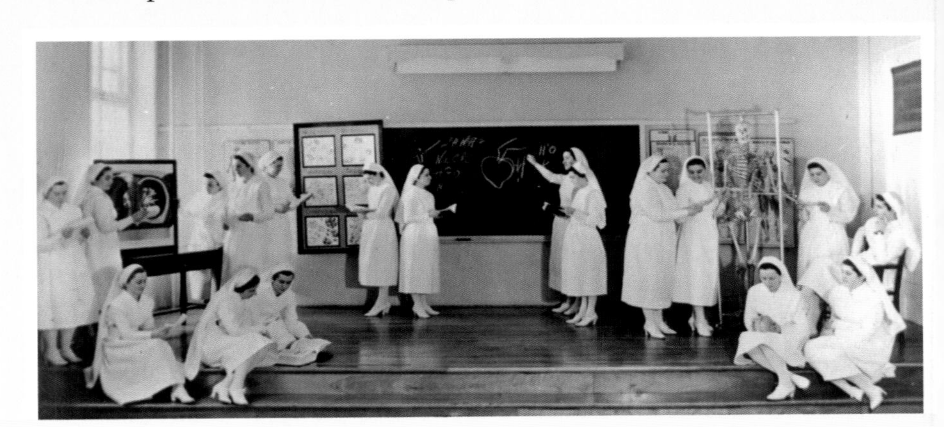

Infirmières stagiaires à l'hôpital de l'Enfant-Jésus

En 1922, Irma LeVasseur investit ses économies pour fonder à Québec un hôpital spécialisé dans les maladies infantiles, l'hôpital de l'Enfant-Jésus. Cette institution est également un lieu d'enseignement puisqu'elle participe à la formation des infirmières.

WILDER PENFIELD

Originaire des États-Unis, le docteur Wilder Penfield arrive au Canada en 1928 pour travailler comme neurochirurgien à l'Hôpital Royal Victoria de Montréal. En 1934, il fonde l'Institut neurologique de Montréal, qui devient bientôt un centre international d'enseignement, de recherche et de traitement des maladies du système nerveux. Des neurochirurgiens, des neurologues, des neuropathologistes et d'autres scientifiques sont réunis et font progresser grandement les connaissances sur le cerveau.

Le docteur Penfield, directeur de l'Institut jusqu'en 1960, met au point un traitement chirurgical de l'épilepsie appelé la « technique de l'école de Montréal ». Il s'agit d'opérer les épileptiques en leur administrant un anesthésiant local, ce qui les garde éveillés pendant l'intervention. Puis, le chirurgien ouvre la boîte crânienne et stimule les différentes parties du cerveau pour déterminer l'endroit précis qui est à l'origine des crises d'épilepsie. Il peut ensuite enlever les tissus atteints pour guérir la personne malade.

Wilder Penfield

Grâce à la « technique de l'école de Montréal » mise au point à l'Institut neurologique de Montréal, le docteur Wilder Penfield parvient à cartographier les différentes régions du cerveau.

ARMAND FRAPPIER

Alors qu'Armand Frappier a 19 ans, sa mère est emportée par la tuberculose. Cela l'amène à consacrer sa vie à la lutte contre cette maladie et contre les autres maladies infectieuses. Diplômé en médecine à l'Université de Montréal en 1930, il se spécialise en microbiologie aux États-Unis et à Paris. Dès 1933, il enseigne la microbiologie et la médecine préventive à l'Université de Montréal, une carrière qu'il poursuit pendant 35 ans.

Toutefois, il est surtout connu comme le fondateur de l'Institut de microbiologie et d'hygiène, aujourd'hui appelé l'Institut Armand-Frappier. L'Institut se consacre à la formation, à la recherche, à l'aide à la communauté et à la fabrication de produits biologiques, dont des vaccins. On y fabrique des vaccins contre la tuberculose, le tétanos, la rougeole, la coqueluche ou la poliomyélite. Armand Frappier organise par ailleurs des campagnes massives de vaccination pour prévenir les maladies infectieuses au sein de la population canadienne.

Armand Frappier

À Paris, Armand Frappier a été l'élève des découvreurs du vaccin BCG contre la tuberculose. Il est lui-même reconnu pour ses travaux portant sur l'efficacité de ce vaccin.

Effondrement de la Bourse de New York — 1929
Élection du premier gouvernement Duplessis — 1936
Seconde Guerre mondiale — 1939-1945
Début de la télévision au Québec — 1952
Début de la Révolution tranquille — 1960
Exposition universelle de Montréal — 1967
Crise d'Octobre — 1970
Élection du Parti québécois — 1976
Adoption de la Charte de la langue française — 1977
1980

Cuba

Ailleurs :
Cuba

À partir de l'indépendance de Cuba en 1902, une succession de gouvernements et de coups d'État plonge l'île dans l'instabilité politique. En 1952, Fulgencio Batista s'empare du pouvoir et le conserve par la force. Son gouvernement est marqué par la corruption et les liens qu'il tisse avec le crime organisé. À cette époque, les intérêts étrangers, principalement américains, dominent l'économie cubaine. Ils contrôlent 90 % des secteurs des mines et de l'agriculture ainsi que la totalité de l'industrie pétrolière. Cuba connaît alors un essor économique dont les retombées ne profitent pas forcément à la population locale.

Par conséquent, des mouvements d'opposition se forment. En 1953, le jeune Fidel Castro tente sans succès de renverser le pouvoir. Après une brève période d'exil au Mexique, il amorce une nouvelle insurrection avec 80 compagnons, dont le révolutionnaire argentin Ernesto « Che » Guevara. Leur guérilla gagne peu à peu en intensité et finit par rallier une partie de la population. Le 1er janvier 1959, Castro et ses alliés entrent dans La Havane, capitale de Cuba. Batista, qui a perdu le soutien des Américains, s'enfuit, laissant à Fidel Castro les rênes du pouvoir.

Fidel Castro
Fidel Castro a marqué l'histoire de Cuba. Son régime, critiqué pour ses abus dictatoriaux, a tout de même permis aux Cubains de bénéficier de progrès significatifs en matière de justice sociale.

Dès son arrivée à la tête du pays, Fidel Castro entreprend une série de réformes afin de redonner aux Cubains la mainmise sur leur économie. Son gouvernement nationalise les raffineries de sucre et de pétrole. Il lance une réforme agraire qui permet à l'État de reprendre possession des terres qui sont sous contrôle étranger. De plus, Castro lutte contre la corruption en exécutant ou en emprisonnant plusieurs alliés de Batista. Enfin, des programmes destinés à améliorer l'éducation et la santé sont mis sur pied, et leurs effets se font bientôt sentir.

La Havane
Capitale de Cuba, La Havane est la plus grande ville des Caraïbes et l'une des plus vieilles en Amérique.

Arrivée des premiers êtres humains au Québec

v. -7000/-6000 — 1500 — 1600 — 1700 — 1800 — 1900 — *1929* — 6e réalité sociale — *1980* — 2000

À la suite de l'expropriation des compagnies américaines implantées à Cuba, les relations entre les deux pays se détériorent rapidement. Fidel Castro, dont les idées nationalistes tendent plutôt vers la gauche, se rapproche alors des communistes de l'Union soviétique. Le 17 avril 1961, environ 1400 exilés cubains, entraînés par les services secrets américains, débarquent dans la baie des Cochons, sur les côtes de Cuba. Ils veulent renverser le nouveau régime révolutionnaire de Castro. Leur tentative se solde par un échec et contribue grandement à envenimer les relations entre Cuba et les États-Unis.

Ernesto « Che » Guevara

Ce médecin né en Argentine rencontre Fidel Castro au Mexique et entre dans le mouvement révolutionnaire cubain. Ernesto « Che » Guevara devient l'un des principaux lieutenants de Castro.

Cette photographie prise par Alberto Korda est l'une des plus célèbres du monde. N'est-il pas curieux que cette image d'un révolutionnaire socialiste et anticapitaliste soit commercialisée partout dans le monde et contribue ainsi à enrichir des entreprises capitalistes ?

En réponse au débarquement de la baie des Cochons, Fidel Castro accentue sa collaboration avec l'URSS et oriente la révolution cubaine vers le communisme. Dès lors, l'État occupe une place prédominante et dirige l'ensemble des aspects de la vie quotidienne de la population. La liberté de presse devient pratiquement inexistante, le Parti communiste cubain devient l'unique parti autorisé dans le pays et les opposants sont mis hors d'état de nuire.

En février 1962, les États-Unis imposent un **embargo** commercial et financier sur Cuba. La plupart des alliés des États-Unis approuvent ce blocus, ce qui laisse Cuba presque totalement isolée. Les pays communistes, particulièrement l'URSS, deviennent alors ses principaux partenaires commerciaux.

À l'automne 1962, Fidel Castro permet secrètement aux Soviétiques d'installer des missiles nucléaires et de stationner des troupes sur l'île. Lorsque les États-Unis découvrent ces installations situées à moins de 150 km de leur territoire, ils se sentent en danger. Devant cette provocation, ils exigent le démantèlement des installations nucléaires, menaçant l'URSS de représailles. Cette crise, connue sous le nom de crise des missiles de Cuba, place le monde au bord de la guerre nucléaire. Les Soviétiques reculent à condition que les États-Unis s'engagent à ne pas envahir Cuba. Le régime de Fidel Castro est désormais solidement implanté.

***Coq avec tournesol*, Mariano Rodriguez (1979)**

Peintre cubain, Mariano Rodriguez voyage partout dans le monde pour développer son art. En 1959, au moment de la révolution cubaine, il contribue à la fondation de l'Union des écrivains et des artistes de Cuba.

Effondrement de la Bourse de New York — 1929
Élection du premier gouvernement Duplessis — 1936
Seconde Guerre mondiale — 1939–1945
Début de la télévision au Québec — 1952
Début de la Révolution tranquille — 1960
Exposition universelle de Montréal — 1967
Crise d'Octobre — 1970
Élection du Parti québécois — 1976
Adoption de la Charte de la langue française — 1977
1980

Ailleurs : L'Algérie

L'Algérie

L'Algérie est un pays d'Afrique du Nord situé sur les bords de la mer Méditerranée. Du 16e siècle jusqu'au début du 19e, l'Algérie est rattachée à l'Empire ottoman. La population est majoritairement musulmane et parle l'arabe. En 1830, les troupes françaises envahissent une partie du pays et l'Algérie est bientôt intégrée au territoire français.

Les colons français, appelés « Pieds-Noirs », forment une élite privilégiée et occupent la plupart des postes de pouvoir. En un siècle, ils s'emparent d'une bonne partie des terres cultivables et constituent de grands domaines. Vivant à leurs côtés, la population arabe, qualifiée d'« indigène », se voit privée d'une partie de ses libertés et de ses droits politiques.

Dans les années 1930, un mouvement nationaliste émerge au sein de la bourgeoisie musulmane. Les membres de ce mouvement veulent obtenir l'égalité des droits avec les Européens, mais les Pieds-Noirs résistent à cette demande. Les nationalistes revendiquent donc de plus en plus l'indépendance d'une patrie algérienne musulmane.

Dans les années 1950, les divers mouvements nationalistes se rallient au Front de libération nationale (FLN). Le 1er novembre 1954, ce mouvement mène une guérilla qui s'attaque à l'armée française, aux fonctionnaires, aux réseaux de communications et aux bâtiments publics. Au même moment, les dirigeants du FLN lancent un appel au peuple algérien pour expliquer les raisons de leurs actions et exigent que la France accorde aux Algériens le droit de disposer d'eux-mêmes.

Ces événements marquent le début de la longue guerre d'indépendance algérienne. Bien que la France remporte une victoire militaire sur les mouvements nationalistes, elle ne parvient pas à calmer la situation ni à conserver l'Algérie française. En mars 1962, le général Charles de Gaulle, président français, signe, avec les représentants du FLN, un accord qui reconnaît la souveraineté algérienne.

Le chanteur de raï Cheb Khaled

Le raï (mot qui signifie « opinion ») est la musique nationale de l'Algérie. Apparue au début du 20e siècle parmi les bergers berbères, elle mêle des influences arabes, espagnoles, françaises et africaines. Aujourd'hui, grâce à des chanteurs tels que Ched Khaled et Rachid Taha, cette musique est connue internationalement.

Houari Boumediene

De 1965 à 1978, Houari Boumediene, un ancien chef du FLN, occupe la présidence de l'Algérie. Il intervient dans l'économie du pays en nationalisant les compagnies pétrolières et diverses sociétés ayant appartenu à des investisseurs français. Il soutient également l'industrie lourde.

Ailleurs :
L'Inde

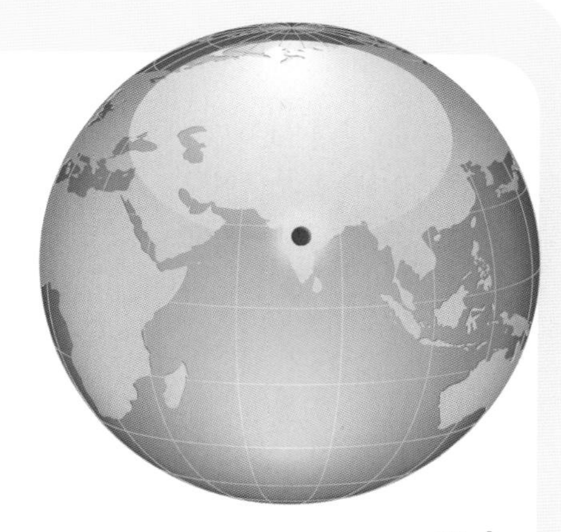

L'Inde

Présente en Inde depuis le début du 17e siècle, la Grande-Bretagne accroît peu à peu son influence dans l'ensemble du pays jusqu'à y exercer une véritable domination coloniale. À partir du milieu du 19e siècle, Londres administre directement la majeure partie du territoire indien en s'appuyant sur des seigneurs locaux, les *zamindars.* Ceux-ci sont chargés de percevoir des paysans les taxes sur leurs terres et de les remettre aux autorités britanniques. Ce système semblable au **féodalisme** donne lieu à de nombreux abus.

Le mouvement d'indépendance

Au début du 20e siècle, un nombre croissant d'Indiens s'indigne des injustices du régime britannique. Au nom d'idéaux démocratiques, ils revendiquent le droit de se gouverner eux-mêmes. La Grande-Bretagne rejette la demande, ce qui entraîne l'organisation de plusieurs mouvements prônant l'indépendance. Mohandas K. Gandhi émerge comme l'un des principaux chefs indépendantistes, encourageant la résistance pacifique au pouvoir britannique par des campagnes de désobéissance civile.

Le 15 août 1947, les Britanniques cèdent finalement et reconnaissent l'indépendance de l'Inde. Ils divisent cependant le pays en créant le Pakistan, un nouvel État pour la minorité musulmane. Toutefois, alors que le Pakistan proclame l'islam religion d'État en 1973, la Constitution indienne fait de ce pays une république séculière, c'est-à-dire ouverte à toutes les religions.

Mohandas K. Gandhi

Mohandas Karamchand Gandhi est certainement la figure la plus marquante de l'indépendance indienne. Il a été assassiné par un extrémiste hindou qui lui reprochait de chercher à rapprocher les communautés hindoue et musulmane.

Un État ouvert et moderne

Après l'indépendance, les Indiens lancent un vaste mouvement pour moderniser leur nouvel État. Le système des *zamindaris* est officiellement aboli, tout comme celui des castes, qui divisait la population en groupes sociaux fermés. La République indienne se veut démocratique et socialiste, rejetant toute discrimination basée sur la caste, la race, la religion, le sexe ou la langue. Elle vise une égalité économique et sociale pour l'ensemble de sa population.

Cérémonie religieuse hindoue

Pratiqué par plus de 80 % de la population, l'hindouisme est la principale religion de l'Inde. La tolérance religieuse est cependant un principe fondamental reconnu par la Constitution du pays.

Effondrement de la Bourse de New York — 1929
Élection du premier gouvernement Duplessis — 1936
Seconde Guerre mondiale — 1939–1945
Début de la télévision au Québec — 1952
Début de la Révolution tranquille — 1960
Exposition universelle de Montréal — 1967
Crise d'Octobre — 1970
Élection du Parti québécois — 1976
Adoption de la Charte de la langue française — 1977
1980

La République populaire de Chine

Ailleurs :
La République populaire de Chine

Au début du 20e siècle, la Chine est une nation divisée. Après le départ du dernier empereur en 1912, une république est mise en place mais ses dirigeants ne réussissent pas à faire l'unité. Plusieurs seigneurs de la guerre contrôlent de vastes régions indépendantes du territoire, tandis que les pays européens colonialistes continuent à dominer certaines zones. Au milieu de tout ce désordre, le Parti communiste chinois cherche à provoquer une révolution qui permettrait aux paysans et paysannes de prendre le pouvoir.

Dans les années 1930, le Guomindang, un parti nationaliste, semble prendre le dessus. Il mène une lutte féroce contre ses principaux adversaires, les communistes. Dirigés par Mao Zedong, ceux-ci sont forcés de battre en retraite et de traverser tout le pays. Ce périple est connu sous le nom de Longue Marche. Lors de la Seconde Guerre mondiale, les adversaires doivent cependant s'unir pour affronter un danger : l'invasion japonaise. À la fin du conflit, les hostilités reprennent de plus belle. Cette fois, les communistes ont l'avantage.

Un État communiste

En 1949, les troupes du Guomindang trouvent refuge dans l'île de Taïwan et Mao Zedong proclame la République populaire de Chine. Au cours des années qui suivent, un régime communiste est instauré, amenant l'État à s'immiscer dans presque tous les domaines. Après des années de guerres et de dissensions, le pays est enfin unifié, mais les interventions gouvernementales se soldent souvent par des échecs. La politique économique planifiée, le « Grand Bond en avant », est un vaste effort de modernisation accélérée de l'industrie chinoise qui conduit le pays au bord de l'effondrement. Il faudra plusieurs années pour que les dirigeants du pays parviennent à établir une certaine stabilité.

Affiche de propagande

Cette illustration montre un ouvrier, un soldat et une paysanne unis afin de faire triompher le communisme. Les affiches de ce genre encourageaient la population à participer activement au projet communiste du gouvernement.

La porte de la Paix céleste (Tian'anmen)

Principale entrée de la Cité impériale, le quartier situé au centre de la ville de Beijing, cette porte se trouve au nord de la place Tian'anmen. Depuis la révolution communiste, elle est ornée d'un grand tableau représentant Mao Zedong.

Arrivée des premiers êtres humains au Québec

1929 *1980* 6e réalité sociale

v. –7000/–6000 1500 1600 1700 1800 1900 2000

Ailleurs :
La Suède

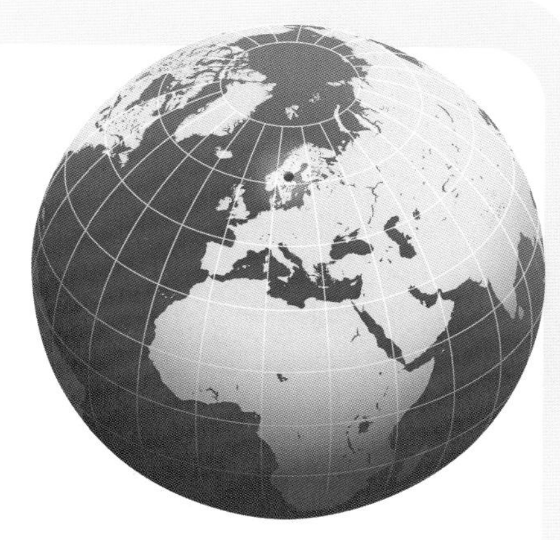
La Suède

Située au nord de l'Europe, la Suède fait partie, avec le Danemark, la Norvège, la Finlande et l'Islande, d'une région appelée Scandinavie. Elle est gouvernée par une monarchie parlementaire dont le modèle s'apparente à celui de la Grande-Bretagne. À la fin du 19e siècle, la Suède, comme plusieurs pays occidentaux, connaît une forte industrialisation, entraînant un important mouvement d'urbanisation.

Après la période de prospérité économique qui a suivi la Première Guerre mondiale, le pays est durement touché par la crise économique des années 1930. Le parti social-démocrate, qui prend le pouvoir en 1932, entreprend de redresser la situation en intervenant davantage dans les rouages de l'économie.

À l'approche de la Seconde Guerre, le gouvernement accroît la production militaire pour assurer la défense du pays, ce qui stimule l'économie. Toutefois, comme en 1914-1918, la Suède tente tant bien que mal de rester neutre dans le conflit. À la fin de la guerre, le pays est dans une position favorable puisque ses industries et ses centres urbains sont demeurés intacts contrairement à ceux de la plupart des pays européens. La Suède connaît donc une croissance économique sans précédent, ce qui lui permet de financer la mise en place d'un État-providence moderne.

Cette politique est instaurée par les sociaux-démocrates qui se maintiennent au pouvoir de 1946 à 1976. Les premiers ministres Tage Erlander (1946-1969) et Olof Palme (1969-1976) imposent des taxes élevées sur les bénéfices des entreprises et le revenu des particuliers les plus riches pour soutenir un système de sécurité sociale efficace. Toutefois, lorsque l'économie mondiale entre en récession dans les années 1970, l'État n'arrive plus à financer ses politiques sociales et doit s'endetter de plus en plus. Le taux de chômage et les prix grimpent, tandis que le mécontentement grandit dans la population. En 1976, Olof Palme perd les élections et ses adversaires entreprennent de corriger le « modèle suédois » pour assurer sa viabilité.

Fifi Brindacier

Écrites par la suédoise Astrid Lindgren en 1944, les aventures de Fifi Brindacier ont été traduites dans plusieurs langues, et ont été présentées à la télévision et au cinéma. Ce célèbre roman pour enfants a reçu de nombreux prix dès sa publication.

Le domaine royal de Drottningholm

Construit au 17e siècle, le domaine de Drottningholm est la résidence de la famille royale de Suède. Situé sur une île à proximité de Stockholm, le domaine comprend, en plus de la résidence, un théâtre, un pavillon chinois et de magnifiques jardins à la française.

- 1929 : *Effondrement de la Bourse de New York*
- 1936 : *Élection du premier gouvernement Duplessis*
- 1939-1945 : *Seconde Guerre mondiale*
- 1952 : *Début de la télévision au Québec*
- 1960 : *Début de la Révolution tranquille*
- 1967 : *Exposition universelle de Montréal*
- 1970 : *Crise d'Octobre*
- 1976 : *Élection du Parti québécois*
- 1977 : *Adoption de la Charte de la langue française*
- 1980

DU PASSÉ *au présent*

6

RÉCAPITULONS

L'art du résumé

1. Puisque résumer consiste à reprendre les idées essentielles d'un texte, il importe de bien les cerner.

- **a)** Dégagez trois idées qui, mises ensemble, résument l'essentiel des trois temps forts de ce chapitre.
- **b)** Chaque idée doit être exprimée en une seule phrase.
- **c)** Pour vous aider, reportez-vous aux questions de synthèse aux pages 395, 405 et 421.
- **d)** Établissez des liens entre ces idées et exprimez-les en une courte phrase.

2. Pour la période de 1939 à 1980, citez trois exemples de changements de mentalité qui ont suscité une certaine réaction de la part des gouvernements ou qui ont entraîné une modification du rôle de l'État.

3. Vous êtes journaliste et vous venez d'un pays étranger pour couvrir les Jeux olympiques de 1976 à Montréal. Rédigez un article expliquant à vos lecteurs et lectrices les changements qu'a connus le Québec depuis 1960. Précisez de quel pays ou de quelle région du monde vous venez et tenez-en compte dans votre texte.

Comprendre et organiser les concepts

1. Dans ce chapitre, certains concepts ne sont pas définis.

- **a)** À l'aide des textes de votre manuel et en suivant le modèle de la page 407, définissez les concepts suivants.
  - Mentalité
  - Communication de masse
  - Interventionnisme
- **b)** Échangez vos définitions avec celles d'un pair et, après en avoir discuté, rédigez ensemble une définition complète.

2. Quelle différence y a-t-il entre « démocratie » et « démocratisation » ?

3. Dans le dictionnaire, le terme *affirmation* est défini ainsi : « action de s'affirmer ». En quoi cette définition s'applique-t-elle à la situation du Québec après 1945 ?

4. Cherchez dans un dictionnaire la définition du mot *modernisation*. Dans un texte ou à l'aide d'un schéma conceptuel, montrez que ce concept s'applique à l'évolution de la société québécoise entre 1930 et 1980. Illustrez vos propos d'exemples concrets.

Transférer l'histoire vers le présent

Comme nous l'avons vu dans ce chapitre, la modernisation d'une société est étroitement liée aux changements de mentalité dans la population. Parfois, ce sont les mentalités qui sont en avance et qui entraînent des changements dans les lois pour qu'elles s'ajustent à la nouvelle réalité (comme le droit de vote des femmes en 1940) ; parfois, ce sont les lois qui conduisent la population à adopter de nouveaux comportements (comme les lois récentes bannissant l'usage du tabac dans les lieux publics).

Ainsi, depuis quelques décennies, des milliers de familles québécoises ont adopté des bébés chinois de sexe féminin. Pourquoi ? Parce que la Chine a un grave problème de surpopulation découlant de la mentalité traditionnelle selon laquelle les garçons sont plus désirés que les filles.

Consultez Internet, des revues ou d'autres sources d'information pour vous documenter sur ce sujet ou sur d'autres enjeux d'actualité, au Québec ou ailleurs, où il existe un décalage entre les mentalités et les lois.

Beaucoup de petites Chinoises sont abandonnées à la naissance, puis adoptées à l'étranger.

Au début de ce chapitre, nous vous invitions à formuler une hypothèse pour répondre à la question suivante.

À partir de la grande crise des années 1930, comment les transformations de la société québécoise, notamment les changements de mentalité, ont-elles influencé le rôle de l'État ?

Au terme de votre exploration de la période 1929-1980, votre hypothèse vous paraît-elle toujours valide ? Expliquez votre réponse en construisant un schéma de concept qui en présente les éléments et les liens qui les unissent.

POUR EN SAVOIR PLUS

Documentation

FOURNIER, Louis. *FLQ, histoire d'un mouvement clandestin,* Montréal, Lanctôt éditeur, 1998, 533 p.

GODIN, Pierre. *La Révolution tranquille,* 2 tomes, Montréal, Boréal, 1991.

LACOURSIÈRE, Jacques. *Histoire populaire du Québec,* tome 4, Québec, Septentrion, 1997, 411 p.

LINTEAU, Paul-André, et autres. *Histoire du Québec contemporain, Le Québec depuis 1930,* Montréal, Boréal, 1986, 739 p.

Bande dessinée

DJIAN et VORO. *Tard dans la nuit,* 3 tomes, Issy-les-Moulineaux (France), Vent d'Ouest, 2006, 48 p.

Littérature

CARON, Louis. *Le coup de poing, Les Fils de la liberté III,* Montréal, Boréal, 1990.

NOËL, Lionel. *Opération Iskra,* Lévis, Alire, 2004.

TREMBLAY, Michel. *Thérèse et Pierrette à l'école des Saints-Anges,* Montréal, Leméac, 1980.

Cinéma

Maurice Richard, réalisateur : Charles BINAMÉ, Québec, 2005.

Une histoire de famille, réalisateur : Michel POULETTE, Québec, 2005.

Effondrement de la Bourse de New York — 1929
Élection du premier gouvernement Duplessis — 1936
Seconde Guerre mondiale — 1939-1945
Début de la télévision au Québec — 1952
Début de la Révolution tranquille — 1960
Exposition universelle de Montréal — 1967
Crise d'Octobre — 1970
Élection du Parti québécois — 1976
Adoption de la Charte de la langue française — 1977

1929 1936 1939 1945 1952 1960 1967 1970 1976 1977 1980

Les techniques de l'histoire

1. **a)** À l'aide de la fiche méthodologique *Construire une ligne du temps* à la page 488, construisez une frise du temps couvrant la période de 1945 à 1980 et situez les événements de l'évolution du Québec que vous jugez importants sur trois plans :
   - les événements liés au développement économique ;
   - les événements liés à des changements de mentalité, de culture ou de mode de vie ;
   - les événements liés au gouvernement et au rôle de l'État.

   En plus de votre manuel, vous pouvez consulter Internet ou toute autre source d'information jugée utile.

   b) Rédigez un texte justifiant les événements choisis et, s'il y a lieu, expliquez les liens de cause à effet qui existent entre eux.

   c) En équipe, présentez votre travail à vos camarades de classe et défendez vos choix.

2. **a)** À l'aide de la fiche méthodologique *Construire une carte historique* à la page 490, dressez une carte indiquant les principaux services publics offerts à la population de votre quartier ou de votre localité : écoles, hôpitaux, bureaux de poste, parcs, centres culturels et de loisirs, postes de police, services des eaux et des incendies, etc.

   b) Indiquez l'emplacement des bureaux gouvernementaux à l'aide de symboles appropriés.

   c) Utilisez un code de couleurs pour indiquer l'ordre de gouvernement (municipal, provincial ou fédéral).

   d) Sur une ligne du temps, situez l'année de la construction de l'édifice, ou de l'entrée en vigueur du service.

   e) Tirez les principales conclusions qui se dégagent de l'information recueillie et présentez-les sous la forme d'un texte, d'une affiche ou d'un exposé.

Paul-André Linteau

Sa thèse de doctorat portait sur la ville de Maisonneuve. Professeur à l'Université du Québec à Montréal, il s'est intéressé à la ville de Montréal depuis la Confédération. Il a collaboré avec d'autres historiens, dont René Durocher, à l'écriture d'un ouvrage de référence réputé : *Histoire du Québec contemporain*.

Micheline Dumont

Cette historienne est une pionnière de l'histoire des femmes au Québec. Elle est coauteure de *L'histoire des femmes au Québec depuis quatre siècles*, ouvrage publié pour la première fois en 1982. Elle a enseigné l'histoire de 1970 à 1999 à l'Université de Sherbrooke, où elle a également contribué à la formation des étudiants et étudiantes se destinant à 'enseignement de l'histoire.

Retour sur l'héritage

La période 1929-1980 est marquée par une grande modernisation dans tous les domaines de la société québécoise. Le Québec dans lequel vous vivez aujourd'hui prend forme au cours de ces années. Vos grands-parents, et dans une moindre mesure vos parents, ont connu partiellement cette période.

Plusieurs changements qui ont conduit à cette modernisation concernent l'intervention des gouvernements dans la société. Entre 1929 et 1980, le rôle de l'État s'est considérablement accru. Le gouvernement est devenu présent dans presque tous les aspects de la vie des gens. Les héritages de cette période sont aujourd'hui très nombreux et encore très présents. Ils ont été légués par des hommes et des femmes qui se sont engagés dans la vie politique et sociale du Québec avec leur propre conception du rôle de l'État dans la société.

Pierre Elliott Trudeau

La statue de Maurice Duplessis (à gauche) et celle de René Lévesque (à droite) aux abords de l'Assemblée nationale à Québec

1. Choisissez un personnage public incarnant un ou plusieurs aspects de la modernisation du Québec entre 1929 et 1980. Précisez ces aspects.
2. a) À l'aide d'Internet ou d'autres sources d'information, documentez-vous sur le personnage choisi et sur son rôle dans la société québécoise.
   b) Construisez une frise du temps situant les principales étapes de sa vie parallèlement aux grands événements de l'histoire du Québec auxquels il a été associé.
3. À l'aide d'une affiche ou d'un autre support, présentez votre personnage et son rôle, et faites valoir l'héritage qu'il a laissé dans la société d'aujourd'hui.

Des militants qui ont marqué le Québec

Les comédiens Luc Picard et Geneviève Rioux ont incarné à l'écran Michel Chartrand et Simonne Monet-Chartrand, qui ont inlassablement milité durant la seconde moitié du 20e siècle pour moderniser et rendre plus juste la société québécoise.

- 1929 — *Effondrement de la Bourse de New York*
- 1936 — *Élection du premier gouvernement Duplessis*
- 1939-1945 — *Seconde Guerre mondiale*
- 1952 — *Début de la télévision au Québec*
- 1960 — *Début de la Révolution tranquille*
- 1967 — *Exposition universelle de Montréal*
- 1970 — *Crise d'Octobre*
- 1976 — *Élection du Parti québécois*
- 1977 — *Adoption de la Charte de la langue française*
- 1980

Développer sa citoyenneté

Le rôle de l'État-providence qui s'est développé au Québec au cours de la période 1929-1980 suscite régulièrement des débats entre les défenseurs de conceptions opposées de la société. Certaines personnes considèrent comme bénéfiques les nombreuses mesures sociales financées par l'État, alors que d'autres, au contraire, trouvent cette imposante présence nuisible.

Le débat sur l'État-providence

Dans les années 1960, la société québécoise est en plein essor économique et s'engage résolument dans la voie de l'État-providence. On nationalise plusieurs ressources et on crée des régies et des sociétés d'État. Toutefois, le ralentissement des années 1970, caractérisé par l'inflation et une augmentation du taux de chômage, sème le doute sur la pertinence de ce modèle. Au début des années 1980, l'État-providence est contesté tant au Québec et au Canada que dans le reste du monde.

Les détracteurs de l'État-providence soulignent les coûts importants de tous les programmes mis en place. Ils craignent que l'augmentation constante des dépenses de l'État ne dépasse ses capacités. De plus, ils contestent l'efficacité de l'État-providence, critiquant la qualité de certains services offerts, notamment dans les domaines de la santé et de l'éducation. Ils désapprouvent la **bureaucratisation** et dénoncent la dépendance de certains individus envers l'État. De manière générale, ils condamnent la lourdeur du système mis en place, réclamant une plus grande liberté pour les citoyens et citoyennes qui souhaitent vivre dans une société où l'aide de l'État n'est pas omniprésente.

Gare au retour à l'État providence

L'endettement du Canada et le faible pouvoir d'achat des Canadiens indiquent que nous n'avons pas terminé l'assainissement des finances publiques

Pierre Cléroux

Vice-président Québec de la Fédération canadienne de l'entreprise indépendante

D'ici quelques semaines, le ministre canadien des finances, M. Paul Martin, présentera son budget. Un vent de dépenses souffle sur Ottawa. Saura-t-il y résister? Même si les surplus budgétaires annoncés sont imposants, la situation financière du gouvernement du Canada demeure préoccupante et les contribuables supportent un fardeau fiscal trop élevé. M. Martin devra donc faire les bons choix.

Nombreux sont ceux qui demandent une augmentation des dépenses. D'une part, les premiers ministres provinciaux, dans une rare unanimité, réclament des transferts supplémentaires de 6,3 milliards $ dans le secteur de la santé. D'autre part, le gouvernement fédéral propose un prolongement du congé parental de plus d'un milliard $. Aussi, un nouveau programme de santé du ministre Allan Rock coûterait également près d'un milliard $. Selon un quotidien, les institutions financières exigeraient 100 millions $ pour compenser une mauvaise évaluation d'un programme de prêts aux étudiants.

N'avons-nous donc rien appris du passé? N'avons-nous donc pas compris, dans les années 1970, que de saupoudrer l'argent ne règle pas tous les problèmes? Dépenser sans compter en période de croissance conduit directement à des déficits en période de ralentissement économique. Au cours des 20 dernières années, nous avons augmenté sans cesse nos dépenses, multiplié le nombre de nos programmes et grossi l'appareil de l'État. Le fardeau fiscal des Canadiens et des entreprises canadiennes n'a pas cessé d'augmenter pour payer ces dépenses.

Le résultat : un fardeau fiscal démesuré, un endettement colossal [...] mique anémique. Nous [...] tion et créer de la rich[...] notre capacité de paye[...] a diminué de 5 % au c[...]

[...] puis 1980, près des deux tiers de l'augmentation des revenus des travailleurs ont été absorbés par l'impôt. Résultat, le fardeau fiscal des particuliers au Canada est le plus élevé du G7.

Quand il est question de la difficulté du gouvernement canadien à réduire les impôts, le programme d'assurance-emploi est un exemple frappant. Même si le surplus de la caisse d'assurance-emploi atteint plusieurs milliards $ chaque année, le gouvernement ne réduit les cotisations des travailleurs et des employeurs que très lentement et préfère détourner les surplus vers les fonds généraux. De plus, le gouvernement a annoncé son intention de bonifier le congé parental, une initiative qui coûterait plus d'un milliard $.

DETTE DE 577 MILLIARDS

Même si le gouvernement a annoncé des surplus budgétaires, nous sommes constamment très endettés. Une dette de 577 milliards $, le deuxième ratio dette/PIB le plus élevé du G 7, et des dépenses d'intérêts annuelles de 41 milliards $. Le service de la dette remporte la palme des postes budgétaires les plus élevés du budget canadien.

Cette imposante dette augmente nos taux d'intérêts à long terme, réduit considérablement notre marge de manœuvre fiscale et utilise des ressources financières qui pourraient être affectées à répondre aux besoins des Canadiens.

Nous avons fait de graves erreurs dans le passé en laissant les dépenses dominer nos finances publiques. Les efforts déployés au cours des cinq dernières années nous ont permis d'améliorer grandement notre situation financière. Mais l'endettement du Canada et le faible pouvoir d'achat des Canadiens nous indiquent que nous n'avons pas terminé l'assainissement des finances publiques.

Le prochain budget fédéral sera déterminant [...]

ARCHIVES LE SOLEIL

Le fardeau fiscal des particuliers au Canada est le plus élevé du G7, affirme Pierre Cléroux

Nous avons fait de graves [...]

L'État-providence demeure une des merveilles du XXe siècle

À L'ÉCOUTE DES PENSEURS

Gérald LeBlanc

L'État remis en question

Les compressions budgétaires du gouvernement Charest vues par le caricaturiste André-Philippe Côté dans le journal *Le Soleil* en mars 2005

Arrivée des premiers êtres humains au Québec

1929 1980

6e réalité sociale

v. –7000/–6000 1500 1600 1700 1800 1900 2000

Les défenseurs de l'État-providence insistent plutôt sur la nécessité d'offrir des chances égales à tous les citoyens et citoyennes. Selon eux, l'État est le mieux placé pour garantir les droits humains fondamentaux et pour aider chacun à se développer. Ils soutiennent qu'il est souhaitable de créer des programmes profitables à toute la communauté, notamment aux groupes défavorisés. Ils considèrent que les services sociaux, les soins de santé et les diverses mesures de protection du revenu sont des acquis fondamentaux pour notre société.

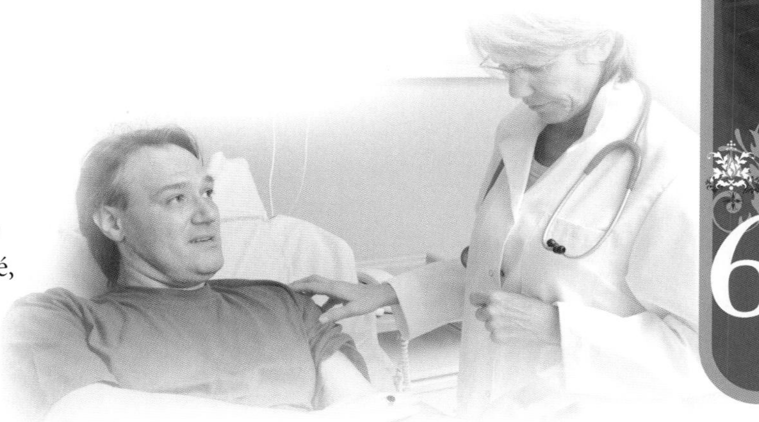

Les problèmes réels soulevés par les détracteurs de l'État-providence et les valeurs soutenues par ses défenseurs montrent l'importance de discuter publiquement de ce choix de société. Aujourd'hui, à l'heure de la mondialisation, le débat sur l'État-providence est toujours d'actualité.

QUELQUES ARGUMENTS DU DÉBAT SUR L'ÉTAT-PROVIDENCE

Pour	Contre
• Nécessité d'offrir des chances égales à tous et toutes • Défense des droits humains • Aide aux défavorisés et aux plus démunis • Recherche de justice et d'égalité dans la société	• Coûts trop élevés • Manque d'efficacité • Manque de motivation et dépendance de certaines personnes • Lourdeur du système • Désir de liberté et promotion de l'individualisme

Organisez un débat en classe sur la question suivante : « Faut-il remettre en question l'État-providence au Québec ? »

a) Divisez la classe en deux groupes : les élèves qui sont POUR et les élèves qui sont CONTRE.

b) À l'aide d'Internet ou d'autres sources d'information, documentez-vous sur le thème du débat en cherchant des arguments pour appuyer votre position.

c) Constituez un argumentaire présentant et justifiant les meilleurs arguments (la présentation de cet argumentaire peut prendre diverses formes : texte écrit, affiche, présentation numérique, etc.).

d) Prévoyez les arguments de l'autre groupe et préparez des réponses.

e) Après le débat, rédigez un texte dans lequel vous synthétiserez votre position à la lumière des arguments et des renseignements présentés.

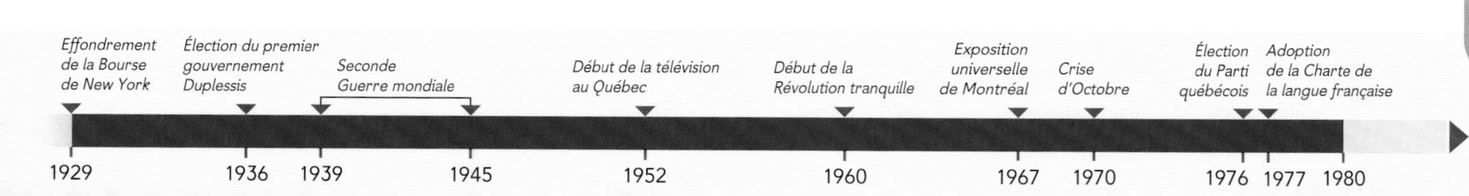

Les **ENJEUX** *de la société québécoise depuis 1980*

La société québécoise actuelle, celle dans laquelle vous vivez, a pris forme au cours des dernières décennies, plus particulièrement depuis le début des années 1980. Comme toute société, le Québec évolue à travers les débats menés par les citoyens et citoyennes sur des enjeux économiques, sociaux, politiques et culturels. Les résultats de ces débats font avancer la société québécoise et la transforment constamment. Depuis 1980, plusieurs enjeux de société ont été débattus dans l'espace public, cet espace où la population, dans une société démocratique, est invitée à participer pour influencer l'évolution du Québec. En tant qu'adulte, vous aurez sans doute à intervenir dans certains de ces enjeux.

Le rapatriement de la Constitution canadienne

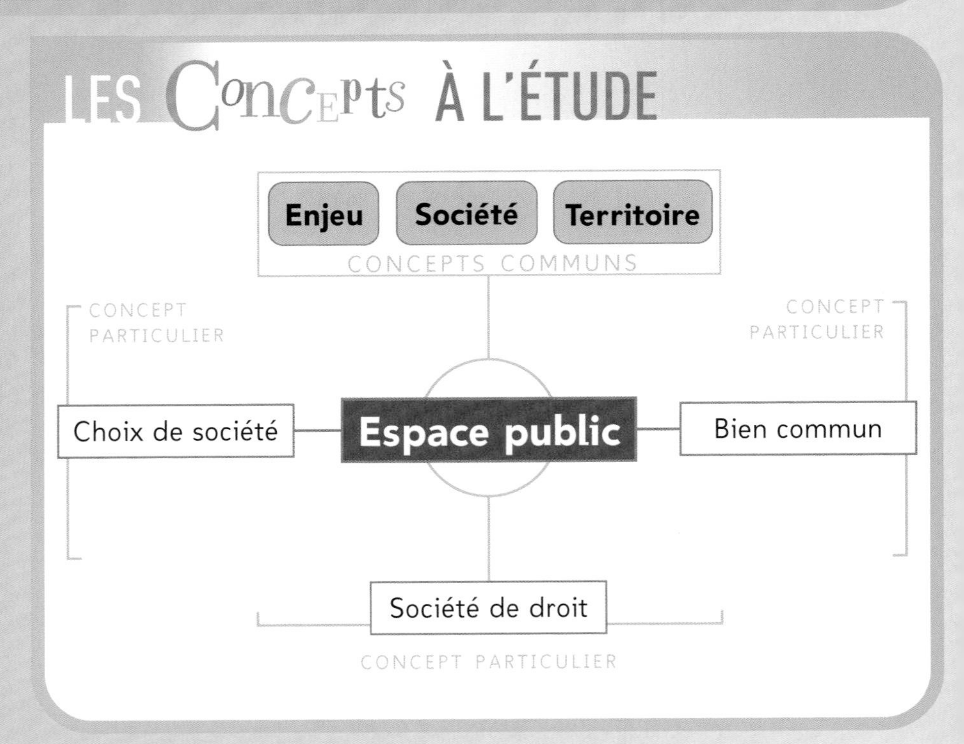

TABLE DES MATIÈRES

Les accommodements raisonnables selon le caricaturiste Aislin

1980 — *Référendum sur la souveraineté-association*
1987 — *Protocole de Montréal sur la couche d'ozone*
1992 — *Signature de l'Accord de libre-échange nord-américain*
1995 — *Référendum sur la souveraineté du Québec*
2001 — *Attaques terroristes au World Trade Center de New York*
2005 — *Entrée en vigueur du protocole de Kyoto*

DU PRÉSENT *vers le passé*

L'HÉRITAGE EN QUESTIONS

Premier enjeu de société : la question nationale

Dans les années 1980 et 1990, la population se prononce à deux reprises, par référendum, sur un projet de souveraineté du Québec proposé par le Parti québécois. Pour la population québécoise, l'espace public est le lieu privilégié pour débattre des enjeux de ce projet politique. Le camp fédéraliste et le camp souverainiste défendent ardemment leur position à l'aide d'arguments politiques, économiques et parfois même émotifs. Peu importe les résultats des référendums, ils reflètent le choix démocratique de la société québécoise. Ces débats parfois déchirants font désormais partie de l'histoire du Québec.

La victoire est mince.

Le débat des chefs aux élections de 2007

Jeunes militants et militantes d'un parti politique

Une victoire sans joie

De quoi donner des infarctus aux coeurs les plus solides !

MARIO FONTAINE

LE QUÉBEC DIVISÉ

Moins de 50 000 électeurs ont fait la différence

OUI 49,5 NON 50,5

Le NON de 1995

Le marché joue le NON gagnant

De la joie, à l'inquiétude, à la joie...

Les journaux au lendemain du référendum de 1995

Arrivée des premiers êtres humains au Québec

1980

7e réalité sociale

v. –7000/–6000 1500 1600 1700 1800 1900 2000

Deuxième enjeu de société : le défi environnemental

Au cours des années 1970, l'environnement devient un sujet de préoccupation, alors que la pollution commence à affecter de plus en plus la vie des gens. Cette dégradation des milieux naturels est un héritage de l'industrialisation et de la société de consommation qui en est issue. Toutefois, ce n'est que depuis les années 1990 que des mesures concrètes sont mises en œuvre. Les enjeux environnementaux sont liés à des problèmes globaux qui touchent l'ensemble de la planète. Quel rôle le Québec peut-il jouer dans les problèmes environnementaux et dans la recherche de solutions ?

L'eau du Québec : un enjeu pour la planète ?

Les glaces du Grand Nord canadien sont-elles en voie de disparition ?

Le smog à Montréal

Interrogez-vous

Ces deux pages présentent deux enjeux majeurs pour la société québécoise actuelle. L'un existe depuis longtemps, l'autre est plus récent. Néanmoins, les deux sont au cœur de notre présent et les décisions que le Québec prendra à leur sujet seront déterminantes pour l'avenir, votre avenir.

a) À l'aide des textes et des photographies de ces deux pages, rédigez un court texte, faites une caricature ou construisez un schéma dans lequel vous exprimerez votre point de vue sur les deux enjeux présentés.

b) Après en avoir discuté en équipe, décrivez d'autres enjeux importants pour la société québécoise d'aujourd'hui.

Référendum sur la souveraineté-association — 1980

Protocole de Montréal sur la couche d'ozone — 1987

Signature de l'Accord de libre-échange nord-américain — 1992

Référendum sur la souveraineté du Québec — 1995

Attaques terroristes au World Trade Center de New York — 2001

Entrée en vigueur du protocole de Kyoto — 2005

ESPACE-TEMPS

Durant les années 1980 et 1990, certains problèmes environnementaux ont atteint des proportions inquiétantes. Des choix de société s'imposent.

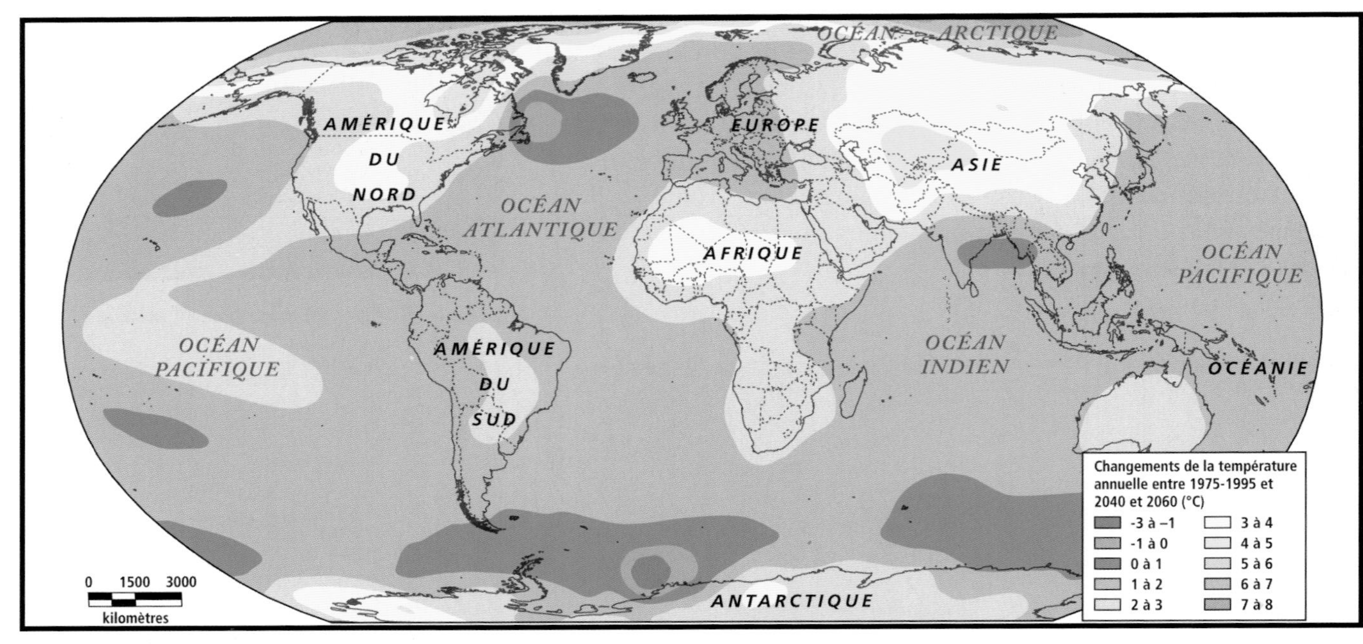

Le réchauffement de la planète

Le rejet dans l'atmosphère de grandes quantités de CO_2 crée un effet de serre, provoquant ainsi le réchauffement climatique de la Terre.

? Décrivez quelques conséquences possibles du réchauffement de la planète sur l'écosystème du Québec. Quelle région du monde pourrait connaître le réchauffement le plus important ?

L'automobile dans le monde en 2001

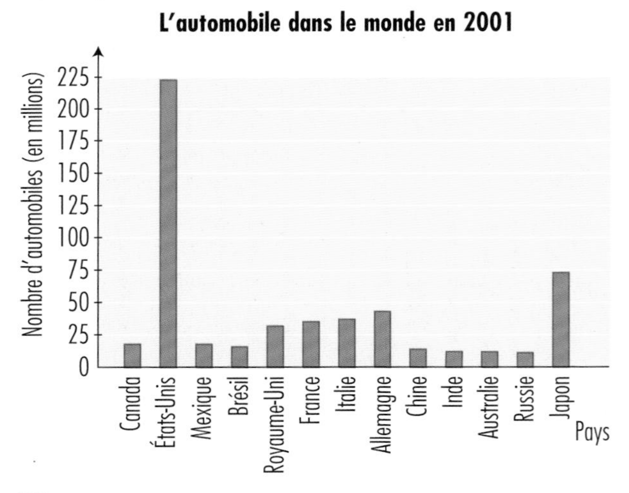

?

1. Décrivez quelques problèmes environnementaux liés à l'automobile et suggérez des pistes de solution à ces problèmes.
2. Ce moyen de transport vous paraît-il essentiel dans votre vie ? Expliquez pourquoi.

L'évolution de la consommation mondiale d'énergie, 1900-2000

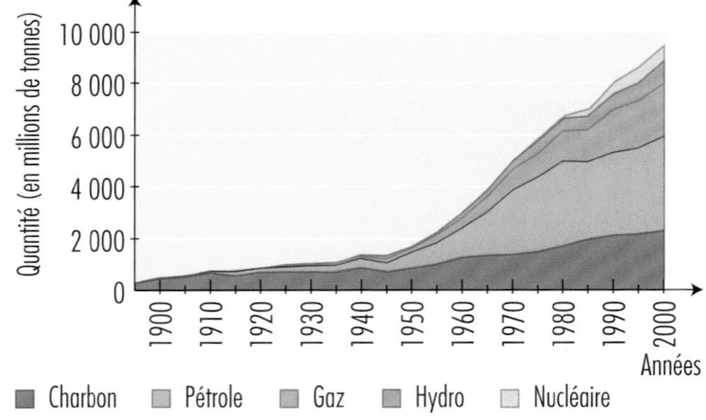

Au cours du 20e siècle, un nombre croissant de pays se sont industrialisés, entraînant ainsi une augmentation de la consommation d'énergie.

?

1. Quel nouveau type d'énergie est apparu dans les années 1980 ? La consommation d'énergie est-elle à peu près la même dans tous les pays ?
2. Donnez quelques exemples de gaspillage d'énergie dans votre entourage. Suggérez des pistes de solution pour freiner la consommation d'énergie.

Arrivée des premiers êtres humains au Québec — *1980* — 7e réalité sociale

v. -7000/-6000 1500 1600 1700 1800 1900 2000

Les **ENJEUX** de la société québécoise depuis 1980

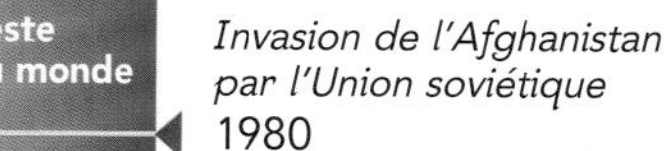

Le rapatriement de la Constitution canadienne

Ronald Reagan

Québec/Canada

- **1980** Référendum sur la souveraineté-association
- **1982** Rapatriement de la Constitution canadienne
- **1987** Protocole de Montréal sur la couche d'ozone
- **1988** Signature de l'Accord de libre-échange canado-américain
- **1990** Échec de l'Accord du Lac Meech; Fondation du Bloc québécois
- **1994** Entrée en vigueur de l'Accord de libre-échange nord-américain
- **1995** Référendum sur la souveraineté du Québec
- **1998** Tempête de verglas; Création des commissions scolaires linguistiques
- **1999** Création du Nunavut
- **2000** Loi sur la clarté référendaire
- **2004** Création de la commission Gomery sur le scandale des commandites
- **2006** Stephen Harper, premier ministre du Canada, gouvernement conservateur minoritaire
- **2007** Jean Charest, premier ministre du Québec, gouvernement libéral minoritaire

Reste du monde

- Invasion de l'Afghanistan par l'Union soviétique **1980**
- **1981** Élection de Ronald Reagan à la présidence américaine
- **1986** Catastrophe nucléaire à Tchernobyl
- **1989** Démantèlement du mur de Berlin
- **1991** Guerre du golfe Persique et démembrement de l'Union soviétique; Arrivée d'Internet
- **1992** Instauration de l'Union économique européenne
- **1994** Génocide au Rwanda
- **1996** Les talibans prennent le contrôle de l'Afghanistan
- **1997** Protocole de Kyoto sur le réchauffement de la planète
- **1999** Adoption de l'euro comme monnaie européenne
- **2000** Élection de George W. Bush à la présidence américaine
- **2001** Attaques terroristes au World Trade Center de New York
- **2003** Une coalition dirigée par les États-Unis renverse le régime de Saddam Hussein en Iraq
- **2005** Entrée en vigueur du protocole de Kyoto

La tempête du verglas

?

1. a) Rédigez un court texte résumant les principales conclusions à retenir des documents présentés à la page 442.

b) Proposez quelques hypothèses concernant l'impact de ces phénomènes sur la société québécoise.

?

2. Choisissez les cinq événements qui vous semblent les plus importants dans la frise du temps et justifiez votre choix.

1980	1987	1992	1995	2001	2005
Référendum sur la souveraineté-association	Protocole de Montréal sur la couche d'ozone	Signature de l'Accord de libre-échange nord-américain	Référendum sur la souveraineté du Québec	Attaques terroristes au World Trade Center de New York	Entrée en vigueur du protocole de Kyoto

L'HISTOIRE *en action*

PROJETS DE SOCIÉTÉ

Les référendums de 1980 et de 1995 sur la souveraineté du Québec ont mobilisé et souvent divisé la population du Québec en deux groupes ayant chacun une vision différente de l'avenir du Québec. Cependant, au-delà de la question nationale, les nouveaux enjeux économiques et sociaux qui touchent la province forcent le Québec à réagir. Les crises économiques et l'augmentation rapide des dépenses gouvernementales qui en découle suscitent une remise en question du rôle de l'État. Les effets négatifs des habitudes de consommation et des modes de production industrielle, qui se développent partout sur la planète à la faveur de la mondialisation, soulèvent des questions fondamentales sur la dégradation de notre environnement naturel. Voilà donc quelques-uns des nombreux défis qui attendent le Québec à l'aube du troisième millénaire.

L'AFFIRMATION NATIONALE ET LES ENJEUX DE SOCIÉTÉ (1980-1995)

La succession des partis politiques au pouvoir de 1980 à 1995

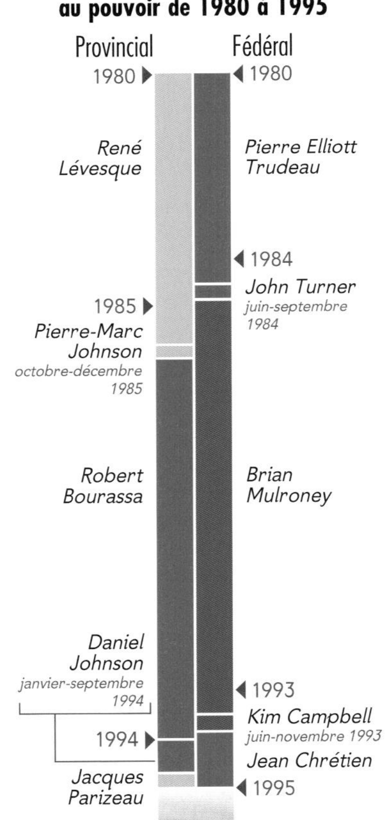

■ Libéraux (PLQ et PLC) ■ Conservateurs (PC) ■ Péquistes (PQ)

En 1976, avec l'arrivée au pouvoir du Parti québécois, la population est amenée à débattre des grands enjeux de la société québécoise dans le cadre d'un projet politique visant la souveraineté du Québec. À deux reprises, l'espace public est largement utilisé pour débattre de la souveraineté du Québec et des conséquences qu'elle entraînerait sur le fédéralisme canadien. À la même époque, le Québec connaît d'importants ralentissements économiques et doit relever le défi que pose la signature d'un accord de libre-échange avec les États-Unis. Entre-temps, de nouveaux enjeux de société surgissent : les revendications des Autochtones, la place des femmes dans la société et la pollution. La population du Québec est donc amenée à débattre de ces questions afin de trouver des solutions durables.

Le référendum de 1980 sur la souveraineté-association

En 1980, après quatre années au pouvoir, le temps est venu pour le gouvernement du Parti québécois d'organiser un référendum sur sa position constitutionnelle, tel qu'il a été promis lors des élections de 1976. La question soumise aux députés soulève de nombreux débats à l'Assemblée nationale. Après quelques modifications, elle est finalement adoptée à la majorité en mars 1980.

La question référendaire de 1980

« Le gouvernement du Québec a fait connaître sa proposition d'en arriver, avec le reste du Canada, à une nouvelle entente fondée sur le principe de l'égalité des peuples ; cette entente permettrait au Québec d'acquérir le pouvoir exclusif de faire ses lois, de percevoir ses impôts et d'établir ses relations extérieures – ce qui est la souveraineté –, et, en même temps, de maintenir avec le Canada une association économique comportant l'utilisation de la même monnaie ; aucun changement de statut politique résultant de ces négociations ne sera réalisé sans l'accord de la population lors d'un autre référendum.

En conséquence, accordez-vous au gouvernement du Québec le mandat de négocier l'entente proposée entre le Québec et le Canada ? Oui... Non... »

Assemblée nationale, 1980.

?

1. D'après l'énoncé de cette question, donnez une définition de la souveraineté-association.
2. Quelle partie de l'énoncé précise que la démarche se fera par étapes ?

René Lévesque

Ancien journaliste et correspondant de guerre lors de la Seconde Guerre mondiale et de la guerre de Corée, René Lévesque entre en politique dans les années 1960 et devient ministre dans le Cabinet de Jean Lesage. En 1968, il fonde le Parti québécois, qui opte pour la souveraineté du Québec. Il devient premier ministre du Québec en 1976.

Au cours de la campagne référendaire qui s'amorce au printemps 1980, le gouvernement fédéral promet des modifications constitutionnelles et annonce qu'advenant une victoire du « oui », il ne négociera pas. Le premier ministre canadien, Pierre Elliott Trudeau, promet qu'une victoire du « non » se traduira par une révision de la Constitution.

La promesse de Pierre Elliott Trudeau

« Et je sais – parce que je leur ai parlé ce matin, à ces députés –, je sais que je peux prendre l'engagement le plus solennel qu'à la suite d'un « non », nous allons mettre en marche immédiatement le mécanisme de renouvellement de la Constitution et nous n'arrêterons pas avant que ce soit fait. [...] Nous voulons du changement, nous mettons nos sièges en jeu pour avoir du changement. »

Pierre Elliott Trudeau, 14 mai 1980.

?

1. De quels députés le premier ministre parle-t-il ?
2. Que signifie l'expression « nous mettons nos sièges en jeu » ?

La nouvelle entente entre le Québec et le Canada

En 1979, le gouvernement du Parti québécois propose à la population une nouvelle approche des relations entre le Québec et le Canada : la souveraineté-association.

? Selon vous, en quoi la souveraineté-association se distingue-t-elle de l'indépendance ?

Le 20 mai 1980, la population, partagée, vote non dans une proportion de 60 %, obligeant ainsi le Parti québécois à mettre son option indépendantiste en veilleuse. Toutefois, le Parti libéral du Québec, dirigé par Claude Ryan, ne réussit pas à profiter de la conjoncture favorable au renouveau du fédéralisme et, en avril 1981, la population reporte au pouvoir le Parti québécois de René Lévesque avec une confortable majorité de sièges.

1980	*Référendum sur la souveraineté-association*
1987	*Protocole de Montréal sur la couche d'ozone*
1992	*Signature de l'Accord de libre-échange nord-américain*
1995	*Référendum sur la souveraineté du Québec*
2001	*Attaques terroristes au World Trade Center de New York*
2005	*Entrée en vigueur du protocole de Kyoto*

7

La réforme de la Constitution canadienne

Retour traditionnel d'Ottawa

Cette caricature illustre les relations difficiles entre le gouvernement du Québec et celui du Canada à l'automne 1981.

? Analysez cette caricature à l'aide de la fiche méthodologique *Interpréter une caricature* à la page 500.

Des lendemains référendaires difficiles

Le deuxième mandat s'annonce difficile pour René Lévesque. La récession de 1980-1981 entraîne une baisse des revenus du gouvernement et une augmentation du déficit. Pour compenser, le gouvernement coupe dans ses dépenses, notamment dans les salaires des employés de l'État, provoquant ainsi une vague de débrayages illégaux. C'est dans ce contexte économique difficile que s'amorce une réforme de la Constitution à laquelle les souverainistes s'opposent.

Des négociations ardues

Afin d'apporter des changements à la Constitution canadienne et d'offrir au Québec un fédéralisme renouvelé, le premier ministre canadien, Pierre Elliott Trudeau, et les 10 premiers ministres provinciaux entament, dans les mois qui suivent le référendum, des pourparlers en vue de rapatrier la Constitution canadienne. Cependant, les négociations s'enlisent et, en septembre 1981, devant l'impossibilité pour Ottawa et les provinces de s'entendre sur la nature des changements, Trudeau annonce son intention de rapatrier la Constitution unilatéralement, c'est-à-dire sans le consentement des gouvernements provinciaux. Il soumet ses intentions à la Cour suprême du Canada qui statue que le rapatriement unilatéral est légal, bien que contraire aux traditions parlementaires du pays.

Le rapatriement de la Constitution canadienne

Le 17 avril 1982, le premier ministre canadien, Pierre Elliott Trudeau, et la reine d'Angleterre, Élisabeth II, signent la nouvelle Constitution canadienne à Ottawa.

? Pourquoi la reine d'Angleterre doit-elle signer ce document ? Quel nouveau titre acquiert-elle par ce geste ?

Coup de théâtre à Ottawa !

En novembre 1981, de nouvelles négociations se déroulent à Ottawa. Dans la nuit du 5 novembre, Jean Chrétien, alors ministre de la Justice et conseiller de Trudeau, reprend les discussions avec les représentants des neuf provinces anglophones et parvient à un compromis. Le lendemain matin, le premier ministre Lévesque est informé de la situation et est invité à accepter cette nouvelle entente. Indigné de n'avoir pas été convié à ces négociations nocturnes, et insatisfait du document qui ne répond pas aux attentes du Québec, René Lévesque quitte Ottawa. Cette entente isole le Québec du reste du Canada et l'événement est appelé par les journalistes « la nuit des longs couteaux ».

La nouvelle Constitution canadienne

Le 17 avril 1982, la reine d'Angleterre, Élisabeth II, proclame la nouvelle Constitution canadienne qui comprend dorénavant une charte des droits et libertés ainsi qu'une formule d'amendement énonçant les règles pour d'éventuels changements constitutionnels.

Arrivée des premiers êtres humains au Québec — v. –7000/–6000 — 1500 — 1600 — 1700 — 1800 — 1900 — 1980 — 2000 — 7e réalité sociale

De nouvelles relations entre le Québec et le Canada

Pierre Elliott Trudeau, qui domine la scène fédérale depuis 1968, se retire de la vie politique en 1984 avec la satisfaction d'avoir rapatrié la Constitution canadienne. Quelques mois plus tard, sous la direction de John Turner, les libéraux perdent le pouvoir aux mains du Parti conservateur, dirigé par leur nouveau chef Brian Mulroney. Mulroney veut avant tout réduire le déficit du gouvernement, conclure un accord de libre-échange avec les États-Unis et amener le Québec à signer la Constitution canadienne « dans l'honneur et l'enthousiasme », en faisant accepter par les autres provinces certaines demandes du Québec.

Brian Mulroney

Le « beau risque » de René Lévesque

Après le rejet du projet de souveraineté-association lors du référendum de 1980, les membres du Parti québécois sont démotivés. Alors que la popularité du parti diminue au sein de la population, le gouvernement est aux prises avec des dissensions internes. René Lévesque qualifie de « beau risque » l'offre du gouvernement Mulroney de réintégrer « la grande famille canadienne ». En désaccord avec la nouvelle orientation du gouvernement du Québec à l'égard de la réforme constitutionnelle et des résultats qui en découlent, des ministres influents, tel le ministre des Finances Jacques Parizeau, quittent le parti. Aigri, René Lévesque, chef fondateur du parti, démissionne en 1985. Il est remplacé par Pierre-Marc Johnson.

Le Québec, une société distincte ?

Avec le retour au pouvoir du Parti libéral du Québec aux élections de 1985, le gouvernement fédéral de Brian Mulroney entend relancer les négociations constitutionnelles afin que le Québec signe la Constitution canadienne. C'est ainsi qu'en juin 1987, sur les bords du lac Meech, près d'Ottawa, les premiers ministres du Canada, du Québec et des neuf autres provinces arrivent à une entente qui satisfait aux principales demandes du gouvernement québécois. Cet accord reconnaît le caractère distinct du Québec dans la Confédération et accorde certains pouvoirs aux provinces. L'entente doit être approuvée par le Parlement d'Ottawa et les assemblées législatives des 10 provinces avant le 23 juin 1990.

Brian Mulroney

Fils d'immigrants irlandais, né en 1939 à Baie-Comeau, Brian Mulroney exerce la profession d'avocat spécialisé en droit du travail. En 1977, il est nommé président de la compagnie Iron Ore et, dans un contexte de crise de l'acier, il négocie la fermeture des mines de Schefferville. Il est élu chef du Parti conservateur en 1983 et devient premier ministre l'année suivante.

? À quelle période et sous quel premier ministre du Québec le développement minier du Nouveau-Québec a-t-il débuté ?

1980	1987	1992	1995	2001	2005
Référendum sur la souveraineté-association	*Protocole de Montréal sur la couche d'ozone*	*Signature de l'Accord de libre-échange nord-américain*	*Référendum sur la souveraineté du Québec*	*Attaques terroristes au World Trade Center de New York*	*Entrée en vigueur du protocole de Kyoto*

L'Accord du Lac Meech : les deux artisans des demandes du Québec

Robert Bourassa (à gauche), premier ministre du Québec, et son ministre des Affaires intergouvernementales canadiennes, Gil Rémillard, ont mis au point les cinq demandes du Québec.

Respecter les nouvelles règles

En vertu des nouvelles règles imposées par la Constitution de 1982, pour modifier celle-ci, il faut recueillir l'approbation de sept provinces représentant au moins 50 % de la population canadienne.

Les demandes du Québec dans l'Accord du Lac Meech de juin 1987

1. La reconnaissance du Québec comme « société distincte » à l'intérieur du Canada.
2. La récupération par le Québec d'un droit de *veto* sur d'éventuels changements constitutionnels.
3. La limitation du pouvoir fédéral de dépenser (Ottawa doit compenser une province qui ne veut pas participer à un programme national).
4. Une augmentation des pouvoirs du Québec en matière d'immigration (plus de pouvoirs dans le choix des immigrants qui viennent s'établir au Québec).
5. La nomination à la Cour suprême de trois juges québécois sur neuf garantie dans la Constitution.

? Laquelle de ces demandes vous semble prioritaire ? Justifiez votre choix.

Elijah Harper

Député du NPD au Parlement du Manitoba dans les années 1980, Elijah Harper, d'origine amérindienne, a joué un rôle décisif dans l'échec de l'Accord du Lac Meech. En invoquant une règle de procédure, il a empêché son gouvernement de se prononcer sur cet accord.

? Selon vous, quel motif ce député amérindien pouvait-il avoir pour empêcher le vote sur l'Accord du Lac Meech ?

Les réactions

Pendant ce délai de trois ans, l'opinion publique au Canada anglais désapprouve graduellement l'entente, lui reprochant d'affaiblir le gouvernement fédéral et de donner un statut particulier au Québec en le reconnaissant comme société distincte.

Les craintes des anglophones

Au Québec, de nombreux anglophones expriment leur mécontentement lorsque le gouvernement utilise la **clause dérogatoire** de la Constitution canadienne pour se soustraire au jugement de la Cour suprême sur la langue d'affichage. Aux élections provinciales de septembre 1989, sans pour autant menacer la majorité libérale, ils font élire quatre députés du Parti égalité. Ce parti, officiellement fondé pour défendre les libertés individuelles, défend en fait les intérêts des anglophones du Québec à l'Assemblée nationale.

Pendant ce temps, au Canada anglais, les réactions à l'égard du Québec et de l'Accord du Lac Meech se multiplient. Finalement, en juin 1990, comme le Manitoba et Terre-Neuve n'ont toujours pas voté l'entente dans les délais prévus, celle-ci se solde par un échec. Bon nombre de Québécois et de Québécoises se sentent alors rejetés par le reste du Canada. L'échec de l'Accord du Lac Meech provoque un regain de popularité de l'option souverainiste. Les célébrations de la Saint-Jean sont l'occasion, pour des milliers de nationalistes, de manifester leur attachement au Québec.

Manifestation à Montréal lors de la fête nationale du Québec en juin 1990

La réaction populaire à l'échec de la ratification de l'Accord du Lac Meech, qui survient deux jours avant les fêtes de la Saint-Jean, provoque un regain important du nationalisme québécois.

? En quoi cette réaction est-elle le reflet des propos du premier ministre Bourassa le soir du 22 juin 1990 ?

La déclaration de Robert Bourassa

Le soir du 22 juin, le premier ministre du Québec fait une déclaration qui exprime sa déception quant à la non-ratification de l'Accord du Lac Meech. Après avoir clairement affirmé que dorénavant le Québec ne négociera qu'avec le Canada, il déclare :

« Le Canada anglais doit comprendre de façon très claire que, quoi qu'on dise et quoi qu'on fasse, le Québec est, aujourd'hui et pour toujours, une société distincte, libre et capable d'assurer son destin et son développement. »

? Quelle expression, sur le statut du Québec, fait référence à l'Accord du Lac Meech ?

Des députés en colère

À Ottawa, des députés francophones démissionnent afin de protester. Ils se joignent à l'ancien ministre Lucien Bouchard et fondent en juin 1991 le **Bloc québécois**, une formation politique fédérale vouée à la promotion d'un Québec souverain.

De son côté, le premier ministre Bourassa, appuyé par l'opposition péquiste, met sur pied une commission d'enquête chargée d'étudier l'avenir politique du Québec dans la Confédération canadienne et de proposer une stratégie. La **commission Bélanger-Campeau**, du nom de ses deux coprésidents, entend de nombreux témoignages d'experts et de groupes d'intérêts qui, pour la plupart, se montrent favorables à un fédéralisme fortement décentralisé ou à l'idée de la souveraineté. Dans son rapport, remis en mars 1991, la Commission recommande que le Québec adopte l'une de ces deux options. Elle propose aussi de tenir un référendum sur l'avenir du Québec avant la fin d'octobre 1992.

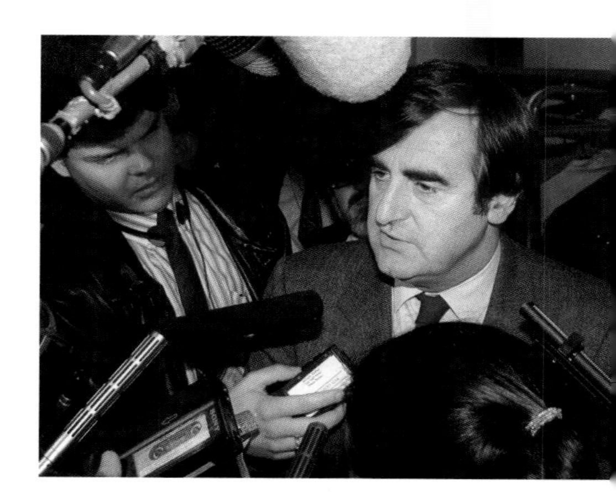

Lucien Bouchard

Avocat de formation, Lucien Bouchard est nommé ambassadeur du Canada à Paris avant d'être élu député fédéral au sein du Parti progressiste-conservateur en 1985. Ministre de l'Environnement dans le Cabinet de Brian Mulroney, il démissionne quelque temps avant l'échec de l'Accord du Lac Meech.

? Que fera-t-il après cette démission ?

Référendum sur la souveraineté-association — 1980
Protocole de Montréal sur la couche d'ozone — 1987
Signature de l'Accord de libre-échange nord-américain — 1992
Référendum sur la souveraineté du Québec — 1995
Attaques terroristes au World Trade Center de New York — 2001
Entrée en vigueur du protocole de Kyoto — 2005

18 millions de Canadiens se prononcent sur l'entente de Charlottetown

YVES BOISVERT

À partir de 7 h 30 ce matin (heure du Québec), à Terre-Neuve, et jusqu'à 23 h, ce soir, en Colombie-Britannique, la plupart des 18,5 millions de Canadiens inscrits défileront dans les bureaux de vote pour décider de l'avenir de l'entente de Charlottetown.

Cette proposition de réforme constitutionnelle, conclue le 28 août, sera l'objet du troisième plébiscite de l'histoire canadienne.

La consultation est régie par la loi électorale fédérale partout au Canada sauf au Québec, où la Loi sur les consultations populaires s'applique.

C'est ainsi que les Canadiens voteront tous entre 9 h et 20 h, sauf les Québécois qui disposeront d'une heure de moins, le vote commençant ici à 10 h pour se terminer également à 20 h.

Un nombre record de 4 872 931 personnes sont inscrites sur la liste électorale québécoise, un demi-million de plus que lors du référendum du 20 mai 1980 sur la souveraineté-association.

Le nombre de votes par anticipation ne laisse pas présager une participation qui dépasse celle de 1980, où elle avait atteint le record de 85,61 p. cent.

En effet, seules 161 884 personnes ont voté par anticipation, la semaine dernière. Il y en avait eu 176 018 aux élections québécoises de 1989 et le taux de participation avait été de 74,95 p. cent.

«Il s'agit d'une consultation politique — un plébiscite, à strictement parler. Une consultation populaire n'est pas requise pour modifier la constitution et, juridiquement, le résultat du vote ne

VOIR ENTENTE EN A 2

■ La dernière journée de la campagne référendaire. Page B 1

Le référendum de Charlottetown

L'entente de Charlottetown a été rejetée tant au Québec que dans le reste du Canada.

? L'entente a-t-elle été rejetée pour les mêmes raisons dans les deux cas ? Expliquez votre réponse.

De nouvelles négociations

Pendant ce temps, le gouvernement fédéral multiplie les consultations pour arriver à satisfaire à la fois le Québec, le Canada anglais et les Autochtones, qui désirent eux aussi une amélioration de leur statut. Au début de l'été 1992, après un véritable marathon de négociations, les représentants du fédéral, des provinces anglaises et des Autochtones en arrivent à une nouvelle entente de principe. C'est alors que Robert Bourassa annonce son intention de retourner à la table de négociation dont il s'était retiré depuis l'échec de l'Accord du Lac Meech.

Le rendez-vous manqué de Charlottetown

Les négociations reprennent à Charlottetown, capitale de l'Île-du-Prince-Édouard, en présence du Québec. Cette ultime ronde de négociations aboutit, à la fin de l'été 1992, à l'entente de Charlottetown. Pour certaines personnes, le Québec a obtenu tout ce qu'il pouvait espérer. Pour d'autres, les demandes traditionnelles du Québec, dont certaines étaient formulées dans l'Accord du Lac Meech, sont loin d'être satisfaites. L'opposition libérale fédérale, alors dirigée par Jean Chrétien, dénonce formellement cette nouvelle entente. Soumise par référendum le 26 octobre 1992 à la population du Québec et des autres provinces, l'entente de Charlottetown est rejetée par 54,4 % des électrices et électeurs canadiens dont 56,6 % au Québec.

À l'automne 1993, le premier ministre québécois Robert Bourassa annonce son retrait de la vie politique. En janvier, il est remplacé, sans course à la direction du parti, par un de ses ministres, Daniel Johnson, dont le père et le frère ont été premiers ministres. Le problème de la réintégration du Québec au sein du Canada reste entier.

Mario Dumont et Jean Allaire

Ancien président de la Commission jeunesse du Parti libéral du Québec, Mario Dumont quitte ce parti en 1994 et fonde l'Action démocratique du Québec avec Jean Allaire. Auteur d'un rapport adopté en mars 1991 par le Parti libéral du Québec, Allaire veut que le Québec obtienne du gouvernement fédéral plus de pouvoirs et de responsabilités. Lorsque Allaire abandonne la présidence de l'ADQ pour des raisons de santé, Mario Dumont prend la relève et dirige le parti lors des élections de 1994.

Le retour du Parti québécois 

En route vers un deuxième référendum

Aux élections provinciales du 12 septembre 1994, le Parti québécois reprend le pouvoir avec à sa tête Jacques Parizeau, ancien ministre des Finances sous le gouvernement de René Lévesque. Avec 44,7 % du suffrage exprimé, il obtient 77 sièges, tandis que le Parti libéral, avec 44,3 % des voix, obtient seulement 47 sièges. Un nouveau parti, l'Action démocratique du Québec, fait élire un seul député en la personne de son chef, Mario Dumont.

Jacques Parizeau met rapidement en marche le processus référendaire tel qu'il l'avait annoncé lors de la campagne électorale. Il dépose un avant-projet de loi décrétant la souveraineté du Québec et crée des commissions parlementaires qui sillonnent le Québec afin de donner l'occasion à la population de participer à la rédaction de cette loi. Plusieurs études sont réalisées, notamment sur certains aspects techniques de la souveraineté, afin de s'assurer de la faisabilité du projet.

Jacques Parizeau

Élu député du Parti québécois en 1976, Jacques Parizeau est aussitôt nommé ministre des Finances, poste qu'il conserve jusqu'à sa démission en 1984, au moment où René Lévesque renonce provisoirement à l'option souverainiste.

? Quel rôle jouera-t-il par la suite dans la vie politique québécoise ?

L'entrée en scène de Lucien Bouchard

Au début de la campagne référendaire en octobre 1995, le camp du « Oui » semble éprouver des difficultés à rallier une majorité de Québécois et de Québécoises. Cependant, l'entrée en scène de Lucien Bouchard, chef charismatique du Bloc québécois, donne un souffle nouveau à la campagne. De plus, Bouchard incite le premier ministre Parizeau à intégrer dans la question référendaire une union économique et politique avec le Canada. Pour sa part, se disant plutôt nationaliste que véritablement souverainiste, le jeune chef de l'Action démocratique du Québec Mario Dumont se range néanmoins dans le camp du « Oui ».

Les fédéralistes inquiets

Par ailleurs, la campagne du « Non », dirigée principalement par le premier ministre du Canada, Jean Chrétien, prend un certain temps à s'organiser. Devant la montée de la ferveur souverainiste, le fédéral adopte la ligne dure et élabore une stratégie axée sur le refus d'Ottawa de négocier avec le Québec dans l'éventualité d'une victoire du « Oui ». On laisse même entrevoir la possibilité de la partition territoriale du Québec. Cependant, quelques jours avant le scrutin, la population du Québec assiste à un curieux spectacle, surnommé *love-in*, où des milliers de Canadiens et de Canadiennes convergent vers Montréal afin d'exprimer leur désir de voir le Québec rester dans le Canada.

Le *love-in* de Montréal

Le 27 octobre 1995, trois jours avant le référendum, plusieurs milliers de personnes de toutes les régions du Canada se rendent à Montréal en avion pour convaincre les Québécois et les Québécoises de voter non. Le futur chef du Parti libéral du Québec, Jean Charest, participe à l'événement.

? Interrogez des personnes qui ont vécu cet événement et notez leurs perceptions. Discutez en classe de la pertinence (avantages et inconvénients) de cette démarche du Canada anglais.

- 1980 — *Référendum sur la souveraineté-association*
- 1987 — *Protocole de Montréal sur la couche d'ozone*
- 1992 — *Signature de l'Accord de libre-échange nord-américain*
- 1995 — *Référendum sur la souveraineté du Québec*
- 2001 — *Attaques terroristes au World Trade Center de New York*
- 2005 — *Entrée en vigueur du protocole de Kyoto*

Affiches du « OUI » et du « NON »

Les publicitaires ont dû faire preuve de créativité pour vendre une option plus qu'une autre.

? Analysez ces deux affiches afin de voir comment leurs créateurs cherchaient à influencer le vote en faveur d'une option particulière.

La question référendaire du 30 octobre 1995

« Acceptez-vous que le Québec devienne souverain, après avoir offert formellement au Canada un nouveau partenariat économique et politique, dans le cadre du projet de loi sur l'avenir du Québec et de l'entente signée le 12 juin 1995 ? » « Oui » « Non »

? Cette nouvelle question référendaire sur l'avenir du Québec vous semble-t-elle plus claire que celle de 1980 ?

L'évolution des débats constitutionnels de 1980 à 1995

1980
Référendum sur la souveraineté-association

1981
Entente constitutionnelle dont le Québec est exclu.

1982
Rapatriement de la Constitution canadienne de Londres

1987
Accord du Lac Meech

1990
Échec de la ratification de l'Accord du Lac Meech

1992
Référendum canadien sur l'entente de Charlottetown

1995
Deuxième référendum sur la souveraineté du Québec

Des résultats serrés

Avec une participation exceptionnelle de 97 % de la population, les résultats mettent en lumière la mince ligne qui sépare les deux camps. Le « Non » l'emporte avec à peine 50,6 % des voix contre 49,4 %. La défaite est amère pour la moitié de la population et pour le premier ministre du Québec, Jacques Parizeau, qui le soir du référendum affirme : « On a été battus, au fond, par quoi ? Par l'argent puis des votes ethniques, essentiellement. » Les propos du premier ministre choquent plusieurs personnes tant du côté des partisans de la souveraineté que de ceux du « Non ». Isolé, Jacques Parizeau remet sa démission dès le lendemain.

Ce deuxième échec référendaire en quinze ans amène le Parti québécois à mettre son option souverainiste en veilleuse. Pour les fédéralistes, le débat est terminé, mais pour les souverainistes, l'idée d'indépendance nationale reste un objectif à atteindre même si elle semble peu probable dans un avenir rapproché. La réforme du fédéralisme canadien sera donc à l'ordre du jour des prochains gouvernements du Québec.

Une défaite amère

Le premier ministre Jacques Parizeau est assailli par les médias le soir du référendum.

? La présence d'un parti politique souverainiste à Ottawa a-t-elle pu favoriser les intentions de vote en faveur de l'indépendance ?

Les femmes et le féminisme

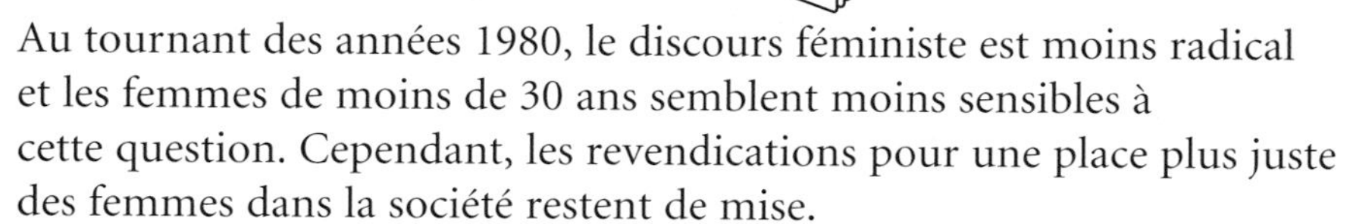

Au tournant des années 1980, le discours féministe est moins radical et les femmes de moins de 30 ans semblent moins sensibles à cette question. Cependant, les revendications pour une place plus juste des femmes dans la société restent de mise.

Le travail au féminin

Au début des années 1990, une femme sur deux travaille hors du foyer. Un nombre croissant d'entre elles occupent des postes de responsabilité ou gèrent une entreprise. De plus en plus de femmes deviennent députées, ministres ou juges. Toutefois, le salaire des femmes équivaut en moyenne aux deux tiers de celui des hommes. Les femmes se concentrent toujours dans certains types d'emplois (soins hospitaliers, travail de bureau, etc.) et sont peu nombreuses dans les professions traditionnellement réservées aux hommes.

Des lois qui s'ajustent

Le projet de loi 89, qui institue un nouveau code civil qui réforme le droit de la famille, constitue un autre signe du changement de mentalité de la société québécoise. Cette loi, adoptée en 1980, permet désormais aux conjointes de conserver leur nom de famille, tandis que le nom des enfants est laissé au choix du couple. Afin de prémunir les femmes qui restent au foyer, le gouvernement adopte la Loi sur le patrimoine familial, qui impose un partage égal des biens lors d'un divorce, quel que soit le régime matrimonial du couple.

Des mentalités qui évoluent

Les années 1970 marquent le début d'une longue saga judiciaire contre le docteur Morgentaler, qui se fait le défenseur du droit des femmes d'avoir accès à un avortement dans des conditions sécuritaires. En vertu du Code criminel, rédigé en 1892, l'avortement est un acte criminel passible d'emprisonnement à vie. Emprisonné pour avoir ouvert une clinique d'avortement à Montréal, le docteur Morgentaler reçoit l'appui de nombreux groupes de femmes qui souhaitent voir reconnaître le principe du libre choix des femmes en matière d'avortement. Malgré les pressions des groupes pro-vie et fondamentalistes, la mobilisation se généralise. En 1988, un jugement de la Cour suprême consacre la décriminalisation de l'avortement. Ces gains juridiques liés à l'évolution des mentalités offrent aux femmes de meilleures possibilités de carrières et une plus grande égalité des chances dans la société.

Julie Payette

En 1999, la Québécoise Julie Payette se joint à une équipe américaine et passe 10 jours en orbite autour de la Terre à la station spatiale internationale.

? Quel organisme fédéral lié à l'exploration spatiale est situé au Québec ?

Les premières femmes

1984
Jeanne Sauvé, gouverneure générale.

1987
Claire L'Heureux-Dubé, juge du Québec à la Cour suprême du Canada.

1993
Kim Campbell, première ministre du Canada.

Louise Arbour

Avocate de formation, Louise Arbour est nommée juge à la Cour d'appel de l'Ontario en 1987. Juriste renommée, elle est choisie par le Conseil de sécurité des Nations Unies pour superviser l'enquête sur les crimes de guerre commis dans l'ex-Yougoslavie et au Rwanda dans les années 1990. Elle est juge à la Cour suprême du Canada de 1995 jusqu'à sa nomination, en 2004, au poste de haut-commissaire de l'ONU aux droits de l'homme.

- 1980 — *Référendum sur la souveraineté-association*
- 1987 — *Protocole de Montréal sur la couche d'ozone*
- 1992 — *Signature de l'Accord de libre-échange nord-américain*
- 1995 — *Référendum sur la souveraineté du Québec*
- 2001 — *Attaques terroristes au World Trade Center de New York*
- 2005 — *Entrée en vigueur du protocole de Kyoto*

Deux récessions en dix ans

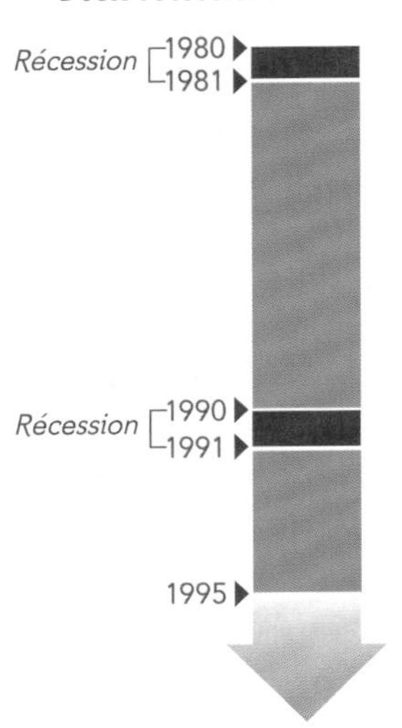

L'évolution du taux de chômage au Canada et au Québec

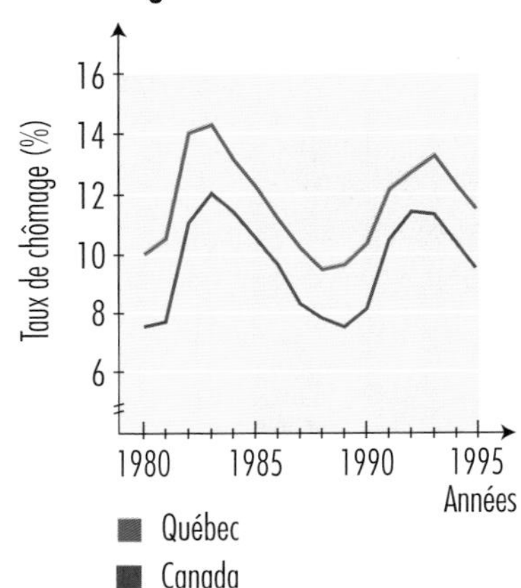

L'économie en difficulté

Les pays industrialisés durement touchés

Au milieu des années 1970, la prospérité de l'après-guerre commence à s'essouffler, entraînant une baisse marquée de l'activité économique à l'échelle mondiale. Les chocs pétroliers, qui ont fait monter en flèche les prix du pétrole, ont durement affecté l'économie des pays industrialisés aux prises avec des dettes importantes. De plus, l'arrivée de nouveaux pays, tels que la Chine et l'Inde, où la main-d'œuvre est nombreuse et bon marché, aura un impact de plus en plus grand sur le secteur manufacturier, où la concurrence s'accroît.

Les conséquences sur le monde du travail

Au Québec, les grands travaux de l'État, dont le projet hydroélectrique de la Baie-James et le chantier des Jeux olympiques de Montréal, ont permis de soutenir l'économie de la province. Toutefois, à la fin de 1981, le Québec est durement touché par une crise économique. Cette récession affecte aussi le reste du Canada et les autres pays occidentaux. Le taux de chômage atteint un niveau record depuis la crise des années 1930, soit 14 %. Comme ces chiffres officiels ne tiennent compte que des chômeurs et chômeuses à la recherche d'un emploi, le nombre de personnes sans travail est en fait encore plus élevé. De plus, les taux d'intérêt grimpent à plus de 20 %, ce qui affecte grandement le pouvoir d'achat des consommateurs et consommatrices.

Depuis les années 1970, les baby-boomers occupent une place importante sur le marché de l'emploi. Ils occupent de nombreux postes de direction, aussi bien dans les organismes gouvernementaux et paragouvernementaux que dans l'entreprise privée. Avec le ralentissement de l'économie, peu de nouveaux emplois sont créés. Le chômage touche plus particulièrement les jeunes, qui sont donc plus nombreux à vivre de l'aide sociale. Les emplois temporaires ou à temps partiel se multiplient.

Par ailleurs, le travail précaire tend à se généraliser, car les nouveaux emplois sont créés principalement dans le secteur des services où les employeurs et employeuses recherchent une grande flexibilité de la main-d'œuvre. Ces emplois sont souvent occupés par les femmes, car ils permettent de concilier le travail et la vie familiale. Par conséquent, les femmes sont confinées surtout à des emplois où les conditions de travail et les salaires sont moins intéressants que bien des emplois occupés par des hommes.

L'aménagement hydroélectrique La Grande-4

En 1984, Hydro-Québec inaugure la centrale hydroélectrique La Grande-4, construite à la Baie-James, mettant ainsi fin à la première phase du complexe La Grande.

? Quels sont les impacts écologiques de barrages comme celui-ci ? Comparez ces impacts avec ceux d'autres sources d'énergie.

Un syndicalisme plus conciliant

Les récessions de 1980-1981 et de 1990-1991, les transformations du marché du travail et le taux élevé de chômage forcent les syndicats à modifier leur stratégie. Cependant, le taux de syndicalisation demeure élevé, atteignant près de 43 % jusqu'en 1991. Il commence alors à décliner légèrement pour plafonner à 40 %. Les membres des syndicats ont des attentes plus modestes et sont moins combatifs que dans les années 1970. Par conséquent, il y a moins de conflits de travail : les syndicats se font plus conciliants ; ils réduisent leurs demandes et parfois même, ils acceptent des réductions salariales afin de conserver des emplois. Malgré les revers, le mouvement syndical reste toujours une force importante dans la société.

Le Fonds de solidarité de la FTQ

En 1983, la Fédération des travailleurs du Québec (FTQ) trouve un moyen original de protéger et de créer des emplois en mettant sur pied le Fonds de solidarité des travailleurs du Québec. Cette société financière a pour mandat d'injecter des capitaux dans les entreprises québécoises.

? Qu'est-ce qui justifie le choix du nom de ce fonds d'investissement ?

Une reprise timide

Entre 1983 et 1989, l'économie reprend sa croissance, entraînant une relative prospérité. Cependant, au cours de cette période, le taux de chômage se maintient à un niveau critique, atteignant plus de 10 %. Les jeunes sont particulièrement touchés par le manque de travail et le caractère précaire des emplois (travail temporaire ou à temps partiel). Certaines régions, comme la Gaspésie et la Côte-Nord, sont encore plus durement touchées par la fermeture d'entreprises liées à l'exploitation des richesses naturelles.

À partir de 1990, une autre récession majeure ralentit considérablement l'activité économique au Québec et dans l'ensemble de l'Occident. Cette situation force la Banque du Canada à abaisser sensiblement les taux d'intérêt afin de relancer la consommation.

Pour comprendre les termes économiques

Budget Ensemble des dépenses et des revenus du gouvernement.

Déficit Situation financière qui survient lorsque les dépenses sont plus élevées que les revenus.

Redéfinir le rôle de l'État

Au cours de ces années, l'économie québécoise doit s'ajuster plus que jamais aux forces de l'économie mondiale. Toutefois, elle ne peut plus compter comme avant sur une stimulation provenant de l'intervention de l'État. Les récessions ont coûté cher aux gouvernements. Ils doivent augmenter les prestations d'assurance chômage et l'aide aux plus démunis au moment même où leurs revenus diminuent à cause du ralentissement économique. Cette situation provoque un endettement important des gouvernements fédéral et provinciaux. Ces **déficits**, qui s'accumulent avec les années, limitent sérieusement la capacité d'action des gouvernements ainsi que leur capacité à équilibrer leurs **budgets**.

L'évolution de la dette publique du Québec de 1980 à 1995

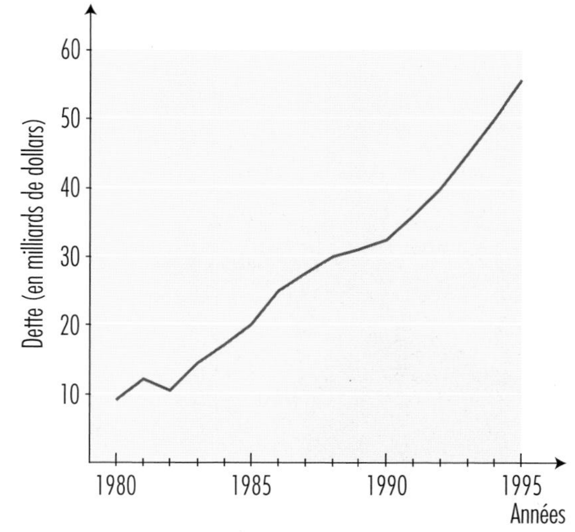

? Selon vous, qu'est-ce qui peut expliquer cet endettement ?

Référendum sur la souveraineté-association — 1980
Protocole de Montréal sur la couche d'ozone — 1987
Signature de l'Accord de libre-échange nord-américain — 1992
Référendum sur la souveraineté du Québec — 1995
Attaques terroristes au World Trade Center de New York — 2001
Entrée en vigueur du protocole de Kyoto — 2005

À droite toute !

Avec l'élection de Margaret Thatcher en Grande-Bretagne en 1979 et celle de Ronald Reagan aux États-Unis en 1980, un vent de conservatisme souffle sur ces deux pays. Selon l'approche conservatrice, l'action de l'État a un effet négatif sur le développement économique. Influencés par cette approche économique, les gouvernements du Québec et du Canada cherchent à réduire leur intervention dans l'économie. Le retrait de l'État se traduit par un mouvement visant à alléger la réglementation des entreprises et à vendre les sociétés d'État à l'entreprise privée (privatisation), jugée plus efficace.

Une vague de privatisations...

Des sociétés telles que Petro-Canada, Air Canada et Québecair, auparavant gérées par l'État fédéral ou par l'État provincial, sont vendues à l'entreprise privée afin de réduire l'intervention des gouvernements dans l'économie.

? Quel avantage financier les gouvernements cherchent-ils à obtenir avec ces privatisations ?

On assiste par la même occasion à une réduction du rôle de l'État dans le domaine social par des compressions dans les programmes sociaux (aide sociale, assurance chômage, etc.). Au lieu d'intervenir directement dans l'économie, les gouvernements se proposent plutôt de soutenir l'entreprise privée.

L'approche économique du Parti libéral

Dans la foulée de ce courant de pensée néolibéral, le gouvernement de Robert Bourassa propose de relancer l'emploi en soutenant l'entreprise privée et cherche à réduire l'intervention de l'État dans l'économie. À cette fin, il vend certaines entreprises publiques, telles que Québecair et le Manoir Richelieu, à des intérêts privés. De plus, il freine l'emploi dans la fonction publique et les autres services gouvernementaux.

Une nouvelle présence francophone dans l'économie

Grâce à l'appui qu'ils reçoivent de l'État depuis le début de la Révolution tranquille par l'intermédiaire de sociétés gouvernementales, les gens d'affaires et les entreprises francophones jouent désormais un rôle important dans l'économie et ont acquis une certaine expertise. Ainsi, dans les domaines de l'industrie et de la finance, plusieurs grandes firmes québécoises ont augmenté considérablement leurs revenus et leur renommée, et s'implantent sur les marchés internationaux. La présence et l'influence des francophones dans l'économie s'affirment.

L'évolution de la situation économique de l'État québécois durant les années 1980-1990

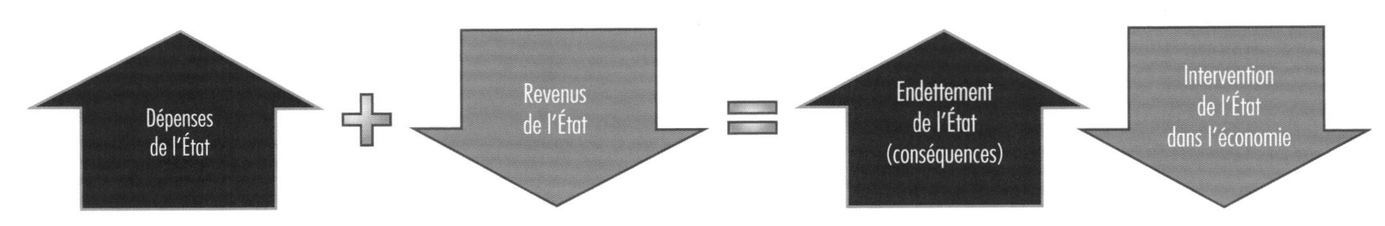

La lutte au déficit et le libre-échange

Grâce à des mesures de restriction des dépenses, le gouvernement conservateur réussit à contrôler son déficit pendant quelques années. Toutefois, la croissance de la dette, causée par les dépenses gouvernementales qui dépassent ses revenus, et la récession du début des années 1990 entraînent encore une fois une augmentation marquée du déficit, qui atteint des sommets. Afin de trouver des solutions à cette impasse budgétaire, le gouvernement abolit des taxes plus ou moins cachées sur la fabrication et impose une nouvelle taxe sur les produits et services (TPS). Cette nouvelle taxe est très mal accueillie par la population et entraîne une baisse de la popularité des conservateurs dans les sondages.

En 1984, le nouveau gouvernement conservateur entame des négociations avec le gouvernement américain, dirigé par le président républicain Ronald Reagan, afin d'éliminer les dernières barrières tarifaires qui existent entre les deux pays. Le Canada vise ainsi à donner à ses entreprises un accès direct à l'un des plus importants marchés du monde. En vertu de cet accord, les produits canadiens et américains qui traversent la frontière sont exempts de taxes douanières.

Au Canada anglais, ce traité soulève certaines inquiétudes. On appréhende la concurrence américaine et on craint que cet accord n'entraîne la perte d'emplois et la fermeture de filiales américaines au Canada. Cependant, au Québec, le gouvernement libéral de Robert Bourassa et l'ensemble de l'opinion publique appuient cette entente.

À peine l'Accord de libre-échange canado-américain est-il signé en 1988 que le gouvernement conservateur, qui vient d'être réélu, entreprend des négociations avec les États-Unis et le Mexique afin d'étendre cette zone de libre-échange à tout le continent nord-américain. En 1992, l'Accord de libre-échange nord-américain (ALENA) est signé. Cette libéralisation des échanges ouvre la voie à de nouvelles négociations économiques avec d'autres pays etannonce la mondialisation des marchés.

ALENA

Ce traité de libre-échange oblige les pays à mettre fin à certaines subventions à leurs entreprises afin que toutes les entreprises soient sur un pied d'égalité. Un tribunal international veille à ce que les règles soient respectées.

? Quelle autre région du monde a mis en place ce type d'accord commercial ?

1980	1987	1992	1995	2001	2005
Référendum sur la souveraineté-association	*Protocole de Montréal sur la couche d'ozone*	*Signature de l'Accord de libre-échange nord-américain*	*Référendum sur la souveraineté du Québec*	*Attaques terroristes au World Trade Center de New York*	*Entrée en vigueur du protocole de Kyoto*

L'incendie de l'entrepôt de BPC à Saint-Basile-le-Grand en 1988

Cet événement alerte la population et les gouvernements sur les dangers que représentent, pour l'environnement, l'accumulation et l'entreposage de produits hautement toxiques.

? Connaissez-vous d'autres événements de même nature qui ont eu lieu récemment au Québec ou ailleurs dans le monde ?

L'environnement en péril

Depuis les années 1980, l'environnement continue à se dégrader et cette question devient un enjeu majeur pour la société. La pollution atmosphérique provoque un réchauffement de la planète qui fait craindre la fonte des calottes glacières et une hausse du niveau des océans. De plus, en 1986, l'accident nucléaire à Tchernobyl en URSS soulève des questions sur les dangers de cette énergie dite de l'avenir pour l'environnement et la santé de la population mondiale. Les enjeux environnementaux débordent largement les frontières des pays. Ils touchent toute la planète.

Des signes précurseurs

Au cours de cette période, on constate que les régions industrialisées et urbanisées du nord-est des États-Unis et du sud de l'Ontario émettent dans l'atmosphère des gaz polluants qui sont à l'origine des précipitations acides qui détruisent les forêts et tuent la faune aquatique des lacs de l'Ontario et du Québec. De plus, des industries sont régulièrement accusées d'avoir déversé leurs déchets toxiques dans des cours d'eau.

Au Québec, deux accidents écologiques permettent de sonner l'alarme. En 1988, à Saint-Basile-le-Grand, un entrepôt de biphényles polychlorés (BPC) hautement toxiques est la proie des flammes. Deux ans plus tard, à Saint-Amable, un énorme dépôt de pneus brûle pendant plusieurs jours. Les groupes écologistes, de plus en plus nombreux et mieux organisés, dénoncent le gaspillage de la société de consommation et affirment que le développement industriel ne doit pas se faire au détriment de l'environnement.

Du fleuve à l'usine

Jusqu'au début des années 1970, les eaux usées étaient généralement déversées dans les rivières et le fleuve Saint-Laurent sans aucun traitement. L'usine d'épuration de Montréal entre en fonction en 1984, mais des travaux se poursuivent jusqu'en 1995 afin d'y raccorder la plupart des secteurs de l'île.

? Qu'est-ce qui peut expliquer le retard du Québec en matière de traitement des eaux usées ?

Le temps d'agir

Des solutions sont mises de l'avant. Les municipalités mettent sur pied des programmes d'enlèvement sélectif des ordures ménagères afin de recycler les déchets domestiques. Le gouvernement du Québec lance un vaste programme de création d'usines d'épuration des eaux usées. On parle désormais de développement durable. En 1978, avec la mise sur pied du Bureau des audiences publiques sur l'environnement (BAPE), le gouvernement permet à la population de jouer un rôle plus actif dans le processus d'autorisation des différents projets pouvant avoir un impact sur leur milieu de vie. Cet organisme, qui se rend dans les milieux concernés, vise donc à informer les citoyens et citoyennes, et à leur donner la parole.

Le Québec, un joueur international

En 1987, Montréal est l'hôte d'une importante réunion internationale sur l'environnement. À l'issue de cette rencontre, les pays participants adoptent le protocole de Montréal sur les émissions de chlorofluorocarbures (CFC). Ces gaz, que l'on trouve dans les systèmes de réfrigération ou les aérosols, affectent la couche d'ozone qui agit comme un écran protecteur contre les rayons ultraviolets du soleil. Le protocole déclenche l'adoption d'une série de mesures visant à éliminer progressivement l'emploi des CFC.

L'origine des immigrants et immigrantes en 1973 et en 1996

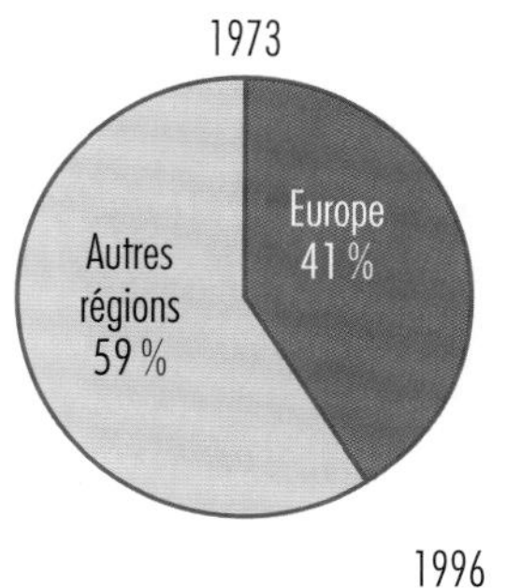

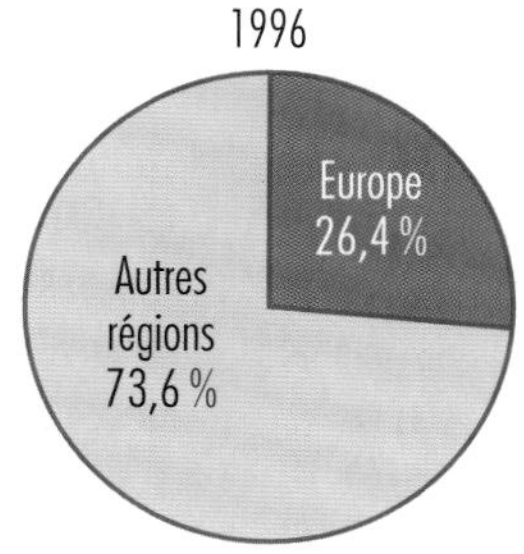

Quel changement important remarquez-vous en ce qui concerne l'origine des immigrants et immigrantes au Québec ?

Le nouveau visage du Québec

À partir des années 1970, la province accueille des gens de différentes régions du monde, telles que les Antilles, le Sud-Est asiatique et l'Amérique latine. Depuis la Révolution tranquille, la volonté des Québécois et Québécoises francophones de faire du Québec un pays de plus en plus français soulève la question de l'intégration des immigrants et immigrantes qui ne parlent pas le français.

Baisse de la natalité et diversité culturelle

Avec la baisse de la natalité, les francophones, qui craignent une diminution de leur poids démographique dans la région montréalaise, ont besoin de l'apport de la population immigrante. Cette situation amène les Québécois et Québécoises à mieux accepter la diversité culturelle. En retour, ils souhaitent que les nouveaux arrivants s'intègrent dans leur société. La mise en place de politiques d'accueil gouvernementales devient nécessaire pour assurer aux immigrants et immigrantes une connaissance de base du français.

Le taux de natalité, 1960-1999

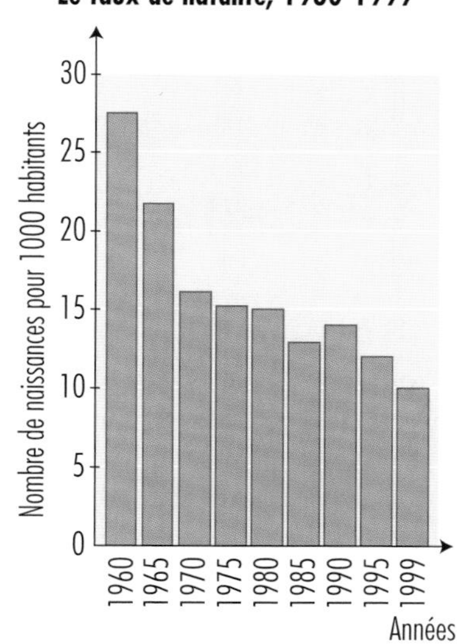

1. Selon vous, qu'est-ce qui peut expliquer cette importante baisse du taux de natalité ?
2. Ce phénomène affecte-t-il seulement le Québec ? Discutez en classe de cette problématique.

Les anglophones et les lois linguistiques

Les anglophones du Québec, qui avaient toujours pu compter sur l'apport massif des immigrants et immigrantes, s'inquiètent de ce changement. Mécontents du statut accordé à la langue anglaise dans la Charte de la langue française, ils contestent plusieurs dispositions de la Charte devant les tribunaux, notamment celles qui concernent l'accès à l'école anglaise et l'affichage. En 1988, un jugement de la Cour suprême du Canada déclare, qu'en vertu de la Charte des droits et libertés, le Québec ne peut pas interdire l'anglais comme langue d'affichage. Le gouvernement Bourassa adopte le projet de loi 178, qui assouplit quelque peu les dispositions de la Charte de la langue française, mais il maintient l'usage exclusif du français dans l'affichage. En 1993, avec le projet de loi 86, l'utilisation d'une autre langue dans l'affichage commerciale est autorisée, pourvu que le français y soit nettement prédominant.

1980 — *Référendum sur la souveraineté-association*
1987 — *Protocole de Montréal sur la couche d'ozone*
1992 — *Signature de l'Accord de libre-échange nord-américain*
1995 — *Référendum sur la souveraineté du Québec*
2001 — *Attaques terroristes au World Trade Center de New York*
2005 — *Entrée en vigueur du protocole de Kyoto*

Myra Cree

Né à Kanesatake, Myra Cree est la fille d'un chef mohawk. Elle s'intéresse très tôt au journalisme et devient la première femme à occuper le poste de chef d'antenne au *Téléjournal* de Radio-Canada. Elle s'occupe activement des communautés autochtones et fait partie de nombreux organismes qui cherchent à promouvoir la culture amérindienne.

LE POURCENTAGE DE LA POPULATION AMÉRINDIENNE VIVANT DANS LES RÉSERVES		
Année	**Au Québec**	**Au Canada**
1982	85,3	70,9
1987	77,2	64,6
1990	71,6	59,8
1995	70,9	58,7
1998	69,4	58,5

?

1. Que constatez-vous quant à l'évolution de la proportion d'Amérindiens et d'Amérindiennes vivant dans les réserves?
2. Selon vous, pourquoi une bonne partie de la population amérindienne choisit-elle d'habiter dans les réserves?

Le réveil amérindien

À partir des années 1960, on assiste à la montée d'un sentiment de fierté chez les Autochtones du Canada et des États-Unis. En redécouvrant leurs intérêts communs, ils font naître un sentiment de nationalisme autochtone. Ils veulent désormais prendre eux-mêmes les décisions qui les concernent, tant sur le plan économique que politique. Ce réveil amérindien coïncide avec la création en 1960, par le gouvernement fédéral, du Bureau des revendications territoriales, de même qu'avec l'obtention du suffrage universel aux élections fédérales sans renonciation au statut d'Amérindien.

De nouvelles relations

Depuis 1982, la Constitution canadienne reconnaît les droits des Autochtones et prévoit un processus afin de mieux définir ces droits. Une série de conférences constitutionnelles, auxquelles participe le Québec, se tient à Ottawa de 1983 à 1987. Dans la foulée des nouvelles relations avec les peuples autochtones, l'Assemblée nationale du Québec adopte le 26 mars 1985 une résolution qui reconnaît, sur le territoire de la province, 10 nations amérindiennes distinctes et une nation inuite ayant leur identité propre.

La reconnaissance des droits

La résolution de 1985 reconnaît aux Autochtones du Québec les droits ancestraux existants ou prévus dans des traités.

« [...] L'Assemblée nationale presse le gouvernement de conclure, avec les nations ou des communautés, des ententes pour l'exercice :

a) du droit à l'autonomie au sein du Québec ;
b) du droit à leur culture, leur langue, leurs traditions ;
c) du droit de posséder et de contrôler des terres ;
d) du droit de chasser, pêcher, récolter et participer à la gestion des ressources fauniques ;
e) du droit de participer au développement économique du Québec et d'en bénéficier, [...]. »

Renée Dupuis, *La question indienne au Canada,* 1991.

? En quoi cette résolution est-elle une étape importante dans l'établissement de nouvelles relations avec les nations autochtones?

Nouveau statut

En 1985, le Parlement canadien modifie la Loi sur les Indiens. Désormais, les Amérindiennes qui épousent des non-Amérindiens ne perdent pas leur statut et les non-Amérindiennes ne peuvent pas acquérir de statut en épousant des Amérindiens. La première femme à retrouver son statut d'Amérindienne est Mary Two-Axe Early, une Mohawk de Kahnawake au Québec.

Arrivée des premiers êtres humains au Québec — v. –7000/–6000 — 1500 — 1600 — 1700 — 1800 — 1900 — 1980 — 2000 — 7e réalité sociale

Des relations parfois tendues

Au cours des années 1980, malgré les pourparlers, des conflits opposent les Autochtones et le gouvernement du Québec sur des questions telles que l'autonomie de la police, les droits de pêche et l'exploitation des forêts et des rivières. Les tensions sont parfois vives entre les deux parties, et certains événements suscitent des crises.

La crise d'Oka

Au cours de l'été 1990, des Mohawks de Kanesatake, près d'Oka, résistent par les armes à la municipalité d'Oka qui veut transformer en golf un terrain qu'ils réclament depuis longtemps et sur lequel se trouve un cimetière amérindien. Ils reçoivent aussitôt l'appui des Mohawks de Kahnawake, qui bloquent le pont Mercier sur la rive sud de Montréal. Pour dénouer l'impasse qui dure depuis plusieurs semaines, les autorités doivent se résoudre à envoyer l'armée sur place. Finalement, le 26 septembre, les Mohawks se rendent. Un policier de la Sûreté du Québec perd la vie au cours de ces événements connus sous le nom de « crise d'Oka ».

Cet événement a provoqué des discussions sur la question autochtone et a incité les gouvernements à accélérer le règlement des revendications territoriales. Le rôle des Autochtones au sein de la société canadienne sera un enjeu important au cours des prochaines années.

La crise d'Oka

Le 11 mars 1990, un groupe d'Amérindiens érige des barricades afin de bloquer l'accès au club de golf de la municipalité d'Oka. Le 11 juillet, la Sûreté du Québec envoie une centaine de policiers pour démanteler les installations. L'opération échoue, un policier est tué et la crise s'envenime.

? Selon vous, les mesures prises par les autorités étaient-elles justifiées ? Discutez-en en classe.

QUESTIONS DE SYNTHÈSE

1. Tracez un schéma montrant l'évolution de la question nationale (causes et conséquences) à partir des événements suivants : le premier référendum, le rapatriement de la Constitution canadienne, l'Accord du Lac Meech, l'échec de cet accord, le référendum sur l'entente de Charlottetown et le deuxième référendum sur la souveraineté du Québec.
2. Expliquez pourquoi, dans les années 1980 et 1990, les gouvernements du Québec et du Canada revoient leurs façons d'intervenir en matière d'économie. Précisez cette nouvelle approche gouvernementale.
3. Expliquez dans quelle mesure le mouvement féministe fait des gains au cours de cette période et en quoi ils sont liés au changement des mentalités dans la société québécoise.
4. Comment les années 1980 ont-elles marqué un tournant dans les revendications des Autochtones ?

Référendum sur la souveraineté-association — 1980
Protocole de Montréal sur la couche d'ozone — 1987
Signature de l'Accord de libre-échange nord-américain — 1992
Référendum sur la souveraineté du Québec — 1995
Attaques terroristes au World Trade Center de New York — 2001
Entrée en vigueur du protocole de Kyoto — 2005

2e TEMPS FORT

Le Québec à l'heure de la mondialisation (de 1995 à aujourd'hui)

À l'aube d'un nouveau millénaire, le Québec vit de plus en plus au rythme de la planète et doit se pencher sur de nouveaux enjeux de société qui sont autant de défis à relever. Sur le plan économique, le Québec doit amorcer un virage technologique majeur et s'engager sur la voie de l'économie du savoir. Sur le plan social, le vieillissement de la population, l'équité salariale, l'intégration des immigrants et immigrantes, le décrochage scolaire et l'augmentation rapide des coûts liés aux soins de santé amènent la population à faire des choix parfois difficiles et à revoir ses modèles traditionnels. La prise de conscience mondiale des problèmes environnementaux force le Québec à réagir et à remettre en question ses habitudes de consommation, particulièrement en matière d'énergie.

Économie : croissance et mondialisation

Depuis le milieu des années 1990, l'économie du Québec se porte plutôt bien. Le niveau de vie moyen de la population québécoise a augmenté plus rapidement que celui de la population de la province voisine, l'Ontario, grâce principalement à une création d'emplois soutenue. Toutefois, au-delà de ce bilan plutôt positif, les conditions économiques subissent d'importantes transformations qui constituent autant de défis que le Québec doit relever.

Une économie à l'échelle mondiale

Le développement économique et social du Québec a toujours reposé en grande partie sur ses échanges avec l'extérieur. Aujourd'hui, environ 85 % de ses exportations sont acheminées aux États-Unis qui sont devenus son principal partenaire économique. Depuis le début des années 1990, un nouveau phénomène est apparu : la mondialisation. Ce terme désigne le mouvement par lequel les frontières entre les économies de chaque pays tendent à disparaître pour former une seule et même économie à l'échelle mondiale. Par exemple, un jeu vidéo peut être conçu à Montréal, traduit en Europe, fabriqué en Chine et vendu partout dans le monde.

Le salaire mensuel moyen dans le secteur manufacturier en 2005

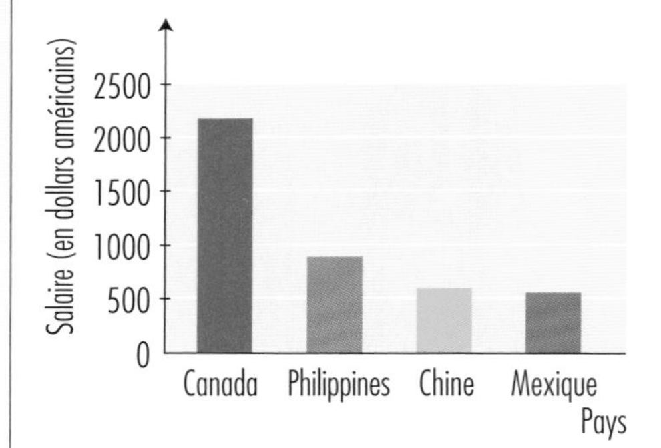

Selon vous, comment s'expliquent de tels écarts de salaire ?

Les capitaux traversent les frontières beaucoup plus facilement qu'auparavant, les investisseurs étant à la recherche du profit maximal. Par conséquent, les entreprises québécoises et leurs employés et employées sont en concurrence directe avec celles d'Asie ou d'autres régions où les salaires et les coûts de production sont moins élevés. Ce mouvement entraîne la fermeture d'usines québécoises au profit d'usines situées au Mexique, en Inde ou en Asie.

Arrivée des premiers êtres humains au Québec — v. –7000/–6000 — 1500 — 1600 — 1700 — 1800 — 1900 — *1980* 7e réalité sociale — 2000

Devant la mondialisation, phénomène qui s'impose à l'échelle planétaire, le Québec doit prendre position et faire des choix de société.

LA MONDIALISATION	
Arguments pour	**Arguments contre**
• Elle est inévitable, il faut s'y adapter. • C'est une occasion de vendre nos produits et notre technologie sur de nouveaux marchés. • La concurrence avec le monde entier force nos entreprises à être plus compétitives.	• Elle mène à une uniformisation des cultures et à une perte des identités nationales. • Elle se fait au profit des grandes compagnies américaines et occidentales. • Elle se traduit, dans certaines régions du Québec, par des fermetures d'usines, du chômage et des baisses de salaire.

Vers une économie du savoir

Un phénomène étroitement associé à la mondialisation est la croissance de ce que l'on appelle l'économie du savoir. De nos jours, la croissance économique repose de plus en plus sur les secteurs de haute technologie: la production d'ordinateurs ou de pièces électroniques, la fabrication de produits pharmaceutiques et de médicaments, la conception et la fabrication d'avions, ou encore tout ce qui touche les technologies de l'information et de la communication (logiciels, jeux vidéo, etc.). Ces domaines reposent sur un personnel hautement qualifié ayant une formation spécialisée.

Depuis 1999, les industries du savoir sont les deuxièmes en importance dans l'économie du Québec et leur importance s'accroît d'année en année. Cela signifie, qu'au cours des prochaines décennies, ces entreprises auront besoin d'une main-d'œuvre de plus en plus scolarisée et mieux formée.

Les entreprises québécoises dans le monde

Même si certaines entreprises québécoises font des affaires à l'étranger depuis longtemps, cette tendance s'accentue avec la mondialisation. Il ne s'agit plus seulement de vendre des produits québécois sur les marchés étrangers, mais aussi d'investir et de produire à l'étranger. Le cas de Bombardier en est un bon exemple. Dans les années 1980 et 1990, par l'achat judicieux de certaines entreprises, la société d'avionnerie devient un leader mondial dans le domaine du transport sur rails et de la fabrication d'avions régionaux. Aujourd'hui, elle exploite des usines dans plus de 20 pays. D'autres entreprises, telles que le Cirque du Soleil et SNC-Lavalin (firme d'ingénieurs-conseils), illustrent aussi cette volonté des entrepreneurs québécois de se développer au-delà des frontières de l'économie canadienne.

La Cité du multimédia à Montréal

Le Québec subit certains effets négatifs de la mondialisation, mais il en retire aussi des avantages. Ainsi, ses compétences dans le domaine de la création de logiciels informatiques sont reconnues à travers le monde. Des entreprises étrangères viennent s'installer dans la Cité du multimédia à Montréal pour produire leurs logiciels. Le Québec entend miser sur cette économie du savoir.

L'avionnerie Bombardier: haute technologie québécoise destinée aux marchés étrangers

Avec la mise au point, en 1935, de la motoneige et sa commercialisation à des fins récréatives dans les années 1960, Armand Bombardier a jeté les bases d'une entreprise multinationale. Aujourd'hui, Bombardier se développe sur les marchés mondiaux avec la construction d'avions, de trains et de métros.

? Selon vous, quelle opinion les travailleuses et travailleurs de cette usine ont-ils sur la mondialisation ?

- 1980 — *Référendum sur la souveraineté-association*
- 1987 — *Protocole de Montréal sur la couche d'ozone*
- 1992 — *Signature de l'Accord de libre-échange nord-américain*
- 1995 — *Référendum sur la souveraineté du Québec*
- 2001 — *Attaques terroristes au World Trade Center de New York*
- 2005 — *Entrée en vigueur du protocole de Kyoto*

Économie et État : débat sur le « modèle québécois »

Dans cette économie qui cherche à s'adapter à la mondialisation, la question du rôle de l'État continue à se poser. Depuis les années 1960, chez nous plus que chez nos voisins canadiens et américains, l'État soutient l'emploi et le développement économique, notamment par les grands travaux publics (barrages hydroélectriques, hôpitaux, écoles et universités, etc.). Les gens qu'il emploie sont nombreux et bien payés. Des sociétés d'État comme la Société générale de financement (SGF) et la Caisse de dépôt et placement (voir la page 407) mettent une partie des épargnes des Québécois et Québécoises à la disposition des entreprises privées pour qu'elles investissent et se développent. On appelle « modèle québécois » ce système où l'État joue un rôle important dans la société et l'économie du Québec. Depuis les années 1990, le maintien ou non de ce modèle est un enjeu de société fortement débattu au Québec.

Fonctionnaires au travail

Alors que le Parti québécois se montre plutôt favorable au maintien du modèle québécois, le Parti libéral propose un rôle plus discret pour l'État. C'est ainsi qu'aux élections de 2003, son chef Jean Charest propose de baisser les impôts, ce qui signifie moins de revenus pour l'État, et donc un rôle plus discret dans l'économie.

? Dans ce débat, une question revient souvent : Faut-il réduire ou non la taille de la fonction publique ? Qu'en pensez-vous ?

LE « MODÈLE QUÉBÉCOIS »	
Arguments pour	**Arguments contre**
• Il donne aux francophones l'accès à des capitaux pour créer des entreprises. • Il a favorisé l'essor de la bourgeoisie d'affaires francophone. • Un État fort qui répartit la richesse collective correspond à nos valeurs moins individualistes.	• Dans un contexte de mondialisation, il soutient « artificiellement » les entreprises québécoises avec l'argent de la population, ce qui favorise les déficits budgétaires. • Il a été utile par le passé, mais il ne correspond plus à la réalité d'aujourd'hui.

La « privatisation »

Élu en 2003, le gouvernement libéral de Jean Charest cherche à donner plus de place à l'entreprise privée dans des projets qui relèvent habituellement de l'action gouvernementale. S'inspirant notamment de l'exemple de la Grande-Bretagne, il crée en 2004 l'Agence des partenariats public-privé (PPP), visant à conclure avec des entreprises privées des projets conjoints pour rénover des hôpitaux et construire des prisons et des routes. Pour le gouvernement, ces partenariats doivent permettre à l'État de réaliser des économies tout en favorisant les entreprises privées. Pour d'autres, ils consistent à remettre une partie de nos institutions publiques, garantes du bien commun, entre les mains de l'entreprise privée qui, elle, est d'abord motivée par le profit.

Salle d'attente d'une clinique médicale privée

En juin 2005, la Cour suprême du Canada rend un jugement qui favorise l'ouverture de cliniques médicales privées, c'est-à-dire des cliniques où les patients et patientes payent directement pour chaque service médical reçu, contrairement aux hôpitaux publics dont les frais sont payés par l'État à même les impôts de tout le monde. Ce jugement ouvre donc la porte à la mise en place d'un système de santé parallèle, régi par l'entreprise privée.

Enjeu de société

Quel équilibre le Québec doit-il trouver entre le rôle de l'État et celui de l'entreprise privée dans l'économie ?

La vie politique depuis le référendum de 1995

Après le référendum de 1995, la vie politique québécoise et canadienne connaît certains bouleversements. Au Québec, le gouvernement du Parti québécois doit mettre de côté son projet d'indépendance et gouverner la province à l'intérieur du cadre fédéral. À Ottawa, le long règne de Jean Chrétien se termine avec un des plus importants scandales politiques de l'histoire canadienne.

Le résultat serré du référendum de 1995 met sur la défensive les forces fédéralistes. En 1998, à la demande du gouvernement Chrétien, la Cour suprême du Canada statue qu'en vertu de la Constitution canadienne, le Québec n'a pas droit à la sécession. Elle affirme cependant qu'avec une question claire et une majorité suffisante en faveur de la souveraineté du Québec, le reste du Canada aurait l'obligation de négocier. En 2000, à la suite de cet avis, le gouvernement Chrétien adopte un projet de loi qui précise à quelles conditions il négocierait une éventuelle séparation du Québec, advenant une victoire de l'option souverainiste lors d'un autre référendum (Loi sur la clarté).

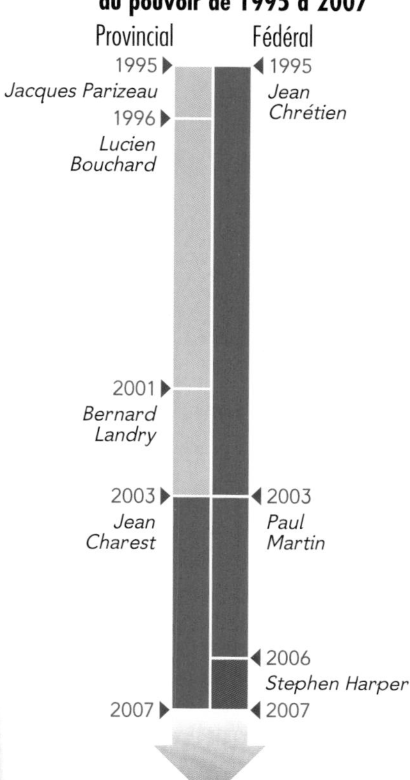

Le gouvernement fédéral et les référendums

Voici deux extraits de l'avis de la Cour suprême du Canada sur la sécession du Québec.

« La Constitution [canadienne] assure l'ordre et la stabilité et, en conséquence, la sécession d'une province ne peut être réalisée unilatéralement "en vertu de la Constitution", [...]. »

« Un vote qui aboutirait à une majorité claire au Québec en faveur de la sécession, en réponse à une question claire, conférerait au projet de sécession une légitimité démocratique que tous les autres participants à la Confédération auraient l'obligation de reconnaître. »

Renvoi relatif à la sécession du Québec, 1998.

Voici un extrait de l'article 2 de la Loi sur la clarté.

« Le gouvernement du Canada n'engage aucune négociation sur les conditions auxquelles la province pourrait cesser de faire partie du Canada, à moins que la Chambre des communes ne conclue, [...], qu'une majorité claire de la population de cette province a déclaré clairement qu'elle veut que celle-ci cesse de faire partie du Canada. »

Loi de clarification, 2000.

?

1. Expliquez le lien de cause à effet entre l'avis de la Cour suprême et la Loi sur la clarté.
2. Que pensez-vous des actions du gouvernement fédéral ?

Une société de droit : la Cour suprême du Canada

Dans une société de droit, les rapports entre les individus et l'État sont régis par la loi.

? L'ancien premier ministre du Québec, Maurice Duplessis, disait que la Cour suprême du Canada était comme la tour de Pise, car « elle penchait toujours du même bord ». Expliquez cette boutade.

1980	1987	1992	1995	2001	2005
Référendum sur la souveraineté-association	*Protocole de Montréal sur la couche d'ozone*	*Signature de l'Accord de libre-échange nord-américain*	*Référendum sur la souveraineté du Québec*	*Attaques terroristes au World Trade Center de New York*	*Entrée en vigueur du protocole de Kyoto*

7

Jean Chrétien, le « p'tit gars de Shawinigan »

Fédéraliste convaincu, fidèle lieutenant de Pierre Elliott Trudeau et principal artisan du rapatriement de la Constitution en 1982, Jean Chrétien a été premier ministre du Canada pendant dix ans, de 1993 à 2003.

? Jean Chrétien succède à Brian Mulroney (1984-1993) qui, lui, avait succédé à Pierre E. Trudeau (1968-1984). De quelle province ces trois politiciens sont-ils originaires ? Selon vous, quel impact cela a-t-il pu avoir sur la vie politique canadienne et québécoise ?

Le juge Gomery

L'histoire politique canadienne et québécoise est jalonnée de scandales comme celui des commandites. Les hommes et les femmes politiques sont souvent très proches des milieux d'affaires et financiers. La tentation de favoriser les amis est grande.

? Quel impact les révélations de cette commission auront-elles sur le gouvernement de Paul Martin ?

Le scandale des commandites

Au pouvoir depuis 1993, le gouvernement libéral de Jean Chrétien profite d'une conjoncture économique favorable et de la popularité de son chef pour se maintenir au pouvoir. Il est réélu aux élections de 1997 et de 2000. Toutefois, son dernier mandat est entaché par des allégations de corruption et de favoritisme. Après le référendum, des proches du Parti libéral auraient largement profité d'un généreux programme de promotion de l'unité canadienne destiné aux Québécois et Québécoises. Le gouvernement fédéral aurait dépensé sans véritable contrôle des centaines de millions de dollars pour ce programme de **commandites**.

En 2003, Jean Chrétien se retire de la vie politique et Paul Martin, le ministre des Finances, le remplace à la tête du Parti libéral et devient premier ministre du pays. Il met alors sur pied une commission d'enquête, présidée par le juge John Gomery, pour faire la lumière sur le scandale des commandites. Aux élections de 2004, marquées par les révélations de cette commission, Paul Martin est élu à la tête d'un **gouvernement minoritaire**. En 2005, le juge Gomery affirme dans un premier rapport que le programme a servi à alimenter un système complexe de pots-de-vin profitable au Parti libéral et il blâme Jean Chrétien pour ne pas avoir fait ce qu'il fallait pour y mettre fin.

En 2006, la population canadienne est appelée de nouveau aux urnes. Cette fois, elle élit un gouvernement conservateur minoritaire, dirigé par Stephen Harper.

La commission Gomery (2004-2005)

Pendant neuf mois, la population suit avec grand intérêt les audiences de la commission présentées à la télévision. Les audiences, qui se déroulent comme dans une série télévisée palpitante, pleine de rebondissements et d'épisodes savoureux, permettent aux citoyens et citoyennes d'assister au dévoilement progressif du scandale des commandites. Plus de 180 témoins sont entendus, dont le premier ministre Jean Chrétien. Les acteurs de la commission deviennent de véritables vedettes du petit écran. Les « trous de mémoire » de certains témoins devant des questions embarrassantes sont devenus légendaires, alors que les révélations de certains autres contribuent au désenchantement de la population envers la classe politique.

? Selon vous, quel effet cette commission a-t-elle pu avoir sur l'opinion de la population envers les politiciens et politiciennes ?

Arrivée des premiers êtres humains au Québec

v. –7000/–6000 | 1500 | 1600 | 1700 | 1800 | 1900 | 1980 | 2000

7e réalité sociale

Lucien Bouchard pendant la crise du verglas en 1998

En janvier 1998, une tempête de verglas s'abat sur le Québec. Des centaines de milliers de foyers sont privés d'électricité pendant plus de deux semaines. Pour plusieurs, le réchauffement de la planète provoquera des catastrophes de ce genre de plus en plus fréquemment. Au cours de cette crise, le premier ministre Lucien Bouchard intervient quotidiennement dans les médias pour tenir la population au courant des derniers développements.

? Quel rôle les médias ont-ils joué pendant cette crise ? Selon vous, dans une démocratie, quel type de rapports doit exister entre les médias et les personnalités politiques ?

Au provincial : une vie politique mouvementée

En janvier 1996, Lucien Bouchard succède à Jacques Parizeau à la direction du Parti québécois et devient premier ministre du Québec. Apprécié de la population pour sa franchise et sa transparence, Bouchard mène son parti à la victoire aux élections de 1998.

En prenant le pouvoir, le nouveau premier ministre annonce qu'il met de côté temporairement le projet souverainiste et qu'il entend s'attaquer à certains problèmes de la société québécoise. En 2001, Lucien Bouchard démissionne à son tour, notamment parce qu'il constate qu'il n'est pas parvenu à faire progresser le projet de souveraineté. Ce projet suscite en effet peu d'intérêt dans la population depuis le dernier référendum. Le ministre de l'Industrie et du Commerce, Bernard Landry, prend alors la direction du Parti québécois et occupe la fonction de premier ministre jusqu'aux élections de 2003.

LES FAITS SAILLANTS DES GOUVERNEMENTS BOUCHARD ET LANDRY (1996-2003)
SOMMET SOCIOÉCONOMIQUE
En 1996, Lucien Bouchard réunit des représentants des milieux patronaux, syndicaux et communautaires afin de favoriser la concertation sur certains objectifs sociaux tels que la relance de l'économie, l'élimination du déficit des finances de l'État et la lutte contre la pauvreté. En 2002, le gouvernement du Québec adopte une loi visant à lutter contre la pauvreté et l'exclusion sociale.
ÉQUITÉ SALARIALE
En 1996, une loi prévoyant l'équité salariale entre hommes et femmes sur le principe « à travail égal, salaire égal » est adoptée.
DÉCONFESSIONNALISATION DU SYSTÈME SCOLAIRE
En 1997, à la demande du Québec, la Constitution canadienne est modifiée de manière à pouvoir remplacer les commissions scolaires confessionnelles, catholiques et protestantes, par des commissions scolaires linguistiques, francophones et anglophones.
ÉQUILIBRE DES FINANCES DE L'ÉTAT : LE « DÉFICIT ZÉRO »
En 1999, le gouvernement atteint l'équilibre budgétaire, de sorte que ses dépenses ne sont plus supérieures à ses revenus.
FUSIONS MUNICIPALES
De 2000 à 2002, le gouvernement procède à la fusion de certaines municipalités, notamment dans les agglomérations de Montréal et de Québec. Selon lui, cette mesure rendra plus efficaces les services aux citoyens et citoyennes. Toutefois, cette décision est impopulaire, notamment parce que les populations concernées ne sont pas consultées et que bon nombre de personnes sont attachées à leur identité municipale.
OUVERTURE À L'ÉGARD DES ANGLOPHONES ET DES AUTOCHTONES
En 1996, Bouchard rencontre à Montréal les représentants des anglophones du Québec afin de les inviter à « bâtir des ponts » avec les francophones. L'année suivante, il rencontre le grand chef des Cris. Puis, en 2002, Bernard Landry et le chef cri Ted Moses signent « La Paix des Braves ». Cette entente permet de poursuivre les travaux hydroélectriques dans la région de la baie James.

?

1. Placez les événements mentionnés sur une ligne du temps.
2. Indiquez quelques enjeux de société relatifs à ces mesures.

Référendum sur la souveraineté-association — 1980
Protocole de Montréal sur la couche d'ozone — 1987
Signature de l'Accord de libre-échange nord-américain — 1992
Référendum sur la souveraineté du Québec — 1995
Attaques terroristes au World Trade Center de New York — 2001
Entrée en vigueur du protocole de Kyoto — 2005

Jean Charest, élu premier ministre du Québec en 2003

Jean Charest entend montrer que le Québec peut se développer pleinement et selon ses propres intérêts à l'intérieur du Canada.

? Nommez d'autres politiciens francophones qui ont eu la même conception de l'avenir du Québec.

LES RÉSULTATS DE L'ÉLECTION DE MARS 2007 (en % des voix)

Parti	Résultat
Parti libéral du Québec	33,08
Action démocratique du Québec	30,84
Parti québécois	28,35
Parti vert du Québec	3,85
Québec solidaire	3,64
Parti marxiste-léniniste du Québec	0,05
Bloc Pot	0,04
Parti de la démocratie chrétienne du Québec	0,04
Autres	0,11

Le retour des libéraux

Aux élections de 2003, la population choisit le changement et installe au pouvoir une équipe fédéraliste, celle du Parti libéral dirigé par Jean Charest. Ce gouvernement entend améliorer les soins de santé et prône une « réingénierie » (réorganisation) de l'État afin de rendre son rôle plus efficace, notamment en réduisant la bureaucratie. Cette orientation et certaines mesures déplaisent aux syndicats, aux organismes communautaires et à une partie de l'électorat. De plus, il ne peut pas tenir sa promesse de réduire les impôts. Très vite le gouvernement Charest devient impopulaire, même s'il réussit à désengorger partiellement les urgences des hôpitaux et à diminuer l'attente pour certaines chirurgies très en demande.

Les élections de 2007 : l'affirmation de nouveaux partis

Aux élections de mars 2007, le Parti libéral de Jean Charest est reporté au pouvoir, mais son gouvernement est minoritaire. L'Action démocratique du Québec (ADQ), dirigée par Mario Dumont, devient l'opposition officielle. L'ADQ prône un rôle réduit de l'État dans la société. Lors de ce scrutin, le Parti québécois, dirigé par André Boisclair, glisse au troisième rang et détient la **balance du pouvoir**. Ce résultat entraîne la démission d'André Boisclair. En juin 2007, il est remplacé par Pauline Marois, qui a été longtemps ministre dans les gouvernements péquistes précédents. Enfin, deux nouveaux partis politiques sont présents lors de cette élection, mais ils ne font élire aucun député : le Parti vert, un parti écologiste, et Québec solidaire, un parti issu des milieux communautaires, qui prône un rôle actif de l'État pour garantir l'égalité sociale.

Enjeu de société

Comment les citoyennes et citoyens peuvent-ils agir sur le pouvoir politique pour améliorer positivement la société ?

? Selon vous, pourquoi de nouveaux partis apparaissent-ils régulièrement dans le paysage politique ? En se présentant aux élections, toutes ces formations aspirent-elles à former le gouvernement ?

Arrivée des premiers êtres humains au Québec — v. –7000/–6000 — 1500 — 1600 — 1700 — 1800 — 1900 — 1980 — 2000 — 7e réalité sociale

Le défi démographique

Comme dans les autres sociétés occidentales, la population du Québec vieillit. Cela signifie que le nombre et la proportion des personnes âgées dans l'ensemble de la population augmente. Les enfants du baby-boom, nés entre 1945 et 1965, arrivent à la retraite et grossissent chaque année la proportion de personnes âgées. En 1995, environ 12 % de la population avait plus de 65 ans. On prévoit qu'en 2025 cette proportion aura doublé et se situera autour de 24 %. Ce phénomène tient au fait que les gens ont une **espérance de vie** de plus en plus longue.

L'ESPÉRANCE DE VIE AU QUÉBEC		
Année	**Homme**	**Femme**
1971	68,5 ans	75,0 ans
2006	77,2 ans	82,4 ans
2050 (projection)	84,5 ans	88,6 ans

?

1. Construisez un diagramme représentant les données de ce tableau. Aidez-vous de la fiche méthodologique *Interpréter et construire un diagramme* à la page 494.
2. Énoncez deux constatations à partir de votre diagramme.

La génération du baby-boom dans la pyramide des âges en 1971 et en 2001

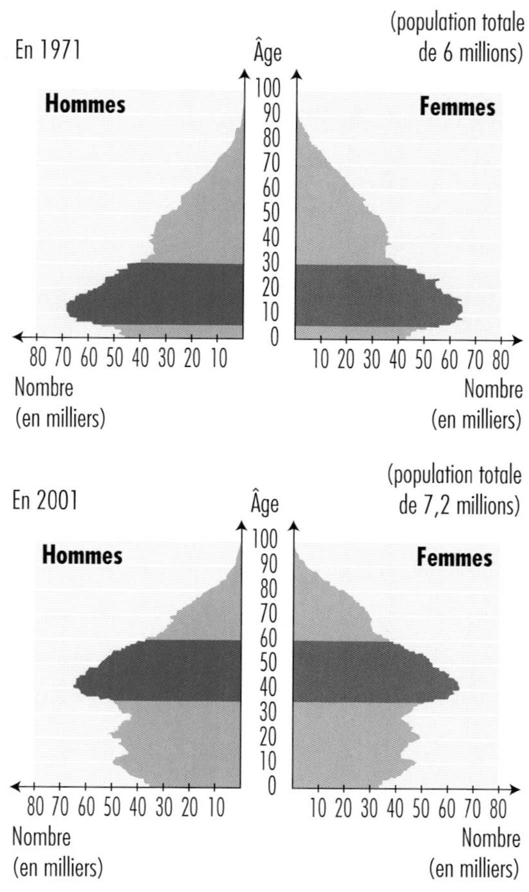

Le renflement mis en évidence dans ces deux diagrammes indique la génération du baby-boom.

? Quelles conséquences l'arrivée de cette génération à la retraite aura-t-elle sur la société québécoise ?

Un autre facteur qui explique le vieillissement de la population est la dénatalité, c'est-à-dire le fait que l'on fasse moins d'enfants qu'auparavant. Alors qu'en 1960, on comptait en moyenne trois ou quatre enfants par famille, on en compte aujourd'hui un ou deux. C'est pourquoi la croissance de la population est plus lente qu'ailleurs (déclin démographique) et la proportion de personnes plus jeunes (entre 0 et 30 ans) tend à diminuer.

Les conséquences socioéconomiques

Les conséquences de ce phénomène sont nombreuses et suscitent de vifs débats au sein de la société québécoise.

1. Comme le pourcentage de la population qui part à la retraite augmente, le pourcentage des travailleurs et travailleuses diminue.
2. Il y aura donc moins de personnes pour payer les services publics.
3. Or, on prévoit que le vieillissement de la population entraînera une augmentation des coûts des services publics, car les personnes âgées requièrent plus de soins de santé.

Enjeu de société

Comment concilier le vieillissement de la population, l'augmentation des coûts de santé et la diminution relative de la population qui travaille et paie des impôts?

1980	1987	1992	1995	2001	2005
Référendum sur la souveraineté-association	*Protocole de Montréal sur la couche d'ozone*	*Signature de l'Accord de libre-échange nord-américain*	*Référendum sur la souveraineté du Québec*	*Attaques terroristes au World Trade Center de New York*	*Entrée en vigueur du protocole de Kyoto*

La santé et l'éducation

Le financement des coûts liés au système de santé et au réseau de l'éducation constitue un défi permanent pour l'État.

Les soins de santé : des problèmes liés à l'augmentation des coûts

Notre système de santé, financé par l'État et permettant à chaque citoyen ou citoyenne de recevoir des soins de santé en présentant sa carte d'assurance maladie, suscite la fierté de la population québécoise et l'envie de plusieurs. Toutefois, il connaît de sérieux problèmes liés au financement des coûts qui augmentent sans cesse. L'engorgement des salles d'urgence, les longues listes d'attente pour des chirurgies très en demande, le vieillissement des équipements, et de manière générale la difficulté des hôpitaux à équilibrer leur budget, sont les problèmes les plus évidents. Plusieurs causes expliquent l'augmentation des coûts liés à la santé : une lourde bureaucratie, le vieillissement de la population qui se traduit par une augmentation des actes médicaux, la croissance du coût des médicaments, l'achat d'appareils médicaux plus sophistiqués et plus coûteux.

Le « décrochage » scolaire

« L'abandon scolaire soulève l'inquiétude dans tous les milieux. Certains qualifient le phénomène de honte nationale. On craint la pénurie de main-d'œuvre spécialisée et le gonflement de l'effectif du chômage et de l'aide sociale qui ne manqueront pas d'en découler. »

Les États généraux sur l'éducation, 1er rapport, 1996.

Enjeu de société

Faut-il remettre en question notre système d'assurance maladie selon lequel la population ne paie pas directement les services de santé ?

L'éducation : une réforme en profondeur

À la fin des années 1990, le Québec entame une refonte en profondeur de son système d'éducation, la plus importante depuis celle des années 1960. Parmi les problèmes à l'origine de cette réforme, il y a le fait qu'environ 40 % des élèves québécois ne terminent pas leur secondaire en suivant le cheminement normal. À l'heure de la mondialisation et de l'économie du savoir, on sent la nécessité de repenser la formation donnée au primaire et au secondaire. Entre 2000 et 2008, le ministère de l'Éducation met en place de nouveaux programmes d'études basés sur une approche plus active de l'enseignement. Toutefois, cette réforme sème le doute au sein de la population. Par ailleurs, le financement des universités et des études postsecondaires est un enjeu qui suscite régulièrement des débats dans la société.

Manifestation étudiante en 2005

Le Québec est l'un des endroits du monde où les études universitaires coûtent le moins cher. En 2005, la volonté du gouvernement Charest de restreindre l'aide financière aux étudiants et étudiantes a suscité une forte résistance de leur part.

Enjeu de société

Faut-il investir davantage dans l'éducation ? Si oui, dans quels domaines et avec quel argent ?

La condition féminine et le féminisme aujourd'hui

Depuis les années 1960, même si plusieurs demandes du mouvement féministe ont conduit à des progrès notables pour les femmes, notamment dans les lois et les mentalités, certaines situations d'inégalité persistent.

L'équité salariale

Le salaire lié à des emplois traditionnellement occupés par des femmes a toujours été inférieur au salaire lié à d'autres emplois. La Loi sur l'équité salariale, adoptée en 1996, prévoit un salaire égal pour des emplois *équivalents* en valeur, même s'ils sont différents. Cette loi vise à augmenter le salaire des femmes. Pour les employées de l'État, il faudra cependant attendre jusqu'en juin 2006 pour que le gouvernement en arrive à une entente avec les syndicats.

La participation des femmes au pouvoir politique

Au Parlement fédéral comme à l'Assemblée nationale du Québec, les femmes ont toujours été sous-représentées parmi les députés et les ministres. Le pouvoir politique reste un domaine largement masculin. Jusqu'ici, aucune femme n'a été élue première ministre du Québec. En avril 2007, Jean Charest a formé un conseil des ministres constitué pour la première fois d'un nombre égal de femmes et d'hommes.

FEMMES DANS LA HAUTE DIRECTION DE GRANDES ENTREPRISES EN 2006	
Québec	13,9 %
Ontario	16,5 %
Ensemble du Canada	15,1 %

Les femmes dans les entreprises

La présence des femmes à la direction des entreprises augmente, mais elle reste encore très minoritaire. En outre, la taille des entreprises qui sont dirigées ou qui appartiennent à des femmes est en général inférieure à celle des entreprises qui sont dirigées par des hommes. Notons cependant que dans la fonction publique et dans les syndicats, la présence des femmes dans les postes de direction est plus importante.

Le mouvement féministe cherche à se redéfinir

Très actif et visible au cours des années 1970 et 1980, le mouvement féministe est passé au second plan de la scène publique depuis les années 1990. On note aussi la montée d'un discours critique envers le féminisme. Pourtant, même s'ils sont moins répandus qu'auparavant, les préjugés envers les femmes n'ont pas disparu et le sexisme existe encore.

Enjeu de société

Dans quels enjeux le mouvement féministe doit-il se manifester au cours des prochaines années ?

Michaëlle Jean nommée gouverneure générale du Canada en 2005

Québécoise d'origine haïtienne, journaliste vedette à la télévision, Michaëlle Jean est la troisième femme à occuper le poste de représentante de la reine (ou du roi) d'Angleterre au Canada.

? Il y a 100 ans, beaucoup disaient que les femmes n'avaient pas leur place en politique. Qu'en pensez-vous ?

Un féminisme qui se cherche

En 2003, l'historienne et féministe Micheline Dumont décrivait ainsi la situation du féminisme au Québec :

« Le mouvement féministe québécois est en ce moment confronté à des questions difficiles. [...] Un discours anti-féministe vient d'éclore qui verse rapidement dans l'invective la plus vulgaire. On accuse le féminisme de tous les maux de la société. [...] Les jeunes semblent en ce moment mobilisés bien davantage par la lutte anti-mondialisation ou le mouvement communautaire que par les luttes des femmes. »

Les défis du féminisme d'aujourd'hui. Pour une réflexion collective, [En ligne], 2003.

? Selon vous, l'égalité des hommes et des femmes existe-t-elle dans la société québécoise d'aujourd'hui ? Justifiez votre réponse.

1980	1987	1992	1995	2001	2005
Référendum sur la souveraineté-association	*Protocole de Montréal sur la couche d'ozone*	*Signature de l'Accord de libre-échange nord-américain*	*Référendum sur la souveraineté du Québec*	*Attaques terroristes au World Trade Center de New York*	*Entrée en vigueur du protocole de Kyoto*

La répartition de la population du Québec en 1991 et en 2006

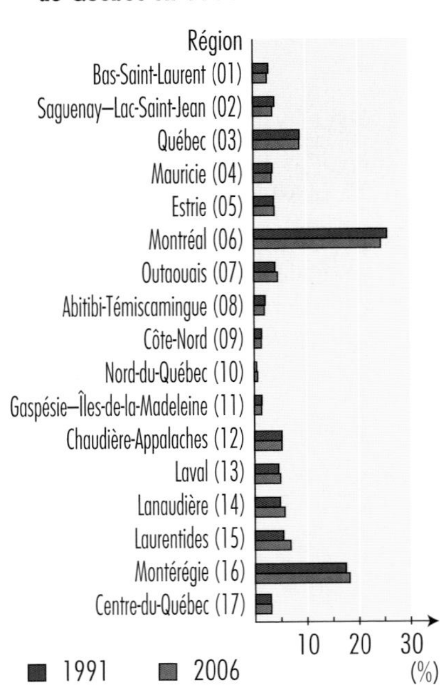

? Quelles régions ont connu une augmentation de leur poids démographique ? Lesquelles ont, au contraire, connu une diminution ?

Manifestation contre la fermeture de la mine de cuivre de Murdochville

En 2002, à la suite de la fermeture de la mine Noranda, les citoyens et citoyennes votent la fermeture de leur ville. Celle-ci existe toujours, mais cet événement montre bien la dépendance des régions éloignées envers les entreprises qui exploitent les ressources naturelles.

? Dans ce type de situation, quelle est la responsabilité de la compagnie, selon vous ?

Le Québec des régions

Aujourd'hui, le Québec compte 17 régions administratives entre lesquelles il existe des **disparités** importantes.

Montréal : la moitié du Québec

En 2006, avec une population de 3,6 millions, la région métropolitaine de Montréal (qui inclut notamment Laval et Longueuil) représente 48 % de la population québécoise. L'immigration est le principal moteur de sa croissance. Les villes qui l'entourent connaissent la croissance la plus importante de la province et plusieurs d'entre elles deviennent des « villes dortoirs » pour la métropole du Québec. Beaucoup de jeunes couples préfèrent fonder une famille en banlieue, dans des maisons neuves moins coûteuses, et où la nature est plus présente. Très ouverte sur l'extérieur, Montréal représente plus de la moitié de l'activité économique du Québec. Elle est le centre financier de la province et, avec ses quatre universités, elle joue à fond la carte de l'économie du savoir.

Québec : la capitale

Si Montréal est la métropole du Québec, la ville de Québec en est la capitale et la deuxième agglomération en importance. Ville du gouvernement et ville commerciale, la santé économique de Québec est particulièrement bonne depuis quelques décennies. Entre 2001 et 2006, sa croissance économique dépasse celle de Montréal et se classe au troisième rang au Canada.

Des régions qui doivent s'adapter

Le destin économique des autres régions du Québec est variable. De manière générale, les régions situées au sud du territoire, telles que l'Estrie, l'Outaouais, les Laurentides ou Lanaudière, connaissent une bonne croissance qui devrait se maintenir au cours des prochaines années. En revanche, les régions éloignées des grands centres, telles que la Gaspésie, la Côte-Nord ou l'Abitibi-Témiscamingue, connaissent un déclin démographique attribuable en bonne partie à un déclin économique qui risque de s'accentuer. Au cours des dernières décennies, ces régions ont connu plusieurs fermetures d'usines parce que les entreprises liées aux ressources naturelles sont très dépendantes de l'économie mondiale.

Enjeu de société

Quel rôle l'État peut-il jouer pour atténuer les disparités entre les régions et pour empêcher le déclin des régions éloignées ?

Une société en quête de nouvelles identités 

La famille en transition

Le modèle traditionnel de la famille nombreuse avec à sa tête les parents biologiques est aujourd'hui concurrencé par d'autres modèles : la famille recomposée (après une séparation), la famille monoparentale (généralement dirigée par une femme) et même la famille gaie ou lesbienne. Le nombre moyen d'enfants par femme a diminué, passant de 1,9 en 1971 à 1,5 en 2006, et les femmes qui ont des enfants décident de les avoir plus tard dans leur vie. Les pressions du mouvement des femmes ont conduit à l'égalité des hommes et des femmes dans les lois familiales et dans l'ensemble du Code civil.

Tous ces changements s'expliquent en bonne partie par le fait que les femmes travaillent massivement à l'extérieur de la maison et gagnent un salaire. Une forte pression s'exerce sur les gouvernements pour faciliter par diverses mesures la conciliation entre le travail et la vie familiale. Par ailleurs, depuis 2004, le mariage entre conjoints de même sexe est légalisé au Québec. Tous ces phénomènes traduisent un changement profond des mentalités dans une société qui tend à accepter des modèles sociaux différents.

Les accommodements raisonnables selon le caricaturiste Aislin

En 2007, le gouvernement du Québec a mis sur pied une commission afin de consulter la population sur la question des accommodements raisonnables. Cette caricature est parue dans le journal *The Gazette* en septembre 2007.

? Analysez cette caricature en suivant la fiche méthodologique *Interpréter une caricature* à la page 500.

L'impact de l'immigration

La société québécoise change aussi sous l'effet d'une immigration plus nombreuse et, surtout, plus diversifiée. Le déclin démographique amène le Québec à recourir à l'immigration. L'Ontario continue à recevoir la majorité des immigrants et immigrantes arrivant au Canada, soit 60 % (en 2001), comparativement à 15 % pour le Québec. Néanmoins, compte tenu de la baisse de la natalité, l'immigration compte maintenant pour les deux tiers de la croissance démographique du Québec.

Après 1995, la diversification de la population québécoise s'est poursuivie et les communautés culturelles ont parfois affirmé leurs particularités de façon plus visible, notamment sur le plan religieux : port du voile chez les musulmanes, port du kirpan chez les sikhs, etc. La majorité francophone a parfois opposé une résistance à ces particularités. Dans certains cas, les tribunaux ont même dû intervenir et proposer des « accommodements raisonnables ». L'intégration des immigrants et immigrantes sera un des principaux défis de la société québécoise au cours des prochaines années.

L'origine des immigrants et immigrantes accueillis au Québec (1996-2006)

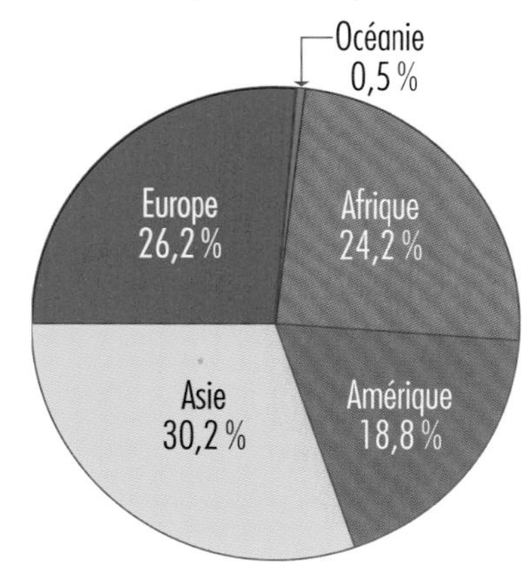

? Comment ce diagramme vous aide-t-il à comprendre la phrase suivante : « La société québécoise change aussi sous l'effet d'une immigration plus nombreuse et, surtout, plus diversifiée » ?

1980 — *Référendum sur la souveraineté-association*
1987 — *Protocole de Montréal sur la couche d'ozone*
1992 — *Signature de l'Accord de libre-échange nord-américain*
1995 — *Référendum sur la souveraineté du Québec*
2001 — *Attaques terroristes au World Trade Center de New York*
2005 — *Entrée en vigueur du protocole de Kyoto*

Le poids démographique du Québec dans le Canada en 1951 et en 2006

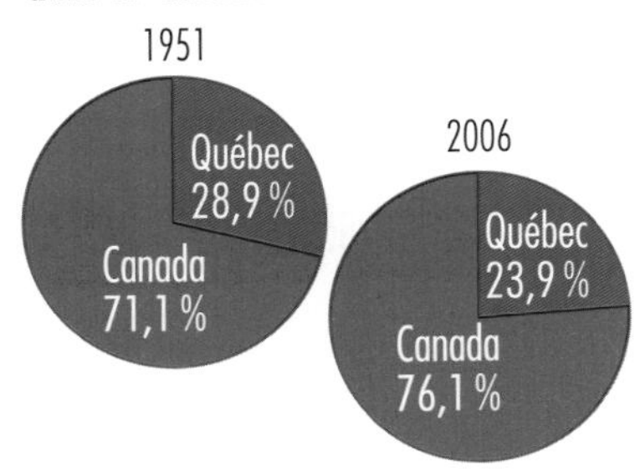

? Que peut-on dire de l'évolution de la population du Québec dans l'ensemble de la population canadienne ? Dans un système représentatif comme le nôtre, quel impact cela peut-il avoir sur la proportion de députés québécois à la Chambre des communes ?

Des arguments pour les uns et les autres

La dette publique au Québec (en 2006)

- Elle s'élève à 118 milliards de dollars.
- Elle représente 43 % de la production économique du Québec.
- En moyenne, chaque enfant qui naît au Québec porte une dette de 15 000 $.

L'écart entre les riches et les pauvres

- En 1984, les 20 % de familles canadiennes les plus riches détenaient 69 % de la richesse totale.
- En 2005, cette proportion a augmenté pour atteindre 75 %.

? Quel groupe se préoccupe davantage de la dette : les « Lucides » ou les « Solidaires » ? Lequel se préoccupe davantage des écarts entre les riches et les pauvres ?

L'identité québécoise : qu'est-ce qu'un Québécois ou une Québécoise ?

À partir des années 1960, avec l'adoption d'un nationalisme plus ouvert, la définition de la citoyenneté québécoise varie désormais d'une personne à l'autre, en fonction de son appartenance religieuse, son origine ethnique, son groupe social, etc. Pour plusieurs, c'est l'adoption du français comme langue commune qui donne au Québec sa particularité en Amérique du Nord.

Une société québécoise à la croisée des chemins ?

À l'automne 2005, deux groupes de personnalités publiques ayant chacun une perception très différente des problèmes de la société québécoise et de leurs solutions publient un **manifeste.**

Le manifeste des « Lucides »

Le premier texte est signé par des économistes et des personnes proches du monde des affaires. Il décrit un Québec qui prend du retard dans son développement par rapport à ses voisins, notamment à cause de sa dette publique et de la dénatalité. Il plaide pour une remise en question du « modèle québécois » et déplore qu'il soit considéré comme intouchable.

« La responsabilité exige que nous mettions tous l'épaule à la roue. Chaque individu, chaque groupe, chaque leader doit abandonner le premier réflexe qui est celui de tous, en particulier dans le Québec d'aujourd'hui : protéger ses intérêts et faire appel à l'intervention du gouvernement. »

Pour un Québec lucide, octobre 2005.

Le manifeste des « Solidaires »

Quelques jours plus tard, en réponse au manifeste précédent, un autre manifeste paraît, signé cette fois par des personnalités des milieux syndical, communautaire et écologiste.

« Dans l'état du monde actuel, le rôle des États nations est fondamental pour la répartition de la richesse et pour la protection des droits individuels et collectifs. [...] Nous affirmons une autre vision du Québec, une vision humaniste, soucieuse de l'environnement et du développement durable, du bien commun et des droits collectifs. »

Manifeste pour un Québec solidaire, novembre 2005.

Enjeu de société

Entre la création de richesse et la recherche d'égalité, quelle doit être la priorité de la société québécoise ?

SOS pour la planète

À la fin du 20e siècle, deux événements majeurs liés en partie aux effets des changements climatiques frappent le Québec. En juillet 1996, une pluie diluvienne s'abat sur la région du Saguenay pendant près de 36 heures. La rivière sort de son lit et la force du courant entraîne avec elle des ponts, des maisons, des routes, des voitures, etc. Au début de janvier 1998, Montréal et la Montérégie sont durement frappées par une tempête de verglas. L'accumulation d'une épaisse couche de glace sur les fils électriques entraîne des bris importants sur le réseau de distribution provoquant des pannes de courant qui ont duré plus d'un mois dans certains secteurs. Ces événements ont fait peu de victimes. Cependant, ils nous rappellent l'urgence d'agir en matière d'environnement.

La petite maison blanche de Chicoutimi lors du déluge de juillet 1996

Alors que la force des flots emporte plusieurs habitations autour d'elle, cette petite maison s'accroche et résiste. Devenue aujourd'hui un musée, elle symbolise la résistance et l'esprit d'entraide de la population face à cette épreuve. On évalue les coûts liés à la catastrophe à 700 millions de dollars. Une enquête mettra en évidence certaines erreurs humaines qui ont amplifié les dégâts.

? Quelles actions un gouvernement peut-il entreprendre après une catastrophe comme celle-ci ? Discutez-en en classe.

De Rio à Kyoto

En juin 1992, le Sommet mondial de la Terre se tient à Rio de Janeiro, au Brésil. Des représentants de plus de 100 pays, dont le Canada, y discutent des problèmes liés à la détérioration de l'environnement de la planète. Puis, en décembre 1997, les délégués de 160 pays se donnent rendez-vous à Kyoto, au Japon, pour discuter de mesures concrètes à prendre afin de réduire les émissions de gaz à effet de serre (GES) qui contribuent au réchauffement de la planète. Le Canada, qui doit réduire, pour l'année 2012, ses émissions de GES de 6 % par rapport au niveau de 1990, ratifie le protocole en décembre 2002. Mais en 2006, le gouvernement conservateur de Stephen Harper affirme que les objectifs sont irréalistes et qu'il faut revoir le plan canadien. Le Québec réagit et met au point un plan visant à ramener ses émissions de GES à 1,5 % sous le niveau de 1990 pour l'année 2012, plutôt qu'à 6 % comme le prévoyait le plan canadien dans le protocole de Kyoto. Pour les groupes écologistes, c'est un pas dans la bonne direction, mais c'est encore insuffisant.

Enjeu de société

Que peut-on faire comme citoyen ou citoyenne et comme société pour lutter contre le réchauffement de la planète ?

QUESTIONS DE SYNTHÈSE

2e TEMPS FORT

1. a) Qu'est-ce que la mondialisation et quel défi pose-t-elle au Québec ?
   b) En quoi consiste le « modèle québécois » et pourquoi est-il remis en question ?
2. Quels sont les faits saillants de la vie politique au fédéral et au provincial depuis 1995 ?
3. Depuis 1995, plusieurs enjeux de société sont discutés au Québec. Décrivez en quelques mots en quoi consiste le défi à relever dans les domaines suivants : a) la démographie ; b) la santé ; c) la condition féminine ; d) les régions ; e) la diversité culturelle.
4. En quoi les problèmes environnementaux qui touchent la planète sont-ils des défis pour la société québécoise ?

1980 — *Référendum sur la souveraineté-association*
1987 — *Protocole de Montréal sur la couche d'ozone*
1992 — *Signature de l'Accord de libre-échange nord-américain*
1995 — *Référendum sur la souveraineté du Québec*
2001 — *Attaques terroristes au World Trade Center de New York*
2005 — *Entrée en vigueur du protocole de Kyoto*

Céline Dion

Née à Charlemagne en 1968, Céline Dion se passionne pour le chant dès son jeune âge. En 1984, elle se fait remarquer en chantant devant le pape Jean-Paul II. Sa carrière est parsemée de nombreux records de ventes de disques tant en français qu'en anglais. Céline Dion mène une brillante carrière internationale.

Oliver Jones

Né à Montréal en 1934, Oliver Jones deviendra une figure dominante du jazz montréalais. Pianiste accompli, il côtoie les grands noms du jazz, tel Oscar Peterson, autre pianiste légendaire né à Montréal. Il est régulièrement invité au Festival international de jazz de Montréal.

Robert Lepage

Né à Québec en 1957, Robert Lepage s'intéresse très tôt au théâtre. Grâce à l'utilisation ingénieuse du multimédia dans ses spectacles et à l'originalité de ses textes, il remporte de nombreux prix prestigieux. Aujourd'hui, il poursuit une brillante carrière internationale comme auteur, metteur en scène, acteur et réalisateur.

ARTS ET TRADITIONS

Plusieurs artistes québécois ont été déçus de la défaite du « Oui » au référendum de 1980. Plusieurs personnalités de la chanson, du théâtre, de la littérature et du cinéma avaient pris ouvertement parti pour la souveraineté du Québec. Ainsi, Félix Leclerc, Gilles Vigneault, Pauline Julien, Claude Gauthier et bien d'autres ont chanté l'espoir d'un pays à naître. Lors du premier référendum, les artistes ont même formé un comité pour le « Oui », présidé par l'humoriste Yvon Deschamps. Certains cinéastes tels que Gilles Carle, Michel Brault ou Denys Arcand portaient un regard critique et parfois cynique sur la politique.

À l'aube du troisième millénaire, la question de l'identité nationale est moins abordée dans les films, les chansons, la littérature ou les pièces de théâtre. Les artistes s'intéressent plutôt aux problèmes individuels propres à tous les peuples. Cette évolution culturelle, où le Québec est de plus en plus influencé par son appartenance au continent nord-américain, permet un certain rayonnement à l'étranger. Ce nouveau courant artistique renoue avec le succès connu auparavant par des artistes québécois, tels que les chansonniers Félix Leclerc, Raymond Lévesque et Claude Léveillée ou le peintre Jean-Paul Riopelle en France, ou encore la chanteuse Alys Robi aux États-Unis et en Amérique du Sud. Une nouvelle génération d'artistes, parmi lesquels on trouve Robert Lepage, François Girard, Jean-Marc Vallée, Céline Dion ou Guy Laliberté, favorise le rayonnement international du talent québécois.

Depuis quelques décennies, des festivals prestigieux donnent une plus grande visibilité aux artistes d'ici et offrent au public la possibilité de se familiariser avec diverses cultures. Ainsi, le Festival d'été de Québec qui a eu lieu pour la première fois en 1967 et le Festival international de jazz de Montréal qui a été présenté pour la première fois en 1979, sont devenus avec le temps des vitrines pour les musiciens et musiciennes d'ici et d'ailleurs. Tous les arts sont à l'honneur lors de ces festivités : chanson, cinéma, musique traditionnelle ou classique, humour, littérature, danse, etc. Les festivals sont autant de manifestations artistiques qui marquent le dynamisme de la société québécoise sur le plan culturel.

Arrivée des premiers êtres humains au Québec — 1980 — 7e réalité sociale

v. –7000/–6000 | 1500 | 1600 | 1700 | 1800 | 1900 | 2000

LE CIRQUE DU SOLEIL

Le Cirque du Soleil

L'originalité des costumes et des maquillages ajoute une touche particulière aux spectacles du Cirque du Soleil.

Aujourd'hui devenu multinationale du divertissement, le Cirque du Soleil a pourtant connu des débuts modestes au Québec. Au début des années 1980, les membres d'une troupe de théâtre de rue fondée par Gilles Ste-Croix, Les Échassiers de Baie-Saint-Paul, jonglent, jouent de la musique et crachent du feu afin d'animer les rues de la petite municipalité de Baie-Saint-Paul pendant la période estivale.

En 1984, avec les célébrations entourant le 450e anniversaire de l'arrivée de Jacques Cartier au Canada, les organisateurs et organisatrices, qui souhaitent souligner cet événement à la grandeur du Québec, sont à la recherche d'un spectacle itinérant. Guy Laliberté, un des artistes de la troupe, propose un projet de spectacle nouveau genre, baptisé Cirque du Soleil. Les organisateurs et organisatrices des festivités donnent leur aval au projet, donnant le coup d'envoi à une expérience novatrice dans le domaine des arts du cirque qui allait devenir une entreprise d'envergure internationale.

Aujourd'hui, le Cirque du Soleil possède des installations permanentes en Floride et à Las Vegas, permettant de présenter différents spectacles en même temps, et engage des troupes qui font des tournées à travers le monde. Des artistes en tous genres, représentant plus de 40 nationalités et parlant plus de 25 langues se produisent sous les chapiteaux. Le siège social international établi à Montréal emploie plus de 1500 personnes. Cette réussite internationale s'inscrit dans l'évolution culturelle du Québec.

Les invasions barbares

Réalisé en 2003 par Denys Arcand, ce film reprend les personnages d'un film précédent, *Le déclin de l'empire américain,* et pose un regard critique sur la nouvelle génération. En 2004, cette œuvre remporte l'Oscar du meilleur film étranger lors de la soirée des *Academy Awards* à Hollywood, ainsi que de nombreux prix internationaux.

1980	1987	1992	1995	2001	2005
Référendum sur la souveraineté-association	*Protocole de Montréal sur la couche d'ozone*	*Signature de l'Accord de libre-échange nord-américain*	*Référendum sur la souveraineté du Québec*	*Attaques terroristes au World Trade Center de New York*	*Entrée en vigueur du protocole de Kyoto*

Ailleurs :
L'Écosse et la question nationale

L'Écosse et ses régions

Les origines de l'Écosse

Avant d'être rattachée à la Grande-Bretagne, l'Écosse a été un royaume indépendant pendant près de huit siècles. Fondé par le peuple des Scots, des Celtes venus d'Irlande au 4e siècle, le royaume s'unit à celui des Pictes en 843. Au fil des siècles, le royaume d'Écosse résiste aux nombreuses tentatives d'invasion des monarques anglais, entraînant ainsi le développement d'une identité culturelle écossaise. Des héros légendaires, tel William Wallace en 1297, alimenteront le nationalisme écossais dès le Moyen Âge.

Le Royaume-Uni

En 1603, la reine d'Angleterre, Élisabeth Ire, meurt sans héritier. Par droit héréditaire, Jacques VI, roi d'Écosse, (fils de Marie Stuart, cousine d'Élisabeth), lui succède sur le trône d'Angleterre sous le nom de Jacques Ier et unit les deux royaumes, créant le Royaume-Uni d'Angleterre et d'Écosse. Cependant, l'Écosse conserve son indépendance et ses propres lois. Après une période trouble où les guerres civiles et religieuses divisent la population, l'arrivée sur le trône de Guillaume III en 1689 met un terme à cette agitation. Finalement, en 1707, la reine Anne adopte l'Acte d'union qui réunit les deux royaumes en une seule monarchie. Le Parlement écossais est supprimé, mais l'Écosse conserve ses églises, en majorité presbytériennes, ses lois et son système d'éducation.

Le Parlement écossais

Le siège du nouveau Parlement écossais, situé à Édimbourg, a été inauguré par Élisabeth II en 1999.

La renaissance du nationalisme écossais

Malgré cette union, le nationalisme écossais est toujours présent aux 18e et 19e siècles, mais il manque de vigueur. Au 20e siècle, l'Écosse est administrée directement par Londres par le Scottish Office, sorte de ministère de l'Écosse. Dans le difficile contexte social des années 1920 et 1930, le nationalisme écossais renaît. Certaines régions très industrialisées, comme la vallée de la Clyde, sont durement touchées et se sentent abandonnées par Londres. Conséquemment, en 1934, le *Scottish National Party* (SNP) voit le jour et témoigne d'un retour aux valeurs traditionnelles des Highlands. En 1967, un premier député du SNP est élu au Parlement britannique.

Arrivée des premiers êtres humains au Québec — v. –7000/–6000 — 1500 — 1600 — 1700 — 1800 — 1900 — 1980 — 7e réalité sociale — 2000

Le nationalisme moderne

En 1970, la découverte de pétrole dans la mer du Nord donne un souffle nouveau au SNP, car l'exploitation de ces ressources offre de nouvelles perspectives de développement économique. En 1974, pour répondre aux revendications du SNP, le premier ministre britannique, Harold Wilson, organise un référendum sur la dévolution (décentralisation) de pouvoirs vers un éventuel Parlement écossais. Toutefois, la participation insuffisante de la population écossaise fait échouer le projet. En 1997, le gouvernement de Tony Blair propose la tenue d'un nouveau référendum lors duquel les Écossais approuvent très fortement la création d'un Parlement semi-autonome pour l'Écosse.

Le Parlement écossais, qui compte 129 députés élus pour quatre ans, est inauguré à la suite des premières élections en mai 1999. Il est autonome dans les domaines de la santé, de l'éducation, de la police, des transports et de l'environnement, mais il détient un pouvoir de taxation limité. Pour certaines personnes, la création du Parlement écossais est un pas vers une plus grande autonomie nationale, qui pourrait éventuellement mener à l'indépendance politique. Pour d'autres, c'est plutôt le signe que le Royaume-Uni peut évoluer dans le respect des nations qui le composent.

Le 3 mai 2007, le SNP remporte les élections au Parlement écossais et, même s'il est minoritaire, il entrevoit la possibilité de tenir un référendum sur l'indépendance de l'Écosse dans un avenir rapproché.

Sir Sean Connery

Acteur écossais bien connu pour avoir joué le rôle de James Bond dans plusieurs films, il est un fervent défenseur de l'autonomie de l'Écosse. Il est aussi un généreux donateur pour le *Scottish National Party.*

? Nommez des artistes québécois qui appuient ou qui ont appuyé la cause nationaliste au Québec ?

Costume traditionnel écossais

Dès le 13e siècle, les Écossais s'habillaient d'une pièce de tissu, appelée tartan, ayant un motif propre à chaque clan.

- 1980 — *Référendum sur la souveraineté-association*
- 1987 — *Protocole de Montréal sur la couche d'ozone*
- 1992 — *Signature de l'Accord de libre-échange nord-américain*
- 1995 — *Référendum sur la souveraineté du Québec*
- 2001 — *Attaques terroristes au World Trade Center de New York*
- 2005 — *Entrée en vigueur du protocole de Kyoto*

L'Angleterre

Ailleurs :
L'Angleterre et le rôle de l'État sous Thatcher (1979-1990)

C'est en grande partie en Angleterre, au cours de la Seconde Guerre mondiale, qu'est née l'idée de l'État-providence. Pendant les 30 années qui ont suivi la fin de la guerre, l'Angleterre applique rigoureusement les principes de ce régime politique et en devient le modèle le plus achevé. Le gouvernement canadien s'inspire de ce modèle et, dans les années 1960 et 1970, l'État québécois emboîte le pas.

Mais à la fin des années 1970, l'Angleterre traverse une grave crise économique et sociale. Le taux de chômage, le nombre de grèves et l'endettement de l'État atteignent des niveaux records. C'est dans ce contexte que Margaret Thatcher, chef du Parti conservateur, prend le pouvoir en mai 1979. Première femme à devenir première ministre, elle reste au pouvoir pendant onze ans, jusqu'en 1990.

Antisocialiste et croyant fermement aux vertus du libéralisme économique, Thatcher s'attaque avec vigueur à l'État-providence et à son héritage. Elle croit fermement que les politiques sociales de l'État rendent les citoyennes et citoyens dépendants, et limitent l'initiative privée qui, selon elle, est la première source de richesse. Moins l'État intervient dans la société, plus les individus et les entreprises sont riches. C'est ainsi que son gouvernement :

- privatise de nombreuses sociétés d'État qui étaient déficitaires, telles que la British Steel (acier) et la British Airways (aviation civile) ;
- diminue l'influence des syndicats dans un pays où ils étaient très puissants, notamment en limitant le droit de grève et en réduisant la réglementation du travail ;
- réduit massivement les impôts, notamment pour les entreprises ;
- diminue sensiblement les dépenses publiques, limite les protections sociales (notamment en santé) et, par conséquent, réduit la taille de l'État.

On désigne ces mesures et les idées qui les sous-tendent par le mot *thatchérisme*. Les adversaires à Thatcher l'accusent d'avoir ramené l'Angleterre au libéralisme inhumain qui dominait au début de l'industrialisation. Ses partisans voient en elle celle qui a permis à l'Angleterre de se remettre sur pied. En effet, lorsqu'elle quitte le pouvoir, l'Angleterre est redevenue une société dynamique sur les plans social et économique, et les sociétés qu'elle a privatisées sont aujourd'hui des entreprises prospères.

Margaret Thatcher, la « dame de fer »

Parce qu'elle s'est montrée peu sensible envers les plus démunis et parce qu'elle a mené une politique internationale jugée intransigeante, on l'a appelée la « dame de fer ».

? Selon vous, accepte-t-on plus facilement d'un homme une attitude comme celle de Margaret Thatcher ?

Ailleurs :
Le Danemark dans le vent !

Membre de l'Union européenne, le Danemark est le plus petit pays de la Scandinavie avec une population de 5 300 000 habitants et habitantes. Situé au nord de l'Allemagne, il comprend plus de 500 îles, dont le Groenland. Comme le Canada, son régime politique est une monarchie parlementaire. Soucieux d'offrir une qualité de vie élevée à toute la population, l'État du Danemark a instauré, dès les années 1930, des mesures de protection sociale importantes, comprenant notamment l'un des meilleurs systèmes de prise en charge des enfants.

L'environnement est une préoccupation importante au Danemark, principalement sur le plan énergétique. Le souci d'utiliser des sources d'énergie renouvelables s'est manifesté dès les années 1970 alors que le conflit au Proche-Orient entraîne une forte augmentation du prix du pétrole. À cette époque, pour combler ses besoins énergétiques, le Danemark dépend des importations de pétrole dans une proportion de 99 %. Le gouvernement danois, voulant mettre un terme à cette dépendance, a développé une politique visant à trouver de nouvelles sources d'énergie.

La géographie du pays, formée de nombreuses régions plates où soufflent des vents forts, offre des possibilités d'aménagement de parcs éoliens. Ayant rejeté l'option du nucléaire, le Danemark a, depuis la crise du pétrole de 1973, maintenu le cap sur le développement de l'énergie éolienne. Aujourd'hui, plus de 20 % de l'énergie consommée provient de sources renouvelables, en grande partie des éoliennes. L'objectif du gouvernement est que la production d'électricité à partir d'éoliennes atteigne 30 % d'ici 2020. Le Danemark a développé un savoir-faire qui en fait le premier exportateur mondial d'éoliennes, ce qui génère près de 20 000 emplois dans le pays.

En plus du vent, le Danemark utilise l'incinération des déchets, le bois, la paille et le biogaz pour produire de l'électricité et pour chauffer les bâtiments. Afin d'utiliser plus efficacement l'énergie, le gouvernement a même adopté des lois interdisant le chauffage électrique dans les constructions neuves. Grâce à sa politique énergétique, le Danemark, qui a signé le protocole de Kyoto, contribue à la réduction des émissions de CO_2. D'ici 2010, le pays doit réduire de 21 % ses émissions de CO_2 par rapport à 1990.

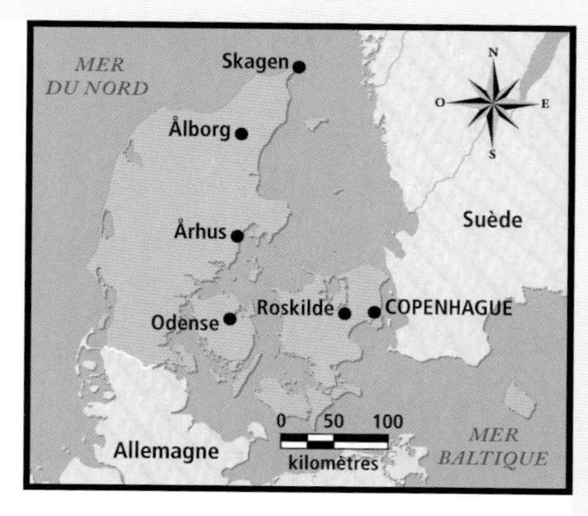

Le Danemark aujourd'hui

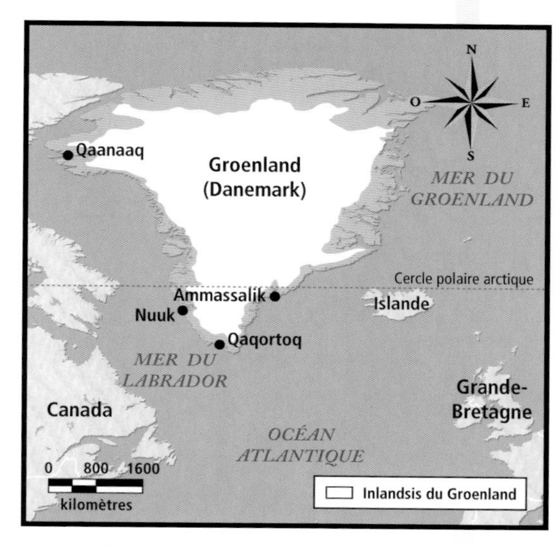

Le Groenland

Cette île danoise, d'une superficie de 2 175 600 km^2, située au nord-est du Canada, a été découverte par les Vikings au 10e siècle. Au 18e siècle, les Danois installent une colonie au sud de l'île. En 1953, l'île est officiellement rattachée au Danemark et, en 1979, elle obtient un statut d'autonomie interne. Un inlandsis est une calotte glacière étendue.

Éoliennes sur l'île de Samsø

Sur la petite île de Samsø, 100 % de l'électricité provient des éoliennes et 70 % du chauffage provient de panneaux solaires ou d'usines de traitement de copeaux de bois et de paille.

- 1980 — *Référendum sur la souveraineté-association*
- 1987 — *Protocole de Montréal sur la couche d'ozone*
- 1992 — *Signature de l'Accord de libre-échange nord-américain*
- 1995 — *Référendum sur la souveraineté du Québec*
- 2001 — *Attaques terroristes au World Trade Center de New York*
- 2005 — *Entrée en vigueur du protocole de Kyoto*

DU PASSÉ au présent

RÉCAPITULONS

L'art du résumé

1. **a)** Choisissez une des sections suivantes de ce chapitre :
   - Économie : croissance et mondialisation (pages 462 et 463) ;
   - La vie politique depuis le référendum de 1995 (pages 465 à 468).

   b) Résumez la section choisie en suivant les trois étapes de la fiche méthodologique *Rédiger un résumé* à la page 499. Le résumé ne devrait pas excéder une page.

2. Dans l'espace public, il existe différentes façons de résoudre des problèmes ou des conflits entre des groupes ayant des points de vue différents : le compromis, la persuasion, la législation, la consultation populaire ou le référendum, la force, ou une combinaison de ces moyens. Dans chacun des cas suivants, déterminez quel moyen le gouvernement a choisi :
   a) la question de la souveraineté du Québec en 1980 et en 1995 ;
   b) le rapatriement de la Constitution canadienne en 1982 ;
   c) l'équité salariale entre les hommes et les femmes (sous le gouvernement Bouchard en 1996) ;
   d) le Sommet socioéconomique de 1996.

   Dans chaque cas, justifiez votre réponse.

Comprendre et organiser les concepts

1. **a)** À l'aide d'un dictionnaire et à la lumière de l'information présentée dans ce chapitre, rédigez dans vos mots une courte définition des concepts suivants : espace public, bien commun, société de droit et choix de société.
   b) Reproduisez sur une feuille le schéma de concepts ci-contre.
   c) Développez ce noyau initial en détaillant chacun des quatre concepts à partir des définitions que vous avez rédigées.
   d) Selon vous, pourquoi le concept d'espace public est-il placé au centre ? Pour appuyer votre réponse, donnez des exemples concrets tirés de ce chapitre.

2. À l'aide d'un schéma conceptuel, montrez les liens qui existent entre les concepts suivants :
   a) la Constitution canadienne et la souveraineté du Québec ;
   b) l'économie, la société et le rôle de l'État ;
   c) le féminisme et l'équité salariale.

LES TECHNIQUES DE L'HISTOIRE

1. Dans certaines activités de ce manuel, vous deviez mettre en application plusieurs étapes de la méthode de travail de recherche (voir la page 497). Vous êtes donc en mesure de faire un travail de recherche en suivant toutes les étapes de cette fiche méthodologique. Dans la période allant de 1980 à aujourd'hui, choisissez un personnage appartenant à l'une des catégories suivantes : un ou une Autochtone, ou une personne ayant milité pour une cause quelconque (syndicalisme, féminisme, environnement, milieu communautaire, etc.). Cette personne peut être très connue ou peu connue du public. Elle peut avoir agi sur la scène nationale ou régionale. Rédigez une biographie de cette personne en montrant comment elle a été mêlée aux enjeux de la société québécoise des dernières décennies.

2. a) Choisissez un événement, ou une série d'événements, mentionné dans ce chapitre, qui vous semble particulièrement important pour expliquer le Québec d'aujourd'hui.
   b) Justifiez votre choix en quelques mots.
   c) Faites une caricature sur ce thème en faisant référence à un événement précis sur lequel vous aurez recueilli de l'information.

Aidez-vous de la fiche méthodologique *Interpréter une caricature* à la page 500. N'oubliez pas qu'une caricature doit exprimer votre opinion.

POUR EN SAVOIR PLUS

Documentation

CARDINAL, Mario. *Point de rupture : Québec-Canada, le référendum de 1995,* Montréal, Bayard Canada, 2005, 486 p.

Collectif Clio. *L'Histoire des femmes au Québec,* Montréal, Le jour éditeur, 1992, 646 p.

DUPUIS, Renée. *La question indienne au Canada,* Montréal, Boréal, 1991, 124 p. (coll. Boréal express).

LINTEAU, Paul-André, et autres. *Histoire du Québec contemporain, volume 2 : Le Québec depuis 1930,* Montréal, Boréal, 1996, 739 p.

Littérature

BEAUCHEMIN, Yves. *Charles le téméraire,* 3 tomes, Montréal, Fides, 2006.

GRAVEL, François. *Fillion et frères,* Montréal, Québec/Amérique, 2000, 346 p.

HAMELIN, Louis. *La rage,* Montréal, Québec/Amérique, 1989.

Cinéma

C.R.A.Z.Y., réalisateur : Jean-Marc VALLÉE, Québec, 2005.

Le Matou, réalisateur : Jean BEAUDIN, Québec/France, 1985.

Les invasions barbares, réalisateur : Denys ARCAND, Québec, 2005.

1980 — Référendum sur la souveraineté-association
1987 — Protocole de Montréal sur la couche d'ozone
1992 — Signature de l'Accord de libre-échange nord-américain
1995 — Référendum sur la souveraineté du Québec
2001 — Attaques terroristes au World Trade Center de New York
2005 — Entrée en vigueur du protocole de Kyoto

DÉVELOPPER SA CITOYENNETÉ

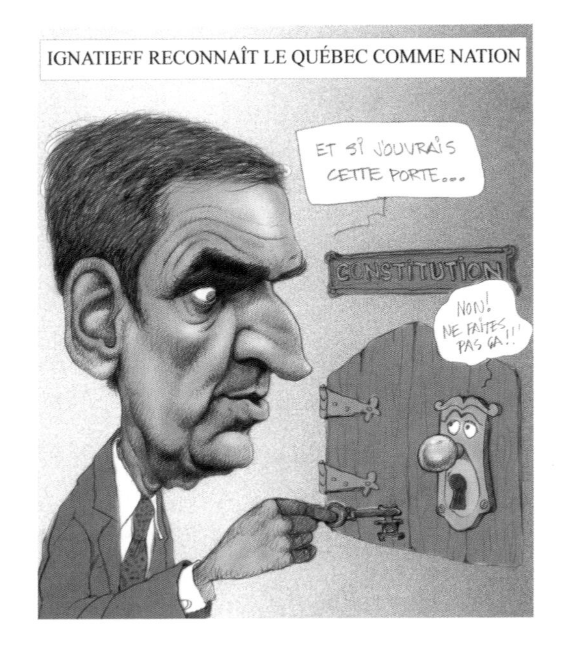

Premier enjeu : la question nationale

La question nationale remonte aux sources de notre histoire. Les relations entre les descendants des premiers colons français et les Autochtones, le Canada anglais et les communautés immigrantes ont jalonné l'évolution de la société québécoise. Au cours des dernières décennies, les discussions ont porté sur cet enjeu principalement dans le cadre de la question constitutionnelle et du statut politique du Québec.

Le statut du Québec dans le Canada

Comme le souligne la caricature ci-contre, représentant un candidat anglophone à la direction du Parti libéral du Canada en 2006, la place du Québec dans le Canada demeure toujours une question délicate, voire insoluble, pour le reste du Canada. Après deux référendums, beaucoup de questions restent toujours en suspens. Ainsi, le Québec n'a toujours pas signé la Loi constitutionnelle de 1982. Le Québec continue toujours à réclamer des pouvoirs au gouvernement fédéral. Le projet indépendantiste est toujours vivant, porteur d'espoir pour les uns, boulet à traîner pour les autres. Où est l'avenir du Québec ?

L'attitude des Québécois et Québécoises selon Yvon Deschamps

> *« Le vrai Québécois sait qu'est-ce qu'y veut. Pis qu'est-ce qu'y veut, c't'un Québec indépendant, dans un Canada fort. »*

Monologue *La fierté d'être Québécois*, 1977.

? Quelle caractéristique de la population québécoise l'humoriste met-il en évidence dans cet extrait ?

L'évolution prévue du déséquilibre fiscal (2001-2020)

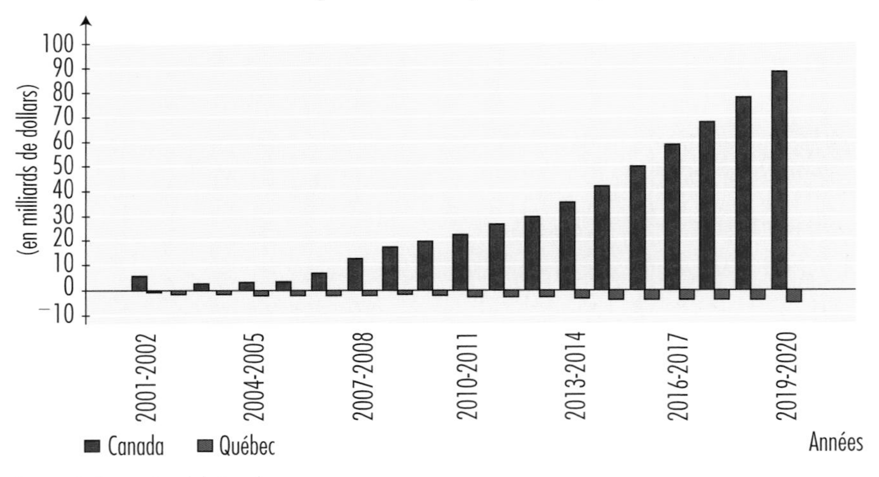

Source : Conference Board du Canada.

En 2002, un rapport du gouvernement du Québec mettait en lumière le déséquilibre existant entre le budget du gouvernement fédéral, qui génère des surplus financiers importants, et celui des gouvernements provinciaux, incluant celui du Québec, qui réussissent difficilement à équilibrer les revenus et les dépenses. Les causes de ce déséquilibre sont profondes et remontent à l'origine de la Confédération de 1867 alors que le gouvernement fédéral a obtenu d'importantes sources de revenus. De leur côté, les provinces ont des sources de revenus limitées, alors que depuis un siècle leurs responsabilités augmentent, notamment en matière de santé.

? Le Québec et les autres gouvernements provinciaux ont-ils raison de réclamer davantage d'argent du gouvernement fédéral ?

Deuxième enjeu : le défi environnemental

Il existe aujourd'hui un consensus scientifique et politique sur l'idée que l'équilibre environnemental de la planète est sérieusement menacé par l'activité humaine. Le temps n'est plus aux discussions, il faut passer à l'action.

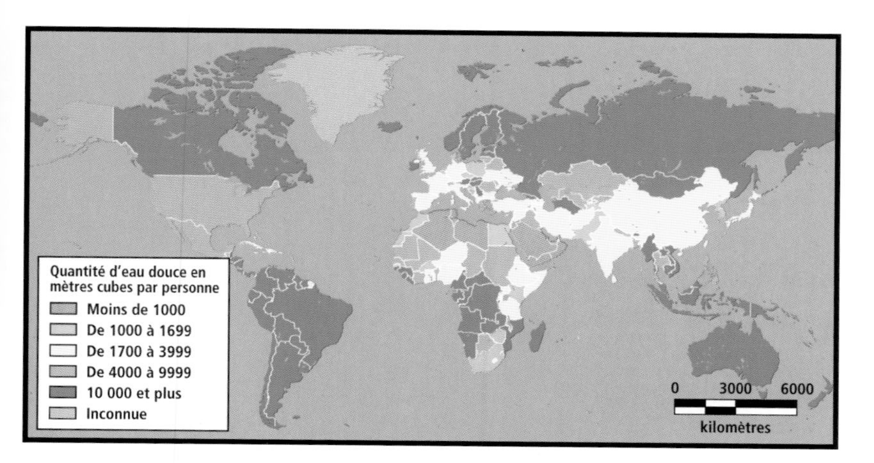

La répartition de l'eau douce dans le monde

Que vous apprend cette carte sur la position du Québec et du Canada relativement aux réserves d'eau douce ? Aujourd'hui, 1,5 milliard d'êtres humains n'ont pas d'eau potable. On prévoit qu'ils seront 5 milliards vers 2025. Comme ce fut le cas pour le pétrole au siècle dernier, on craint que les guerres ayant l'eau pour enjeu ne se multiplient au 21e siècle. Au Québec, certaines personnes voient notre eau comme une richesse naturelle que l'on pourrait exporter au même titre que le bois ou les produits miniers. Qu'en pensez-vous ?

Le développement durable

Pour relever les défis environnementaux qui touchent la planète, un consensus s'est établi dans le monde au cours des dernières décennies, favorisant le concept de développement durable, c'est-à-dire « un développement qui répond aux besoins du présent sans compromettre la capacité des générations futures à répondre aux leurs » (*Rapport Brundtland*, 1987). En 2004, le gouvernement de Jean Charest a publié son *Plan de développement durable* pour le Québec.

Les deux enjeux de société présentés dans ces deux pages invitent à faire des choix.

1. À l'aide d'Internet ou d'autres sources d'information, documentez-vous sur ces enjeux ou sur un de leurs aspects (origine et état de la question).
2. Dressez une liste de choix possibles pour la société québécoise à l'égard de ces enjeux et présentez des arguments en faveur de chacun.
3. Organisez un débat en classe pour présenter ces choix et en discuter. Procédez ensuite à un vote. En arriverez-vous à un consensus ?
4. Rédigez un court texte qui résume votre position et précisez si cette position a changé comparativement à celle que vous aviez exprimée au début de l'étude de cette réalité sociale.

Le voilier *Sedna IV* en Antarctique

Les études scientifiques sont maintenant catégoriques : le réchauffement de la planète n'est plus une hypothèse mais une certitude. En 2005-2006, une mission scientifique québécoise d'envergure s'est rendue en Antarctique pour y mesurer les effets du changement climatique. La mission a constaté que la température anormalement élevée dans cette région, réputée la plus froide du monde, entraînait la fonte accélérée de la calotte glaciaire qui provoquera une hausse de plusieurs mètres du niveau des océans.

- 1980 — *Référendum sur la souveraineté-association*
- 1987 — *Protocole de Montréal sur la couche d'ozone*
- 1992 — *Signature de l'Accord de libre-échange nord-américain*
- 1995 — *Référendum sur la souveraineté du Québec*
- 2001 — *Attaques terroristes au World Trade Center de New York*
- 2005 — *Entrée en vigueur du protocole de Kyoto*

Fiches méthodologiques

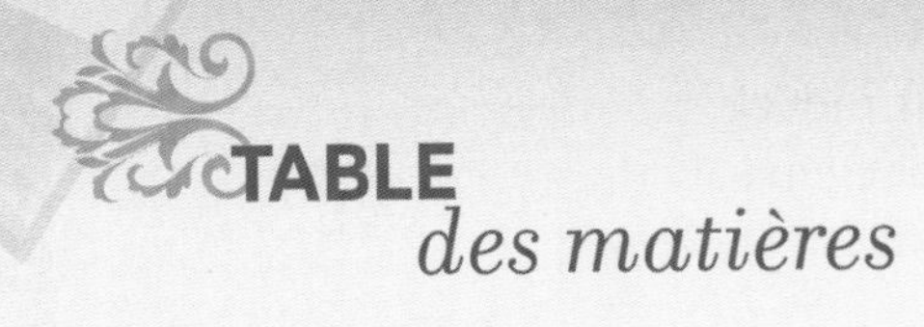

TABLE *des matières*

Fiches méthodologiques

INTERPRÉTER *une ligne du temps*

La ligne du temps permet de visualiser chronologiquement plusieurs événements et de les situer les uns par rapport aux autres. Elle permet non seulement de placer ces événements dans l'ordre chronologique, mais aussi d'apprécier les intervalles de temps qui les séparent entre eux et de la période actuelle, de faire ressortir des liens de cause à effet, de distinguer des tendances ou des continuités, ou de donner une vue d'ensemble d'un phénomène historique ou d'une réalité sociale.

Rappels

- En Occident, la datation des événements est basée sur le début de l'ère chrétienne, la naissance de Jésus-Christ, il y a plus de 2000 ans, étant le point zéro.
- À compter de ce point zéro, les années s'additionnent positivement si l'on avance dans le temps vers aujourd'hui, ou s'additionnent à rebours si l'on remonte le temps vers le passé. Dans ce dernier cas, on écrira devant la date la mention « av. J.-C. » (abréviation de « avant Jésus-Christ »), ou encore le signe moins (–) s'il s'agit d'une ligne du temps.
- L'unité de mesure est l'année de 365 jours. Cent ans équivalent à un **siècle** et mille ans, à un **millénaire.**

Pour interpréter une ligne du temps, vous devez :

1. **Décoder l'échelle chronologique utilisée.**
   - S'agit-il d'années, de siècles ou de millénaires ?
   - Quelle est la durée représentée ?
   - Où se situe cette période par rapport à aujourd'hui ? Par rapport à la naissance du Christ ?
   - Dans quelle grande période de l'histoire (Antiquité, Moyen Âge, Temps modernes, période contemporaine) se situe la période représentée ?
2. **Repérer l'information.**
   - Quel est le titre de la ligne du temps ? À quel sujet ou thème se réfère-t-il ?
   - Quels sont les événements indiqués ? Ces événements sont-ils d'ordre politique, économique, social ou culturel ? Se déroulent-ils tous dans le même pays ou dans des pays différents ?
   - Pourquoi les a-t-on choisis ? Qu'est-ce qui les regroupe, les unit ?
   - Y a-t-il un code de couleurs indiquant des périodes ou des thèmes particuliers ?
3. **Mettre en relation les durées.**
   - Quel intervalle de temps sépare les événements entre eux ?
   - Y a-t-il des intervalles plus longs que d'autres ?
   - Ces périodes ont-elles un nom, une signification ?
4. **Dégager des séquences et des tendances.**
   - Y a-t-il des regroupements d'événements ?
   - Ces regroupements ont-ils un nom, une signification ?
   - Peut-on établir des liens de cause à effet entre certains événements ?
5. **Dégager la continuité et le changement.**
   - Certains événements ont-ils une plus grande importance par rapport aux autres ? Pourquoi ?
   - Certains événements signifient-ils des ruptures dans la séquence représentée ? Pourquoi ?
   - Quel événement vous semble le plus important ? Pourquoi ?
   - Cette ligne du temps, entre le premier et le dernier événement, représente-t-elle une continuité ou un changement ?

CONSTRUIRE *une ligne du temps*

Étape 1 Sélectionner l'information.

- Choisissez les événements que vous voulez voir apparaître sur la ligne du temps et associez-leur la date qui leur correspond.
- Si la période à représenter est relativement longue, par exemple plusieurs décennies ou siècles, on peut se contenter d'indiquer seulement l'année ; si la période est plus courte, la date précise (jour, mois, année) peut être requise.

Étape 2 Choisir l'unité de mesure et tracer l'axe de la ligne du temps.

- Choisissez une unité de mesure adéquate en fonction de l'espace dont vous disposez sur votre feuille et de la période à représenter entre le plus ancien événement et le plus récent. Par exemple, vous disposez de 15 cm pour représenter une série d'événements dont le plus ancien est la fondation de Québec en 1608 et dont le plus récent est le référendum de 1995 ; vous devez donc représenter une période qui s'étend sur 400 ans. L'unité de mesure pourra alors être le siècle, chaque siècle mesurant alors 3 cm sur la ligne.

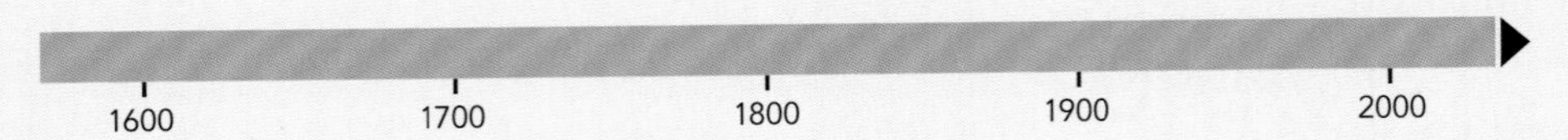

Étape 3 Inscrire les événements sur l'axe.

- En respectant l'échelle choisie, vous placez les événements sélectionnés à l'étape **1.**

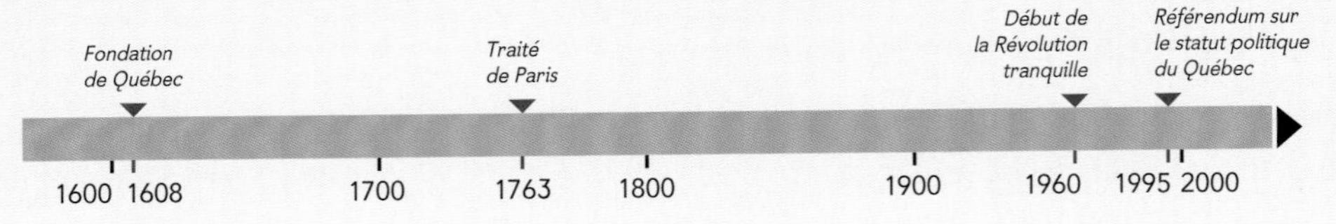

Étape 4 Inscrire un titre.

- Choisissez pour la ligne du temps un titre qui décrit bien son contenu. Pour vous aider, posez-vous la question suivante : Qu'est-ce que je veux démontrer par cette ligne du temps ? Dans l'exemple ci-dessus, le titre pourrait être : **Quelques dates importantes de l'histoire politique du Québec.**

D'autres modèles de lignes du temps se réalisent suivant les mêmes étapes que celles ci-dessus.

- Le **ruban du temps,** qui permet de représenter diverses périodes, comme celui figurant au bas des pages de gauche de votre manuel.

PÉRIODE 1 PÉRIODE 2 PÉRIODE 3

1600 1700 1800 1900 2000

- La **frise du temps,** qui permet de représenter l'évolution de plusieurs thèmes en parallèle, tels les aspects sociaux, économiques et politiques, ou encore de comparer l'évolution entre des pays et d'établir des liens.

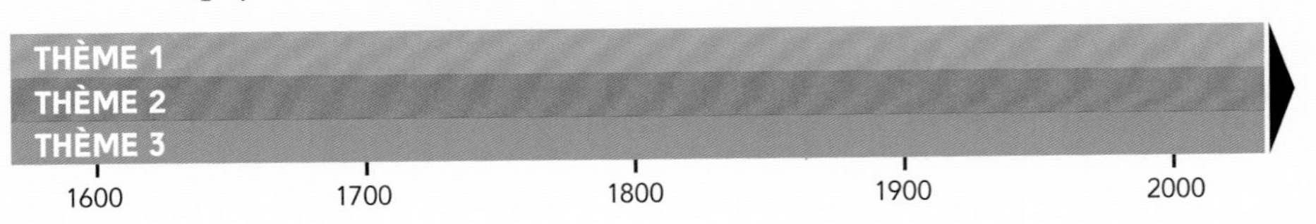

INTERPRÉTER *une carte historique*

La carte historique représente une réalité géographique du passé. À l'aide de symboles et de couleurs, elle permet de visualiser une évolution, de situer un territoire, une société, un événement, etc. Dans le présent manuel, non seulement des cartes historiques de source seconde viennent appuyer le texte, mais aussi des cartes anciennes de source première permettent de constater comment les acteurs du passé percevaient le monde.

Pour interpréter une carte historique, vous devez :

1. **Lire le titre.**
   - Que vous apprend-il sur le thème de la carte ou sur la zone représentée ?
   - Indique-t-il la date ou la période de la situation représentée ?
   - Le thème de la carte est-il politique, économique ou social ?
   - Comment le texte informatif placé au bas de la carte vous aide-t-il à orienter votre lecture de la carte ?
2. **Décoder la légende.**
   - Que vous apprennent les symboles et les couleurs de la légende ?
   - Comment permettent-ils d'interpréter la carte ?
3. **Observer la rose des vents et l'échelle.**
   - Quelle est l'orientation de la carte ?
   - Quelle superficie la carte représente-t-elle ?
   - L'échelle vous permet-elle d'évaluer certaines distances ?
4. **Repérer d'autres informations.**
   - La carte contient-elle des statistiques ou d'autres informations ?
   - Contient-elle un « carton », c'est-à-dire une carte en médaillon permettant de situer la zone représentée dans un espace plus vaste, comme un pays, un continent ou le monde ?
5. **Interpréter et tirer des conclusions.**
   - Que vous apprend cette carte ?
   - Comment vient-elle compléter le texte du manuel ?
   - Pouvez-vous faire des liens avec ce que vous savez déjà de la réalité représentée par la carte ?

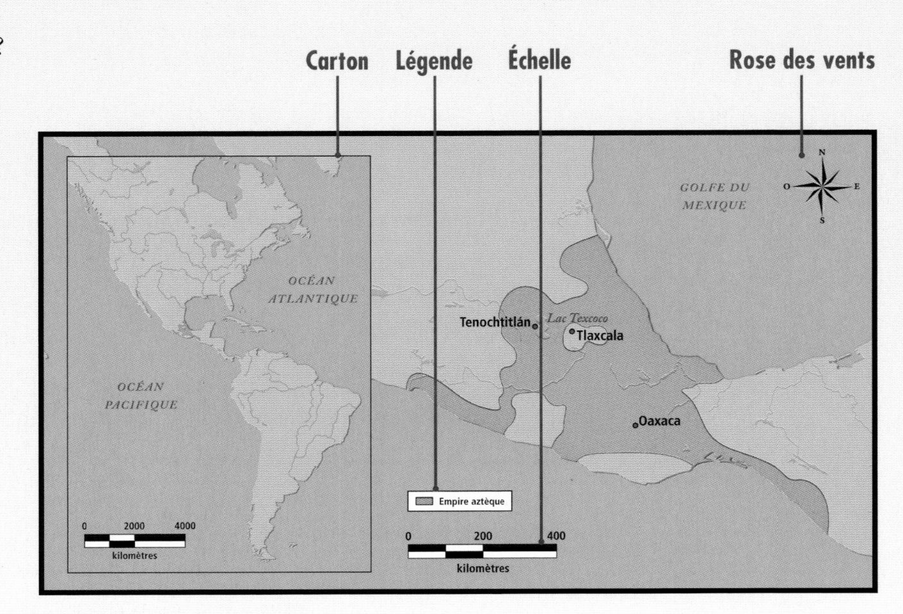

L'Empire aztèque vers 1500

? De tels empires existaient-ils dans le nord-est de l'Amérique du Nord ?

Titre

CONSTRUIRE *une carte historique*

Étape 1 Sélectionner l'information.

- Choisissez les éléments que vous voulez voir apparaître sur la carte : zone géographique à représenter, faits ou phénomènes à illustrer, toponymes (noms de lieux), frontières, etc.
- Il importe de ne pas trop surcharger une carte, afin que la lecture soit aisée et que le message soit plus clair. Même si l'on peut y représenter plus d'un type d'information, la carte doit de préférence aborder un seul thème.
- Demandez-vous quelle est la façon la plus claire pour représenter les informations. En général, chaque information est associée à une couleur ou à une texture couvrant un espace donné sur la carte (voir la page 250). C'est la combinaison de ces informations qui permet au lecteur ou à la lectrice de comprendre un phénomène historique.

Étape 2 Tracer le fond de carte.

- Déterminez d'abord sur quel support la carte sera tracée (papier, carton, ordinateur, etc.), de même que son format. Celui-ci dépend de la présentation qui en sera faite : pour une affiche, un carton de grande dimension ; pour un devoir, une feuille standard format lettre, etc. Suivez à cet effet les indications de l'enseignant ou de l'enseignante.
- Tracez la zone géographique représentée en utilisant au maximum l'espace fourni par le support. Les surfaces liquides (mers, rivières, lacs, etc.) sont généralement colorées en bleu. Évitez si possible de représenter des territoires qui ne sont pas en relation avec le thème de la carte.
- S'il y a lieu, placez dans un espace neutre de la carte le carton permettant de situer la zone représentée dans un espace plus vaste, comme un pays, un continent ou le monde.
- Placez les repères géographiques permettant de bien reconnaître la zone représentée : nommez les villes et les rivières, tracez les frontières, etc. Attendez à la fin pour indiquer les toponymes politiques, tels que les noms de pays ou de provinces.

Étape 3 Placer les éléments liés au thème de la carte et la légende.

- Mettez en couleurs les zones liées à la légende et laissez en blanc ou d'une couleur neutre les autres espaces.
- La légende doit être placée dans un coin neutre de la carte ne comportant aucune information (dans l'océan, par exemple).

Étape 4 Placer les autres éléments.

- Dans des endroits neutres de la carte, indiquez l'échelle et la rose des vents.
- Indiquez les derniers éléments dans les espaces vides restants et de manière à faciliter la lisibilité de la carte : noms de pays, de provinces, d'océans, de continents, etc. Ces éléments sont souvent en caractères plus gros ou en majuscules.

Étape 5 Placer le titre et rédiger le commentaire informatif.

- Le titre doit bien cerner le thème de la carte. Il doit également indiquer la date du fait ou du phénomène représenté.
- Le commentaire informatif, habituellement placé au bas de la carte, sert à mettre en contexte les informations de la carte afin de mieux les interpréter. En principe, il ne doit pas décrire des éléments bien visibles ou évidents de la carte.

INTERPRÉTER *un document écrit*

La science historique repose largement sur les documents écrits. Chronologiquement, le passage de la préhistoire à l'histoire se fait d'ailleurs avec l'invention de l'écriture. Les documents écrits sont en effet riches en informations pour connaître et interpréter le passé. Votre manuel contient plusieurs documents écrits, certains de **source première** et d'autres de **source seconde.**

- **Documents de source première :** Ces documents fournissent directement, c'est-à-dire sans intermédiaire, les informations recherchées et ils sont souvent contemporains de l'événement auquel ils se rapportent. Ainsi, votre acte de naissance est un document écrit de source première, car il donne des informations de première main sur votre naissance (date de naissance, nom de l'hôpital, nom des parents).
- **Documents de source seconde :** Ces documents fournissent des informations de seconde main, c'est-à-dire rapportées par l'intermédiaire d'autres personnes, et ils sont souvent produits après l'événement par des gens qui ne sont pas directement mêlés à l'affaire. Lorsque vous racontez à une amie un événement relaté la veille au bulletin d'informations télévisé, cette amie reçoit une information de source seconde, car les faits sont repris et interprétés par vous.

Pour interpréter un document écrit, posez-vous les questions suivantes :

1. Quel type de document est-ce (lettre, journal personnel, loi, traité ou autre document officiel, article de journal, etc.) ? Est-ce un document de source première ou de source seconde ?
2. Qui est l'auteur ou l'auteure du document ? Cette personne est-elle un témoin des événements rapportés ? En est-elle un acteur ? Si oui, quel peut être son intérêt dans ces événements ?
3. Quelle est la date du document ? Dans quelles circonstances a-t-il été créé ? À quels événements se rapporte-t-il ?
4. S'agit-il du texte original, d'une traduction, d'un extrait ou de la version intégrale ?
5. Quel est le message principal de ce document ? Quelles sont les idées secondaires qui appuient cette idée principale ?
6. Pourquoi ce document a-t-il été écrit ? À qui s'adresse-t-il ? Rapporte-t-il des faits ou des opinions ?
7. Que vous apprend ce document, qu'en retenez-vous ? Si possible, comparez-le avec d'autres documents portant sur le même sujet. Déterminez les similitudes et les différences.

Témoignage d'un missionnaire

Le père Paul Le Jeune est un missionnaire qui passe un hiver dans les bois avec une famille d'Innus (Montagnais) en 1634 pour apprendre leur langage et connaître leurs coutumes. Il parle ici du tambour avec lequel ils accompagnent leurs chants :

« [Ce tambour] est composé d'un cercle large de trois ou quatre doigts et de deux peaux raidement étendues de part et d'autre. Ils mettent dedans des petites pierres ou petits cailloux pour faire plus de bruit [...] Ils ne le battent pas comme font nos Européens, mais ils le tournent et remuent, pour faire bruire les cailloux qui sont dedans. Ils en frappent la terre, tantôt du bord, tantôt quasi du plat, pendant que le sorcier fait mille singeries avec cet instrument. »

Paul Le Jeune,
Relation de ce qui s'est passé en la Nouvelle-France en l'année 1634, 1635.

Pour interpréter un document écrit, il faut d'abord le lire avec attention. Rappelez-vous que :

- le titre est important, car il donne souvent des indices sur l'idée principale ;
- les points de suspension mis entre crochets ([...]) indiquent qu'on a supprimé des mots du texte original pour en faciliter la lecture ;
- un mot ou des mots mis entre crochets remplacent une partie de texte qui a été supprimée ;
- la référence du document, habituellement indiquée au bas de celui-ci, en indique l'auteur, le titre et l'année de rédaction.

INTERPRÉTER *un document iconographique*

Les documents iconographiques, qu'ils soient d'époque ou reconstitués, sont souvent une source d'information très riche sur le passé. Bien observés, ils peuvent contribuer à une meilleure compréhension d'une réalité sociale.

Pour comprendre le contenu d'un document iconographique, suivez la démarche suivante :

1. Lisez d'abord le titre et la légende, s'il y en a une.
2. Déterminez s'il s'agit d'un dessin, d'une peinture ou d'une photographie (la photographie n'est apparue qu'au milieu du 19e siècle).
3. Interrogez-vous sur le sujet général du visuel, son auteur ou auteure et sa date de production.
4. Observez attentivement le visuel et répondez aux questions suivantes :
   - Dans le cas d'un dessin ou d'une peinture, l'artiste vivait-il ou elle à l'époque où la scène représentée s'est produite ?
   - S'agit-il de personnages posant pour un ou une artiste ou un ou une photographe, ou est-ce une scène prise sur le vif ?
   - Quel est le thème de l'illustration ?
   - Comment les différents éléments ou personnages du visuel illustrent-ils son thème principal ?
   - Dans le cas d'une photographie, y a-t-il eu un montage ?
   - Quelle question ce visuel soulève-t-il ? Quel message véhicule-t-il ?

Cartier rencontre les Amérindiens

Même si Cartier et les Amérindiens n'arrivent pas très bien à se comprendre, leurs premières rencontres sont amicales. Les Européens offrent des couteaux et de la verroterie aux occupants du territoire et reçoivent d'eux, en échange, des fourrures et du poisson.

? Selon cette peinture du 19e siècle, quelle attitude les Amérindiens ont-ils eue devant l'arrivée des Européens ?

Il s'agit ici d'une peinture réalisée longtemps après l'événement, ce qui implique que l'artiste en propose une certaine *interprétation*.

Deux *éléments* principaux composent cette image :
- les Amérindiens, au premier plan ;
- Cartier et ses compagnons, au second plan.

Le titre indique le *thème* de l'illustration.

La légende donne de l'information à propos du contexte de l'événement traité par l'illustration.

La question rattachée à la légende invite à interpréter l'image ou un élément de celle-ci.

Si possible, comparez ce visuel avec d'autres documents portant sur le même sujet.

INTERPRÉTER ET CONSTRUIRE *un tableau à entrées multiples*

Parce qu'il organise et présente les informations de manière ordonnée, le tableau permet de les interpréter plus facilement. Mais surtout, le tableau permet d'établir des liens entre ces données et de les comparer. Il favorise ainsi l'analyse et la compréhension de certains éléments des réalités sociales.

Ainsi, parce qu'il se présente sous la forme de colonnes (axe vertical) et de rangées (axe horizontal), le tableau permet de comparer sous divers **aspects** un ou plusieurs **éléments à étudier.** On dit que le tableau est à entrées multiples lorsqu'il comporte plus d'un aspect. Les éléments à étudier sont généralement placés dans la colonne de gauche et les aspects, dans les colonnes suivantes.

Pour interpréter un tableau, posez-vous les questions suivantes :

1. Quel est le titre du tableau ? Quelles indications fournit-il quant à son contenu (éléments à étudier, aspects abordés) ? Quels sont les titres des colonnes et des rangées ?
2. S'il y a une légende, que vous apprend-elle ? Propose-t-elle une comparaison entre les données ? Suggère-t-elle des constats à en tirer ? Fait-elle des liens avec le texte du manuel ?
3. Établissez des liens entre les données (ressemblances/différences, associations, progression/stabilité/décroissance, etc.). Par exemple, pour un élément donné, vous pouvez comparer horizontalement les informations relatives aux différents aspects. Vous pouvez ensuite répéter l'exercice pour un autre élément et établir des comparaisons. Référez-vous aux titres des colonnes et des rangées afin de connaître la nature de l'information que vous lisez.
4. Quel que soit votre mode de lecture du tableau, il importe de vous poser des questions sur celui-ci, de chercher à lui donner du sens. Posez-vous les questions suivantes : Que m'apprend ce tableau ? Dans quelle mesure me permet-il de mieux comprendre le sujet abordé ?

ÉLÉMENTS À ÉTUDIER			
	ASPECT 1	ASPECT 2	ASPECT 3
Élément 1			
Élément 2			
Élément 3			

Le tableau de la page 254 est un bon exemple de tableau à données textuelles et celui de la page 340, de tableau à données chiffrées.

Pour construire un tableau

Étape 1 **Sélectionner l'information.**

- Choisissez les éléments que vous voulez traiter, ainsi que les aspects sous lesquels ils seront étudiés. Pour ce faire, demandez-vous quelle est votre intention, ce que vous voulez illustrer par votre tableau. Si votre tableau s'insère dans un texte, assurez-vous qu'il le complète bien.
- Rassemblez alors l'information requise pour remplir votre tableau.

Étape 2 **Construire le tableau.**

- Sur une feuille de papier quadrillé, une page de traitement de texte ou une feuille de tableur, placez les colonnes et les rangées selon les choix opérés à l'étape **1.**
- N'oubliez pas d'aménager votre tableau selon l'espace disponible et la présentation que vous désirez en faire.
- Remplissez le tableau avec les données rassemblées à l'étape **1.** S'il s'agit de données textuelles, il importe d'être direct et précis, afin d'utiliser au maximum l'espace disponible.

Note : L'organisation des informations en tableau est généralement nécessaire pour la construction de diagrammes (voir la fiche méthodologique *Interpréter et construire un diagramme* à la page 494).

Étape 3 **Donner un titre et une légende.**

- Donnez un titre au tableau. Celui-ci doit bien cerner les éléments étudiés et les principaux aspects abordés. Si possible, indiquez les dates de la période couverte par le tableau.
- Au besoin, rédigez une courte légende explicative attirant l'attention du lecteur ou de la lectrice sur une caractéristique ou un fait saillant mis en évidence dans le tableau.

INTERPRÉTER ET CONSTRUIRE *un diagramme*

Une fois que vous avez recueilli des données chiffrées et les avez organisées dans un tableau (voir la fiche *Interpréter et construire un tableau à entrées multiples* à la page 493), vous pouvez choisir de les représenter sous la forme d'un diagramme (aussi appelé graphique). Cette forme de présentation visuelle permet de synthétiser plus facilement les informations et de constater certains liens entre elles. Il existe plusieurs types de diagrammes, qui ont chacun leur utilité.

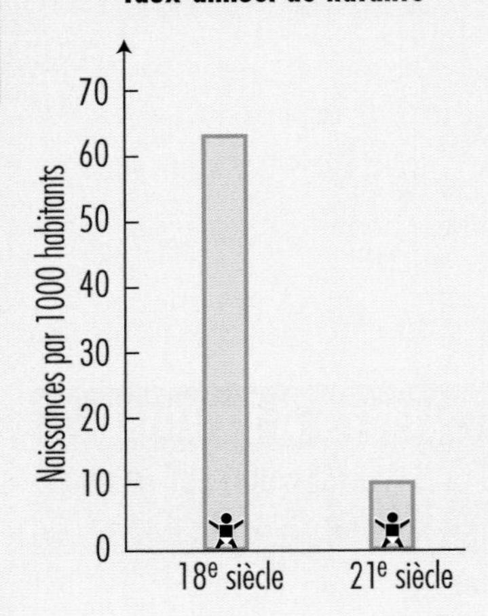

Le **diagramme à bandes** (ou en bâtonnets) présente des données sous la forme de bandes verticales. Celles-ci peuvent être regroupées en catégories. Ce type de diagramme permet de visualiser facilement le rapport entre les quantités représentées (plus grand, égal, plus petit).

Le **diagramme à lignes brisées** permet de visualiser l'évolution ou la tendance (à la hausse ou à la baisse) d'un phénomène. En histoire, l'axe horizontal est souvent divisé en années comme sur une ligne du temps.

Titre

Données

Années

Les exportations de la Nouvelle-France en 1739

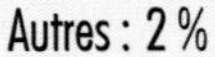

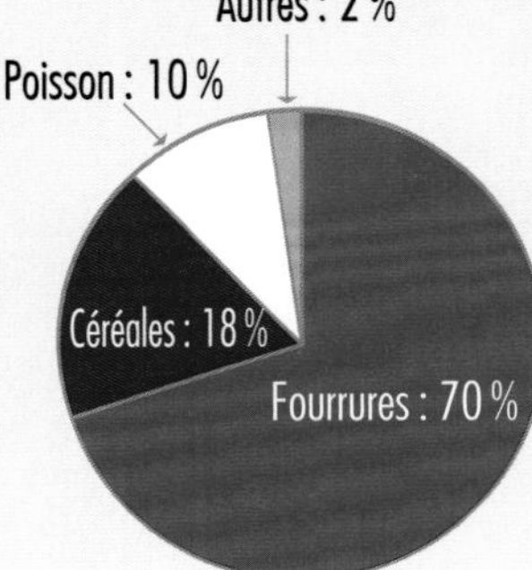

Le **diagramme circulaire** a la particularité de présenter la proportion des diverses parties d'un tout. S'il ne permet pas de représenter une évolution, il permet cependant de visualiser d'un seul coup d'œil l'ordre de grandeur des différentes composantes d'une réalité à un moment donné.

L'**organigramme** permet d'illustrer schématiquement la structure d'un organisme ou d'un gouvernement. Il permet notamment d'indiquer la nature des liens qui existent entre ses composantes de même que leur hiérarchie, les éléments dirigeants ou les plus importants se trouvant généralement au sommet de la figure.

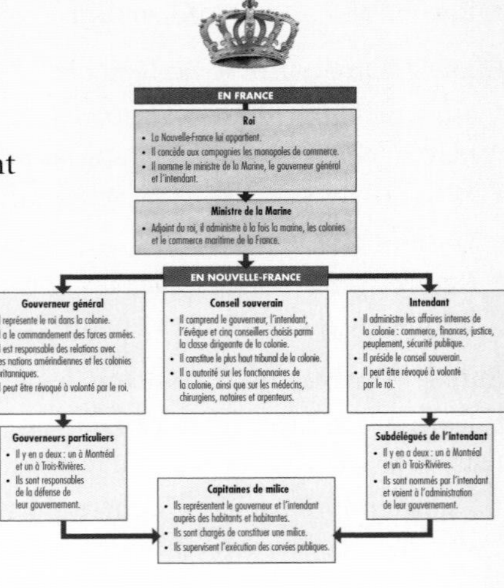

Pour interpréter un diagramme, posez-vous les questions suivantes :

1. Quel est le titre du diagramme ? Quelles indications fournit-il quant à son contenu (phénomène représenté, période couverte, etc.) ?
2. Quelles informations la légende fournit-elle ? Le texte entourant le diagramme peut-il aider à l'interpréter, à le mettre en contexte ?
3. De quel type est le diagramme (à lignes brisées, à bandes, circulaire, etc.) ? Quel genre d'information représente-t-il ? Quelle est l'échelle des quantités représentées ? Quelle est la source de l'information ?
4. Quels liens peut-on faire entre les informations ? Y a-t-il des tendances observables, notamment sur l'ensemble de la période représentée (croissance, stabilité, décroissance) ? Peut-on établir des comparaisons pertinentes entre certains éléments (plus grand, égalité, plus petit) ? Qu'y a-t-il de nouveau dans ce diagramme ou qui surprend par rapport à ce que vous savez déjà ?
5. Que nous apprend ce diagramme quant au phénomène dont il y est question ? En quoi éclaire-t-il la réalité sociale à l'étude ? Quels liens peut-on faire avec d'autres parties de ce chapitre ?

Pour construire un diagramme

Étape 1 **Sélectionner l'information.**

- Choisissez les éléments que vous voulez traiter, ainsi que les aspects sous lesquels ils seront étudiés. Pour ce faire, demandez-vous quelle est votre intention, ce que vous voulez illustrer par votre diagramme. Si votre diagramme s'insère dans un texte, assurez-vous qu'il le complète bien.
- Rassemblez alors l'information requise pour construire votre diagramme.
- Choisissez le type de diagramme convenant le mieux à vos données et à votre intention.

Étape 2 **Tracer le diagramme.**

- Déterminez l'échelle des données en fonction de l'espace dont vous disposez. En principe, plus vous disposez d'espace, plus l'échelle sera grande et plus le niveau de graduation sera fin. Quoi qu'il en soit, assurez-vous de la bonne lisibilité de votre représentation.
- S'il s'agit d'un diagramme comportant des axes, commencez par les tracer selon la graduation choisie. Inscrivez ensuite les informations (points, courbes, bandes, etc.) en fonction de ces axes.
- Si vous utilisez un logiciel pour créer automatiquement votre diagramme à partir d'un tableau (voir la fiche méthodologique *Interpréter et construire un tableau à entrées multiples* à la page 493), assurez-vous que les dimensions de la figure, une fois produite, correspondent bien à l'espace prévu.

Étape 3 **Donner un titre et une légende**

- Donnez un titre au diagramme. Celui-ci doit bien cerner les éléments étudiés et les principaux aspects abordés. Si possible, indiquez les dates de la période représentée par le diagramme.
- Au besoin, ajoutez une légende expliquant les codes de couleurs ou de formes utilisés. Le lecteur ou la lectrice doit pouvoir lire le plus aisément possible les informations du diagramme.
- Vous pouvez aussi rédiger une courte légende explicative attirant l'attention du lecteur ou de la lectrice sur une caractéristique ou un fait saillant mis en évidence par le diagramme.

CONSTRUIRE *un schéma conceptuel*

Le schéma conceptuel permet de représenter visuellement les différentes caractéristiques qui définissent un concept, ou encore les liens qui existent entre plusieurs concepts ou idées. Il s'en tient aux éléments essentiels et permet de montrer l'organisation entre ces éléments. Par exemple, au début de chaque chapitre de votre manuel, la rubrique *Les concepts à l'étude* montre l'organisation des concepts qui y seront abordés. Lorsque vous étudiez un phénomène historique ou tout simplement pour vous aider à mettre vos idées en ordre, n'hésitez pas à tracer de telles figures. Elles sont des outils efficaces pour construire et préciser votre pensée. Les éléments ainsi représentés peuvent être concrets (*ex.:* le concept de table) ou abstraits (*ex.:* le concept d'État).

Pour construire un schéma conceptuel simple

Étape 1 Déterminez les aspects essentiels de votre concept.
Étape 2 Placez le nom du concept au centre.
Étape 3 Inscrivez les aspects autour et reliez-les par un trait au concept.

Caractéristique 1
Caractéristique 3
CONCEPT
Caractéristique 2
Caractéristique 4

Chaque aspect peut devenir à son tour un concept que l'on peut également décomposer en plusieurs aspects. De même, on peut construire un schéma simple et le complexifier à sa guise, à l'image d'une toile d'araignée. On parle alors plutôt de carte conceptuelle ou de réseau conceptuel. Mais le principe en est toujours le même, soit de montrer les liens qui unissent les idées entre elles et leur organisation.

Autres astuces

- On peut préciser la nature du lien entre deux idées en inscrivant un ou des mots sur le trait qui les relie.
- Pour indiquer un lien hiérarchique ou de cause à effet, on peut utiliser une flèche plutôt qu'un simple trait.

Voici un exemple de carte conceptuelle portant sur les changements économiques à la fin du 19e siècle.

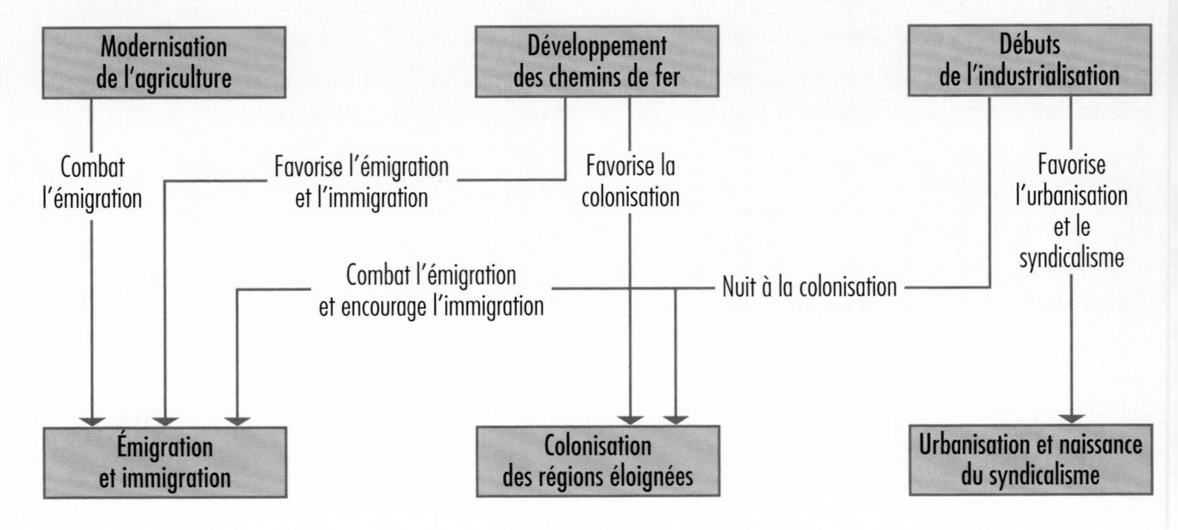

RÉALISER un travail de recherche

Étape 1 **Le choix du sujet et la problématique.**

- Une fois déterminé le thème de votre recherche (*ex.:* la création de la Confédération canadienne), il faut cerner un sujet plus restreint (*ex.:* les causes de la Confédération). Cela permet d'approfondir un aspect du thème et d'éviter des généralités.
- Posez-vous des questions par rapport au sujet choisi. Pour ce faire, vous pouvez recourir à la formule « 3QPOC » désignant les questions exploratoires (qui ? quoi ? quand ? pourquoi ? où ? comment ?). Organisez et regroupez vos questions en catégories.
- Notez les idées essentielles. Dans votre manuel, dans des ouvrages généraux ou dans Internet, informez-vous sur le sujet choisi.
- Formulez votre sujet sous la forme d'une question ou d'un problème à résoudre. Votre recherche aura pour but de trouver une réponse à cette question. Vous donnerez ainsi un but précis à votre recherche d'information (*ex.:* Quelle est l'importance des causes économiques dans la création de la Confédération ?).
- Toujours afin de donner un sens à votre démarche, vous pouvez aussi formuler une ou deux hypothèses de recherche, c'est-à-dire des réponses possibles à la question de votre recherche (*ex.:* Les causes économiques ont joué un rôle primordial dans l'avènement de la Confédération.).

Cette étape initiale par laquelle on définit un sujet en le présentant sous la forme d'un problème s'appelle la problématique.

Étape 2 **Le plan provisoire et l'organisation de la recherche.**

- Établissez le plan provisoire de votre recherche.
- Déterminez les sujets dont vous voulez traiter pour vous aider à répondre à la question.
- Classez-les ensuite de façon logique au moyen de titres (idées principales) et de sous-titres (idées secondaires). Il se peut qu'au cours de vos lectures des sujets s'ajoutent, disparaissent ou diminuent d'importance.
- Faites ensuite une recherche bibliographique, c'est-à-dire une liste initiale de sources d'information. Préparez une fiche bibliographique pour chaque document (voir la fiche méthodologique *Faire des fiches* à la page 501).
- Pensez à revenir régulièrement sur votre démarche : Quels problèmes ai-je éprouvés ? Que puis-je faire pour améliorer ma démarche ? Qu'est-ce qui a bien fonctionné, et pourquoi ?

Vous pouvez tenir un journal de bord consignant ces observations.

Étape 3 **La collecte et le traitement de l'information.**

- Il s'agit de déterminer quelles informations vont servir à votre travail de recherche et de les noter sur différents types de fiches (voir la fiche méthodologique *Faire des fiches* à la page 501).
- Classez vos fiches au fur et à mesure selon votre plan. Rappelez-vous : une fiche n'est jamais inutile et peut servir pour un autre travail.
- Dans la mesure du possible, traitez vos informations brutes de manière à leur donner un sens, à les « faire parler » afin de vous aider à répondre à la question de votre recherche. Pour ce faire, vous pouvez les organiser en tableau ou créer des diagrammes.

RÉALISER
un travail de recherche (suite)

N'oubliez pas : soyez critique envers vos sources, sachez distinguer les faits des opinions, méfiez-vous des sources qui semblent subjectives. Privilégiez les sources dont les textes sont signés par leur auteur ou auteure. Concentrez-vous d'abord sur les sources les plus pertinentes et les plus riches.

Étape 4 **Le plan détaillé et définitif.**

- Refaites votre plan provisoire en fonction des renseignements recueillis.
- Intégrez dans ce plan toutes les idées et tous les faits importants de votre recherche.
- Assurez-vous de suivre un ordre logique qui répond de manière convaincante à votre question de départ, car c'est elle qui donne à votre travail toute son unité et sa cohérence.
- Cette étape touche à la partie la plus importante de votre travail : le développement.
- Prévoyez aussi une introduction (présentation du sujet, de la question de recherche, de l'hypothèse et des idées principales – sujet amené, posé et divisé) et une conclusion (rappel de la question de recherche et de l'hypothèse, et résumé des faits qui confirment ou contredisent celle-ci).

Étape 5 **La rédaction.**

- Le brouillon : à l'aide de votre plan détaillé, rédigez un premier texte en utilisant les fiches déjà classées.
- La première version : mettez votre brouillon au propre et effectuez une révision du texte en éliminant les passages inutiles et les répétitions. Respectez le plus possible la règle suivante : une idée par paragraphe. Faites des liens entre les paragraphes à l'aide d'organisateurs textuels. Introduisez bien les citations, s'il y a lieu, et indiquez-en la référence.
- La version définitive : relisez votre texte en surveillant la qualité du français (style, orthographe, ponctuation, etc.).

Étape 6 **Remise du travail.**

Présentez votre travail sur des feuilles de 21,5 cm sur 28 cm, remplies d'un seul côté et classées dans l'ordre suivant :

a) Page de titre : on y trouve le titre de la recherche, l'indication du type de recherche, le nom de l'enseignant ou l'enseignante, votre nom, le titre du cours, le nom de l'école et la date de remise.

b) Table des matières.

c) Votre texte : 1) introduction ; 2) développement ; 3) conclusion.

d) Annexes.

e) Bibliographie (transcription de vos fiches bibliographiques).

Vous pouvez aussi communiquer les résultats de votre recherche par le moyen d'une affiche, d'un logiciel de présentation (*ex.* : PowerPoint), ou encore d'une communication verbale.

N'oubliez pas d'opérer un retour sur l'ensemble de votre démarche : Comment évaluez-vous le travail accompli ? Comment vous a-t-il permis de mieux comprendre la réalité sociale à l'étude et le monde dans lequel vous évoluez ?

RÉALISER UNE RECHERCHE *d'information dans Internet*

Internet est probablement la source d'information la plus importante et la plus accessible de toutes. Toutefois, il importe de se donner des méthodes de recherche efficaces et d'exercer son esprit critique à l'égard de l'information qu'on y trouve. En principe, tout le monde peut créer un site Web et le mettre en ligne. Mais l'information que donnera ce site ne sera pas nécessairement exacte, car elle ne fait pas toujours l'objet d'une vérification.

Quelques astuces pour effectuer une recherche d'information dans Internet

- Quand vous utilisez un moteur de recherche, ayez recours à des mots clés précis. Si cela ne donne pas de bons résultats, choisissez des mots clés plus généraux. Une bonne combinaison de mots clés permet de gagner du temps et de trouver plus rapidement ce que l'on cherche.
- Pour valider la pertinence de l'information trouvée, posez-vous les questions suivantes :
  - Tous les sites trouvés offrent-ils les informations que je cherche ? Pour répondre à cette question, vous devez savoir avec précision ce que vous cherchez. Utilisez la fonction **Rechercher** de votre navigateur pour trouver des mots précis dans les pages Web visitées.
  - Qui sont les auteurs ou auteures de ce site ? S'agit-il d'individus ou d'un organisme reconnu ? Sont-ils clairement nommés ? Peut-on détecter un certain parti pris chez les auteurs ou auteures de ce site ? Par exemple, le site d'un parti politique ou d'un groupe qui milite pour une cause quelconque sera sans doute plus tendancieux qu'un site d'information reconnu, tel que Radio-Canada.
  - Dans l'information trouvée, puis-je départager les opinions et les faits ? Les auteurs ou auteures donnent-ils ou elles leurs sources d'information ? Si oui, ces sources semblent-elles crédibles ?

  Voir aussi la fiche méthodologique *Interpréter un document écrit* à la page 491.

RÉDIGER *un résumé*

Rédiger un résumé consiste à recomposer un texte afin d'en restituer les idées principales avec un minimum de mots. Il s'agit donc de récrire ce texte dans un espace limité, tout en restant fidèle à son contenu. Un bon résumé est un outil précieux pour construire votre savoir et vos compétences. En permettant de prendre rapidement connaissance du contenu d'un texte ou de l'opinion d'un auteur ou une auteure, il facilite les comparaisons et vous aide à vous faire une opinion.

Lorsque vous rédigez un résumé, deux principes sont importants.

- Être fidèle au document original.
- Composer un texte cohérent, articulé autour des idées principales.

Pour rédiger un résumé

Étape 1 Lire attentivement le texte à résumer et noter les idées essentielles et les mots clés.

Étape 2 Préparer un plan ou un schéma du résumé en se limitant aux idées essentielles et en montrant comment elles sont liées.

Étape 3 Rédiger le résumé dans vos mots en utilisant un style direct (éviter de faire de longues démonstrations et de multiplier les exemples et les citations).

INTERPRÉTER *une caricature*

La caricature est un type de dessin particulièrement riche en informations historiques. Elle suit de près l'actualité et la commente avec humour. Ainsi, elle peut donner, à celui ou celle qui cherche à comprendre l'histoire un point de vue original sur un événement. Voici une méthode simple qui vous aidera à interpréter une caricature.

1. Lisez attentivement le titre et la légende qui accompagnent la caricature. Si ces informations sont disponibles, notez-en la source : auteur ou auteure de la caricature, nom du journal, date et numéro de la page.
2. Identifiez le ou les personnages représentés (nom et fonction).
3. S'il y a lieu, expliquez le texte apparaissant dans le dessin et cherchez la définition des mots difficiles.
4. Décrivez ou expliquez les gestes des personnages ou d'autres éléments de la caricature.
5. Nommez l'événement qui a inspiré le ou la caricaturiste. Est-il d'ordre politique, économique, social, culturel ou environnemental ?
6. Expliquez en quelques mots la caricature et son message.

Exemple :

Le *titre* et la *légende* fournissent l'information nécessaire pour interpréter la caricature, notamment quant à l'*événement* qui l'a inspirée et aux *personnages* représentés.

Ci-contre, la plupart des personnes représentées ne sont pas des personnages historiques, mais elles symbolisent des groupes de la société. Cela est fréquent dans les caricatures, notamment aux 18e et 19e siècles.

Actes intolérables (1774)

Sur cette caricature, les lois intolérables adoptées par l'Angleterre en 1774 nourrissent les flammes de la colère qui gronde dans les treize colonies malgré les tentatives de certains pour les éteindre. À droite, un personnage observe la scène sans broncher.

? De qui s'agit-il, selon vous ?

Les fiches servent à vous rappeler les ouvrages que vous avez consultés au cours de votre recherche et à noter et classer les renseignements que vous en avez tirés. De plus, la fiche se manipule plus facilement qu'une grande feuille de papier ou de traitement de texte. Il existe plusieurs types de fiches. En voici quatre qui vous seront utiles pour effectuer des travaux de recherche. Observez bien les modèles proposés et remarquez l'ordre dans lequel les renseignements sont disposés.

Vous pouvez choisir de consigner vos informations de recherche sur ordinateur. Il existe des logiciels de création et de gestion de fiches. Mais vous pouvez aussi utiliser un traitement de texte ordinaire pour créer vos fiches. En ne saisissant qu'une fois l'information, vous gagnerez du temps, surtout si vous utilisez l'ordinateur pour la rédaction du travail. Enfin, grâce aux fonctions de recherche de mots des logiciels, l'information est facilement repérable.

1. La fiche bibliographique

Son utilité : Indiquer la notice bibliographique complète d'*un* ouvrage.

Exemple :

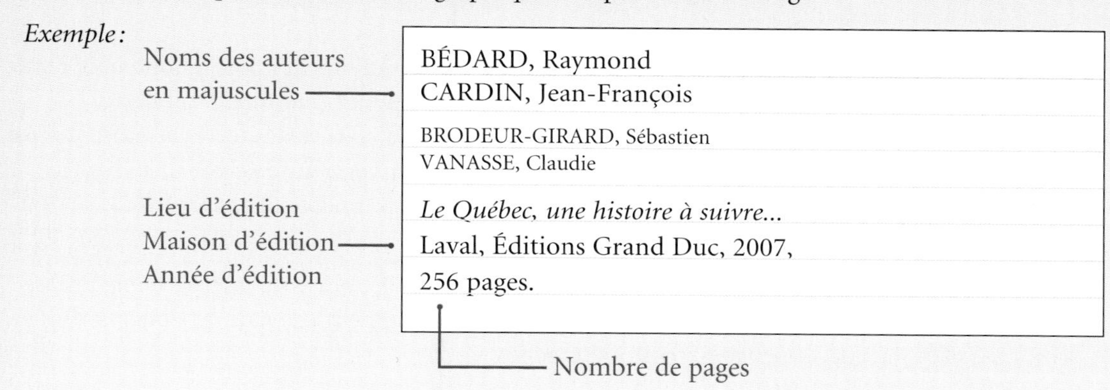

Remarque : Pour les dictionnaires, les encyclopédies et certaines publications officielles, le nom des auteurs ou auteures ne peut pas toujours être indiqué. Toutefois, tous les autres renseignements doivent figurer sur la fiche.

2. La fiche résumé

Son utilité : Résumer en peu de mots des propos, oraux ou écrits, ou grouper sous une seule idée générale plusieurs faits ou idées secondaires.

Exemple :

Référence bibliographique abrégée →

BÉDARD, R., et coll. *Le Québec, une histoire à suivre...* p. 98	Coureurs des bois Action défavorable à l'agriculture

Résumé →

- Après la destruction de la Huronnie, des hommes se rendent directement chercher la fourrure en territoire amérindien.
- Certains sont envoyés par les autorités, mais des colons quittent leur terre pour faire la traite clandestine des fourrures auprès des Amérindiens.
- Cela nuit aux efforts de peuplement et à l'agriculture.

Remarques: – La vedette et la sous-vedette doivent tenir en deux ou trois mots clés tout au plus.
– Il ne faut noter qu'une seule idée par fiche.
– Dans la référence bibliographique, l'expression *et coll.* est l'abréviation de « et collaborateurs ». On emploie aussi parfois l'expression latine *et al.*, qui signifie « et autres ».

3. La fiche citation

Son utilité: Prendre en note, mot à mot, un passage (la pensée d'un auteur ou d'une auteure, par exemple) qui vous paraît particulièrement intéressant.

Exemple:

Référence bibliographique abrégée →

BÉDARD, R., et coll.	Coureurs des bois
Le Québec, une histoire à suivre...	Action défavorable
p. 98	à l'agriculture

Citation →

« Plusieurs d'entre eux [coureurs des bois] adoptent le mode de vie des Amérindiens, dont ils admirent la liberté. [...] Ce faisant, ils délaissent la culture des terres et nuisent ainsi aux efforts de peuplement, en plus de créer une vive concurrence au sein du commerce des fourrures. »

Remarque: Lorsqu'on omet, à l'intérieur du passage cité, une phrase ou une partie de phrase jugée moins essentielle, on emploie généralement un signe, appelé le « signe de troncation », composé de points de suspension mis entre crochets: [...].

4. La fiche commentaire

Son utilité: Prendre en note un commentaire personnel sur un passage, un chapitre ou une phrase qui vous a paru particulièrement frappante ou au sujet d'une idée sur laquelle vous voulez faire le point.

Exemple:

Référence bibliographique abrégée →

BÉDARD, R., et coll.	Coureurs des bois
Le Québec, une histoire à suivre...	Action défavorable
p. 98	à l'agriculture

Commentaire →

De nos jours, le mode de vie agricole subit des influences culturelles qui nuisent à son développement. Ainsi, le mode de vie urbain attire beaucoup les jeunes ruraux qui, bien souvent, délaissent la campagne pour vivre en ville.

Remarque: Tout comme pour la fiche résumé, il ne faut noter qu'une seule idée par fiche.

RECUEIL *de cartes*

TABLE *des matières*

Cartes des changements territoriaux en Amérique du Nord au 18e siècle (volume 1)

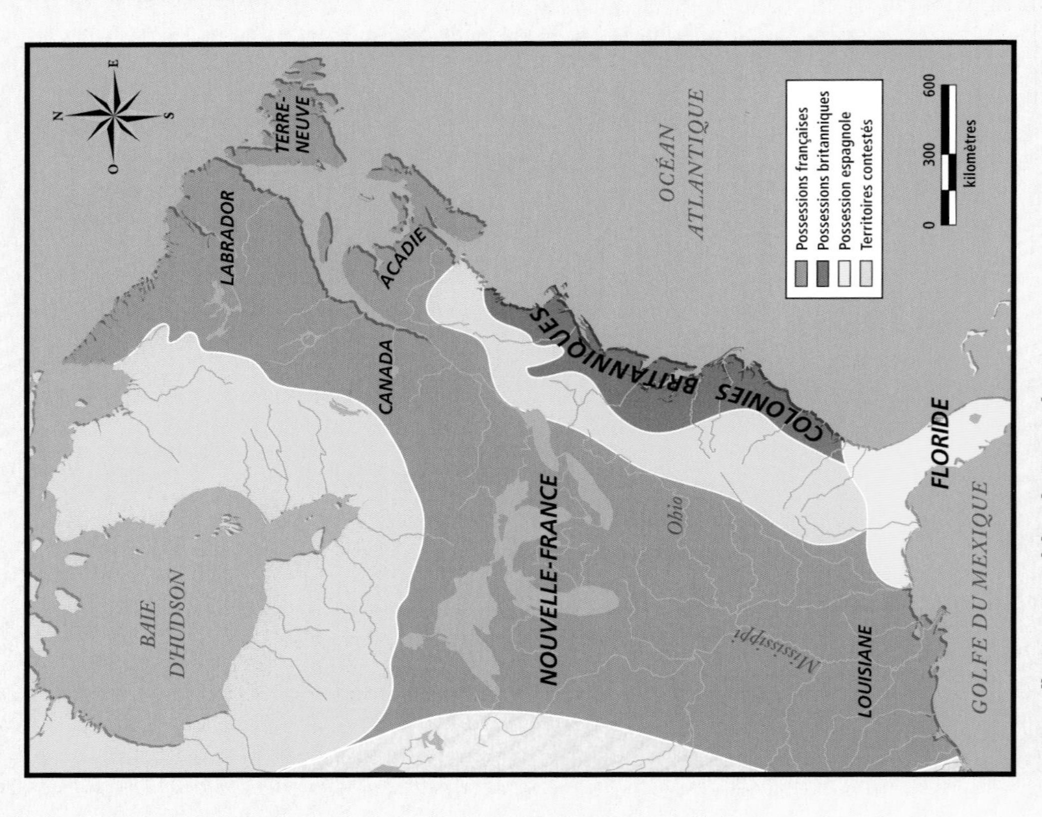

La Nouvelle-France au début du 18e siècle, au moment de son expansion maximale

Référence : 2e réalité sociale, volume 1, page 100.

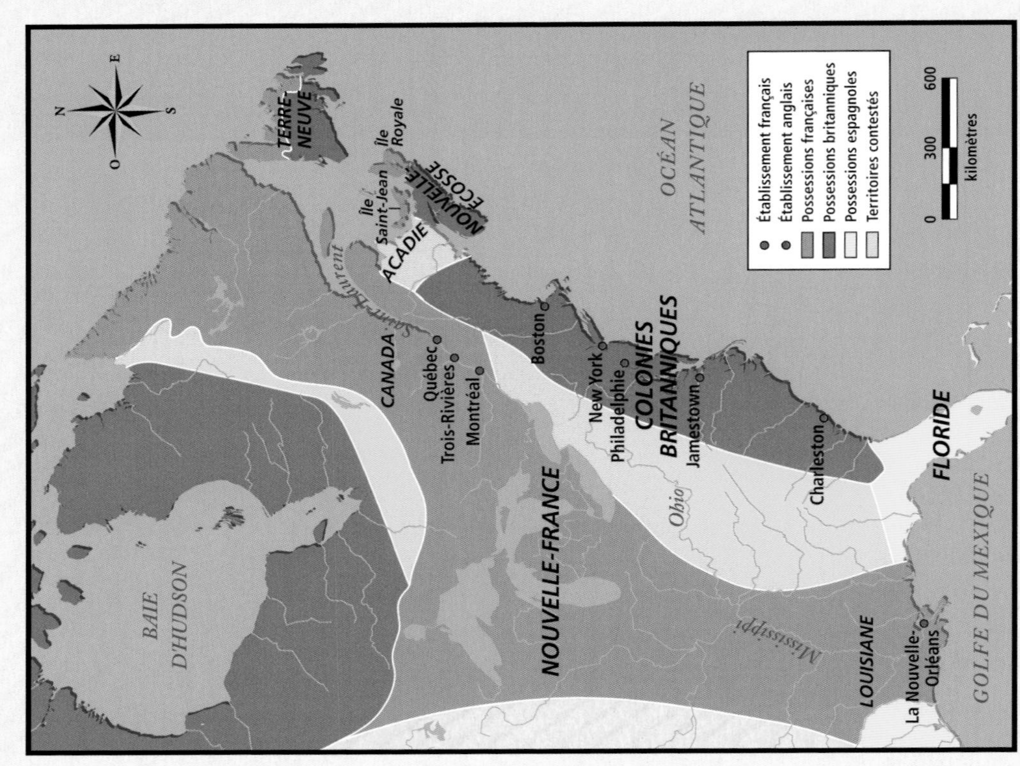

Le traité d'Utrecht (1713)

Référence : 2e réalité sociale, volume 1, page 100.

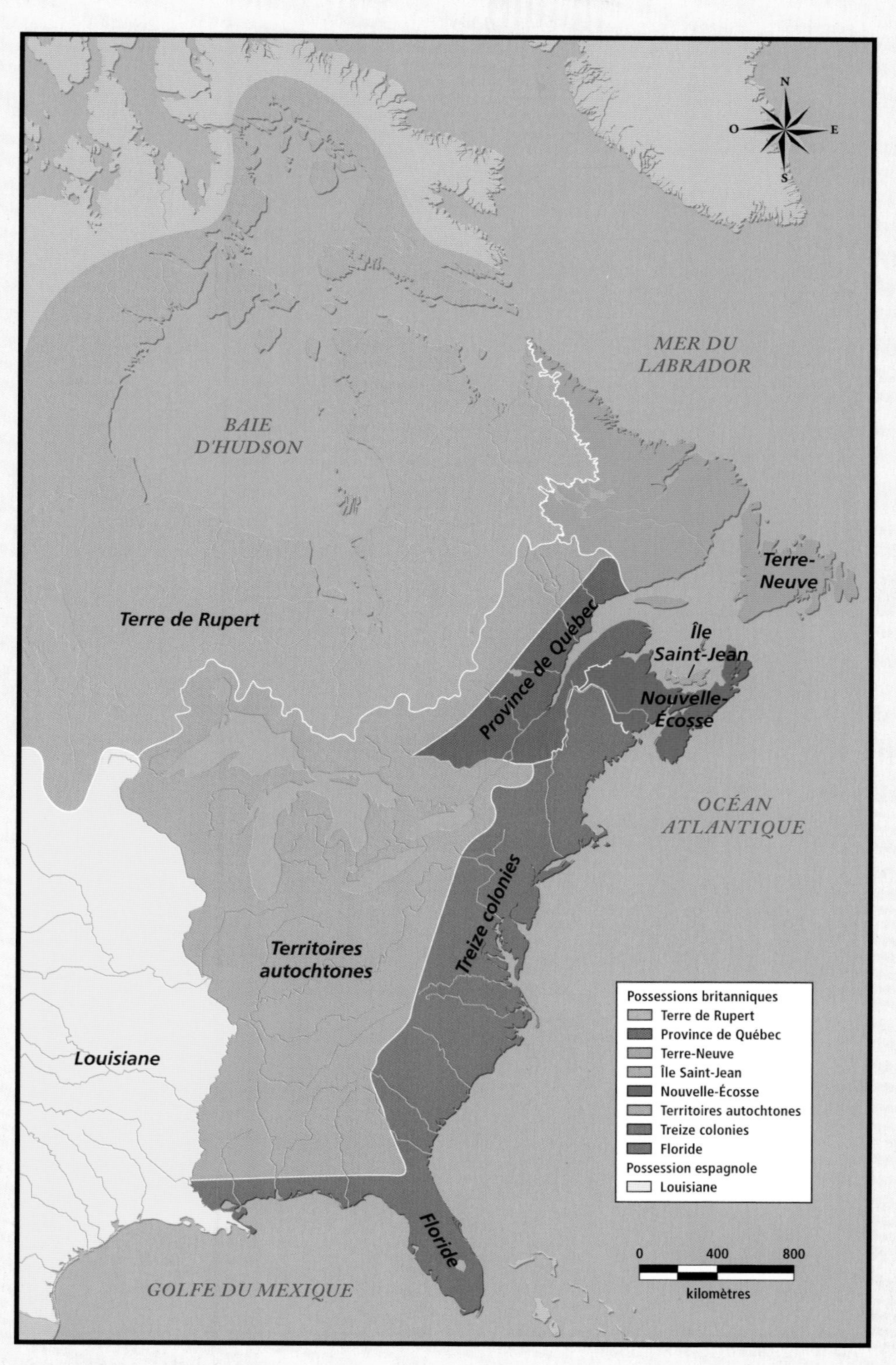

Le traité de Paris (1763)

Référence : 3e réalité sociale, volume 1, page 154.

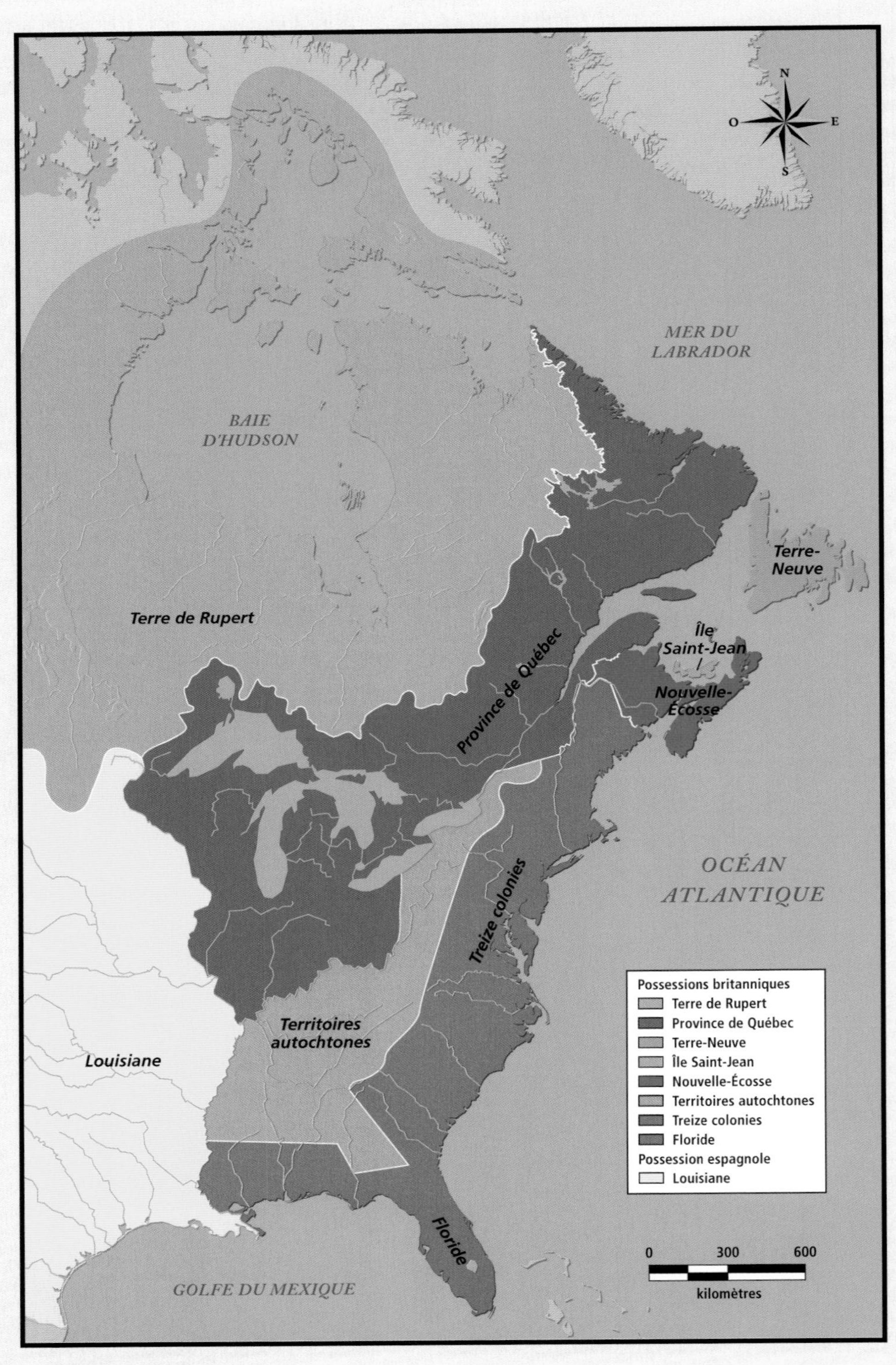

L'Acte de Québec (1774)

Référence : 3e réalité sociale, volume 1, page 166.

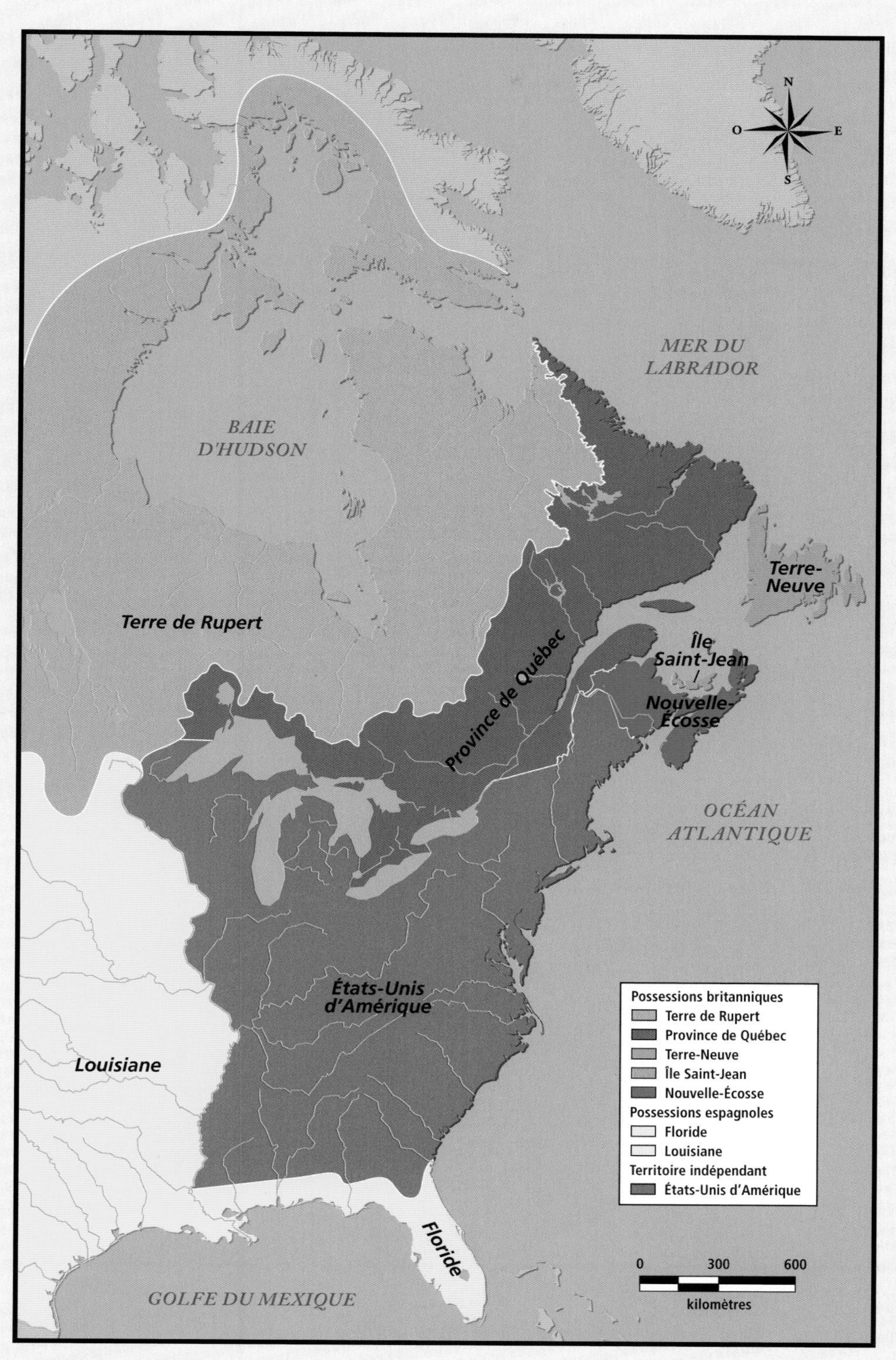

Le traité de Versailles (1783)

Référence : 3e réalité sociale, volume 1, page 175.

Carte du monde

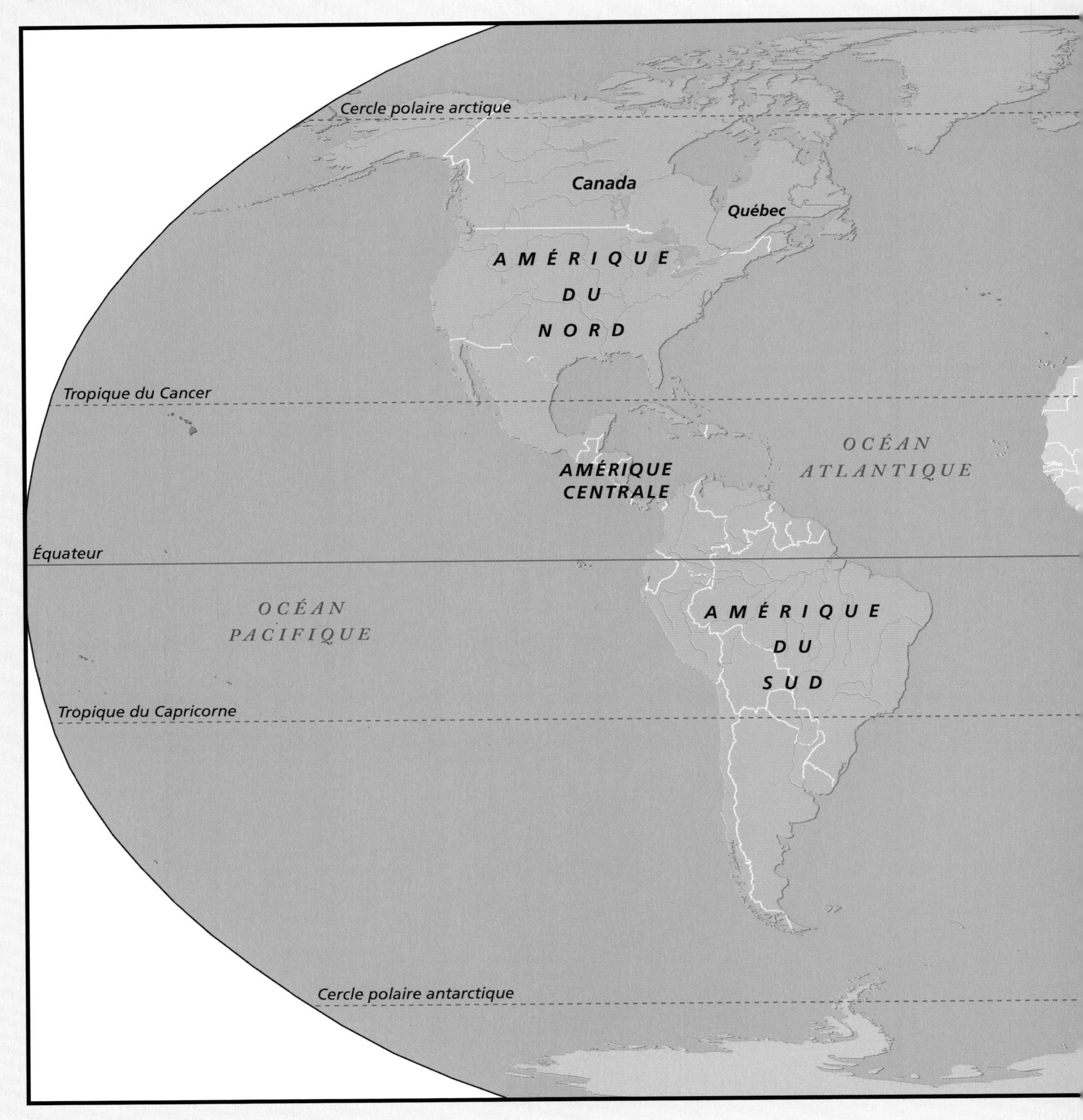

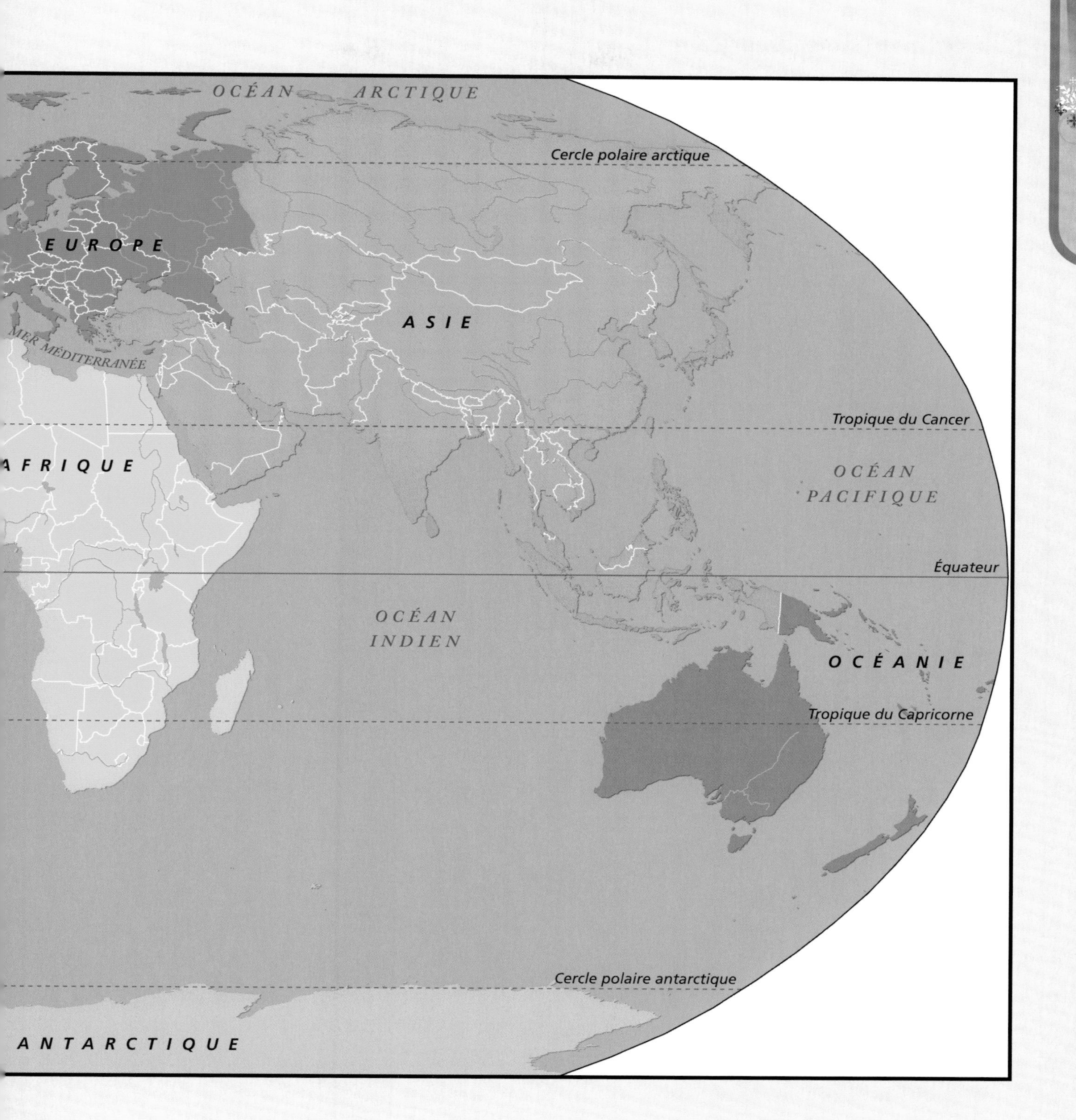
OCÉAN ARCTIQUE
Cercle polaire arctique
EUROPE
ASIE
MER MÉDITERRANÉE
Tropique du Cancer
AFRIQUE
OCÉAN PACIFIQUE
Équateur
OCÉAN INDIEN
OCÉANIE
Tropique du Capricorne
Cercle polaire antarctique
ANTARCTIQUE

Continent nord-américain

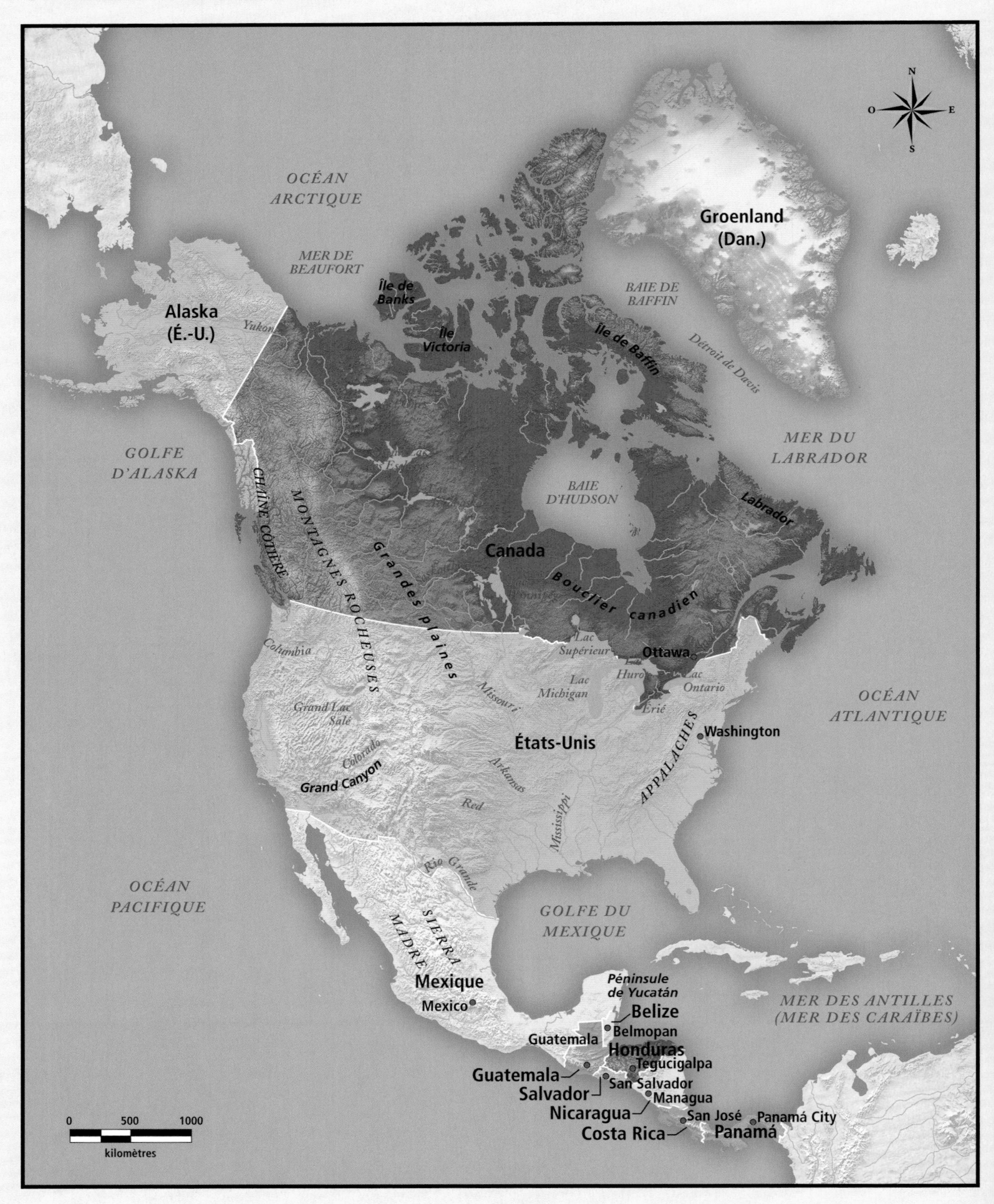

Continent sud-américain

Europe politique moderne

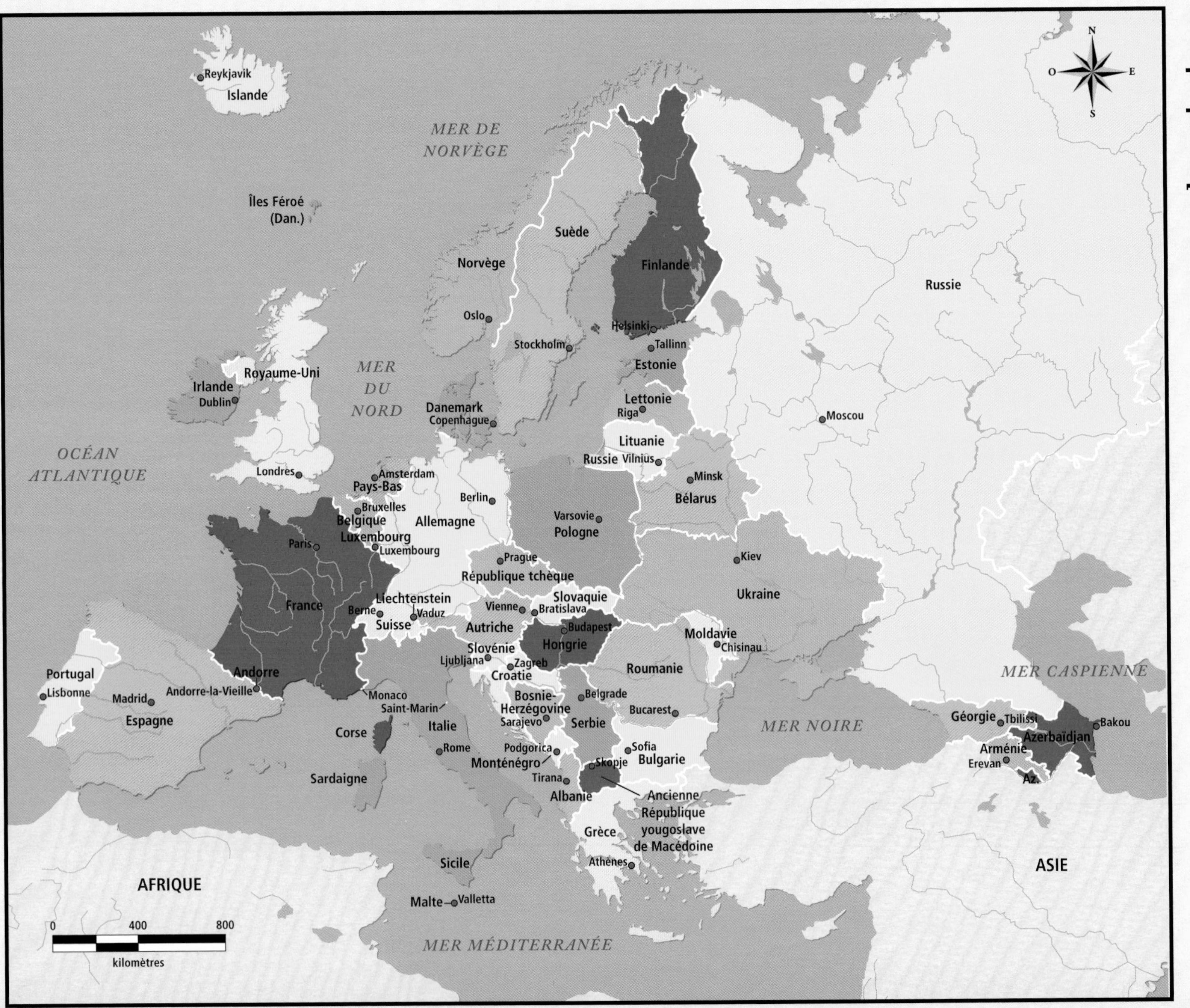

Asie

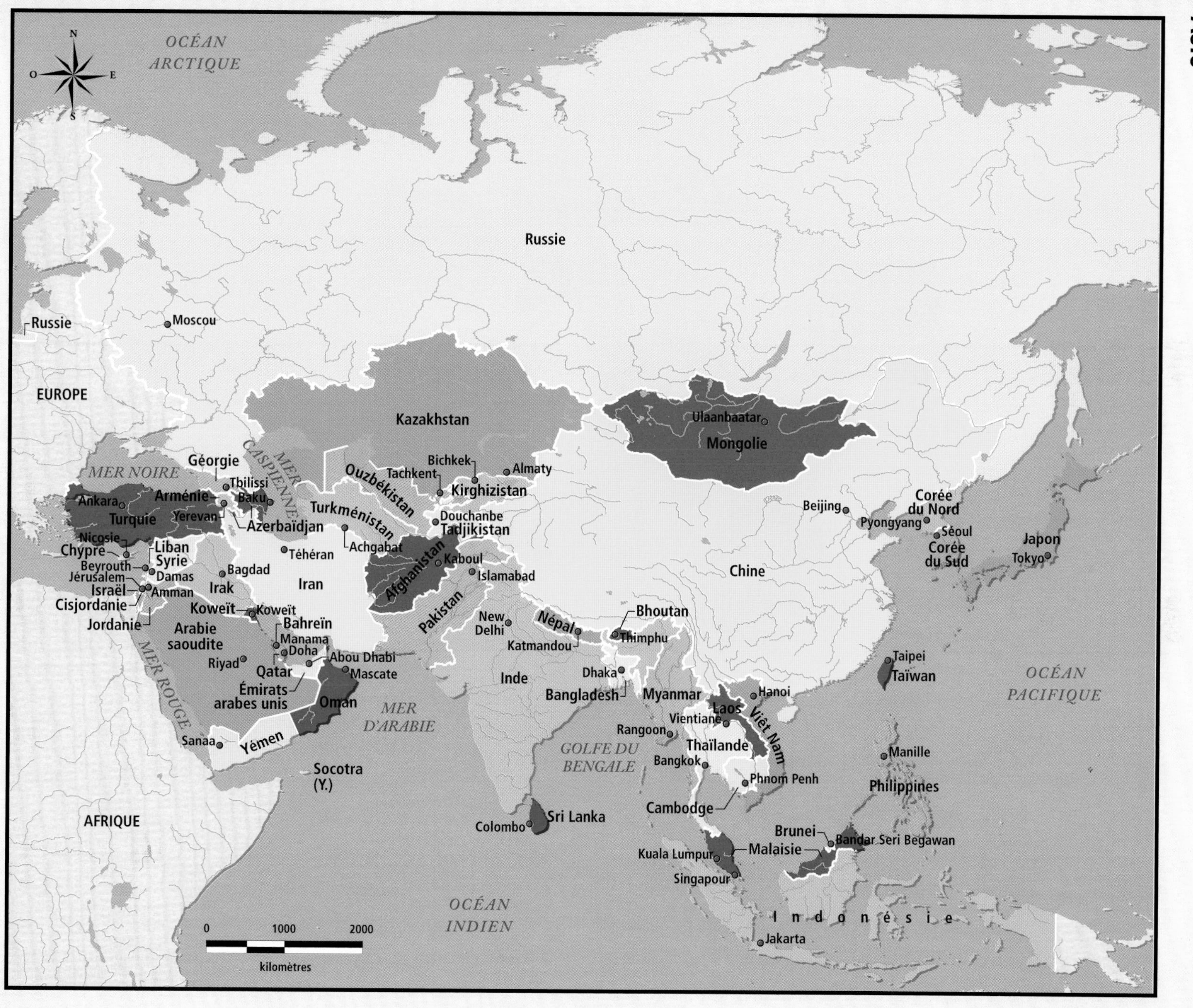

OCÉAN ARCTIQUE
N
O
E
S
Russie
Moscou
EUROPE
Kazakhstan
Mongolie
Ulaanbaatar
Chine
Beijing
Pyongyang
Corée du Nord
Séoul
Corée du Sud
Japon
Tokyo
OCÉAN PACIFIQUE
Taipei
Taïwan
Manille
Philippines
Bandar Seri Begawan
Brunei
Malaisie
Indonésie
Jakarta
Singapour
Kuala Lumpur
Phnom Penh
Cambodge
Viêt Nam
Hanoi
Laos
Vientiane
Thaïlande
Bangkok
Myanmar
Rangoon
Bhoutan
Thimphu
Dhaka
Bangladesh
GOLFE DU BENGALE
Sri Lanka
Colombo
Népal
Katmandou
Inde
New Delhi
Islamabad
Pakistan
Kaboul
Afghanistan
Almaty
Kirghizistan
Bichkek
Douchanbe
Tadjikistan
Tachkent
Ouzbékistan
Turkménistan
Achgabat
OCÉAN INDIEN
MER D'ARABIE
Oman
Mascate
Abou Dhabi
Socotra (Y.)
Iran
Téhéran
Bahreïn
Manama
Doha
Qatar
Émirats arabes unis
Yémen
Sanaa
Riyad
Koweït
Arabie saoudite
Irak
Bagdad
Azerbaïdjan
Bakou
MER CASPIENNE
Tbilissi
Géorgie
Arménie
Yerevan
Liban
Syrie
Damas
Amman
Beyrouth
Jérusalem
Israël
Cisjordanie
Jordanie
MER ROUGE
AFRIQUE
Turquie
Ankara
MER NOIRE
Nicosie
Chypre
0
1000
2000
kilomètres

Afrique

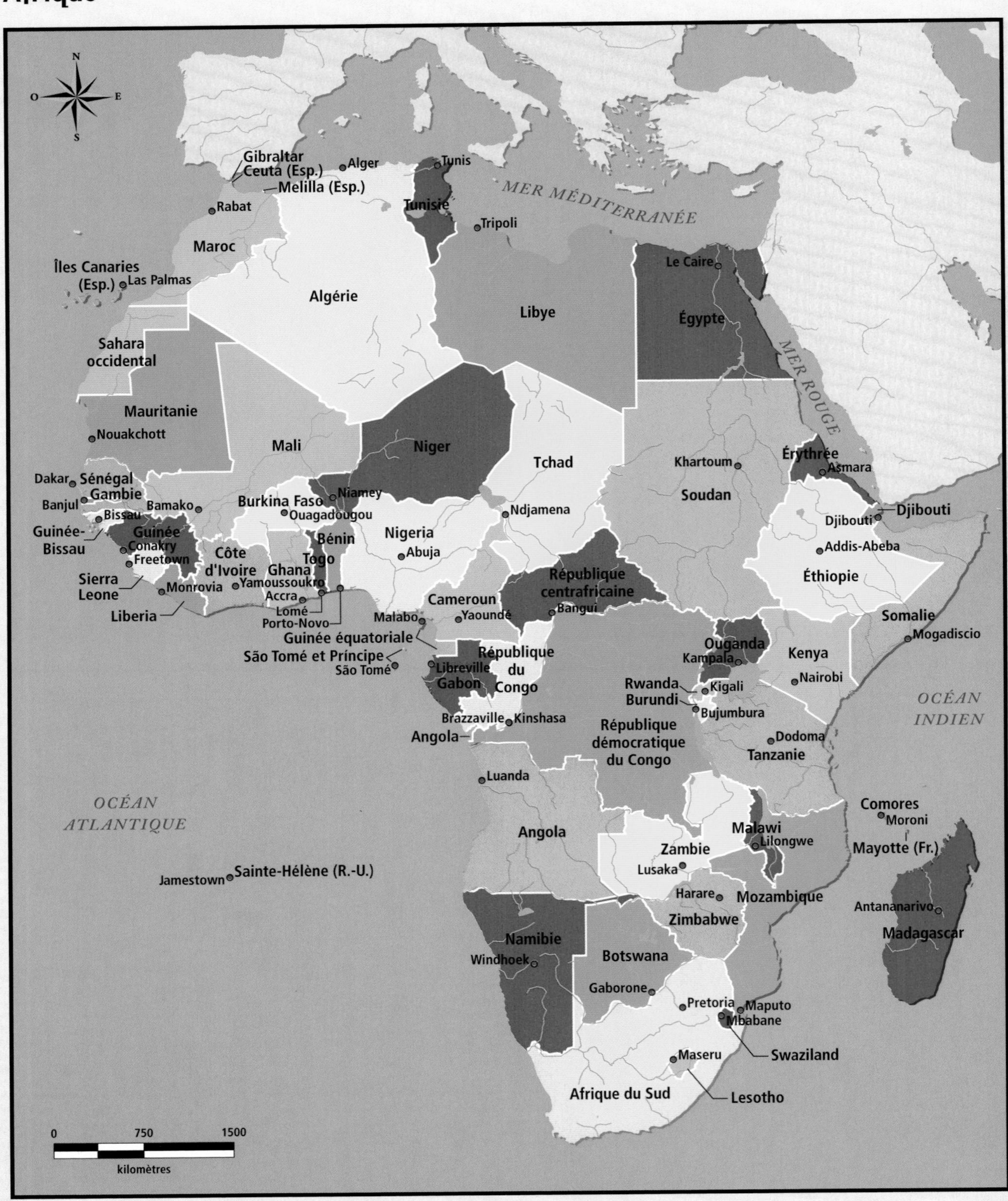

N
O
E
S
MER MÉDITERRANÉE
MER ROUGE
OCÉAN ATLANTIQUE
OCÉAN INDIEN
Gibraltar
Ceuta (Esp.)
Melilla (Esp.)
Alger
Tunis
Tunisie
Rabat
Tripoli
Maroc
Îles Canaries (Esp.)
Las Palmas
Algérie
Libye
Le Caire
Égypte
Sahara occidental
Mauritanie
Nouakchott
Mali
Niger
Tchad
Khartoum
Érythrée
Asmara
Dakar
Sénégal
Gambie
Banjul
Bissau
Bamako
Burkina Faso
Niamey
Ouagadougou
Ndjamena
Soudan
Djibouti
Guinée-Bissau
Guinée
Conakry
Freetown
Bénin
Nigeria
Abuja
Addis-Abeba
Côte d'Ivoire
Ghana
Togo
Sierra Leone
Monrovia
Yamoussoukro
Accra
République centrafricaine
Éthiopie
Liberia
Lomé
Porto-Novo
Malabo
Cameroun
Yaoundé
Bangui
Somalie
Mogadiscio
Guinée équatoriale
São Tomé et Príncipe
São Tomé
Libreville
Gabon
République du Congo
Ouganda
Kampala
Kenya
Nairobi
Rwanda
Burundi
Kigali
Bujumbura
Brazzaville
Kinshasa
Angola
République démocratique du Congo
Dodoma
Tanzanie
Luanda
Comores
Moroni
Angola
Malawi
Lilongwe
Zambie
Lusaka
Mayotte (Fr.)
Jamestown
Sainte-Hélène (R.-U.)
Harare
Mozambique
Zimbabwe
Antananarivo
Madagascar
Namibie
Windhoek
Botswana
Gaborone
Pretoria
Maputo
Mbabane
Swaziland
Maseru
Afrique du Sud
Lesotho
0
750
1500
kilomètres

Océanie

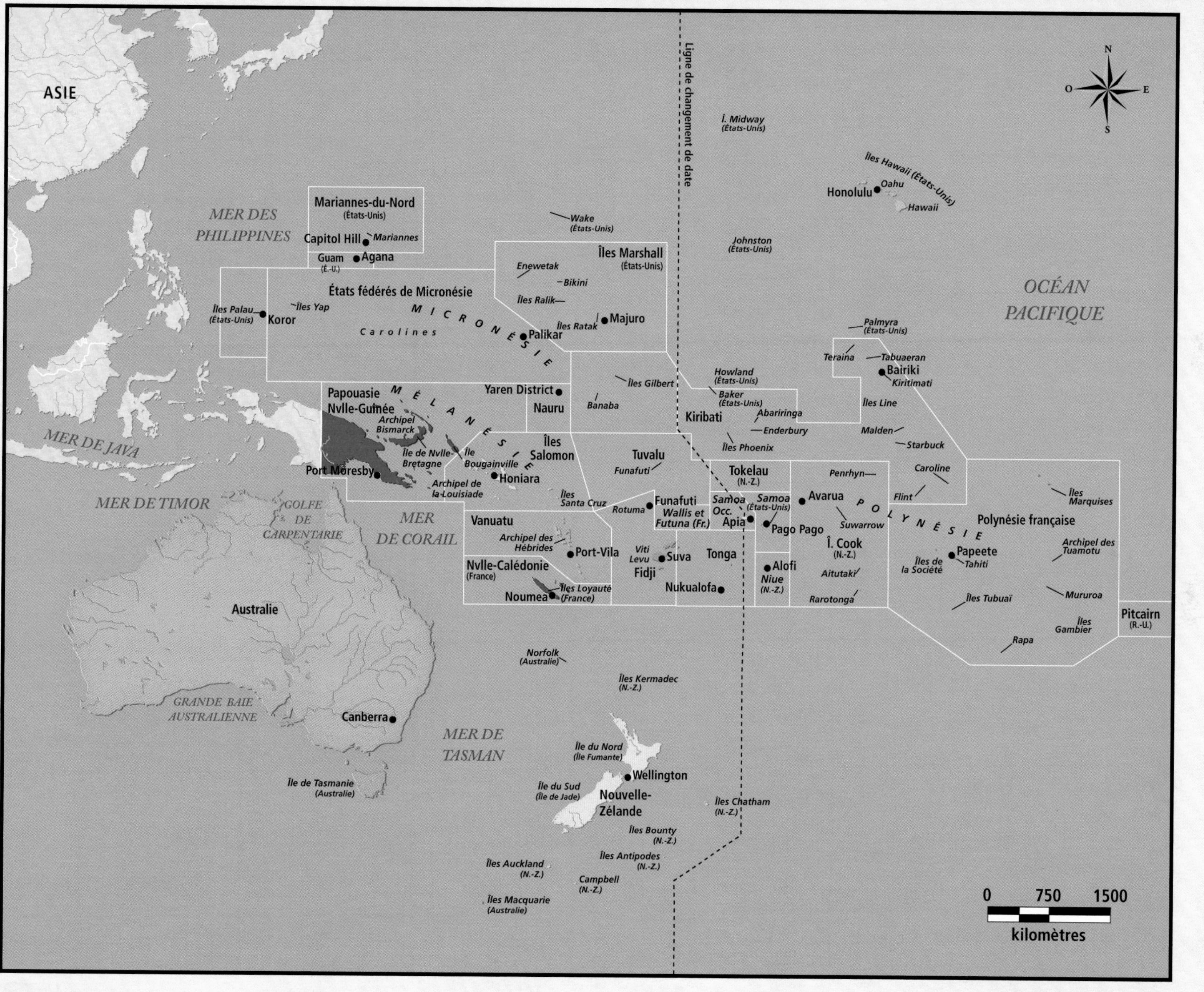

ASIE
MER DES PHILIPPINES
MER DE JAVA
MER DE TIMOR
GOLFE DE CARPENTARIE
MER DE CORAIL
GRANDE BAIE AUSTRALIENNE
MER DE TASMAN
OCÉAN PACIFIQUE
Ligne de changement de date
N
E
S
O
Mariannes-du-Nord (États-Unis)
Capitol Hill
Mariannes
Guam (É.-U.)
Agana
Îles Palau (États-Unis)
Koror
Îles Yap
États fédérés de Micronésie
Carolines
M I C R O N É S I E
Palikar
Îles Marshall (États-Unis)
Enewetak
Bikini
Îles Ralik
Îles Ratak
Majuro
Wake (États-Unis)
Î. Midway (États-Unis)
Johnston (États-Unis)
Îles Hawaii (États-Unis)
Honolulu
Oahu
Hawaii
Papouasie Nvlle-Guinée
M É L A N É S I E
Archipel Bismarck
Île de Nvlle-Bretagne
Île Bougainville
Archipel de la Louisiade
Port Moresby
Yaren District
Nauru
Îles Salomon
Honiara
Îles Gilbert
Banaba
Howland (États-Unis)
Baker (États-Unis)
Kiribati
Abariringa
Enderbury
Îles Phoenix
Tuvalu
Funafuti
Îles Santa Cruz
Rotuma
Wallis et Futuna (Fr.)
Vanuatu
Archipel des Hébrides
Port-Vila
Nvlle-Calédonie (France)
Noumea
Îles Loyauté (France)
Viti Levu
Suva
Fidji
Tonga
Nukualofa
Tokelau (N.-Z.)
Samoa Occ.
Apia
Samoa (États-Unis)
Pago Pago
Alofi
Niue (N.-Z.)
Penrhyn
Avarua
Suwarrow
Î. Cook (N.-Z.)
Aitutaki
Rarotonga
P O L Y N É S I E
Palmyra (États-Unis)
Teraina
Tabuaeran
Bairiki
Kiritimati
Îles Line
Malden
Starbuck
Caroline
Flint
Îles Marquises
Polynésie française
Archipel des Tuamotu
Papeete
Tahiti
Îles de la Société
Îles Tubuaï
Mururoa
Îles Gambier
Rapa
Pitcairn (R.-U.)
Australie
Canberra
Île de Tasmanie (Australie)
Norfolk (Australie)
Îles Kermadec (N.-Z.)
Île du Nord (Île Fumante)
Wellington
Île du Sud (Île de Jade)
Nouvelle-Zélande
Îles Chatham (N.-Z.)
Îles Bounty (N.-Z.)
Îles Antipodes (N.-Z.)
Îles Auckland (N.-Z.)
Campbell (N.-Z.)
Îles Macquarie (Australie)
0 750 1500
kilomètres

Canada

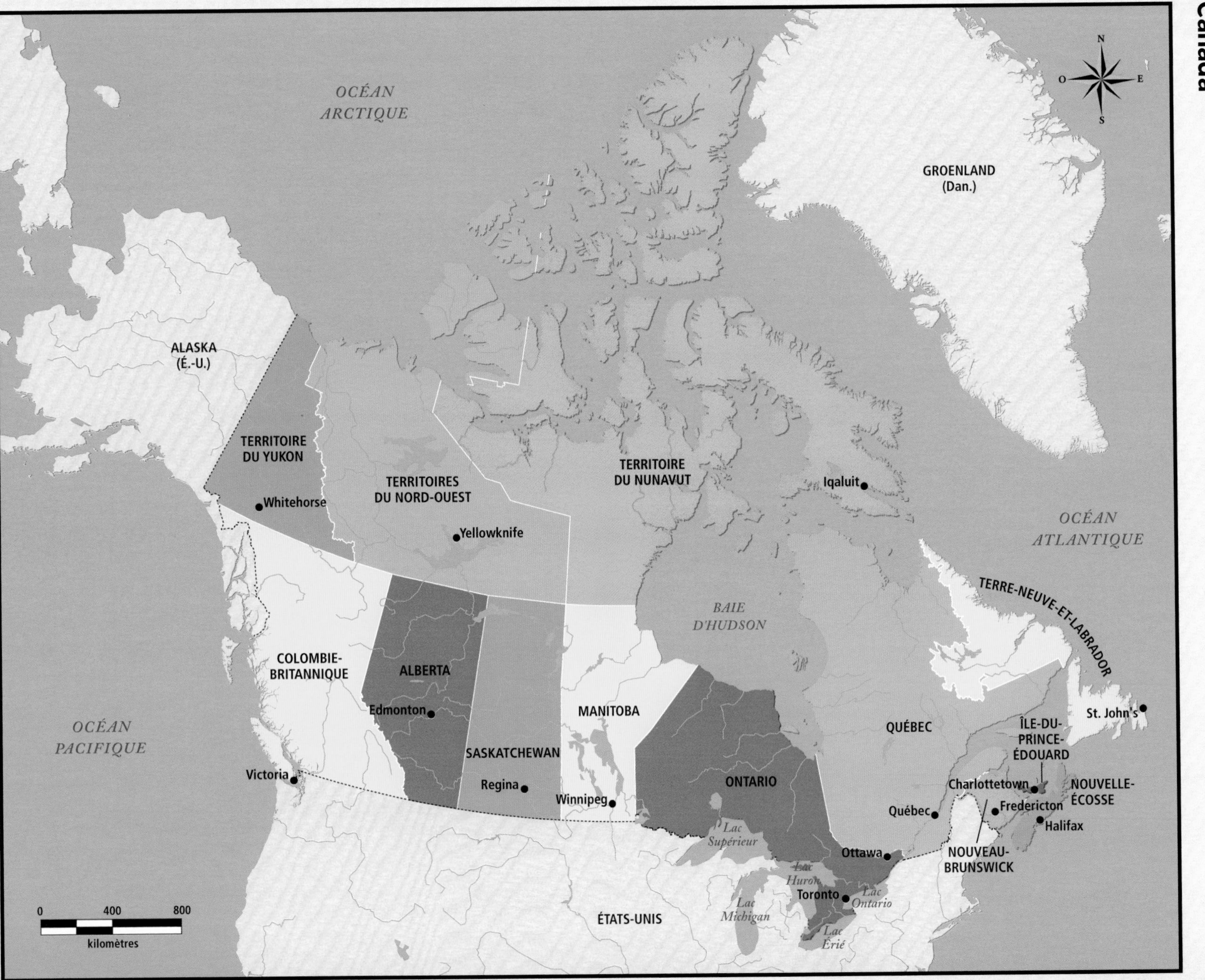

OCÉAN
ARCTIQUE
GROENLAND
(Dan.)
N
O
E
S
ALASKA
(É.-U.)
TERRITOIRE
DU YUKON
Whitehorse
TERRITOIRES
DU NORD-OUEST
Yellowknife
TERRITOIRE
DU NUNAVUT
Iqaluit
OCÉAN
ATLANTIQUE
TERRE-NEUVE-ET-LABRADOR
BAIE
D'HUDSON
COLOMBIE-
BRITANNIQUE
ALBERTA
Edmonton
MANITOBA
QUÉBEC
St. John's
ÎLE-DU-
PRINCE-
ÉDOUARD
OCÉAN
PACIFIQUE
SASKATCHEWAN
Victoria
Regina
Winnipeg
ONTARIO
Charlottetown
NOUVELLE-
ÉCOSSE
Québec
Fredericton
Halifax
Lac
Supérieur
Ottawa
NOUVEAU-
BRUNSWICK
Lac
Huron
Toronto
Lac
Ontario
Lac
Michigan
Lac
Érié
ÉTATS-UNIS
0
400
800
kilomètres

Québec

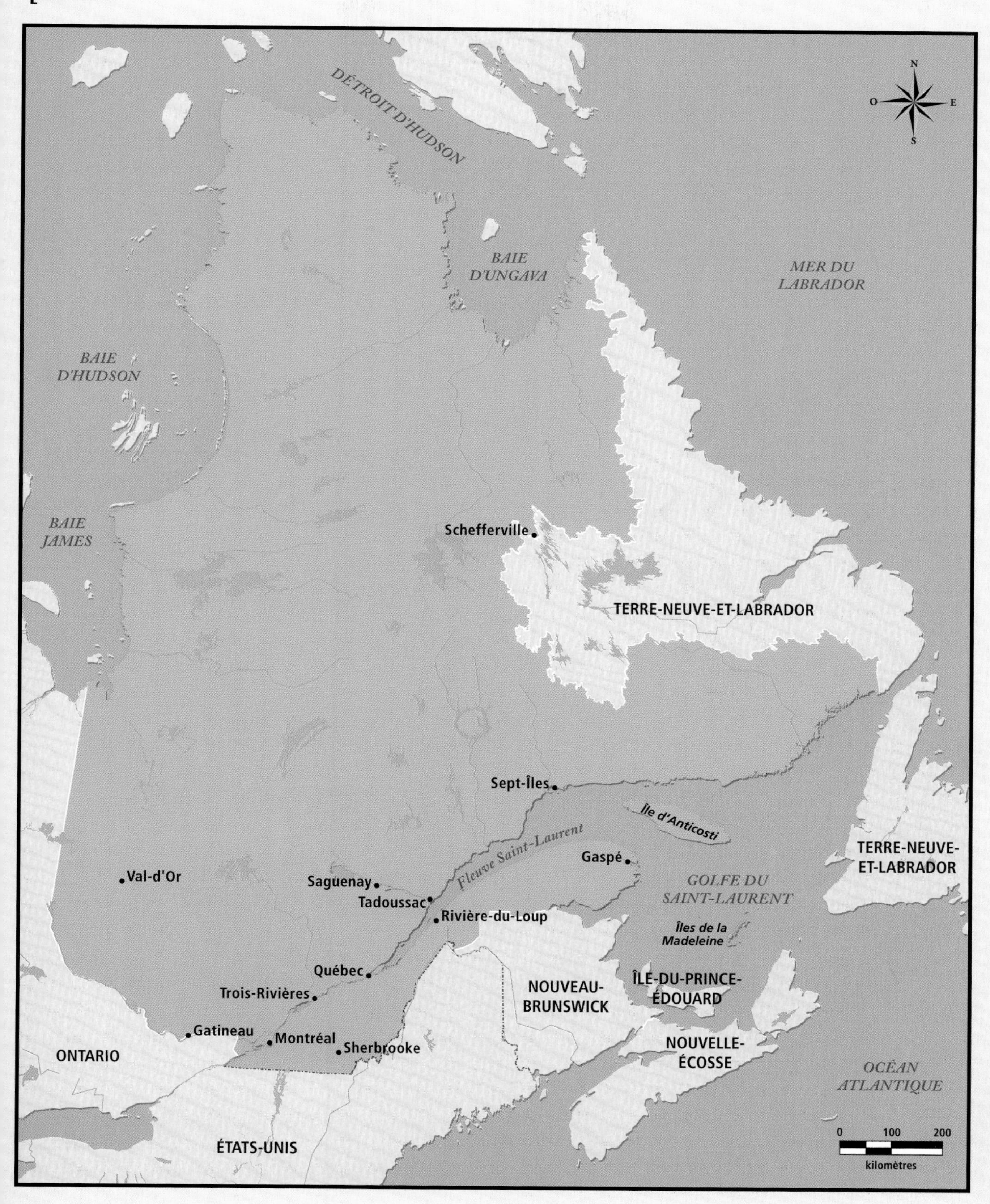

DÉTROIT D'HUDSON
N
O
E
S
BAIE D'UNGAVA
MER DU LABRADOR
BAIE D'HUDSON
BAIE JAMES
Schefferville
TERRE-NEUVE-ET-LABRADOR
Sept-Îles
Île d'Anticosti
Fleuve Saint-Laurent
Gaspé
TERRE-NEUVE-ET-LABRADOR
Val-d'Or
Saguenay
Tadoussac
Rivière-du-Loup
GOLFE DU SAINT-LAURENT
Îles de la Madeleine
Québec
Trois-Rivières
NOUVEAU-BRUNSWICK
ÎLE-DU-PRINCE-ÉDOUARD
Gatineau
Montréal
Sherbrooke
ONTARIO
NOUVELLE-ÉCOSSE
OCÉAN ATLANTIQUE
ÉTATS-UNIS
0 100 200
kilomètres

Réserves et villages autochtones

Europe vers 1500

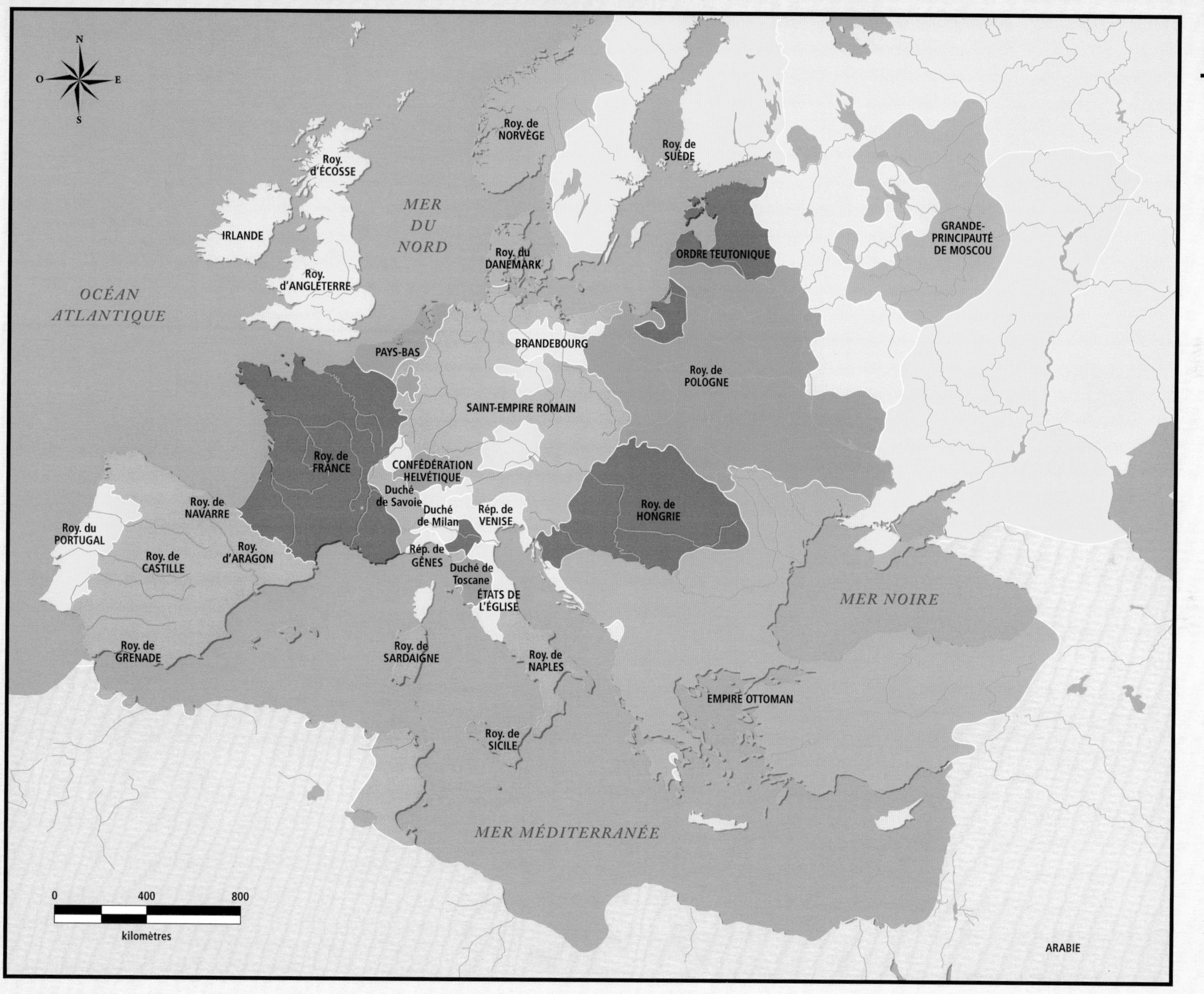

Europe vers 1750

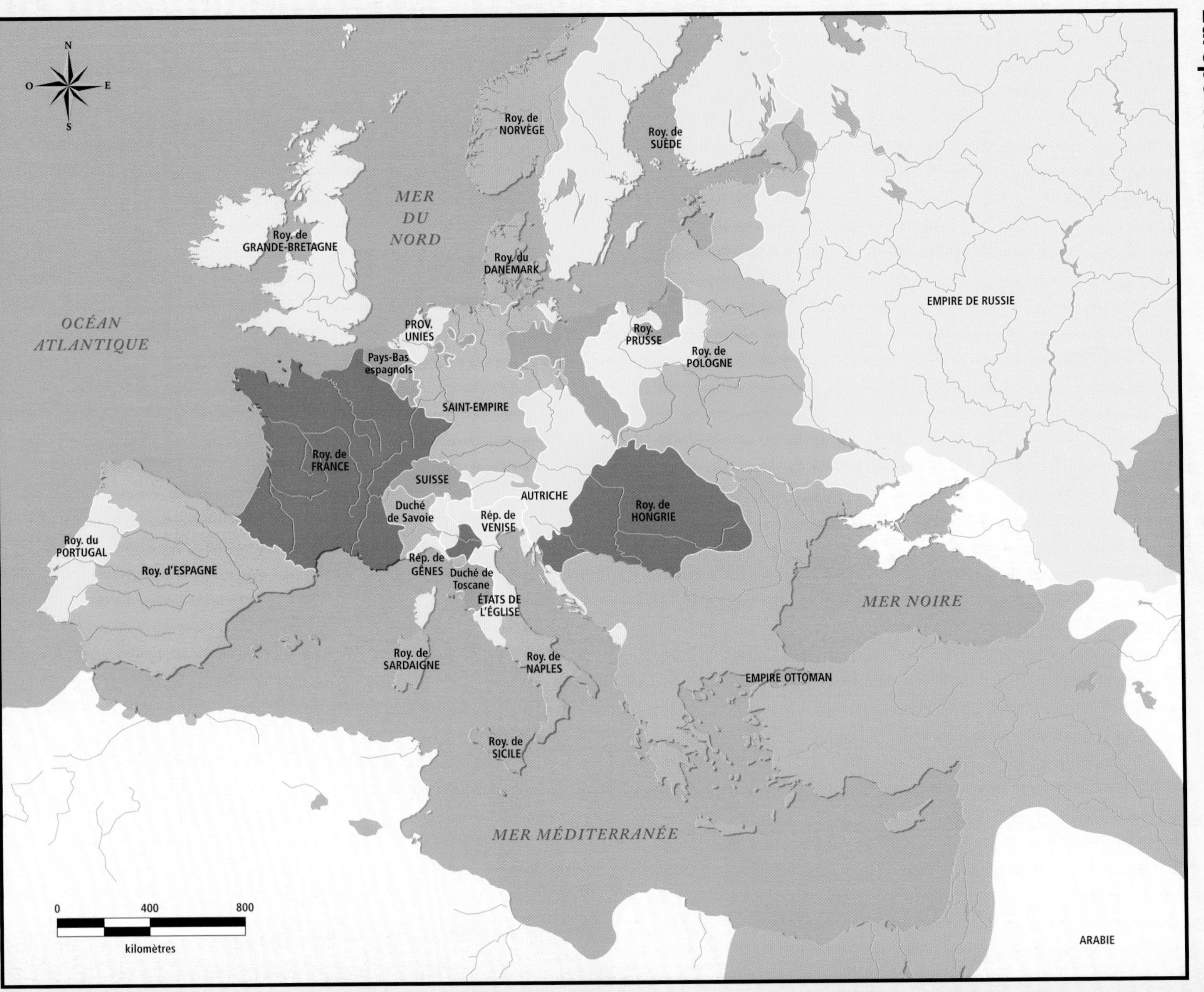

Europe vers 1815

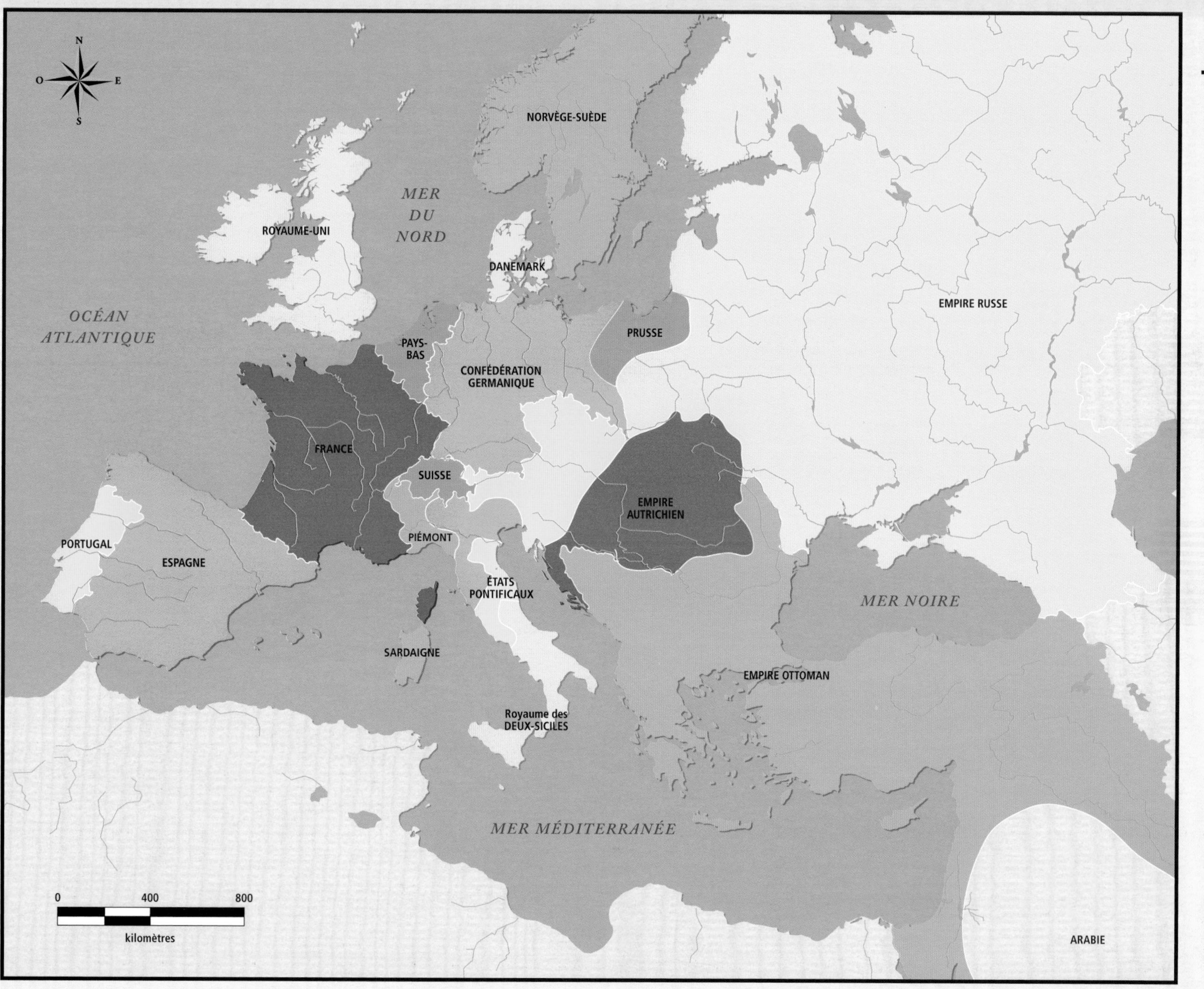

Europe vers 1914

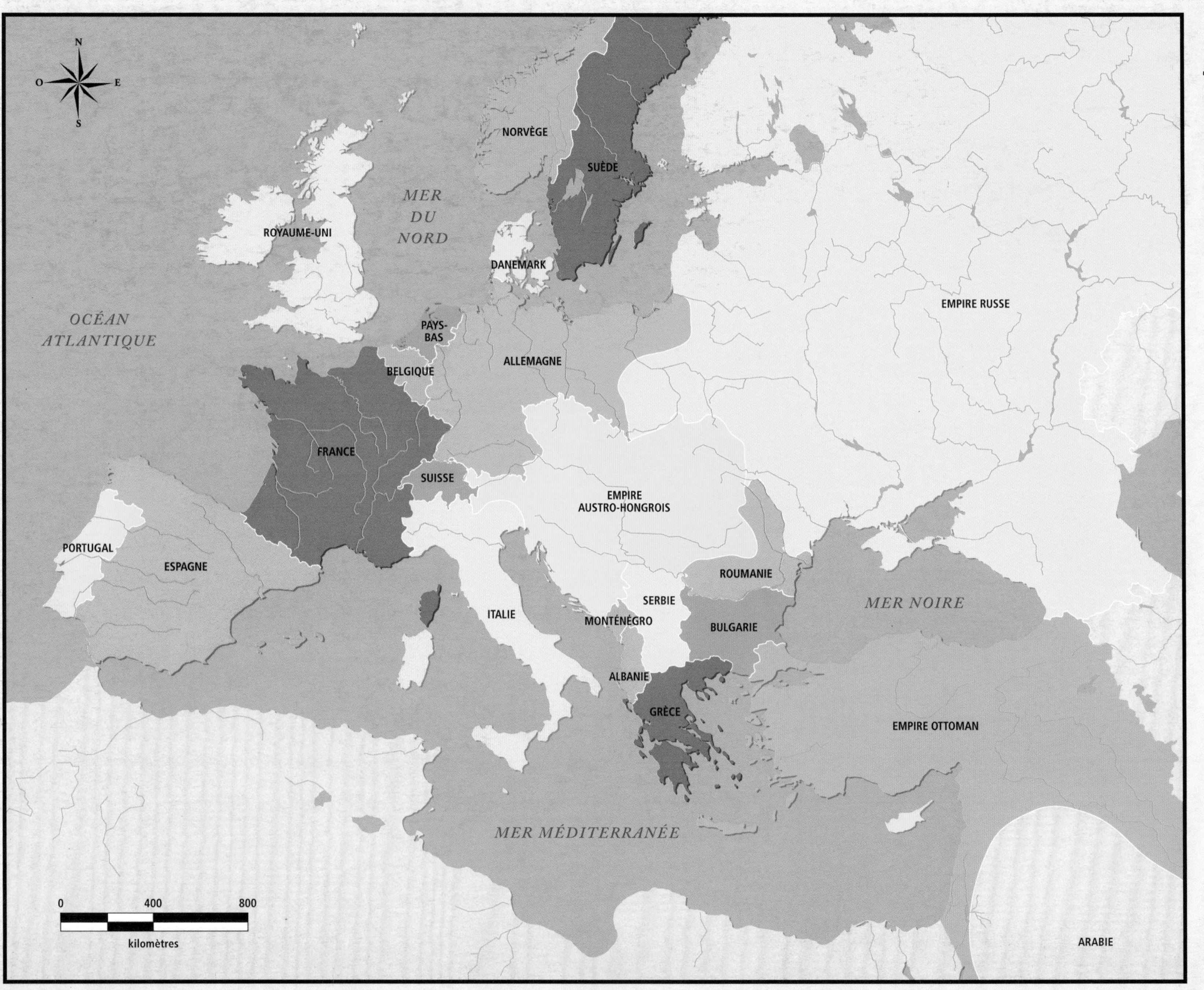

Europe vers 1955

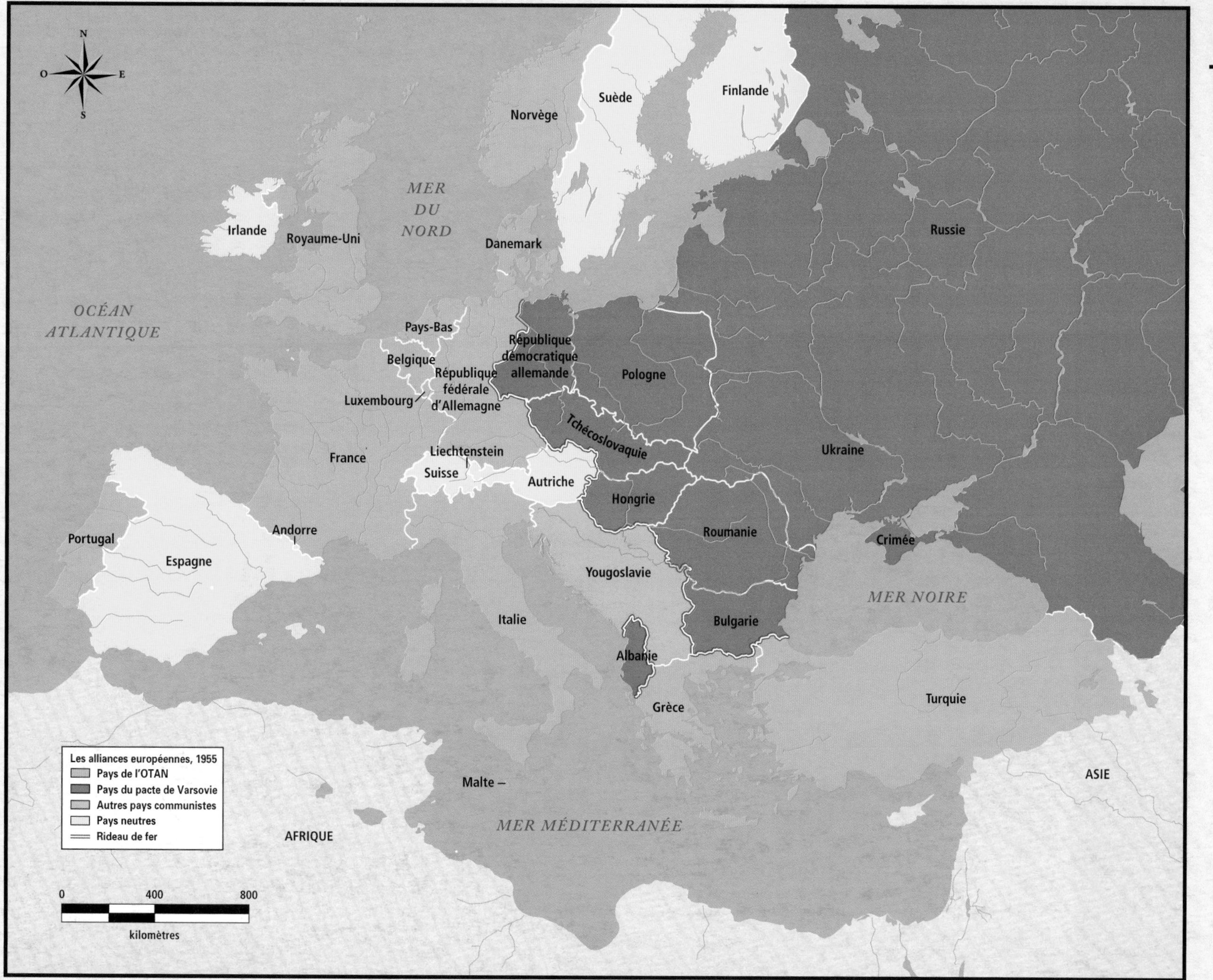

Glossaire

72 résolutions : texte adopté par les pères de la Confédération lors de la Conférence de Québec en octobre 1864 et qui résume les résultats de leurs travaux.

Abdiquer : pour un monarque, renoncer au pouvoir, à la couronne.

Accroissement naturel : croissance d'une population résultant de l'excédent des naissances sur les décès et qui ne tient pas compte de l'immigration.

Action : document écrit qui correspond à une part du capital d'une entreprise. Titre de propriété d'une compagnie.

Aînés : personnes âgées.

Aire culturelle : ensemble de modes de vie et de pratiques culturelles communs à plusieurs sociétés.

Allégeance : lien d'appartenance, de fidélité.

Allophone : personne qui, au Québec, ne parle ni le français ni l'anglais.

Amulette : objet porte-bonheur que l'on porte sur soi.

Animisme : conception du monde selon laquelle tout ce qui existe possède une âme (animaux, plantes, rochers, lacs, etc.).

Anticlérical : se dit d'une personne qui s'oppose à l'influence du clergé dans la vie publique.

Arpent : ancienne mesure de surface des terres, dont la superficie est d'environ 40 ares (4000 m^2).

Artefact : objet produit par l'activité humaine.

Assemblée représentative : assemblée composée de représentants de la population, habituellement élus.

Bâillon : suspension des règles parlementaires habituelles permettant au gouvernement d'adopter plus rapidement des projets de loi.

Balance du pouvoir : pouvoir que détient un parti d'opposition lui permettant, en appuyant ou non les autres partis, de renverser un gouvernement.

Bassin hydrographique : territoire regroupant les rivières qui coulent dans une même direction.

Bloc québécois : parti politique fédéral voué à la promotion d'un Québec souverain, fondé en 1993.

Bourgeoisie : classe sociale qui possède un niveau de vie plus élevé que la moyenne.

Bourse : endroit où s'achètent et se vendent les actions des compagnies.

Boycottage : mesure incitant le public à refuser d'acheter les produits provenant d'une personne, d'un groupe ou d'un pays.

Briseur de grève : personne embauchée par une entreprise lors d'une grève et qui effectue le travail des grévistes.

Budget : ensemble des dépenses et des revenus du gouvernement.

Bureaucratisation : tendance d'un État et de son administration à se bureaucratiser, c'est-à-dire à s'étendre et à se complexifier. Cette tendance se traduit notamment par l'augmentation du nombre de fonctionnaires.

Campagne militaire : période d'opérations militaires.

Canton : division territoriale propre au mode anglais de distribution des terres. Mot français pour *township*.

Capituler : se rendre à un ennemi par la capitulation.

Cercle de vie : chez les Autochtones, conception du monde selon laquelle les humains, les animaux et les objets sont égaux, et existent à l'intérieur d'un même cercle où ils sont constamment en contact les uns avec les autres.

Chaman : chez les Autochtones, personne possédant le pouvoir de communiquer avec les esprits pour intercéder en faveur des humains, notamment pour agir comme guérisseur.

Choléra : maladie mortelle contagieuse qui provoque un abaissement de la température du corps, des crampes et des vomissements.

Clause dérogatoire : mécanisme par lequel un gouvernement provincial peut se soustraire à une loi fédérale.

Clergé

Clergé régulier : ensemble des membres des communautés religieuses, tels les jésuites et les ursulines.

Clergé séculier : ensemble des prêtres et curés de paroisse qui offrent les différents services religieux aux habitants et habitantes.

Colonie : territoire occupé et exploité par un pays étranger, la métropole.

Colonie comptoir : colonie qui, en Nouvelle-France, vise principalement à établir des comptoirs de traite pour le commerce des fourrures.

Colonie de peuplement : colonie visant un développement intégral du territoire et destinée à être massivement peuplée de colons en provenance de la métropole.

Commandite : soutien financier apporté à une manifestation, à un produit ou à un organisme en échange d'une promotion publicitaire.

Commission Bélanger-Campeau : commission d'enquête mise sur pied par Robert Bourassa en 1990 et chargée d'étudier l'avenir politique du Québec dans la Confédération canadienne et de proposer des changements à son statut.

Communication de masse : type de communication qui touche une très large partie de la population, par exemple la télévision, les journaux ou Internet.

Communiste : se dit d'une personne ou d'une idéologie qui vise la suppression de la propriété privée et donc du système capitaliste.

Compagnie : au début de la Nouvelle-France, regroupement de commerçants à qui le roi confie le monopole de l'exploitation de la fourrure avec, en contrepartie, la tâche de gérer et de développer la colonie.

Conception du monde : manière dont un individu ou une société particulière interprète le monde et interagit avec lui.

Conquête : action pour un pays d'en conquérir et d'en occuper un autre par des moyens militaires.

Conquistadores : conquérants espagnols qui ont entraîné la chute des civilisations aztèque et inca au 16e siècle.

Contrat social : théorie mise de l'avant par le philosophe Jean-Jacques Rousseau au 18e siècle, selon laquelle les individus d'un pays font une sorte de pacte avec l'État afin que celui-ci garantisse leur liberté et assume le pouvoir en leur nom.

Convention collective : contrat négocié entre une entreprise et son personnel syndiqué pour fixer le salaire et les autres conditions de travail.

Culture : au sens strict, désigne tous les aspects intellectuels, artistiques et spirituels d'une société. Dans un sens plus large, regroupe l'ensemble des principales caractéristiques d'une société sur les plans matériel et intellectuel.

Décret : décision du Cabinet qui a force de loi mais qui n'est pas votée à l'Assemblée législative.

Déficit : situation financière qui survient lorsque les dépenses sont plus élevées que les revenus.

Dévot : personne dévouée à la religion.

Digitale pourpre : plante herbacée vénéneuse.

Disparités : différences qui existent entre des personnes, des régions ou des pays.

Doctrine : ensemble de principes et d'idées exprimant une certaine conception de la société.

Droit ancestral : droit issu d'une coutume, d'une pratique ou d'une tradition propres à la culture d'un groupe autochtone présent sur un territoire à l'arrivée des colons européens.

Droit de veto : à l'époque du Bas-Canada, droit qu'avait le gouverneur de refuser une loi en provenance du Conseil législatif ou de l'Assemblée. De façon générale, droit de s'opposer à une décision.

Droit inaliénable : droit qu'on ne peut retirer à aucun citoyen ou aucune citoyenne sous aucun prétexte.

Église anglicane : église protestante originaire d'Angleterre dont le chef est le monarque anglais.

Embargo : mesure visant à empêcher l'entrée d'un produit dans un pays.

Environnement naturel : écosystème naturel (faune, flore, climat, etc.) dans lequel évoluent les êtres humains.

Espérance de vie : durée moyenne de la vie, souvent calculée en fonction du sexe, pour la population d'un pays.

État : ensemble que forment le gouvernement d'une société et son administration. Désigne aussi parfois le pays où s'exerce ce pouvoir.

Évangélisation : action de convertir à la foi catholique.

Faillite : impossibilité pour une personne ou une entreprise de payer ses dettes, ce qui l'oblige à liquider ses biens afin de rembourser ses créanciers.

Fasciste : qui se rapporte au fascisme. Le fascisme est une doctrine visant le remplacement de la démocratie par une dictature dans le cadre du capitalisme. Le fascisme valorise le nationalisme et l'esprit guerrier.

Féodalisme : système social très hiérarchisé qui s'est établi en Europe au Moyen Âge, et qui est basé sur des rapports de dépendance et de loyauté entre les personnes et les groupes sociaux.

Gouvernement majoritaire : situation politique qui survient lorsque le parti qui forme le gouvernement a fait élire plus de la moitié des députés de la Chambre.

Gouvernement minoritaire : situation politique qui survient lorsque le parti qui forme le gouvernement a fait élire moins de la moitié des députés de la Chambre.

Guerre froide : climat de tension et de crise entre des pays, mais sans affrontements militaires directs. Pendant la période qui a suivi la Seconde Guerre mondiale, un tel climat s'est développé entre les États-Unis et l'ancienne Union soviétique.

Hiérarchie sociale : organisation de la société suivant une stratification bien déterminée selon laquelle certains groupes d'individus se situent au sommet et dominent les autres.

Hydrographe : spécialiste de l'étude de la mer et des cours d'eau.

Impôt progressif : type d'impôt dont le taux augmente progressivement en fonction du revenu des particuliers ou des entreprises : plus leurs revenus sont élevés, plus le taux d'imposition est élevé.

Indépendance : processus par lequel une colonie devient politiquement indépendante de la métropole et prend en main sa destinée.

Instabilité ministérielle : situation politique dans laquelle les gouvernements se succèdent sans pouvoir achever leur mandat.

Krach : effondrement spectaculaire du prix des actions en Bourse.

Laïc, laïque : personne qui n'est ni prêtre ni religieux ou religieuse.

Laïcisation : phénomène culturel marqué par la diminution du caractère religieux d'une société alors que l'État reprend certaines responsabilités.

Levée en masse : action pour un gouvernement de recruter de manière massive des hommes en vue de former une armée.

Loi martiale : loi de guerre.

Loyalistes : citoyens des treize colonies anglaises restés loyaux à la couronne britannique au moment de l'Indépendance américaine.

Mandement : écrit par lequel un évêque donne des directives religieuses à la population lors des services religieux.

Manifeste : texte par lequel un groupe de personnes ou un parti politique énonce une position ou exprime des idées.

Matrilinéaire : qualifie une société où les descendants s'identifient à la lignée de leur mère et où les liens de parenté se transmettent de mère en fille.

Mercantilisme : doctrine économique qui a cours en Europe entre les 16e et 18e siècles, selon laquelle la puissance d'un État se mesure à la quantité de métaux précieux qu'il possède.

Métis : personne dont les ancêtres sont de races différentes. Au Canada, les métis sont issus de mariages entre Blancs et Amérindiens.

Milicien : membre d'une milice, c'est-à-dire d'un corps militaire formé de citoyens et destiné à appuyer l'armée régulière.

Monseigneur : titre porté par un évêque.

Nationaliser : opération par laquelle un gouvernement achète une compagnie privée pour en faire une entreprise d'État.

Nomade : qualifie les peuples qui se déplacent régulièrement pour se procurer leurs ressources alimentaires.

Païen : personne qui n'appartient à aucune des trois grandes religions monothéistes (judaïsme, christianisme, islam).

Paramilitaire : se dit d'un groupe ou d'une activité qui s'inspire du modèle militaire.

Patrilinéaire : qualifie une société où les descendants s'identifient à la lignée de leur père et où les liens de parenté se transmettent de père en fils.

Patronage : pratique politique qui consiste, pour un parti au pouvoir, à favoriser ses amis dans l'octroi de contrats, d'emplois publics ou d'autres faveurs de l'État.

Plébiscite : consultation par laquelle un gouvernement demande directement l'appui de la population sur une question précise.

Poids et mesures : normes établies par les pays précisant certaines unités de mesure.

Pointe de diamant : losange en relief qui orne les panneaux des meubles traditionnels du Québec et de l'Europe.

Prêcheur : personne qui fait des sermons et des prédications.

Presbytérianisme : secte de l'Église protestante, issue de la doctrine calviniste.

Privatiser : opération par laquelle un gouvernement vend une société d'État à l'entreprise privée.

Proclamation : texte contenant une annonce officielle d'un gouvernement.

Production maraîchère : culture des légumes.

Progressiste : se dit d'une personne, d'une idéologie ou d'un parti politique qui met de l'avant le progrès social.

Protectionnisme : politique économique opposée au libre-échange, qui consiste à hausser les tarifs douaniers pour se protéger contre la concurrence étrangère.

Protectionniste : se dit d'une politique qui prône le protectionnisme.

R

Rébellion : révolte contre le pouvoir établi.

Récession : baisse généralisée de l'activité économique.

Réduction : village créé par une communauté religieuse et situé à proximité des agglomérations françaises dans le but de sédentariser les Autochtones, et de les évangéliser.

Régie : nom donné à certains organismes d'État qui gèrent un domaine d'activité particulier.

S

Sacrement : chez les catholiques, rituel sacré (baptême, mariage, communion, etc.).

Sédentaire : qualifie les peuples qui vivent de manière stable dans un milieu déterminé.

Sédentariser : établir une population de façon durable dans un lieu déterminé.

Serment du Test : après l'adoption de la Proclamation royale, serment exigé de toute personne désirant exercer une fonction publique dans la colonie. Ce serment consistait à rejeter l'autorité du pape et à nier certains dogmes propres à la foi catholique.

Session : période durant laquelle les députés de l'Assemblée législative (Chambre des communes, Assemblée nationale) se réunissent pour siéger.

Siège : action militaire qui consiste à s'installer devant une ville pour l'attaquer.

Société d'État : entreprise appartenant au gouvernement.

Spéculation : opération qui consiste à acheter un bien ou un titre financier (des actions, par exemple) lorsque son prix est bas et à le revendre lorsque son prix est plus élevé.

Spiritualité : domaine de la vie qui concerne la religion et les relations avec le divin.

Subside : somme d'argent provenant du gouvernement et servant à financer des travaux publics.

Tabou : désigne ce qu'il est défendu de faire ou de dire pour des raisons culturelles ou religieuses.

Totémique : relatif au totem, c'est-à-dire à un être mythique auquel s'identifie un clan dans certaines cultures autochtones.

Tradition orale : transmission par la parole d'une culture d'une génération à l'autre.

Troc : échange d'un produit contre un autre produit, sans utiliser d'argent.

Tutelle : état de dépendance d'un individu ou d'un groupe (par exemple, certains Amérindiens) envers une autorité légale (par exemple, le gouvernement) qui a le pouvoir de prendre en charge son éducation et ses biens.

Typhus : maladie infectieuse, contagieuse et épidémique qui provoque de fortes fièvres.

Index

A

B

C

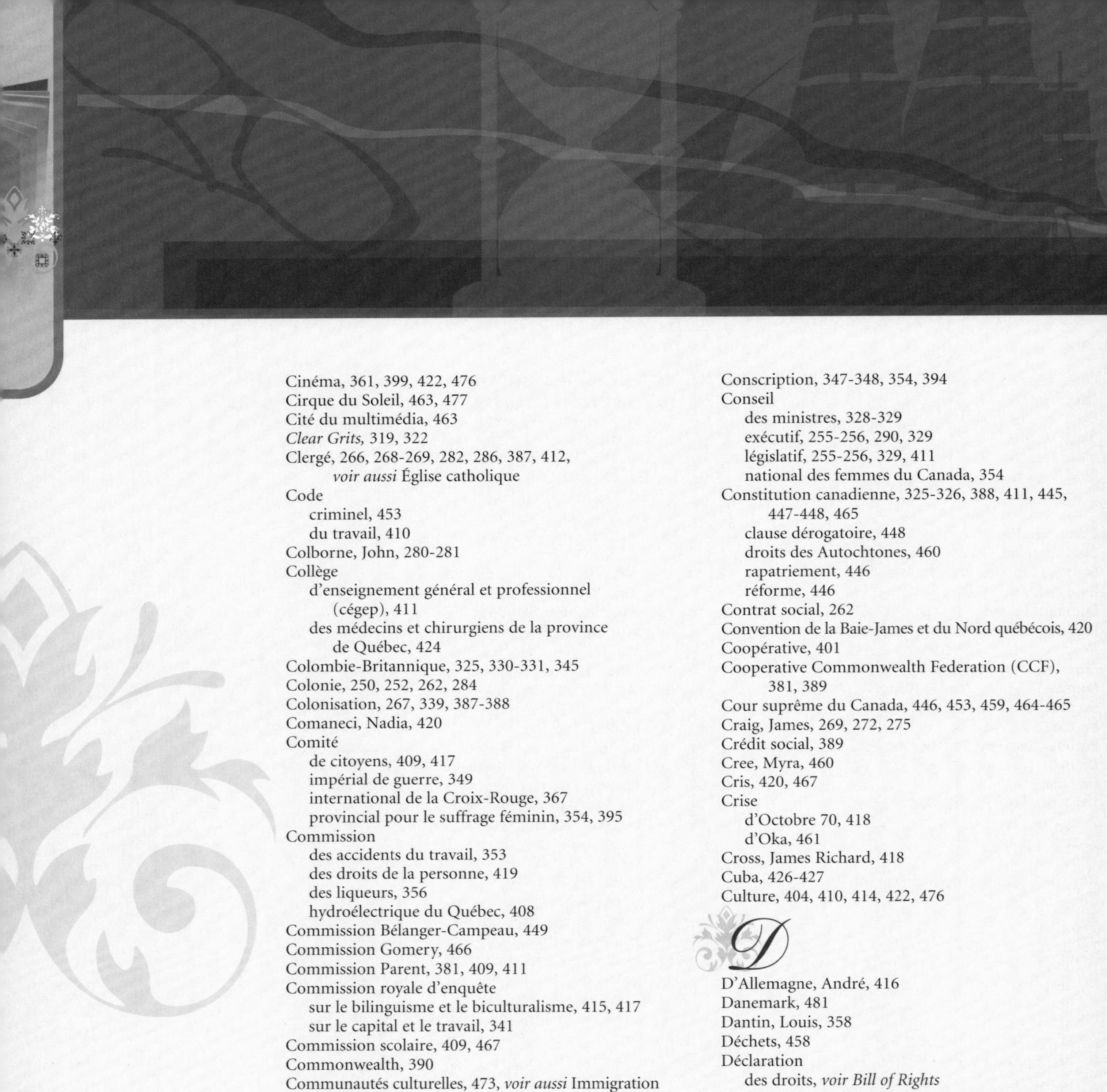

D

I

J

K

L

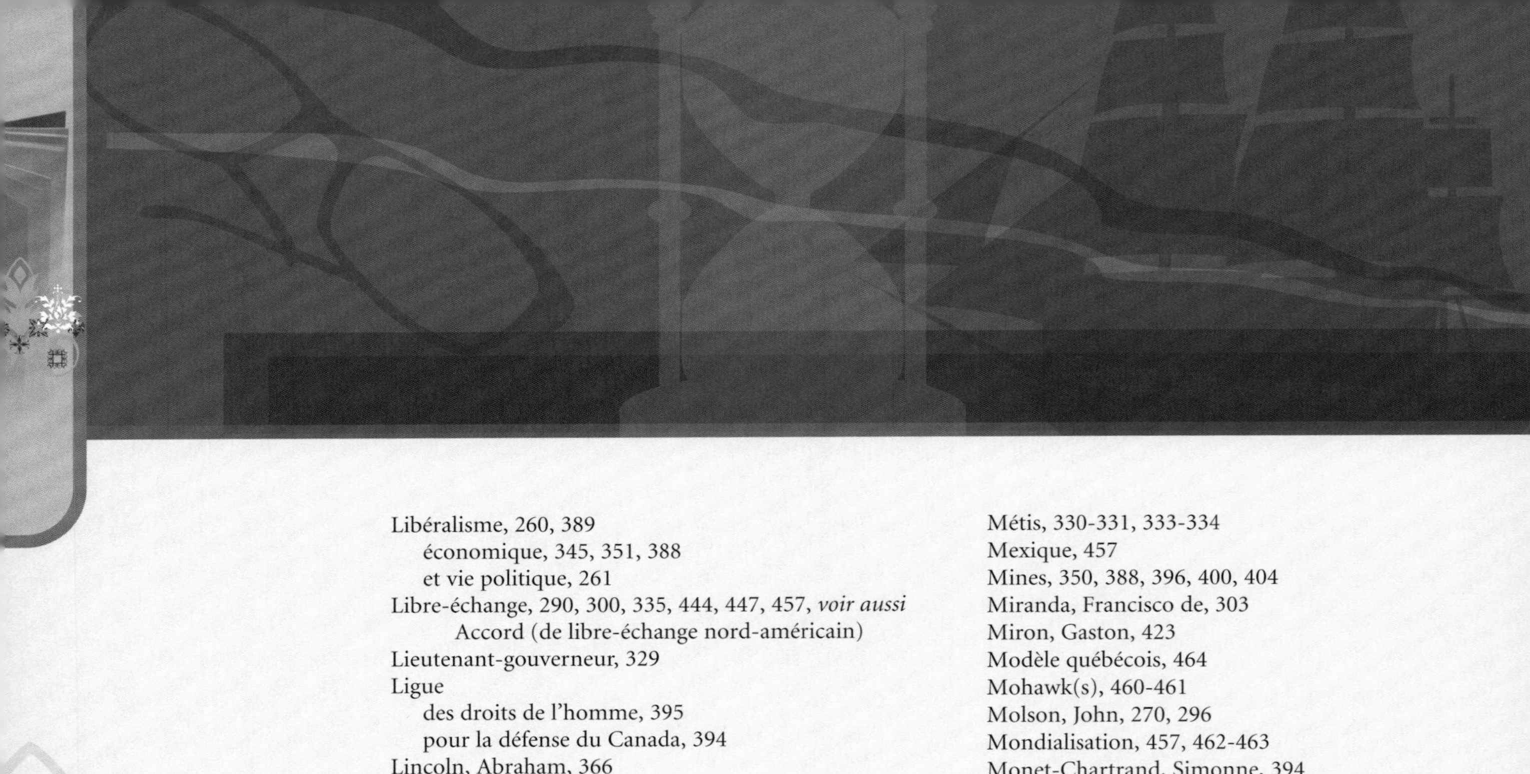

M

N

O

P

Q

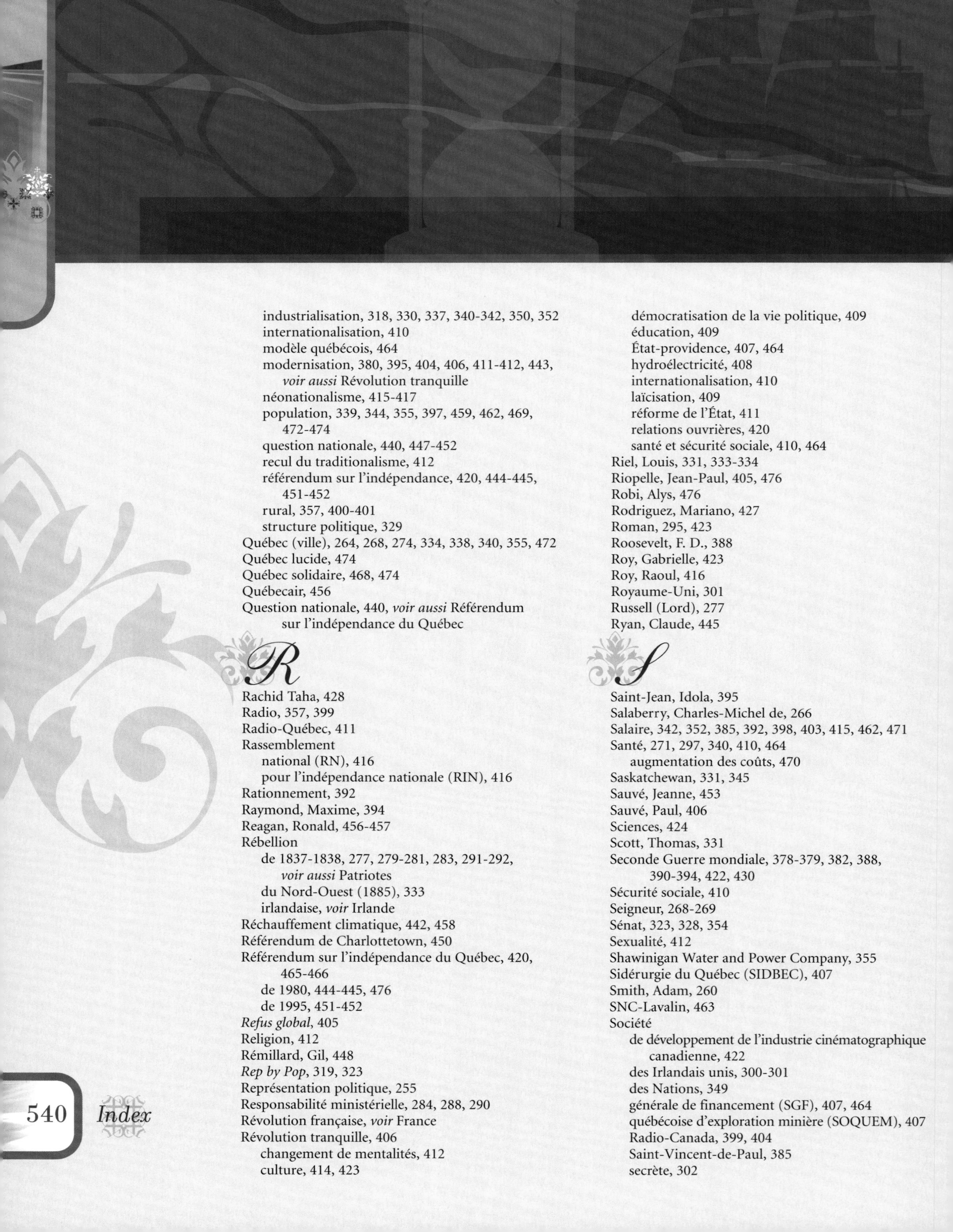

R

S

Références bibliographiques

des extraits cités dans les documents

4e RÉALITÉ SOCIALE : REVENDICATIONS *et luttes dans la colonie britannique*

Page 257

Aux électeurs du comté de Québec

La Gazette de Québec, 16 mai 1792, citée dans Denis Vaugeois. *Québec 1792. Les acteurs, les institutions et les frontières,* Montréal, Fides, 1992, p. 113.

Page 269

Lettre du gouverneur Craig

Lettre de Craig à Liverpool, 1er mai 1810, citée dans Robert Lahaise et Noël Vallerand. *Le Québec sous le régime anglais,* Outremont, Lanctôt Éditeur, 1999, p. 101.

Page 273

Un enfant responsable

Parent, Étienne. *Le Canadien,* 7 mai 1831. Cité dans Denis Vaugeois et Jacques Lacoursière, dir. *Canada-Québec, synthèse historique,* Montréal, Éditions du Renouveau pédagogique inc., 1981, p. 295.

Page 276

L'usage de la langue française

The Quebec Mercury, 24 novembre 1806, cité dans Robert Lahaise et Noël Vallerand. *Le Québec sous le régime anglais,* Outremont, Lanctôt Éditeur, 1999, p. 97.

L'usage de la langue française

Le Canadien, 29 novembre 1806, cité dans John A. Dickinson et Brian Young. *Brève histoire socio-économique du Québec,* Sillery, Septentrion, 1992, p. 76.

Page 278

Les 92 *Résolutions*

Les 92 Résolutions, 1834, cité dans Théophile-Pierre Bédard. *Histoire de cinquante ans (1791-1841) : annales parlementaires et politiques du Bas-Canada depuis la constitution jusqu'à l'union,* Québec, L. Brousseau, 1869, p. 357. Canadiana, [En ligne].

Page 281

Déclaration d'indépendance du Bas-Canada

Nelson, Robert. *Déclaration d'indépendance du Bas-Canada,* 1838, cité dans Guy Frégault et Marcel Trudel. *Histoire du Canada par les textes,* tome I (1534-1854), Montréal/Paris, Fides, 1963, p. 206-208.

Page 283

Nouvel appel de Mgr Lartigue

Monseigneur Lartigue. *Deuxième mandement à l'occasion des troubles de 1837,* 8 janvier 1838, cité dans Yvan Lamonde. *Histoire sociale des idées au Québec, 1760-1896,* Montréal, Fides, 2000, p. 250-251.

Page 285

Le rapport Durham

Lord Durham. *Rapport de Lord Durham, Haut-Commissaire de Sa Majesté, etc., sur les affaires de l'Amérique septentrionale britannique,* Montréal, [n. d.], 1839, p. 7.

Page 288

L'invitation des réformistes du Canada-Ouest

Lettre de Hincks à La Fontaine, 1839, citée dans Robert Lahaise et Noël Vallerand. *Le Québec sous le régime anglais,* Outremont, Lanctôt Éditeur, 1999, p. 218.

Page 289

Le programme de La Fontaine

La Fontaine, Louis-Hippolyte. *Le manifeste de Terrebonne,* 1840, cité dans Robert Lahaise et Noël Vallerand. *Le Québec sous le régime anglais,* Outremont, Lanctôt Éditeur, 1999, p. 219.

5e RÉALITÉ SOCIALE : *La* FORMATION *de la fédération canadienne*

Page 324

Le débat sur la Confédération

Discours de George-Étienne Cartier, 1864, cité dans Guy Frégault et Marcel Trudel. *Histoire du Canada par les textes,* tome II (1855-1960), Montréal/Paris, Fides, 1963, p. 17.

Le débat sur la Confédération

Dorion, Antoine-Aimé. *Manifeste contre le projet de Confédération,* 7 novembre 1864, cité dans Yvan Lamonde et Claude Corbo. *Le rouge et le bleu. Une anthologie de la pensée politique au Québec, de la Conquête à la Révolution tranquille,* Montréal, Presses de l'Université de Montréal, 1999, p. 197-198.

Page 327

L'article 133 et la politique linguistique du Canada

Article 133 de l'*Acte concernant l'Union et le gouvernement du Canada, de la Nouvelle-Écosse et du Nouveau-Brunswick...*, Québec, Typographie d'Augustin Côté, 1868, p. 94 et 96.
Canadiana, [En ligne].

Page 332

Qui est Amérindien ou Amérindienne ?

Article 3 de l'*Acte pour amender et refondre les lois concernant les Sauvages* (Loi sur les Indiens), 1876, cité dans *Actes du Parlement de la Puissance du Canada...*, Ottawa, Brown Chamberlin, 1876, chap. 18, p. 46.
Canadiana, [En ligne].

Page 333

Une opinion divisée

Free Press [journal anglophone d'Ottawa], édition du 22 juin 1885, cité dans Jean-François Cardin, Raymond Bédard et René Fortin. *Le Québec: héritages et projets,* 2e édition, Laval, Éditions Grand Duc – HRW, 2004 [1994], p. 277.

Une opinion divisée

Discours de l'honorable Honoré Mercier à la grande assemblée du Champ de Mars à Montréal, le 22 novembre 1885, cité dans Guy Frégault et Marcel Trudel. *Histoire du Canada par les textes,* tome II (1855-1960), Montréal/Paris, Fides, 1963, p. 44.

Page 341
La Commission royale d'enquête sur le capital et le travail
Rapport de la Commission royale d'enquête sur le capital et le travail, cité dans Guy Frégault et Marcel Trudel. *Histoire du Canada par les textes,* tome II (1855-1960), Montréal/Paris, Fides, 1963, p. 49-50.

Page 347
Le témoignage d'un médecin de guerre
Lettre de guerre de la part du capitaine Bellenden S. Hutcheson, 1918, citée dans *Anciens Combattants Canada,* [En ligne], 21 octobre 1998.

Page 354
Le plaidoyer de Marie Gérin-Lajoie
Discours de Mme Henri Gérin-Lajoie à l'Assemblée législative le 22 février 1922, cité dans Yvan Lamonde et Claude Corbo. *Le rouge et le bleu. Une anthologie de la pensée politique au Québec, de la Conquête à la Révolution tranquille,* Montréal, Presses de l'Université de Montréal, 1999, p. 373.

Page 358
Nelligan, Émile. *Soir d'hiver,* cité dans *Bibliothèque et Archives Canada,* [En ligne], 19 novembre 2003.

6e RÉALITÉ SOCIALE : *La* MODERNISATION *de la société québécoise*

Page 381
Cooperative Commonwealth Federation (CCF). *Manifeste de Regina,* 1933, cité dans Jean-François Cardin, Raymond Bédard et René Fortin. *Le Québec: héritages et projets,* 2e édition, Laval, Éditions Grand Duc – HRW, 2004 [1994], p. 361.

Desbiens, Jean-Paul. *Les insolences du frère Untel,* Montréal, Éditions de l'Homme, 1960, p. 29, cité dans Jean-François Cardin, Raymond Bédard et René Fortin. *Le Québec: héritages et projets,* 2e édition, Laval, Éditions Grand Duc – HRW, 2004 [1994], p. 427.

Commission Parent. *Rapport de la Commission Parent,* Québec, M.E.Q., 1963, p. 63-88, cité dans Jean-François Cardin, Raymond Bédard et René Fortin. *Le Québec: héritages et projets,* 2e édition, Laval, Éditions Grand Duc – HRW, 2004 [1994], p. 427.

Page 385
Témoignage d'un chômeur pendant la crise
La turlute des années dures, réalisation de Richard Boutet et Pascal Gélinas, 1983, cité dans Jean-François Cardin, Raymond Bédard et René Fortin. *Le Québec: héritages et projets,* 2e édition, Laval, Éditions Grand Duc – HRW, 2004 [1994], p. 348.

Page 402
L'autonomie provinciale selon Duplessis
Discours de Maurice Duplessis, 25 avril 1946, cité dans Yvan Lamonde et Claude Corbo. *Le rouge et le bleu. Une anthologie de la pensée politique au Québec, de la Conquête à la Révolution tranquille,* Montréal, Presses de l'Université de Montréal, 1999, p. 450-451.

Page 405
Le manifeste du *Refus global* (1948)
Borduas, Paul-Émile. *Refus global et autres écrits,* Montréal, Éditions Typo, 1997 [1990], p. 72-73.

Page 408
Le programme électoral des libéraux en 1962
Parti libéral du Québec. *Manifeste du Parti libéral du Québec,* 1962, cité dans Jean-François Cardin, Raymond Bédard et René Fortin. *Le Québec: héritages et projets,* 2e édition, Laval, Éditions Grand Duc – HRW, 2004 [1994], p. 422.

Page 414
***Les Belles-Sœurs* de Michel Tremblay**
Tremblay, Michel. *Les Belles-Sœurs,* Ottawa, Leméac, 1972, p. 86-87.

Page 415
La Commission royale d'enquête sur le bilinguisme et le biculturalisme
Gouvernement du Canada. *Rapport préliminaire de la Commission royale d'enquête sur le bilinguisme et le biculturalisme,* Ottawa, 1965, cité dans Jean-François Cardin, Raymond Bédard et René Fortin. *Le Québec: héritages et projets,* 2e édition, Laval, Éditions Grand Duc – HRW, 2004 [1994], p. 429.

Le revenu moyen des salariés classés d'après leur origine ethnique – Québec, 1961 [Tableau]
Gouvernement du Canada. *Rapport de la Commission royale d'enquête sur le bilinguisme et le biculturalisme,* Ottawa, 1969, cité dans Jean-François Cardin, Raymond Bédard et René Fortin. *Le Québec: héritages et projets,* 2e édition, Laval, Éditions Grand Duc – HRW, 2004 [1994], p. 429.

7e RÉALITÉ SOCIALE : *Les* ENJEUX *de la société québécoise depuis 1980*

Page 445
La question référendaire de 1980
Assemblée nationale, 1980, citée dans Jean-François Cardin, Raymond Bédard et René Fortin. *Le Québec: héritages et projets,* 2e édition, Laval, Éditions Grand Duc – HRW, 2004 [1994], p. 443.

La promesse de Pierre Elliott Trudeau
Trudeau, Pierre Elliott. 14 mai 1980, cité dans Marcel Roy et Dominic Roy. *Je me souviens, Histoire du Québec et du Canada,* Ottawa, Éditions du Renouveau pédagogique inc., 1995, p. 486.

Page 448
Les demandes du Québec dans l'Accord du Lac Meech de juin 1987
Citées dans Jean-François Cardin, Raymond Bédard et René Fortin. *Le Québec: héritages et projets,* 2e édition, Laval, Éditions Grand Duc – HRW, 2004 [1994], p. 457.

Page 449
La déclaration de Robert Bourassa
Congrès de direction du Parti libéral du Canada. « L'Accord du lac Meech enterré » dans *Les Archives de Radio-Canada,* [En ligne], 22 juin 1990.

Page 452
La question référendaire du 30 octobre 1995
Citée dans Hélène-Andrée Bizier. *Une histoire du Québec en photos,* Montréal, Fides, 2006, p. 287.

Page 460
La reconnaissance des droits
Dupuis, Renée. *La question indienne au Canada,* Montréal, Les Éditions du Boréal, 1991, p. 95 (coll. Boréal express).

Page 465
Le gouvernement fédéral et les référendums
Cour suprême du Canada. *Renvoi relatif à la sécession du Québec,* Jugements de la Cour suprême du Canada, [En ligne], 20 août 1998.

Gouvernement du Canada. *Loi de clarification,* ministère de la Justice Canada, [En ligne], 29 juin 2000.

Page 470
Le « décrochage » scolaire
Gouvernement du Québec. *Les États généraux sur l'éducation 1995-1996. Exposé de la situation,* Québec, ministère de l'Éducation, 1996, [chap. 2].

Page 471
Un féminisme qui se cherche
Dumont, Micheline. *Les défis du féminisme d'aujourd'hui. Pour une réflexion collective,* Sisyphe, [En ligne], 29 juin 2003.

Page 474
Une société québécoise à la croisée des chemins ?
Bouchard, Lucien, et coll. *Pour un Québec lucide,* [En ligne], 19 octobre 2005, p. 6-7.

Manifeste pour un Québec solidaire, [En ligne], 1er novembre 2005, p. 7-8.

Page 484
L'attitude des Québécois et Québécoises selon Yvon Deschamps
Deschamps, Yvon. « La fierté d'être Québécois », 1977, cité dans « Yvon Deschamps », Wikipédia, [En ligne], 6 août 2007.

Page 485
Le développement durable
Brundtland, Gro Harlem, prés. *Notre avenir à tous. Rapport de la Commission mondiale sur l'environnement et le développement,* avril 1987, cité dans « Développement durable », Wikipédia, [En ligne], 10 septembre 2007.

Références *photographiques*

Légende – d : droite, g : gauche, h : haut, b : bas, c : centre

Page couverture : La bataille de Saint-Eustache, Musée McCord, Montréal, Lord Charles Beauclerk, 1840, encre et aquarelle, Don de David Ross McCord • Gare, Don de famille Joly / CCDMD • Famille en voiture, Bettmann / CORBIS • Foule avec drapeau, Megapress images.

Liminaires : page III : Ouverture du parlement à Montréal en 1845, Bibliothèque et Archives Canada, Andrew Morris, 1845, huile sur toile • page IV : Chambre d'assemblée du Bas-Canada (chapelle du Palais épiscopal), Québec, Bibliothèque et Archives Canada, Charles Walter Simpson, 1927, huile sur toile couché sur carton • page V : *Les Pères de la Confédération,* © Collection de la Chambre des communes, Photographie : Bibliothèque du Parlement, Rex Woods (selon Robert Harris), 1968 • page VI : Archives de la STM, Fonds de la Montreal Street Railway Company • page VII : Immigrants hollandais arrivant au Québec, Bibliothèque et Archives Canada, photographe : George Hunter, 1947 • page VIII : Le barrage Daniel-Johnson, photographe inconnu, Don du Cégep de Sept-Îles • page IX : Manifestation à Montréal lors de la Fête nationale en juin 1990, photographe : Régine Millaire, Don de Régine Millaire, Fourni par Régine Millaire • page X : La petite maison blanche de Chicoutimi, CP PHOTO / Jacques Boissinot • page XII : Amérindien et Amérindienne partageant leur nourriture, The Granger Collection, New York, *Indians eating,* John White, c1585, aquarelle • page XIII (bd) : Francis Back • page XIII (c) : Descente des rapides, Bibliothèque et Archives Canada, Frances Anne Hopkins, 1879, huile sur toile.

RS4 : page 246 : Chambre d'assemblée du Bas-Canada (chapelle du Palais épiscopal), Québec, Bibliothèque et Archives Canada, Charles Walter Simpson, 1927, huile sur toile couché sur carton • page 247 (hd) : *L'incendie du parlement à Montréal,* en 1849, Musée McCord, Joseph Légaré, vers 1849, huile sur bois • page 247 (cd) : Papineau s'adressant à la foule, Bibliothèque et Archives Canada, Charles William Jefferys, vers 1925, aquarelle • page 248 (hg) : *Le débat des langues,* Musée national des beaux-arts du Québec / Patrick Altman, Charles Huot, 1792 • page 248 (hd) : *Un vieux de '37,* Bibliothèque et Archives Canada, Image d'Henri Julien, vers 1880 • page 248 (bd) : Salon bleu de l'Assemblée nationale à Québec, © Richard Cummins / CORBIS • page 249 (hg) : Carte électorale du Québec aujourd'hui, Commission de la représentation électorale du Québec • page 249 (hd) : Maison nationale des Patriotes à Saint-Denis-sur-Richelieu, Maison nationale des Patriotes [En ligne] • page 249 (cg) : Drapeau de la ville de Montréal, Archives de la ville de Montréal • page 249 (c) : Façade de l'église de Saint-Eustache, Ville de Saint-Eustache / Denis Lauzon • page 249 (bd) : Louis-Joseph Papineau, Bibliothèque et Archives Canada, Alfred Boisseau, 1878, huile sur toile • p. 252 (hg) : Chambre d'assemblée du Bas-Canada (chapelle du Palais épiscopal), Québec, Bibliothèque et Archives Canada, Charles Walter Simpson, 1927, huile sur toile couché sur carton • page 254 (cg) : Radeau de bois sur la rivière des Outaouais, Bibliothèque et Archives Canada, Charles William Jefferys, vers 1930, aquarelle • page 252 (bg) : Louis-Hippolyte La Fontaine, Bibliothèque et Archives Canada, photographe : Albert Ferland, vers 1905 • page 252 (hd) : Exécution du roi Louis XVI, AKG-images, 1793, lithographie • page 252 (bd) : John George Lambton, Lord Durham, Archives de la ville de Montréal • page 254 (hg) : Extrait de Papineau s'adressant à la foule, Bibliothèque et Archives Canada, Charles William Jefferys, vers 1925, aquarelle • page 254 (cg) : Vue d'une ferme dans les Cantons-de-l'Est, Bibliothèque et Archives Canada, Philip Henry Gosse, 1836, aquarelle • page 256 (hg) : Première réunion de la Chambre d'assemblée du Bas-Canada en 1792 (chapelle du Palais épiscopal), Québec, Bibliothèque et Archives Canada, 1927, Charles Walter Simpson, huile sur toile couché sur carton • page 256 (bg) : Parlement de Londres, © Historical Picture Archive / CORBIS, Thomas Rowlandson, 1808 • page 258 (hg) : James McGill, Musée McCord, Montréal, William Berczy, aquarelle, Don de David Ross McCord • page 258 (bg) : Violence électorale, Bibliothèque et Archives Canada, Charles William Jefferys, vers 1925, aquarelle • page 259 : *Le débat des langues,* Musée national des beaux-arts du Québec / Patrick Altman, Charles Huot, 1792 • page 260 (h) : Vue du port de Montréal en 1830, Bibliothèque et Archives Canada, Robert Auchmuty Sproule, 1830, estampe • page 260 (bg) : Adam Smith, The Granger Collection, New York, Robert Graves, gravure • page 261 (hd) : Guillaume d'Orange et Marie II Stuart approuvant le *Bill of Rights*, © Bettmann / CORBIS, 1689 • page 261 (bd) : Signature de la *Magna Carta* en 1215 par le roi Jean, © Bettmann / CORBIS • page 262 (hg) : John Locke, © Bettmann / CORBIS, gravure colorée de Freedman selon une toile de Sir Godfrey Kneller • page 262 (cg) : Chute de la statue de George III, The Granger Collection, New York, William Walcutt, 1854 • page 262 (bd) : Exécution du roi Louis XVI, AKG-images, 1793, lithographie • page 263 (hg) : Agriculture à proximité de Québec, Bibliothèque et Archives Canada • page 263 (bd) : Fort William, Bibliothèque et Archives Canada, Robert Irvine, 1811, aquarelle sur vélin • page 264 (hg) : Dépôt de bois près de Québec, Bibliothèque et Archives Canada, artiste inconnu, aquarelle • page 264 (bd) : Draveurs, Bibliothèque et Archives Canada, photographe : Harry Rowed, 1944 • page 265 (hd) : Radeau de bois sur la rivière des Outaouais, Bibliothèque et Archives Canada, Charles William Jefferys, vers 1930, aquarelle

• page 265 (bg) : Coupe à blanc aujourd'hui, © Joel W. Rogers / CORBIS • page 266 : Bataille de la Châteauguay en 1813, Bibliothèque et Archives Canada, photographe : Henri Julien, avant 1884 • page 268 (hg) : Habitants canadiens-français jouant aux cartes, Bibliothèque et Archives Canada, photographe inconnu • page 268 (bd) : La famille Woolsey au début du 19e siècle, © SuperStock inc., William Von Moll Berczy • page 270 (hd) : Rue Notre-Dame, à Montréal, Bibliothèque et Archives Canada, John Murray, 1850, gravure • page 270 (bg) : John Molson, Archives de la ville de Montréal • page 271 (hd) : Lieu historique national de la Grosse-Île-et-le-Mémorial-des-Irlandais, Parc Canada / Hélène Boucher • page 271 (bd) : Épidémie de choléra à Montréal vue par l'artiste Frédérick Back (1998), Musée Marguerite-Bourgeoys • page 272 : Écluses du canal Rideau entre Bytown (aujourd'hui Ottawa) et Kingston, Bibliothèque et Archives Canada, William Henry Blett, avant 1841, estampe • page 273 (hd) : La Chambre d'assemblée à Québec, Bibliothèque et Archives Canada, Mary Millicent Chaplin, 1842, aquarelle • page 273 (bd) : Étienne Parent, Archives de la ville de Montréal • page 274 (hd) : Le choléra dans les quartiers urbains pauvres, The Granger Collection, New York, 19e siècle, gravure sur bois • page 274 (bg) : Le port de Québec en 1829, Bibliothèque et Archives Canada, James Pattison Cockburn, 1829, aquarelle • page 275 (hd) : Ezekiel Hart, Service des Archives, Congrès juif canadien, Comité des charités • page 275 (bd) : Fleury Mesplet, Musée du Québec / Patrick Altman • page 276 (hg) : Le marché Bonsecours à Montréal, Musée McCord, Montréal, James Duncan, 19e siècle, huile sur bois, Don de David Ross McCord • page 276 (cg) : En-tête du journal *The Quebec Mercury,* Bibliothèque et Archives Canada, © Domaine public, le samedi 5 janvier 1805 • page 276 (bg) : En-tête du journal *Le Canadien*, Musée de la civilisation, Bibliothèque du Séminaire de Québec, *Le Canadien,* Québec, 5 janvier 1874, photographe : Idra Labrie Perspective • page 277 (hd) : Papineau s'adressant à la foule, Bibliothèque et Archives Canada, Charles William Jefferys, vers 1925, aquarelle • page 277 (bd) : Louis-Joseph Papineau, Bibliothèque et Archives Canada, Alfred Boisseau, 1878, huile sur toile • page 278 : *Un vieux de '37,* Bibliothèque et Archives Canada, Image d'Henri Julien, vers 1880 • page 279 (hd) : Assemblée des Six-Comtés, Musée national des beaux-arts du Québec / Patrick Altman • page 279 (bd) : Affiche offrant une récompense pour la capture de Papineau, Bibliothèque et Archives nationales du Québec • page 280 : La bataille de Saint-Eustache, Musée McCord, Montréal, Lord Charles Beauclerk, 1840, encre et aquarelle • page 281 (bd) : Wolfred Nelson, Musée McCord, Montréal, Théophile Hamel, 1848, huile sur toile • page 282 (hg) :William Lyon Mackenzie, Bibliothèque et Archives Canada, photographe inconnu • page 282 (bg) : Les insurgés de novembre 1838, Bibliothèque et Archives Canada, Katherine Jane Ellice, 1838, aquarelle • page 283 : Monseigneur Lartigue, Collection du Musée du Château Ramezay, Montréal • page 284 : Promenade dans la Haute-Ville de Québec, Bibliothèque et Archives Canada, James Pattison Cockburn, 1833, estampe • page 285 (hd) : Partie de la ville de Québec : le château Saint-Louis, le quai et le fleuve, Bibliothèque et Archives Canada, Elizabeth Frances Hale, après 1823, dessin • page 285 (bd) : John George Lambton, Lord Durham, Archives de la ville de Montréal • page 286 : Vue de Québec, Bibliothèque et Archives Canada, Benjamin Beaufoy, vers 1844, estampe • page 287 (h) : Ouverture du parlement à Montréal en 1845, Bibliothèque et Archives Canada, Andrew Morris, 1845, huile sur toile • page 288 (hg) : Robert Baldwin, Musée de la civilisation, Collection du Séminaire de Québec, selon Théophile Hamel, vers 1840 • page 288 (bg) : Vue de Québec, Bibliothèque et Archives Canada, Benjamin Beaufoy, vers 1844, estampe • page 289 (hd) : Louis-Hippolyte La Fontaine, Bibliothèque et Archives Canada, photographe : Albert Ferland, vers 1905 • page 289 (b) : Ouverture du parlement à Montréal en 1845, Bibliothèque et Archives Canada, Andrew Morris, 1845, huile sur toile • page 290 (hd) : Manufacture de textile en Angleterre vers 1850, AKG images, 1840, gravure sur bois • page 290 (bg) : James Bruce, Lord Elgin, Musée de la civilisation, Collection du Séminaire de Québec, *Lord Elgin*, dans « Les Gouverneurs généraux du Canada, 1608-1919 », no 1993-21312.71 • page 291 : *L'incendie du parlement à Montréal,* Musée McCord, Joseph Légaré, vers 1849, huile sur bois • page 292 (hg) : *Le carême brisé,* Musée de la civilisation, Bibliothèque du Séminaire de Québec, Cornelius Krieghoff, *Le Carême brisé,* dans Roy, Pierre-Georges, *L'île d'Orléans,* Québec, 1928, p. 320, photographe : Idra Labrie Perspective • page 292 (bg) : Monseigneur Ignace Bourget, Archives de la ville de Montréal • page 293 : Le pont Victoria, Musée McCord, Montréal, S. Russel, 1854, encre et aquarelle sur papier, Achat de Mason and Woods Christie • page 294 (bg) : François-Xavier Garneau, Musée de la civilisation, Fonds d'archives du Séminaire de Québec, *François-Xavier Garneau,* 1866, no Ph1988-1186 • page 295 (hd) : *Les Anciens Canadiens* [couverture], Bibliothèque québécoise, 1994 • page 295 (bd) : *La chasse-galerie,* Henri Julien, Musée national des beaux-arts du Québec / Jean-Guy Kérouac • page 296 (hg) : Lancement du *Royal William* à Québec, Bibliothèque et Archives Canada, James Pattison Cockburn, vers 1831, aquarelle • page 296 (b) : Le premier chemin de fer au Canada, Bibliothèque et Archives Canada, Exporail, Musée ferroviaire canadien • page 297 : Distribution d'eau par la Mort, The Granger Collection, New York, 1866 • page 298 : Croix celtique, © Kevin Schafer / CORBIS • page 299 (hd) : Le parlement irlandais à Dublin, © Bob Krist / CORBIS • page 299 (bd) : Fermiers irlandais pauvres vers 1800, © Bettmann / CORBIS • page 300 (hg) : Theobald Wolfe Tone, The Bridgeman Art Library, Private Collection, *Irish republican and rebel* [print], Catherine Tone, 18e siècle • page 300 (bd) : La Société des Irlandais unis en 1798, The Bridgeman Art Library, Private Collection, *The United Irish Patriots of 1798,* Irish School, 19e siècle, pub. 1898, lithographie • page 301 (hd) : Défilé orangiste en Irlande du Nord, aujourd'hui, © LEWIS ALAN / CORBIS SYGMA • page 301 (b) : Bataille de Vinegar Hill, comté de Wexford, © Bettmann / CORBIS • page 302 (bd) : Cristina Trivulzio, princesse de Belgiojoso, Scala / Art Resource, NY, peintre anonyme, 19e siècle • page 303 (cd) : Simón Bolívar, © Christie's Images / CORBIS • page 303 (b) : Caracas, capitale du Venezuela, © Pablo Corral V / CORBIS • page 304 : Les insurgés de novembre 1838, Bibliothèque et Archives Canada, Katherine Jane Ellice, 1838, aquarelle • page 305 (hd) : Assemblée des Six-Comtés, Musée national des beaux-arts du Québec / Patrick Altman

• page 306 (hg) : Chambre d'assemblée du Bas-Canada (chapelle du Palais épiscopal), Québec, Bibliothèque et Archives Canada, Charles Walter Simpson, 1927, huile sur toile couché sur carton • page 306 (g) : Jean-Paul Bernard, © Luc Bernard • page 307 (hg) : *Projet de loi sur l'avenir du Québec* [couverture], Gouvernement du Québec, 1995 • page 307 (hd) : *Love in* à Montréal à la veille du référendum de 1995, CP PICTURE ARCHIVE / Ryan Remiorz • page 307 (cd) : Jacques Parizeau et Lucien Bouchard, les deux chefs indépendantistes lors du référendum de 1995, CP PICTURE ARCHIVE / Jacques Boissinot • page 308 (hg) : Le premier ministre du Canada, Stephen Harper, responsable de la motion, CP PHOTO / Jonathan Hayward • page 309 (hd) : Le premier ministre du Québec, Jean Charest, à l'Assemblée nationale, CP PHOTO / Jacques Boissinot • page 309 (b) : André Boisclair, le chef du Parti québécois à l'époque, se prononçant sur la motion à l'Assemblée nationale, CP PHOTO / Jacques Boissinot.

RS5 : page 310 : Enfants travaillant dans une filature de coton, Photographs from the records of the National Child Labor Committee / Library of Congress, Prints and Photographs Division, Washington • page 311 (h) : Délégués réunis à la Conférence de Charlottetown, Bibliothèque et Archives Canada, photographe inconnu, 1864 • page 311 (cd) : Marie Gérin-Lajoie, Archives de l'Institut Notre-Dame du Bon-Conseil de Montréal • page 312 (hg) : Le train *Le Canadien,* qui relie Toronto et Vancouver, Banque d'images de *Cap-aux-Diamants* • page 312 (cg) : *Les Pères de la Confédération,* © Collection de la Chambre des communes, photographie : Bibliothèque du Parlement, Rex Woods (selon Robert Harris), 1968 • page 312 (bg) : Conférence fédérale provinciale sur les droits des Autochtones, © ANDY CLARK / Reuters / Corbis • page 312 (bd) : La colline parlementaire à Ottawa, © Perry Mastrovito / Corbis • page 313 (hg) : Le canal Lachine, © Denis-Carl Robidoux • page 313 (hd) : Siège social de la Confédération des syndicats nationaux, © Alain Chagnon • page 313 (cg) : La fête du Canada de nos jours, © Christopher J. Morris / CORBIS • page 313 ©: L'Acte de l'Amérique du Nord britannique, Parliamentary Archives, HL / PO / PU / 1 / 1867 / 30&31V1n5, British North America Act 1867 • page 313 (bd) : Statue du curé Labelle, photographe : Christian Lauzon • page 316 (hg) : *Les Pères de la Confédération,* © Collection de la Chambre des communes, Photographie : Bibliothèque du Parlement, Rex Woods (selon Robert Harris), 1968 • page 316 (cg) : Honoré Mercier, Archives de la ville de Montréal • page 316 (bg) : Shawinigan vers 1930, Musée McCord, Montréal, photographe anonyme, Don de M. Stanley G. Triggs • page 316 (hd) : Soldat noir durant la guerre de Sécession, The Granger Collection, New York, 1863, huile sur photo • page 316 (bd) : L'assassinat de l'archiduc François-Ferdinand en 1914, © Leonard de Selva / CORBIS • page 317 (hd) : Travailleuses du tabac au début du 20e siècle, © Hulton-Deutsch Collection / CORBIS, 1920 • page 317 (bd) : Déclaration de revenu provincial [couverture], © Gouvernement du Québec, ministère du Revenu du Québec, 2006 • page 317 (bd) : Déclaration de revenu fédéral, 2006, Reproduit avec la permission de l'Agence du Revenu du Canada et du ministre des Travaux publics et des Services gouvernementaux Canada, 2007 • page 318 (hg) : La colline parlementaire à Ottawa, © Perry Mastrovito / Corbis • page 318 (bg) : Louis-Antoine Dessaules, Ville de Montréal, Gestion de documents et archives • page 319 (hd) : Vue de Toronto au milieu du 19e siècle, Musée McCord, Montréal, John Henry Walker, 19e siècle, encre sur papier, Don de David Ross McCord • page 320 : Bataille de Ridgeway contre les Fenians, Bibliothèque et Archives Canada, 1869, estampe • page 321 (hd) : Le port de Montréal en 1884, Musée McCord, Montréal, 1884, William Notman & Son, plaque sèche • page 321 (bd) : Intérieur d'un wagon-lit des chemins de fer du Grand Tronc, Musée des sciences et de la technologie du Canada, photographe anonyme, 1860 • page 322 (cg) : John A. Macdonald, Musée McCord, Montréal, William Notman, 1869, papier albuminé • page 322 (cd) : George-Étienne Cartier, Ville de Montréal, Gestion de documents et archives • page 323 : *Les Pères de la Confédération,* © Collection de la Chambre des communes, Photographie : Bibliothèque du Parlement, Rex Woods (selon Robert Harris), 1968 • page 324 (tableau, g) : George-Étienne Cartier, Ville de Montréal, Gestion de documents et archives • page 324 (tableau, d) : Antoine-Aimé Dorion, Bibliothèque et Archives Canada • page 325 (hd) : *Les Pères de la Confédération,* © Collection de la Chambre des communes, Photographie : Bibliothèque du Parlement, Rex Woods (selon Robert Harris), 1968 • page 326 (hg) : Factrice de Postes Canada, Postes Canada • page 326 (bg) : Soldat de l'armée canadienne, © Ahmad Masood / Reuters / Corbis • page 327 : Parlement de Québec, photographe : Pierre Gignac, Don du Collège François-Xavier-Garneau, Fourni par Hélène Martineau • page 328 (hg) : La chambre des communes du Parlement canadien, Ron Kocsis / Publiphoto • page 329 (hd) : Salon bleu de l'Assemblée nationale à Québec, © Richard Cummins / CORBIS • page 330 (hg) : Fabrique de chaussures Louis Côté et Frères à Saint-Hyacinthe vers 1886, Centre d'histoire de Saint-Hyacinthe • page 331 (hd) : Route des Prairies, Bibliothèque et Archives Canada, William George Richardson Hind, vers 1862, huile sur toile • page 331 (bd) : Pont ferroviaire sur la voie du Canadien Pacifique, Hulton-Deutsch Collection / CORBIS • page 332 (hg) : Amérindien cri, 1884, Bibliothèque et Archives Canada, photographe : T. C. Weston • page 332 (bg) : Chef huron vers 1880, Musée McCord, Montréal, Chef Philippe Vincent, plaque sèche à la gélatine, Don de M. Warren Baker • page 333 (hd) : Métis lors de la rébellion de 1885, Bibliothèque et Archives Canada, photographe : O. B. Buell • page 333 (bd) : Louis Riel, The Granger Collection, New York • page 334 (hg) : Honoré Mercier, Archives de la ville de Montréal • page 334 (bg) : Le parlement d'Ottawa en construction, Musée McCord, Montréal, William Notman, 1865, plaque sèche à la gélatine • page 335 (hd) : Politique nationale ou libre-échange ?, Bibliothèque et Archives Canada, artiste inconnu, 1891, lithographie • page 336 (hg) : Machine à vapeur, Science Museum / Science & Society Picture Library, The Patent Museum, South Kensington, London, 1880 • page 336 (bd) : Fabrique de chaussures Louis Côté et Frères à Saint-Hyacinthe vers 1886, Centre d'histoire de Saint-Hyacinthe • page 337 : Améliorations au canal Lachine, Musée McCord, Montréal, Eugène Haberer, 1877 • page 338 (hg) : Bourgeoises à la fin du 19e siècle, Musée du Bas-Saint-Laurent, Rivière-du-Loup, Fond Stanislas Belle, M. Hubert Gagnon, Saint-Hubert • page 338 (bg) : Le salon de la résidence Allan, 1911, Musée McCord, Montréal, William Notman & Sons, plaque sèche à la gélatine • page 339 (hd) : Défrichement de nouvelles terres, Bibliothèque et Archives nationales du Québec, 2006 • page 340 (hg) : La rue Petit-Champlain, à Québec, Bibliothèque et Archives nationales du Québec, 2007 • page 340 (bg) : *L'incendie du quartier Saint-Jean à Québec,* Achat, Restauration effectuée grâce à une contribution des Amis du Musée national des beaux-arts du Québec / Jean-Guy Kérouac • page 341 : Travailleuses du tabac au début du 20e siècle, © Hulton-Deutsch Collection / CORBIS, 1920 • page 342 (hg) : Locomotive dans les ateliers du Grand Tronc à Montréal en 1859, Musée McCord, Montréal, William Notman, 1859, papier albuminé • page 342 (bg) : Enfants travaillant dans une filature de coton, Photographs from the records of the National Child Labor Committee / Library of Congress, Prints and Photographs Division, Washington • page 343 (hd) : Caricature des Chevaliers du travail, The Granger Collection, New York • page 344 (hg) : Gare, Archives de la STM, Fonds de la Montreal Street Railway Company • page 345 (hd) : Tracteur tirant 10 charrues dans les Prairies, vers 1922, Musée McCord, Montréal, W. J. Oliver, plaque sèche à la gélatine, Don de M. Stanley G. Triggs • page 345 (bd) : Sir Wilfrid Laurier, Bibliothèque et Archives Canada, photographe : William James Topley, 1906 • page 346 (hg) : Soldats canadiens pendant la guerre des Boers, © Hulton-Deutsch Collection / CORBIS • page 346 (bg) : L'assassinat de l'archiduc François-Ferdinand de Habsbourg en 1914, © Leonard de Selva / CORBIS • page 347 (hd) : Volontaires canadiens au camp d'entraînement de Valcartier, Centre de recherche des Cantons-de-l'Est, 1915 • page 347 (bd) : Affiche de recrutement, Musée canadien de la guerre, 1917 • page 348 (hd) : Défilé anti-conscription au square Victoria, Bibliothèque et Archives Canada, photographe inconnu, 1917 • page 348 (cg) : Femmes au travail dans une usine de munitions, Musée McCord, Montréal, Black & Bennett • page 349 : Sir Robert Borden et sir Winston Churchill, Bibliothèque et Archives Canada, photographe inconnu, 1912 • page 351 (hg) : Usine de la Dominion Textile près de Québec, Musée des sciences et de la technologie du Canada • page 351 (cd) : La famille Allan en vacances à Cacouna, Musée McCord, Montréal, 1911, William Notman & Son, plaque sèche à la gélatine • page 353 : Grève générale de Winnipeg, Bibliothèque et Archives Canada, photographe inconnu, 1919 • page 354 (hg) : La statue des « Célèbres cinq » sur la colline parlementaire à Ottawa, © Michelle Valberg • page 354 (bg) : Marie Gérin-Lajoie, Archives de l'Institut Notre-Dame du Bon-Conseil de Montréal • page 355 : Shawinigan vers 1930, Musée McCord, Montréal, photographe anonyme, Don de M. Stanley G. Triggs • page 356 (hd) : Journée de tempête, rue Sainte-Catherine, Musée McCord, Montréal, 1901, William Notman & Sons, plaque sèche à la gélatine • page 356 (bg) : Brasserie Dawes, à Lachine, en 1920, Musée McCord, Montréal, photographe anonyme, plaque sèche à la gélatine • page 357 (hd) : Travaux agricoles, Bibliothèque et Archives Canada, photographe : William James Topley, 1916 • page 357 (cd) : Ferme laitière, Musée McCord, Montréal, photographe anonyme, vers 1922, plaque sèche à la gélatine, Don de M. Stanley G. Triggs • page 358 : Émile Nelligan, Bibliothèque et Archives Canada, photographe inconnu, 1904 • page 359 (hd) : *Neige dorée,* Ozias Leduc (1916), Musée des beaux-arts du Canada / © Succession Ozias Leduc / SODRAC 2007 • page 359 (bd) : *Le Pin,* Tom Thompson (1916-1917), Musée des beaux-arts du Canada • page 360 (hg) : Automobile en 1904, The Granger Collection, New York • page 360 (bg) : Sortie du dimanche, Musée du Bas-Saint-Laurent, Rivière-du-Loup / Fond Ulric Lavoie • page 361 : Une des premières salles de cinéma de Montréal, vers 1915, Musée McCord, Montréal, encre sur papier • page 362 : Otto von Bismarck, © Archivo Iconografico, S.A. / CORBIS • page 363 (hd) : Le Rhin, © Goodshoot / Corbis • page 363 (bd) : Les usines Krupp, © Bettmann / CORBIS • page 364 (hg) : Le port de Hambourg, The Granger Collection, New York • page 364 (bg) : Portrait de Richard Wagner, © The Art Archive / Corbis • page 365 (hg) : La Pampa, © Fulvio Roiter / CORBIS • page 365 (bg) : Hipólito Yrigoyen, Roger-Viollet • page 366 (cg) : San Francisco en 1849, au début de la ruée vers l'or, The Granger Collection, New York • page 366 (bg) : Harriet Tubman vers 1860, photos.com • page 367 (cd) : Horloge suisse du 17e siècle, © Science Museum, London, UK / The Bridgeman Art Library • page 367 (bd) : Le palais fédéral à Berne, ShutterStock • page 368 : Brasserie Dawes, à Lachine, en 1920, Musée McCord, Montréal, photographe anonyme, plaque sèche à la gélatine • page 369 : Le quartier des affaires de Shanghai, aujourd'hui, ShutterStock • page 370 : Améliorations au canal Lachine, Musée McCord, Montréal, Eugène Haberer, 1877 • page 371 (hd) : Héritage politique (*Les normes du travail au Québec* [couverture]), © Gouvernement du Québec, Commission des normes du travail, 2007 • page 371 (cg) : Héritage économique, MRC de La Rivière-du-Nord, Saint-Jérôme (Laurentides), photographe : Christian Lauzon, Don de Saint-Jérôme • page 371 (cd) : Héritage social, photographe : Chantal Locat, Centrale des syndicats du Québec (CSQ) • page 372 (hg) : Opposants au projet de privatisation d'une partie du parc du Mont-Orford, Alain Chagnon • page 372 (bc) : Le premier ministre Jean Charest expliquant sa position devant les médias, Toronto Star / Firstlight • page 373 : Caricature de Garnotte dans le journal *Le Devoir*, Garnotte.

RS6 : page 374 : Ouvrières dans une usine de munitions, Bibliothèque et Archives Canada, 1941, photographe : Nicolas Morant • page 375 (hd) : Le barrage Daniel-Johnson, photographe inconnu, Don du Cégep de Sept-Îles • page 375 (cd) : Maurice Duplessis, Auteurs Dupras & Colas / Copie par Livernois, 1938 • page 375 (bg) : Paysans de la Gaspésie pendant la crise, 1930, Musée McCord, Montréal, photographe anonyme • page 375 (bc) : Vue de la station « Île Notre-Dame » de l'Expo-Express et des pavillons « L'Homme à l'œuvre » et « La Grande-Bretagne », photographe : Gilbert Ouellet, Juin 1967, Ville de Montréal, Gestion de documents et archives • page 375 (bd) : Victoire du Parti québécois, Bettmann / CORBIS • page 376 (hg) : La télévision d'hier et d'aujourd'hui, Musée des ondes Émile Berliner • page 376 (cd) : Le Jardin botanique de Montréal, Jardin botanique de Montréal (Michel Tremblay) • page 376 (bg) : Le complexe G à Québec, photographe : Pierre Gignac, Don du Collège François-Xavier-Garneau • page 377 (hg) : Vue aérienne d'une banlieue, Anne Cartier / Publiphoto • page 377 (cg) : Un système de santé étatisé, Bettmann / CORBIS • page 377 (cd) : Gilles Vigneault, © Michel Élie Tremblay

• page 380 (hg) : Chômeurs en déplacement, Bibliothèque et Archives Canada, 1935, photographe inconnu • page 380 (cg) : Thérèse Casgrain, Bibliothèque et Archives Canada, vers 1937, photographe : Yousouf Karsh • page 380 (cd) : Jean Lesage, Musée de la civilisation, Fonds d'archives du Séminaire de Québec, Jean Lesage, 1960 • page 380 (bg) : Pierre Elliott Trudeau, Bettmann / CORBIS • page 381 : Le complexe G à Québec, photographe : Pierre Gignac, Don du Collège François-Xavier-Garneau • page 383 : Wall Street après le krach, Bettmann / CORBIS • page 384 : Le *Dust Bowl*, © CORBIS • page 385 (h) : Soupe populaire dans le sous-sol d'une église, 1930, Musée McCord, Montréal, photographe anonyme • page 385 (b) : Chômeurs en déplacement, Bibliothèque et Archives Canada, 1935, photographe inconnu • page 386 (h) : Paysans de la Gaspésie pendant la crise, 1930, Musée McCord, Montréal, photographe anonyme • page 386 (b) : Mary Rose Anna Travers, Collection / Publiphoto • page 387 : Chômeurs construisant une route au camp de Valcartier, Bibliothèque et Archives Canada, 1933 • page 388 (hg) : Colons en Abitibi, Bibliothèque et Archives Canada, 1934, photographe : William Gallaway • page 388 (bg) : Richard Bedford Bennett, Bibliothèque et Archives Canada, photographe inconnu • page 390 (bg) : Internement des Canadiens d'origine japonaise pendant la Seconde Guerre mondiale, Bibliothèque et Archives Canada, 1942, photographe : Tak Toyota • page 391 (hd) : Affiche de propagande pour l'effort de guerre, © Musée Canadien de la guerre • page 391 (bd) : Sous-marin allemand, Bettmann/CORBIS • page 392 (hg) : Ouvrières dans une usine de munitions, Bibliothèque et Archives Canada, 1941, photographe : Nicolas Morant • page 392 (bg) : Affiche de propagande pour la récupération, © Musée Canadien de la guerre • page 393 (hd) : Débarquement de soldats canadiens en Normandie, Bibliothèque et Archives Canada, 1944, photographe : Gilbert Alexander Milne • page 393 (bd) : Femmes militaires pliant des parachutes, Bibliothèque et Archives Canada, 1944, photographe : Nicolas Morant • page 394 (cg) : André Laurendeau, Archives du Centre de recherche Lionel-Groulx • page 395 (hd) : Adélard Godbout : Bibliothèque et Archives Canada, photographe : Arthur Roy • page 395 (bd) : Thérèse Casgrain, Bibliothèque et Archives Canada, vers 1937, photographe : Yousouf Karsh • page 396 : Navire marchand dans la voie maritime du Saint-Laurent, Anne Cartier / Publiphoto • page 397 (hg) : L'heure du conte à Rivière-du-Loup, Fonds René Marmen, « L'Œuvre des Terrains de Jeux de Rivière-du-Loup (OTJ), c'est l'heure du conte et de la bonne chanson animée par l'abbé Fernand Chouinard (1960) » • page 397 (cd) : Immigrants hollandais arrivant au Québec, Bibliothèque et Archives Canada, 1947, photographe : George Hunter • page 398 (hg) : Le développement des banlieues, Yves Beaulieu / Publiphoto • page 398 (bg) : Publicité parue dans le journal *La Patrie,* merci à Gilles Brown pour sa collaboration • page 399 (hd) : Elvis Presley, Bettmann / CORBIS • page 399 (bg) : Musée des ondes Émile Berliner • page 399 (bd) : *Les Plouffe,* une série télévisée populaire, Société Radio-Canada • page 400 (hg) : Maurice Le Noblet Duplessis, Auteurs Dupras & Colas / Copie par Livernois, 1938 • page 400 (bg) : Mineur à Chibougamau, J. P. Drolet, Mines – Juillet 1953 • page 402 (hg) : Le drapeau du Québec, photographe : Régis Fournier, Don de l'auteur, Fourni par l'auteur • page 402 (bg) : La conférence fédérale-provinciale de 1945, Bibliothèque et Archives Canada, photographe : Office nationale du film du Canada • page 403 (hg) : Manifestation de syndicalistes en 1954, Archives de la CSN • page 403 (bd) : Laure Gaudreault, Archive CSQ • page 404 (hg) : Mineurs prenant leur dîner sous terre, 1950, Collection CN, photographe : J. R. Ross Jamieson • page 404 : René Lévesque, journaliste de Radio-Canada, interviewant Lester B. Pearson, futur premier ministre du Canada, Bibliothèque et Archives Canada, 1955 • page 406 (cg) : Paul Sauvé, Collection : Assemblée nationale • page 406 (bd) : Les funérailles de Maurice Duplessis, Gazette copyright image, Sept. 1959 • page 407 : Jean Lesage, Musée de la civilisation, Fonds d'archives du Séminaire de Québec, Jean Lesage, 1960 • page 408 (hg) : Le barrage Daniel-Johnson : photographe inconnu, Don du Cégep de Sept-Îles • page 408 (bg) : Jean Lesage, CP PHOTO, 1962, *La Presse* • page 409 : Polyvalente, photographe : Denis Chabot, Don de CCDMD, Fourni par CCDMD • page 410 (hg) : Patient entouré d'un médecin et d'une infirmière, Hôtel-Dieu de Montréal / Paul Girard, 1961 • page 411 (hd) : Daniel Johnson, Collection : Assemblée nationale • page 411 (bd) : « Vive le Québec libre » : une déclaration qui dérange, Musée McCord, Montréal, 1967, John Collins • page 412 (hg) : La place Ville-Marie, photographe : Jean-Claude Dufresne, Don de CCDMD, Fourni par CCDMD • page 412 (bg) : Religieuses enseignantes dans les années 1960, Fonds René Marmen, Couvent Saint-François-Xavier, Rivière-du-Loup (1960 / 08) • page 413 (hd) : Marie-Claire Kirkland-Casgrain / Laval Bouchard, 1966 • page 413 (bg) : Vue de l'île Notre-Dame pendant l'Expo 67, photographe : Gilbert Ouellet, Juin 1967, Ville de Montréal, Gestion de documents et archives • page 414 (hg) : Pauline Julien, F. Dumouchel / Publiphoto • page 414 (bg) : Représentation des *Belles-Sœurs* au Théâtre du Rideau Vert en 1968, M. Guy Dubois ainsi que Les archives du Théâtre du Rideau Vert • page 415 (hd) : Défilé de la Saint-Jean-Baptiste à Montréal durant les années 1960, Bibliothèque et Archives nationales du Québec, Direction du Centre de Montréal • page 416 (hg) : Pierre Elliott Trudeau, Bettmann / CORBIS • page 416 (cg) : Réunion du RIN, René Picard / *La Presse* • page 418 (hg) : Communiqué du FLQ, CP PHOTO / Montréal, *La Presse* • page 418 (bg) : La crise d'Octobre 70, Bibliothèque et Archives Canada, 1970, photographe : *La Gazette* • page 419 (hd) : Robert Bourassa, Owen Franken / CORBIS • page 419 (bg) : Développement hydroélectrique de la Baie-James, Hydro-Québec • page 420 (bg) : Le Stade olympique de Montréal, photographe : Régis Fournier, Don de Régis Fournier, Fourni par Régis Fournier • page 421 (hg) : Victoire du Parti québecois, © Bettmann / CORBIS • page 422 (hg) : Représentation des *Belles-Sœurs* au Théâtre du Rideau Vert en 1968, M. Guy Dubois ainsi que Les archives du Théâtre du Rideau Vert • page 422 (cg) : Le logo de l'Office national du film • page 422 (bg) : *Mon oncle Antoine* de Claude Jutra, Office national du film, photographe : Bruno Massenet • page 423 (hd) : Anne Hébert en 1958, © 2000 Office national du film du Canada • page 423 (bd) : *L'homme rapaillé* de Gaston Miron, Le groupe Ville-Marie Littérature • page 424 (hg) : Frère Marie Victorin, Ville de Montréal, Gestion de documents et archives (Fonds BM1) • page 424 (bd) : Infirmières stagiaires à l'hôpital de l'Enfant-Jésus, Musée de la civilisation, Collection du Séminaire de Québec,

Don de Paul-Eugène Gosselin, non datée • page 425 (hd) : Wilder Penfield, Courtesy of the Penfield Archive, Montreal Neurological Institute, McGill University • page 425 (bd) : Armand Frappier, Pierre Roussel / Publiphoto • page 426 (cg) : Fidel Castro, Jerry Schatzberg / Corbis • page 427 (bd) : *Coq avec tournesol,* Galerie Cernuda • page 428 (cg) : Le chanteur de raï Cheb Khaled, Robert Eric / Corbis Sygma • page 428 (bd) : Houari Boumediene, Roger-Viollet • page 429 (cd) : Mohandas K. Gandhi, Bettmann / CORBIS • page 429 (bd) : Cérémonie religieuse hindoue, Kazuyoshi Nomachi / Corbis • page 430 (cg) : Affiche de propagande, Swim Ink / Corbis • page 431 (cd) : Fifi Brindacier, Jan Delden / epa / Corbis • page 432 : Archives de la CSN • page 434 (hg) : Le barrage Daniel-Johnson, photographe inconnu, Don du Cégep de Sept-Îles • page 434 (bg) : Paul-André Linteau, © Michel Dubreuil • page 435 (cg) : La statue de Maurice Duplessis, Pierre Roussel / Publiphoto • page 435 (hd) : Pierre Elliot Trudeau, Bettmann / CORBIS • page 435 (bd) : Des militants qui ont marqué le Québec, CP PHOTO / Radio-Canada – HO • page 436 (bd) : Les compressions budgétaires du gouvernement Charest, André-Philippe Côté, *Le Soleil,* 29 mars 2005.

RS7 : page 446 : Le rapatriement de la Constitution canadienne, © Bettmann / CORBIS • page 439 (hd) : La Cité du multimédia à Montréal, © SHDM • page 439 (c) : Les accommodements raisonnables, © Aislin • page 439 (bg) : René Lévesque, © Bettmann / CORBIS • page 439 (bcg) : Brian Mulroney, © Christopher J. Morris / CORBIS • page 439 (bcd) : Jacques Parizeau, © Pierre Roussel / Publiphoto • page 440 (hg) : La victoire est mince, CP PHOTO, 1995, (stf / Fred Chartrand) • page 440 (cd) : Le débat des chefs aux élections de 2007, CP PHOTO / Paul Chiasson • page 440 (bg) : Jeunes militants et militantes d'un parti politique, © LWA-Dann Tardif / CORBIS • page 441 (hd) : L'eau du Québec, un enjeu pour la planète ?, photographe : Gaétan Savard, Don de Gaétan Savard, Fourni par Gaétan Savard • page 441 (cg) : Les glaces du Grand Nord canadien sont-elles en voie de disparition ?, © Jean-Pierre Danvoye / Publiphoto • page 441 (cd) : Le smog à Montréal, © Yves Marcoux / Publiphoto • page 443 (hg) : Le rapatriement de la Constitution canadienne, © Bettmann / CORBIS • page 443 (hd) : Ronald Reagan, © Bettmann / CORBIS • page 443 (bg) : La tempête du verglas, CP PHOTO, 1998 (stf / Jacques Boissinot) • page 444 (hg) : Manifestation à Montréal lors de la Fête nationale en juin 1990, photographe : Régine Millaire, Don de Régine Millaire, Fourni par Régine Millaire • page 445 (hd) : René Lévesque, © Bettmann / CORBIS • page 445 : La nouvelle entente entre le Québec et le Canada, © Gouvernement du Québec, Conseil exécutif, 1979 • page 446 (hg) : Retour traditionnel d'Ottawa, Girerd, *La Presse,* 1981 • page 446 (bg) : Le rapatriement de la Constitution canadienne, © Bettmann / CORBIS • page 447 (hd) : Brian Mulroney, © Christopher J. Morris / CORBIS • page 448 (hg) : L'Accord du Lac Meech : les deux artisans des demandes du Québec, Bernard Vallée, Archives nationales du Québec à Québec • page 448 (bg) : Elijah Harper, © Ron Kocsis / Publiphoto • page 449 (hd) : Manifestation à Montréal lors de la Fête nationale en juin 1990, photographe : Régine Millaire, Don de Régine Millaire, Fourni par Régine Millaire • page 449 (bd) : Lucien Bouchard, CP PHOTO / Chuck Mitchell • page 450 (bc) : Mario Dumont, CP PHOTO, 1998 (stf / Paul Chiasson) • page 450 (bd) : Jean Allaire, © Pierre Roussel / Publiphoto • page 451 (hd) : Jacques Parizeau, © Pierre Roussel / Publiphoto • page 451 (bd) : Le *love in* de Montréal, © Brooks Kraft / CORBIS • page 452 (hg) : Affiches du « OUI » et du « NON », © Paul G. Adam / Publiphoto • page 452 (bd) : Une défaite amère, © Brooks Kraft / CORBIS • page 453 (hd) : Julie Payette, Agence spatiale canadienne • page 453 (cd) : Jeanne Sauvé, © Bertrand Carriere / Publiphoto • page 453 (cd) : Claire L'Heureux-Dubé, © Reuters / CORBIS • page 453 (cd) : Kim Campbell, © Pierre Roussel / Publiphoto • page 453 (bd) : Louise Arbour, © DENIS BALIBOUSE / Reuters / Corbis • page 454 : L'aménagement hydroélectrique La Grande-4, Hydro-Québec • page 458 (hg) : L'incendie de l'entrepôt de BPC à Saint-Basile-le-Grand, CP PHOTO, 1998 (str / Robert Giroux) • page 460 : Myra Cree, Société Radio-Canada • page 461 : La crise d'Oka, © Christopher J. Morris / Corbis • page 462 : Famille, © Rob Lewine / CORBIS • page 463 (hd) : La Cité du multimédia à Montréal, © SHDM • page 463 (bd) : L'avionnerie Bombardier, CP PHOTO / Ryan Remiorz • page 464 (hg) : Fonctionnaires au travail, © Richard Bryant / Arcaid / Corbis • page 464 (bg) : Salle d'attente d'une clinique médicale privée, Gracieuseté de la Clinique médicale MD-Plus • page 465 : Une société de droit : la Cour suprême du Canada, © Reuters / CORBIS • page 466 (hg) : Jean Chrétien, le « p'tit gars de Shawinigan », © Reuters / CORBIS • page 466 (bg) : le juge Gomery, © Reuters / CORBIS • page 467 : Lucien Bouchard pendant la crise du verglas en 1998, CP PHOTO, 1998 (stf / Jacques Boissinot) • page 468 : Jean Charest, élu premier ministre du Québec en 2003, © Reuters / CORBIS • page 471 : Michaëlle Jean, nommée gouverneure générale du Canada en 2005, © Chris Wattie / Reuters / Corbis • page 472 : Manifestation contre la fermeture de la mine de cuivre de Murdochville, Nicolas Lapierre (Syndicat des Métallos) • page 473 (hd) : Les accommodements raisonnables, © Aislin • page 475 : La petite maison blanche de Chicoutimi lors du déluge de juillet 1996, CP PHOTO / Jacques Boissinot • page 476 (hg) : Céline Dion, © Reuters / CORBIS • page 476 (cg) : Oliver Jones, © Pierre Roussel / Publiphoto • page 476 (bc) : Robert Lepage, © ARICI GRAZIANO / CORBIS SYGMA • page 477 (hd) : Le Cirque du Soleil, © Alberto Morante / epa / Corbis • page 477 (bg) : *Les invasions barbares,* © Stephane Masson / Corbis • page 478 : Le Parlement écossais, © Andrew Milligan / Reuters / Corbis • page 479 (hd) : Sir Sean Connery, © PIZZOLI ALBERTO / CORBIS SYGMA • page 480 : Margaret Thatcher, la « dame de fer », © Sipa / Publiphoto • page 482 : Fonctionnaires au travail, © Richard Bryant / Arcaid / Corbis • page 483 : Julie Payette, Agence spatiale canadienne • page 484 (hg) : Ignatieff reconnaît le Québec comme nation, Serge Chapleau • page 484 (bg) : L'attitude des Québécois et Québécoises selon Yvon Deschamps, © Lise Labelle / Publiphoto • page 485 (hd) : Le développement durable, © Gouvernement du Québec, ministère du Développement durable, de l'Environnement et des Parcs, 2004 • page 485 (bd) : Le voilier *Sedna IV* en Antarctique, © François Prévost.

Fiches méthodologiques : page 492 : Cartier rencontre les Amérindiens, The Granger Collection, New York • page 500 : Actes intolérables (1774), The Granger Collection, New York.